D0200241

AMÉXICA
Guerra en la frontera

ED VULLIAMY

AMÉXICA

Guerra en la frontera

Traducción de Vicente Campos

Título original: *Amexica. War along the borderline*

1.ª edición: mayo de 2012

Diseño de la colección: Lluís Clotet y Ramón Úbeda
Diseño de la cubierta: Estudio Úbeda
Reservados todos los derechos de esta edición para
Tusquets Editores, S.A. - Cesare Cantù, 8 - 08023 Barcelona
www.tusquetseditores.com
ISBN: 978-84-8383-413-8
Depósito legal: B. 10.498-2012
Fotocomposición: David Pablo
Impresión: Limpergraf, S.L. - Mogoda, 29-31 - 08210 Barberà del Vallès
Encuadernación: Reinbook
Impreso en España

Índice

A mi padre, J.S.P.V.
1919-2007

AGRADECIMIENTOS

No me habría planteado ni habría escrito este libro de no ser por mi amigo David Rieff, cuya idea de unas vacaciones, al menos hace tiempo, era ir a buscar una botas de *cowboy* a El Paso y Del Río, y noticias por Ciudad Juárez y Acuña. David me presentó más adelante a Tracy Bohan, de la agencia Wylie, a quien muchos, yo entre ellos, calificaríamos de maravillosa agente literaria, pero a quien también considero una mezcla de brazo armado personal y entrenador deportivo con ese astuto entusiasmo que motiva el acelerón extra del sprint final. Hay tres colegas sin los cuales el libro tampoco existiría: Julián Cardona, el periodista más valiente que he conocido jamás, que influyó profundamente en los argumentos que siguen y que permanece, desafiándolo todo, en Ciudad Juárez; Cecilia Ballí, la historia de cuya familia es, en muchos sentidos, la de la frontera y cuya compasión por su pueblo y sus vidas, y su mirada precisa hacia las atrocidades que ha sufrido, están de igual modo presentes en este texto; y Dudley Althaus, cuya generosidad, compromiso y compañía experta en la carretera no conocen límites.

En estos tiempos, el buen reporterismo se ve asediado por la mediocridad, los blogs y el twitter, pero algunos continúan luchando ante las murallas de la calidad, y se siguen dando momentos en el periodismo estadounidense en que un grupo pequeño con talento excepcional se forma en algún lugar. Ciudad de México está viviendo una de esas eras afortunadas, gracias a los corresponsales cuyo trabajo, y en muchos casos compañía, he tenido el honor de aprovechar: por encima de todos, la gran Tracy Wilkinson, de *Los Angeles Times*, que también tuvo la amabilidad de hacer correcciones al borrador. También debo mencionar a: Marc Lacey del *New York Times;* Alfredo Corchado del *Dallas Morning News;* el fotógrafo David Rochkind y Ken Ellingwood de *Los Angeles Times,* aparte del inimitable Dudley, ya citado, del *Houston Chronicle,* y Jo Tuckman, del *Guardian* y el *Observer*. Ellos son los visitantes. Entre los mexicanos debo expresar mi agradecimiento a los mejores entre aquellos que hacen lo correcto y lo difícil: en Tijuana, a Jorge Fregoso, de Síntesis TV; en Ciudad de México, a la estrella emergente León Krauze; a Alejandro Páez e Ignacio Álvarez Alvarado de *El Universal;* y en Hermosillo a Juan Carlos

Zúñiga y Marco Mendoza. Gracias a todos los que hacen la crónica de Juárez para *El Diario* y *El Norte,* y en la aterradora Tamaulipas ya saben ustedes quiénes son. En Nuevo León, con sus obras de arte, Francisco Benítez, Tomás Hernández y Jessica Salinas abren nuevos caminos para la resistencia, el humor, el valor e incluso la esperanza.

Al norte de la frontera, esas personas fueron complementadas –y este libro mejorado– por las personalidades y el trabajo comprometido de dos grandes herejes: Dane Schiller, del *Houston Chronicle* y Brenda Norrell, del *Censored News, Narcosphere* y otros sitios web. Y también Jesse Bogan, cuyo delicado trabajo premió la revista *Forbes* con un despido (y se supone que ellos son los chicos listos: no es de extrañar que la economía vaya como va), y Sacha Feinman, que escribe sobre Sonora (y sobre boxeo) mejor que nadie, pero tiene problemas para que le contrate una revista deportiva de tres al cuarto..., que Dios ayude al periodismo.

Quiero expresar mi agradecimiento por la hospitalidad recibida durante el camino: en GHQ Houston, a Debra May, y Phreddie y Olivia Bartholomaei; Truddy Duffy, Elaine Mauriole, Joan y Jen en The Ranch; Anne y Eddie; James Romero; René Escalante, y Bob y Peggy Feinman. En Ciudad de México, a León, citado más arriba; y a Marco y Juan Carlos en Hermosillo. A Charles Bowden en Patagonia, Tom y Nadine Russell en El Paso, Don Henry y Leah Ford en Belmont, Raymundo Ramos en Nuevo Laredo, Mario Treviño en Reynosa, Cecilia Ballí en Brownsville y Lisa Hilton en Houston. Entre los citados se cuentan los autores de dos de los cuatro grandes libros sobre la frontera con los que estoy en deuda: *Juárez, The Laboratory of Our Future,* de C. Bowden; *Contrabando,* de Ford; *The Reaper's Line,* de Morgan; y *El poder del perro,* de Don Winslow. Gracias a Molly Molloy, en Las Cruces, por su hospitalidad, pero todavía más por su tenaz seguimiento de las muertes y la violencia del narco que ha convertido su «Fronterizo List» en la fuente más fiable y sistemática de información, con diferencia, así como en una vergüenza por la cantidad de trabajo de seguimiento que podríamos y tendríamos que hacer nosotros mismos, los periodistas. Otros libros y fuentes aparecen citados en las Notas y en la Bibliografía.

En este libro hay buenas y valerosas personas que reciben su reconocimiento en el relato, pero Mike Flores, el pastor José Antonio Galván, Josué Rosales, Paula González, Marisela Ortiz, Norma Andrade, Rosario Acosta y Julia Quiñonez requieren un agradecimiento especial por su compañía y la influencia que tuvieron. Estoy eternamente agradecido a John Mulholland, director del *Observer*, por encargarme algunos de los artículos que dieron lugar a todo esto, y a Paul Webster, mi director durante dos décadas y media en el *Observer* y el *Guardian.* También quiero dar las gracias en el *Guardian* a Holly Bentley por su diligente investigación en los archivos, a Arnel Hecimovic por la documentación de imágenes y a Finbarr Sheeby por dibujar el mapa. También estoy en deuda y tengo mucho que agradecer al editor principal de la edición inglesa de este volumen, Will Sulkin, y su homólogo americano, Eric Chinski, por su intimidante fe desde el principio y su posterior guía sobre el texto. También quiero dar las gracias a Kay Peddle, Eugenie Cha, Laura Mell y Laurel Cook por su eficacia y paciencia siempre amables. Gracias asimismo a Elena Consentino de la BBC, y a Rob Yager y Philip Breeden de la embajada de Estados Unidos en Londres.

Algunos queridos amigos impulsaron este libro y su trasfondo: John Cale con un flujo continuado de información y sus propias observaciones cáusticas pero siempre aterciopeladas; Paul Gilroy y Vron Ware, sin cuya sabiduría, compañía y amistad a lo largo de cuatro décadas habría acabado encerrado; Marco «El Sexto Sol» Roth, con su irreprimible fe en la rebelión y su complejo amor por su México natal; Mark Dowie y Wendy Schwarz, en el lugar más hermoso del mundo, y Tom Rhodes, al que conocí en la tormenta de otra guerra. Sinceras gracias a Josh Lord, del East Side Ink, gran maestro del cincel, por nuestro diseño mutuo, y su ejecución con indolora delicadeza del tatuaje protector de Guadalupe/Coatlicue/«Améxica».

También quiero expresar un agradecimiento personal profundo, porque esto no siempre ha sido fácil: a las encantadoras Elsa y Claudia, por ser quienes son y por aguantarme (si es que me aguantan); a Victoria, por el desierto y por sobrellevar todo con tanta amabilidad (si es que lo hizo); y a mamá, Tom, Clara y Louisa. En Nueva York, gracias a Roger Cohen y Frida Baranek, Arabella Greene, Stacy y Leslie, las chicas hélice, Nebojsa Shoba Seríc e Iris Kapetanovi. Hubo un largo tiempo de cojera agotadora e infeliz con unas muletas, durante el cual debo agradecer a Hawkind, Fariport y el LSO la música del deleite y el ánimo; a Angela, Kate y Thomas Turley-Mooneyham en Chicago, al pub Uxbridge Arms and Tomano, al Frontline Club, al Tavola Calda «da Maria» por su *vera cucina casalinga,* incluso en Notting Hill Gate y al encargado en The Constitution por no tener que volver nunca solo a casa, ni siquiera con muletas. Por reparar el daño y devolverme la movilidad, gracias primero a Tamara Cilliers, luego a Kerry Dowson y a todo el mundo aquella mañana en la Royal Liverpool Infirmary, pero ni el menor agradecimiento a toda el ala Paterson del maldito hospital St. Mary de Paddington, que hizo cuanto fue posible para que nada de eso sucediera.

Y, muy importante, gracias a *Echols,* el gato callejero de Arizona.

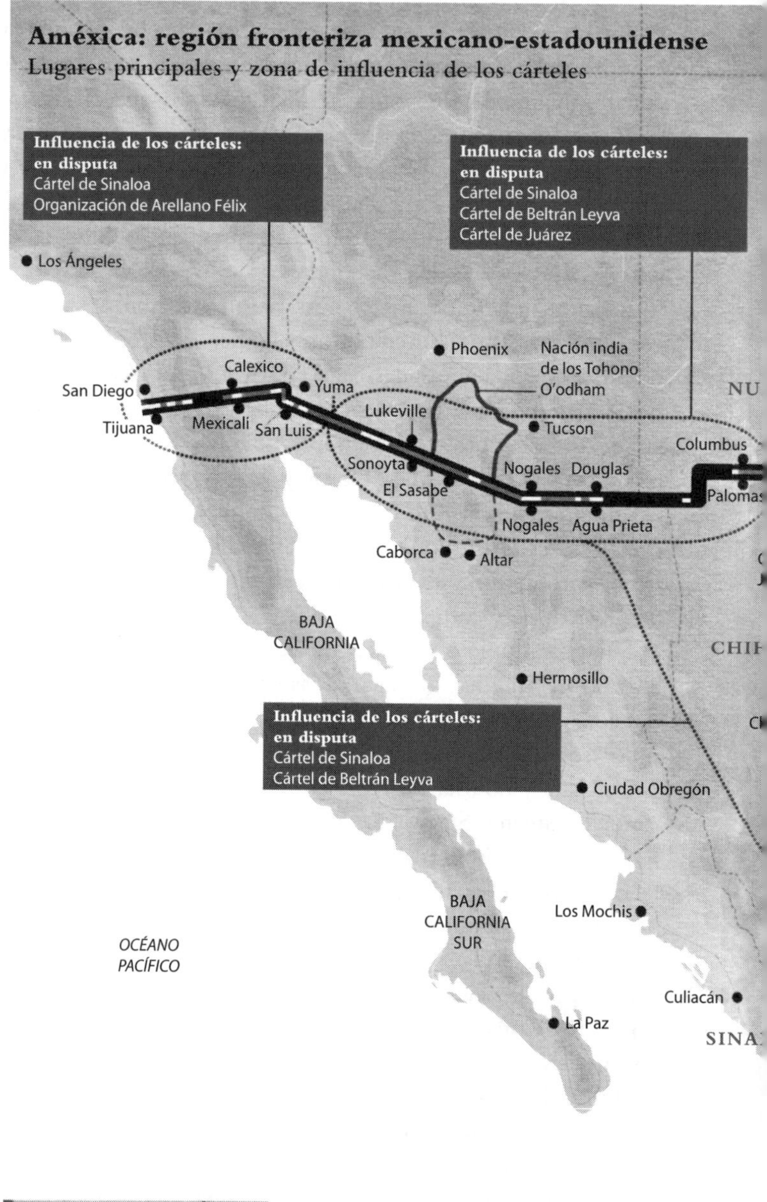

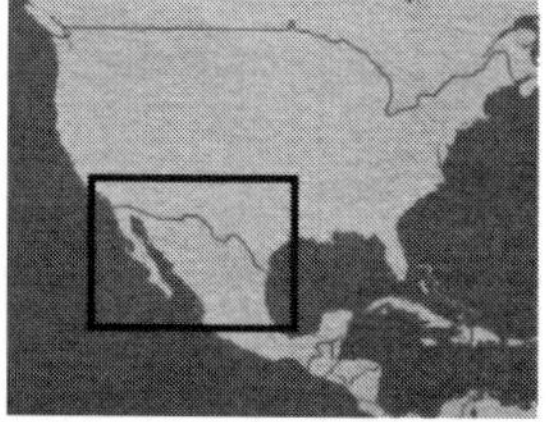

Clave de la línea fronteriza

- Valla existente
- Valla propuesta
- Sin valla

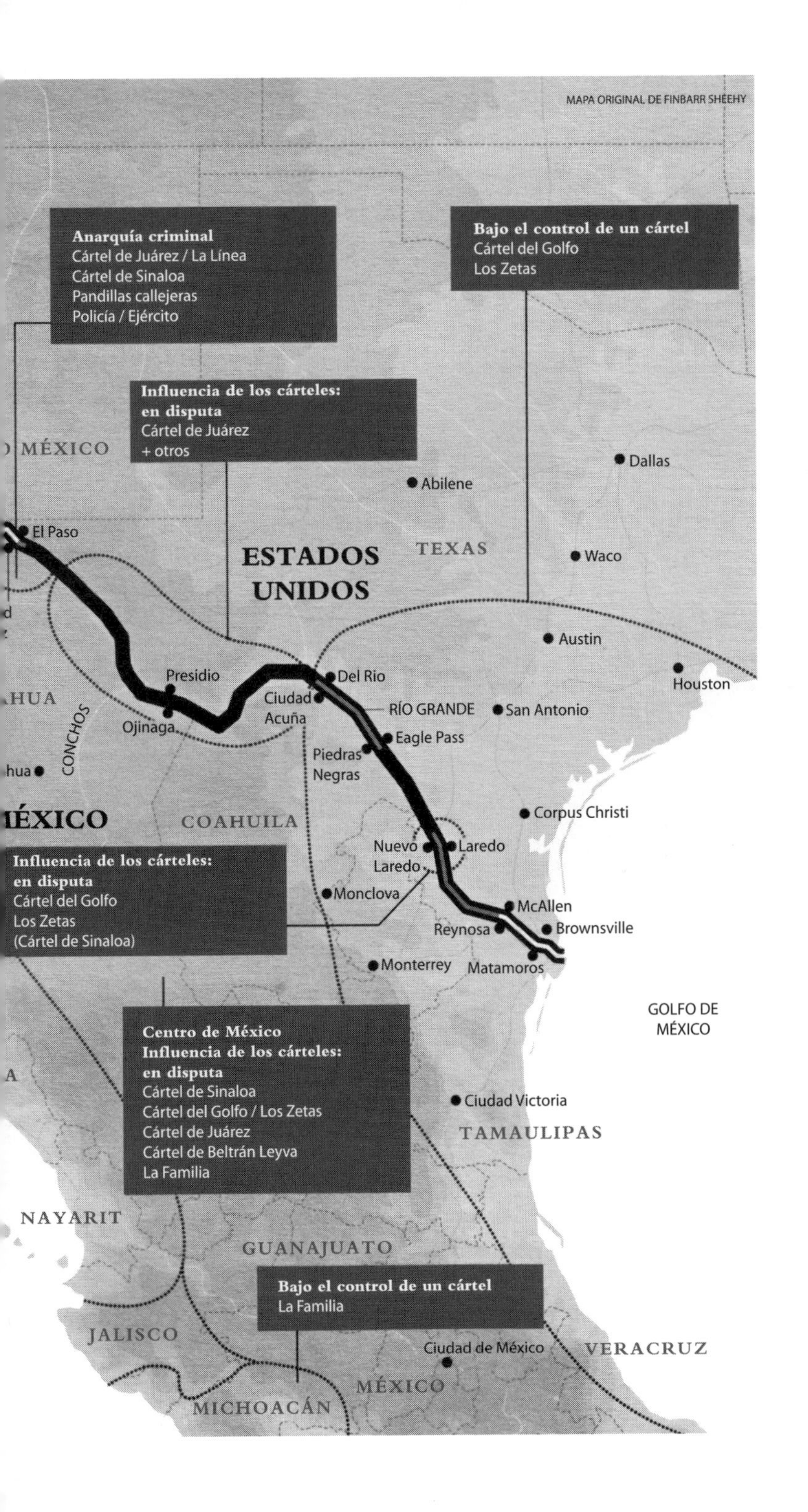
MAPA ORIGINAL DE FINBARR SHEEHY
Anarquía criminal
Cártel de Juárez / La Línea
Cártel de Sinaloa
Pandillas callejeras
Policía / Ejército
Bajo el control de un cártel
Cártel del Golfo
Los Zetas
Influencia de los cárteles:
en disputa
Cártel de Juárez
+ otros
MÉXICO
Dallas
Abilene
El Paso
ESTADOS
UNIDOS
TEXAS
Waco
Austin
Houston
Presidio
Del Rio
Ciudad
Acuña
RÍO GRANDE
San Antonio
Ojinaga
CONCHOS
Eagle Pass
Piedras
Negras
MÉXICO
COAHUILA
Corpus Christi
Nuevo
Laredo
Laredo
Influencia de los cárteles:
en disputa
Cártel del Golfo
Los Zetas
(Cártel de Sinaloa)
Monclova
McAllen
Reynosa
Brownsville
Monterrey
Matamoros
GOLFO DE
MÉXICO
Centro de México
Influencia de los cárteles:
en disputa
Cártel de Sinaloa
Cártel del Golfo / Los Zetas
Cártel de Juárez
Cártel de Beltrán Leyva
La Familia
Ciudad Victoria
TAMAULIPAS
NAYARIT
GUANAJUATO
Bajo el control de un cártel
La Familia
JALISCO
Ciudad de México
VERACRUZ
MÉXICO
MICHOACÁN

Prefacio

Acabo de pasar una velada maravillosa con dos de las personas más notables que he conocido o conoceré jamás: Julián Cardona, un fotógrafo que ha documentado la implosión de la que hoy es la ciudad más peligrosa del mundo, y Sandra Rodríguez, una periodista del periódico local *El Diario,* una publicación que, pese al asesinato de dos de sus periodistas –aparte de los ataques y las amenazas frecuentes a los demás– continúa haciendo la crónica del descenso de Ciudad Juárez a un abismo de violencia y muerte. La última vez que anduve por aquí, hace ocho meses, a la ciudad le habían arrancado las tripas de cuajo, agravando incluso los estragos descritos en las páginas que siguen. Julián y yo habíamos quedado en un café cerca del puente que cruza desde El Paso, Texas, pero lo habían cerrado. Yo llegué temprano y Julián tarde, así que en lugar de quedarme en la esquina como cebo para un secuestro, me dirigí al famoso bar Kentucky Club, en el que Marilyn Monroe había celebrado su divorcio de Arthur Miller, pero también estaba cerrado, con las ventanas acribilladas de orificios de bala. Así que esperé en la esquina, durante 45 minutos, con el corazón en un puño.

Es posible que la ciudad hubiera perdido sus tripas, pero, al parecer, no su alma. La noche anterior se respiraba una normalidad sobrecogedora, aunque todo es relativo. Era perceptible una sensación de renacimiento, un tanto imprudente, al menos durante el día, tras años de calles pavorosamente vacías. Grupos de jóvenes y parejas paseaban por delante de las tiendas cerradas y tapiadas que en el pasado frecuentaban los turistas y de los *night-clubs* incendiados que había entre el centro y el barrio de negocios. Incluso había familias enteras –abuelo y abuela, bebés y niños– sentadas en las terrazas de restaurantes que temerariamente habían conseguido mantenerse abiertos. En sus cartas privadas, Sandra había hablado mucho de «lo que llamamos felicidad en este infierno», y ahora dice: «La gente empieza a salir, aunque la ciudad es tan peligrosa como siempre, y en ningún sitio se está a salvo.

Puede suceder cualquier cosa, pero aun así, salen». Sea por desafío o por desesperación, o por ambos, se perciben unas visibles ganas de disfrutar de la vida entre las imágenes habituales de cuerpos acribillados por Kalashnikovs en primera plana de los tabloides vespertinos y los gases industriales que todavía arrojan las chimeneas. Recuerdo el mismo síndrome tras años de asedio en Sarajevo, distinto pero comparable. Después de tres años de bombardeos, tiroteos y metralla, los niños, pese a todo, jugaban a fútbol en las calles.

Fuimos a comer un delicioso almuerzo y a beber cerveza a un restaurante llamado Barrigas, que aunque ni de lejos estaba lleno tampoco estaba vacío, e incluso había una gran reunión familiar en una mesa, con niños, algo impensable hace un año. Optamos por sentarnos a las mesas que tenía en la acera, por eso un chico joven con un teléfono móvil pudo pasar por delante de nosotros, ida y vuelta, hasta tres veces durante la comida y escuchar con disimulo nuestra conversación, lo que resultaba inquietante. Hace un año, nos habríamos ido de allí inmediatamente, pero ahora no lo hicimos.

Estábamos sentados enfrente de una serie de edificios incendiados de los que sólo quedaban en pie las paredes, y Cardona comentó: «Todo empezó aquí. Visto desde hoy, empezó justo ahí el 3 de agosto de 1997». Señaló las ruinas de lo que había sido el bar Gerónimo y un garito llamado Maxfim, donde fueron asesinadas nueve personas en dos sucesos durante una batalla por el liderazgo del cártel de Juárez después de la muerte en una operación de cirugía plástica de su jefe, Amado Carrillo Fuentes. «Fue entonces cuando se dieron cuenta de que ya no les hacía falta seguir jugando conforme a las viejas reglas con los políticos», dijo Sandra. «La gente empezó a ser consciente de que podía matar con impunidad, que todo dependía de ellos y que podían hacer lo que quisieran. A partir de entonces, ésta fue una ciudad criminal.» Todavía habría de pasar mucho tiempo antes de que nadie en Juárez hablara de La Línea, que son los herederos del cártel de Juárez, pero esos dos no son más que uno de los cientos de grupos letales que se mueven en la ciudad, entre los que se cuentan sus rivales del cártel de Sinaloa, varios cuerpos de fuerzas policiales, facciones políticas que han accedido al poder, una miasma de pandillas callejeras y el Ejército mexicano. Con perspicacia, Cardona comentó: «Ése fue el principio de La Línea, la fragmentación del juego. Así se conjuró un modelo a imitación de los negocios. La nueva frontera criminal».

Soplaban ráfagas de viento levantando polvo del desierto que se arremolinaba en la brisa vespertina y amenazaba con depositarse sobre nuestra comida; el polvo era tan denso que, al cruzar previamente el puente, no se veían ni siquiera las colinas que se alzan sobre Juárez, en las que Carrillo Fuentes había ordenado que se tallara un caballo blanco, a imitación del que hay en Wiltshire, en Inglaterra.

Julián vino aquí desde su nativa Zacatecas para trabajar en las fábricas 'maquiladoras'* y las cadenas de montaje que eran el sello –y que transformaron– de la frontera mexicano-estadounidense, industrias ligadas por un tratado según el cual las empresas de Estados Unidos pueden importar los bienes producidos en serie sin pagar aranceles, con lo que disponen de salarios del Tercer Mundo en el patio trasero de su frontera sin costes de transporte transcontinental. Volvió a casa a comprar tierra e intentar resistirse a las fuerzas de la globalización introducidas en Juárez por las fábricas estadounidenses desde mediados de la década de 1960, y para cortejar a una dama..., ambos proyectos fracasaron, así que regresó a Juárez y se convirtió en un fotógrafo documental dedicado a contar la implosión de la ciudad.

Mientras cenamos un bistec esta noche, Julián intenta establecer una analogía entre la evolución de las épocas de la vida nocturna más canalla de la ciudad y las de su violencia. Para nuestra sorprendida satisfacción en la mesa, la metáfora parece funcionar. Sandra y yo sentimos un poco de envidia cuando Julián recuerda los buenos tiempos del hedonismo, cuando salía con las chicas que trabajaban en los vibrantes clubes. «En las décadas de 1970 y 1980», dice, «la música que sonaba era la disco en la discoteca de la avenida Juárez –Abba, Gloria Gaynor–, y en los clubes de *striptease* en la calle Mariscal lo que se estilaba era un hombre con un micrófono que anunciaba a las chicas. "Y ahora, la primera canción para Esmeralda esta noche", decía, y Esmeralda salía y bailaba y se quitaba alguna ropa. Más tarde, el presentador le daba entrada otra vez –"damas y caballeros, con ustedes, de nuevo: ¡Esmeralda!"– y ella iba un poco más lejos, así que cuando llegaba la tercera canción, él decía: "y ahora Esmeralda va a enseñarles...", y seguían veinte palabras para detallar lo que Esmeralda iba a enseñarles.» En aquellos tiempos, dice Cardona, «apenas se tomaban drogas en la ciudad. Todo iba al otro lado de la frontera, todo estaba bajo control, tranquilo: las drogas para los americanos, y aquí una fantástica vida nocturna».

Luego llegaron los años noventa, «y se puso de moda acelerarlo todo», continúa Cardona. Había todo tipo de música en oferta –disco, rock, Led Zeppelin o lo que fuera–, pero todo pasaba muy rápido, una

* Siempre que el autor emplea mexicanismos o determinadas expresiones en español se han diferenciado en el texto señalándolas con comillas simples (''). *(N. del T.)*

canción, la chica, otra canción, otra chica. «Así que adoptaron el estilo de producción de cinta transportadora de la maquiladora», interviene Sandra Rodríguez, sólo a medias en broma. De hecho, al llegar la década de 1990, la economía sustentada en la fábrica maquiladora estaba en pleno apogeo, y las obreras que trabajaban en ellas se contaban, de manera destacada, entre las víctimas –muchas de ellas violadas, torturadas, horriblemente mutiladas y asesinadas– de la violencia que se hizo endémica en la vida de la ciudad. Los hombres desaparecían a centenares y sus cuerpos eran enterrados en narcofosas secretas. «Los años de Amado Carrillo Fuentes», Cardona, «y luego la lucha que empezó ahí enfrente.» «El final del sistema», observa Sandra, «y el principio de lo que tenemos ahora.»

«Luego el negocio de la droga se democratizó, muchos se convirtieron en narcos y se apoderaron de todo», dice Cardona refiriéndose a un inmenso, artificioso y explosivo club que todos conocíamos llamado Esfinge, construido con forma de pirámide egipcia, un hervidero de humanidad los fines de semana. «Por entonces todo era tecno», añade Cardona con tono desdeñoso, «pero no por mucho tiempo. En 2008, una vez las fuerzas federales controlaron la vida nocturna, se volvió peligroso salir –siempre había tiroteos y asesinatos– y en ese momento cerró todo.» De camino al restaurante, habíamos pasado en coche por delante de todos esos locales –en ruinas, incendiados, tapiados y a veces incluso demolidos–. «Ésa fue la tercera fase», comenta Sandra, «el hundimiento. Cuando la ciudad entera se convierte en una empresa criminal, de arriba abajo. Cuando la gente puede hacer lo que quiera con impunidad, incluso matar.»

Sandra nació en Chihuahua, la capital del estado. Habla de su trabajo y de los peligros que conlleva con una valentía carente de la menor afectación en su dignidad y resolución. De lo que no carece es de sentido de la ironía. Se fue de su ciudad natal para vivir en Ciudad de México, dice, pero acabó volviendo al norte, a Juárez, después de que la amenazaran en la calle..., volvió porque creía que la capital nacional era demasiado peligrosa, y se permite una risa hueca al recordarlo.

Nos ponemos al día sobre las cosas en que hemos estado trabajando. Sandra habla del asesinato de una conocida suya llamada Susana Chávez, una poeta y activista de treinta y seis años que acuñó el eslogan del movimiento por la paz de las mujeres en Juárez: «¡Ni una muerta más!». La encontraron estrangulada y mutilada, tirada en la calle, en enero de 2011. Chávez era una artista muy conocida en la ciudad, pero su asesinato fue un ilustrativo ejemplo tanto de la criminal mentalidad de impunidad de la que Sandra habla como de los asesinatos de las jóvenes trabajadoras. La oficina del procurador general del Estado consideró el asesinato de Chávez consecuencia de un «desafortunado encuentro», que nada tenía que ver con su activismo. Según un comunicado, la madre de Chávez contó que su hija había salido de casa la noche del 5 de enero, para ir a un bar a jugar a dominó con amigos. Tres jóvenes sospechosos detenidos por el asesinato dijeron que se habían encontrado a la señora Chávez en un minisúper y la habían invitado a tomar algo con ellos. Tras beber durante varias horas, la llevaron a la ducha, le taparon la cara con cinta adhesiva y la retuvieron bajo el agua hasta que se ahogó. Los sospechosos –uno de ellos vecino de la señora Chávez– contaron a los investigadores que, como habían estado bebiendo y tomando drogas, les resultó «fácil» matarla por una discusión.

Julián Cardona también ha tenido un día interesante, trabajando en un reportaje sobre jóvenes raperos de la ciudad que utilizan la radio por internet para condenar los asesinatos en Juárez, y emiten su música desde las salas de estar de casas particulares de las mismas calles míseras y sin asfaltar donde se produce la matanza. Por esa labor se han ganado elogios en todo el continente, y amenazas de los pistoleros. Los músicos se reúnen alrededor de los micrófonos para rapear en directo por la radio mientras los oyentes envían sus peticiones y comentarios vía Twitter y Facebook.

Un colectivo de raperos, Barrio Nómada, tiene un cartel del Tío Sam en su página web que dice: «Para que las drogas no lleguen a nuestros hijos, matamos a los vuestros en Ciudad Juárez». Al menos seis raperos han sido asesinados en la ciudad desde mayo de 2010, según le han contado los músicos a Cardona. Tres raperos que actuaban utilizando textos cristianos fueron acribillados en agosto pasado tras ser amenazados en las redes sociales de internet. La última vez que había visto a Julián, en octubre de 2010, estaba cubriendo la noticia de una estudiante de criminología de veinte años, Marisol Vallés García, que había sido nombrada jefe de policía en un pueblo llamado Praxedis G. Guerrero en el valle de Juárez –conocido como el Valle de los Decapitados– porque fue la única que se presentó para ocupar el puesto. Vallés García había defendido la restauración del respeto a la ley en la ciudad, afirmando que procuraría dejar de lado las prioridades de la guerra del narco y mejorar la suerte de su comunidad centrándose en la violencia doméstica y la responsabilidad cívica. No tardó en convertirse en objeto de amenazas no sólo contra su vida sino también contra la de su bebé. Y hoy mismo, en las noticias de la ABC, acaba de aparecer, tras huir a Estados Unidos y solicitar asilo político.

Terminamos nuestra comida y nos encaminamos a la casa de Julián, en cuyo diseño ha participado él mismo y que, con osadía, lleva construyendo en Juárez desde el año 2008. Avanza espléndidamente, incluso desde el pasado octubre, en el estilo industrial modernista –un espacio diáfano, habitaciones en ángulos rectos, bloques de hormigón de color gris sin tratar y un patio interior–, todo protegido por *El Santo,* un leal pastor alemán tan amable con aquellos que conoce como sin duda sería feroz frente a un intruso. Julián saca un vino especial, un vino de mucho cuerpo llamado Alma Mora, de Argentina, y lo bebemos con deleite, en una galería que da a la calle, y más tarde apoyados en la pared. Hace años, cuando Julián y yo empezábamos a hacernos amigos, hablábamos tanto de música y de nuestra pasión compartida por la manera de dirigir de Wilhelm Furtwängler como de la narcoviolencia, y ahora pone discos de Claudio Arrau tocando las tres últimas sonatas para piano de Beethoven. El hechizo de la música se desliza en la cálida noche de Juárez, incongruente pero embriagadora. Escuchamos, cautivados, ese momento mefistofélico en el último movimiento de la sonata 132 Op. 111, cuando las dos manos tocan las cuatro octavas de piano: un terrorífico suspense en el espacio y el tiempo que recuerda el momento en que, en el poema de Goethe, se le ofrece a Fausto el pacto por el que puede adquirir la facultad de detener el tiempo a cambio de entregar su alma (Sandra explica por qué *Doctor Faustus* es su obra favorita de todos los tiempos). La tensión en la interpretación de Arrau es electrizante, y Beethoven se abre paso por el medio, porque el tiempo debe avanzar, hacia la resolución. Debió de ser la mezcla del vino, la emoción de la compañía y Beethoven, el caso es que Sandra y Julián lo dijeron, casi en el mismo momento: esto tiene que ACABAR en algún punto, esta masacre, esta espiral, «este infierno», como lo llamó Sandra. Da la sensación de que proseguirá para siempre, pero no puede ser. Todas las guerras acaban; nos preguntamos cómo serían las cosas si ésta llegara a su fin, «pero tiene que llegar», insistió Sandra, y nos acostamos a las dos de la madrugada, mientras todavía soplaba la tormenta de arena del desierto. Al día siguiente se supo que entre las cuatro muertes de esa noche se contaban las de una madre y su hijo, asesinados a tiros en su casa.

Lo que sigue es un fragmento de la historia de la cruenta carnicería de México, centrado en dos viajes a lo largo de toda la frontera entre Estados Unidos y México en 2008 y 2009. El plazo que requieren la edición y publicación de cualquier libro implica que algunos de sus pasajes queden anticuados, pero los temas principales permanecen constantes, o al menos mutan, más que destruirse o transfigurarse. Las fuerzas que impulsan los horrores a los que se ha enfrentado México –así como la resistencia y la valentía frente al espanto– no han cambiado desde que el libro fue escrito durante el invierno de 2009/2010. Y esa invariabilidad a lo largo de estos últimos años es aplicable también al descarado sadismo de la violencia, a la vulgaridad de las causas inmediatas de la que yo creo que es la primera y prototípica guerra de nuestra sociedad hipermaterialista y agresiva, y es aplicable asimismo a lo que, insisto, son las importantes y turbulentas corrientes económicas que discurren por debajo, como causas más profundas, y que en ningún sentido son exclusivas de México.

Pero las arenas del crimen organizado no paran de moverse –el capítulo titulado «La Plaza» relata la historia reciente de los cárteles mexicanos–, y han cambiado de nuevo desde que la primera edición de este libro fue a la imprenta. Se han producido cambios en lo que denominaré el «mapa» de las siempre movedizas alianzas y rivalidades entre cárteles. Aunque Ciudad Juárez es el centro de la guerra, punto intermedio y fulcro de la frontera, el relato que sigue, en términos del desarrollo de la organización narco moderna y posmoderna –como en mi opinión se ha creado y ha madurado hasta su presente forma letal en México durante los últimos cinco años–, alcanza su masa crítica en el territorio que se extiende a lo largo del trecho oriental de la frontera, donde Tamaulipas, al lado mexicano, se encuentra con el valle del Río Grande en el profundo sur de Texas. Este terreno, desde Nuevo Laredo –el cruce fronterizo más transitado del mundo– a Matamoros en el Golfo de México, es territorio controlado por el cártel del Golfo y fue creado por su rama paramilitar, los Zetas.

Mientras investigaba para este libro, la combinación de estos dos brazos de la misma organización criminal ejercía un control terrorífico sobre toda la vida de la región de Tamaulipas, y mucho más allá. A diferencia del hundimiento anárquico de Ciudad Juárez y de la fragmentación de la que hablan Cardona y Rodríguez, reinaba entonces un orden pavoroso, que he denominado, como la misma expresión que se utiliza en la historia de las organizaciones criminales italianas, *Pax Mafiosa.* El concepto es crucial en la historia de la Mafia, y se da cuando se ha impuesto algún tipo de orden atroz en un territorio, como sucedió durante el año 2009 en el este de la frontera.

Pero en 2010, se produjo una ruptura entre la jefatura del cártel del Golfo y su propio brazo armado. En cierto sentido, el poder de los Zetas se había vuelto tan formidable y tan ultraviolento que había desbordado su objetivo primigenio. El control era tan total que quedaba poco sobre lo que imponerlo. Como consecuencia, los Zetas se convirtieron en un cártel por derecho propio, con sus propias ambiciones independientes de las del mando del cártel del Golfo, y sus propias operaciones «comerciales», como la extorsión, el contrabando de emigrantes e incluso el robo de una parte sustancial de las exportaciones petrolíferas de México a Estados Unidos.

La rivalidad interna y la escisión en el cártel del Golfo, y el conflicto intestino entre el mando del cártel y su brazo ejecutor, estallaron en la primavera de 2010 con cruentas luchas en Nuevo Laredo, Reynosa y Matamoros, las principales ciudades fronterizas del Río Grande en que había reinado la *Pax Mafiosa,* así como en el interior del estado de Tamaulipas, en el Golfo, y más allá. El núcleo del texto que sigue sólo llega a reflejar las terroríficas batallas callejeras en Reynosa y Matamoros, de las que me informaron desde el escenario mis contactos sobre el terreno después de haberme ido de México. Vehículos blindados de unos u otros –del cártel del Golfo o de los Zetas– recorrían y aterrorizaban las calles de Reynosa; en Matamoros, se libró una batalla a tres bandas en el aparcamiento de un supermercado que aparece en el texto, con la intervención del Ejército, mientras los compradores corrían a refugiarse, aunque muchos de ellos resultaron heridos y algunos muertos.

La lucha se vio multiplicada con una orgía de un tipo de violencia diferente, cuando los Zetas se lanzaron a sangre y fuego a establecer su propio territorio independiente del cártel del Golfo y éste se empeñó en consolidar el terreno contra ellos. El capítulo 3 de este libro aborda el violento asalto y toma de control por parte de los cárteles narcos del negocio del paso de emigrantes ilegalmente a Estados Unidos. En octubre de 2010 se descubrió la peor masacre de toda la guerra en la zona de San Fernando de Tamaulipas, donde 72 personas –emigrantes procedentes de Centroamérica que pretendían cruzar a Estados Unidos– fueron ejecutadas sumariamente, se cree que por los Zetas, porque se habían negado a pagar más extorsiones a la milicia que se había reconvertido en un cártel.

Los Zetas empezaron a «limpiar» (por utilizar un término de otra guerra que cubrí en Bosnia) comunidades enteras. En noviembre de 2010, irrumpieron en Ciudad Meir y expulsaron a la mayoría de sus habitantes con una lluvia de disparos y explosiones, y a punta de pistola, de modo que la población tuvo que huir a Ciudad Alemán, a la que, en el libro, acudo a ver un partido de fútbol escolar. Dos meses después, los Zetas irrumpieron en la propia Alemán, en lo que parece haber sido una incursión punitiva, disparando indiscriminadamente contra civiles. El cártel del Golfo por su parte devolvió el golpe, sometiendo brutalmente barrios de Reynosa y Matamoros leales a los Zetas.

Durante la primavera de 2011, aparecieron pruebas de atrocidades más espantosas: fosas comunes que contenían (en el momento de escribir este texto) 167 cadáveres de personas que habían desaparecido por todo México, desde hacía semanas y en algunos casos meses. Las familias de los desaparecidos –en escenas que recordaban la posguerra de Bosnia o de América Central– fueron obligadas a presentarse en la morgue de Matamoros, dar su ADN y esperar en vano que el de sus seres queridos no coincidiera con el de los cadáveres. Las autoridades mexicanas suponen que las víctimas eran pasajeros de autobuses de largo recorrido secuestrados por los Zetas, que fueron detenidos como parte de una infame campaña de reclutamiento. Los muertos eran, se pensaba, aquellos que no quisieron trabajar como contrabandistas o lo que fuera para los narcosoldados, o los que acabaron asesinados por cualquier otra razón.

La mayoría de los fallecidos habían sido tiroteados, pero algunos fueron quemados vivos; las mujeres habían sido violadas antes de ser asesinadas. Sin embargo, lo más espantoso y ominoso de todo es el hecho de que tal es el control maligno que ejercen los Zetas sobre su territorio –y, aparentemente, el del cártel del Golfo sobre el suyo– que esas ejecuciones y entierros en masa se habían realizado a campo abierto, con carreteras apartadas llenas de cadáveres, sin que ni una sola palabra se filtrara a ninguna rama de la policía, las autoridades o el Ejército con la intención de que se investigara, y ni siquiera nadie entre la gente normal estuvo dispuesta a informar, ni las compañías de autobuses, aunque los equipajes sin reclamar de los muertos se amontonaban en la estación de destino en Matamoros.

La fase de la guerra del narco en México en la que se centra este libro estalló en 2004 como, básicamente, una batalla entre el cártel del Golfo (y los Zetas) y el de Sinaloa, dirigido por el señor de la droga más buscado de México, Joaquín Guzmán, el Chapo. Pero en la actualidad, la rebelión de los Zetas ha alcanzado tal grado de ferocidad que se rumorea que el cártel del Golfo forma parte de una alianza, impensable en el pasado, con las otras organizaciones criminales más importantes de México, entre ellas el cártel de Sinaloa, bajo la bandera de «Todos contra los Zetas», también conocida como «Cárteles Unidos».

Tan espantosa ha sido la violencia desde que se escribió la parte central de este libro, y hasta tal punto se ha deteriorado la situación, que he estado tentado de eliminar la idea de un capítulo titulado *Pax*

Mafiosa en la edición de bolsillo, y redibujar el «mapa» de los cárteles y sus orígenes trazado en el capítulo «La Plaza». Pero decidí no hacer ninguna de las dos cosas. La *Pax Mafiosa* todavía está en vigor, hasta cierto punto, en Nuevo Laredo, donde se desarrolla ese capítulo y –más importante– es un concepto crucial para explicar y explorar la situación. Como Sandra Rodríguez sugirió en Ciudad Juárez, mucha gente concibe –y muchos grupos de los que siembran el terror buscan– la restauración de cierto orden basado en un acuerdo con los cárteles como la única forma de salvar a México del abismo. O, es más, imaginan un único y omnipotente cártel que pueda imponer lo que, en la gran obra maestra política de Giuseppe Verdi *Don Carlo* se denomina *«La pace della tomba»*, la paz de los cementerios. El único problema en el caso de México es: ¿qué cártel sería? Ya es muy tarde para conseguir la estabilidad de un único monopolio.

Además, estas alianzas son siempre cíclicas; no tiene sentido eliminar una instantánea de las mismas sólo para proponer otra que rápidamente quedará anticuada. Es importante –crucial– estar familiarizado con los nombres y las historias de los cárteles y sus líderes –se cuentan entre las empresas multinacionales más poderosas del mundo–, pero resulta vano a largo plazo seguir como un mirón pasmado cada uno de sus caprichosos movimientos, por más letales que sean las consecuencias de esas arenas movedizas. En cualquier caso, la materia prima del relato sigue siendo real: México está cayendo en un abismo sin fondo a la vista, al menos todavía, pese a toda la sensación de embriaguez de anoche debida al vino y a Beethoven en Ciudad Juárez.

También ha habido cambios en la política del Gobierno mexicano, y en la del estadounidense. En México se celebran elecciones presidenciales en 2012 y es concebible que el partido del presidente Felipe Calderón las pierda como consecuencia de que el pueblo está harto de esta guerra. Si es así, también es pensable que un victorioso Partido Revolucionario Institucional se sienta inclinado, y se comprometa, como mínimo, a moderar el conflicto y a buscar un regreso a una versión mutada de la *Pax Mafiosa* que funcionó durante tanto tiempo, hasta que el PRI fue derrotado por el partido de Calderón en 2001 (teniendo en cuenta los cambios económicos producidos desde entonces, el PRI no puede gobernar ya con el mismo sistema clientelista que disfrutó durante sus anteriores setenta y dos años en el poder). Pero el impacto de esta guerra sobre México será más profundo y a más largo plazo.

Como señala con agudeza David Rieff en *New Republic* en febrero de 2011, un Estado mexicano herido no es un Estado mexicano muerto ni «fallido», como tantos políticos y periodistas estadounidenses repiten. Los logros de México en otras áreas de la gestión política como la gripe porcina y el programa de «oportunidades» sociales dejarían en evidencia a muchos países más ricos. Pero el argumento principal de Rieff es que «la crueldad es una cultura» y que cuando, como imaginamos en Juárez anoche bajo los efectos de Beethoven y el vino, la guerra acabe de verdad, la cultura de México habrá salido profundamente brutalizada por lo que ha pasado. La revista *Proceso* informaba en diciembre de 2009 de que la violencia doméstica y otros tipos de violencia contra las mujeres se habían disparado desde que la violencia del narco se descontroló. Además, apunta Rieff, es probable que todavía no hayamos visto todo el poder de los militares mexicanos, la mayoría de cuyas operaciones especiales –incluso tierra adentro– no las lleva a cabo el Ejército de Tierra sino fuerzas especiales de la Marina. Cuando lo veamos, si es que llega el caso (lo que presupone que las fuerzas no navales tengan el estómago para ese combate, lo que no está claro), el paisaje cambiará radicalmente.

La política de Estados Unidos, en el momento de escribir este prefacio, no ha variado sustancialmente desde que redacté el núcleo del libro, aunque ha habido alguna evolución notable: el asesinato del agente especial de aduanas estadounidense Jaime Zapata en un incidente en que otro agente resultó herido en México, en un bloqueo de carreteras en febrero de 2011, impulsó la decisión de la administración del presidente Obama de utilizar aviones espía, los *drones,* al otro lado de la frontera, una intervención modesta pero significativa. Mientras escribo, el presidente Obama se está embarcando en una campaña para su reelección en la que las cuestiones de la seguridad fronteriza y la inmigración serán de suma importancia. Quiere la casualidad que hoy mismo –tras nuestra noche en Juárez– Obama haya venido a El Paso, al otro lado del río, para dar una conferencia a sólo unos metros del Puente Córdova-Las Américas que lleva a México: era su primer viaje a la frontera, y expuso sus planes para la reforma de las leyes de inmigración y ofreció una vía para que los inmigrantes ilegales consigan la ciudadanía, a la vez que insistió en que la frontera sería asegurada y en ciertos sentidos fortificada, pero se permitió una pulla contra los republicanos radicales quienes, dijo, inevitablemente «cambiarían las reglas del juego» para exigir que se hiciera más de lo que él proponía. «¿Acaso dirán que necesitamos un foso?», se burló Obama, «¡a lo mejor quieren cocodrilos en el foso!» y la multitud, formada mayoritariamente por hispanos, vitoreó expresando su aprobación. Algunos manifestantes, menos encandilados, señalaron que Obama podía haber dado mayor prioridad a la vía para conseguir la ciudadanía y a cuestiones relacionadas mientras su partido controlaba el Congreso, algo que ya no ocurre. Contramanifestantes del otro bando llevaban también pancartas: «Primero la Seguridad Fronteriza» y «¿Amnistía? ¡Nunca!». La ubicación no podía haber sido más lógica: el Chamizal Memorial Park, construido para señalar la última de las disputas fronterizas desde hace más de un siglo entre México y Estados Unidos, sobre la que se llegó a un acuerdo en 1963.

Por otro lado, el presidente Obama ha realizado cambios en la forma real de la frontera que constituye la espina dorsal de este libro: ha abandonado de hecho el descabellado proyecto de la «valla virtual» confiado a la empresa Boeing, que había sufrido todo tipo de problemas presupuestarios y técnicos. En lugar de eso, ha concebido una serie de refuerzos combinados y multidisciplinarios, en los que participan diversos organismos federales y agencias, con la inclusión de varios artilugios técnicos nuevos y más hombres –y menos rayos láser– sobre el terreno.

El añadido final a esta edición de bolsillo de *Améxica* se titula «Posfacio», pero se trata más bien de una continuación –y muy alarmante, por cierto– del argumento planteado en la última página del último capítulo. ¿Dónde demonios van a parar los miles y miles de millones de dólares de dinero ensangrentado de esta guerra? Ésa fue una pregunta que plantearon muchos a lo largo de todo el libro. Ahora podemos empezar a atisbar una respuesta a esa cuestión escalofriante, y, al hacerlo, llevamos la guerra que se libra a lo largo de la frontera lejos de las calles polvorientas y salpicadas de sangre del lugar que denomino Améxica y entramos en los pasillos del poder, la política y las altas finanzas. Ahí es donde la carretera de la frontera debe conducir al final, si los gobiernos y las fuerzas de la ley tienen las agallas y la voluntad política para llegar hasta allí, lo que parece muy improbable. Cuando daba charlas sobre este libro, la buena gente de incontables audiencias siempre preguntaba: pero, en esta pesadilla, ¿qué puede hacerse? Pueden hacerse varias cosas, claro, pero ninguna tan simple ni tan enorme, ni tan potencialmente efectiva, como: «seguir el rastro del dinero».

Ed Vulliamy, mayo de 2011, Ciudad Juárez, México

Prólogo
Améxica

Cuando el alba rompe sobre el vasto desierto, el cadáver cuelga ya de un paso elevado de cemento conocido como el Puente de los Sueños. Lleva dos horas ahí, decapitado y oscilando de una cuerda que le han atado alrededor de las axilas. El sol empieza a proyectar rayos por el concurrido cruce, con su tráfico de hora punta matinal y los antiguos autobuses escolares estadounidenses que llevan trabajadores a las fábricas. Y una hora más tarde, ese objeto grotesco y acéfalo sigue allí –balanceándose, con las manos esposadas a la espalda–, al viento frío de esa hora temprana de la mañana que levanta polvo y atraviesa la población fronteriza mexicana de Ciudad Juárez, la urbe más peligrosa del mundo.

Esta mañana, junto a la víctima –a la que habían colgado poco antes del cambio de turno de las fábricas– los verdugos, o 'sicarios' como se les llama por aquí, han colgado una sábana en la que han pintado un mensaje: «Yo, Lázaro Flores, apoyo a mi patrón, el monta-perros». «Atte. (Atentamente) La Línea», concluía. Una multitud se congrega para mirar en silencio, indiferente. Las correas bajo las axilas del cadáver crujen, y sus pies se agitan al viento, pero los presentes permanecen inmóviles y boquiabiertos, contemplando ese cuerpo espantoso y torcido, temerosos, tal vez, de que si se van, podrían llevase consigo la maldición de lo que haya pasado. De manera que, antes de que puedan marcharse, eso tiene que solucionarse, quitarse de la vista y eliminarse de la mañana. Finalmente, al cabo de otras tres horas, llegan los bomberos y colocan escaleras para bajar el cadáver, lo envuelven en lona, lo introducen en una furgoneta roja y se lo llevan a la morgue, donde será examinado y «leído» buscando cualquier mensaje que puedan contener las mutilaciones. Y así Juárez podrá afrontar un nuevo día que presenciará otros cuatro asesinatos antes de acabar. Lo que supone un número excepcionalmente bajo: cuando falta un mes para que finalice el año 2009, 227 personas ya han sido asesinadas en esta ciudad de la frontera de México con Estados Unidos.

La Línea es una mutación reciente de lo que antes era el cártel de narcotráfico de Juárez que dirigía Amado Carrillo Fuentes, conocido con el seudónimo narco de Señor de los Cielos debido a la flota de aviones Boeing de la que disponía para pasar cocaína de contrabando desde Colombia. Pero ahora La Línea es tan sólo una más de las facciones e intereses –cárteles, pandillas callejeras, unidades corruptas de la policía, destacamentos militares– que luchan con métodos violentos cada vez más inventivos por el control de la «Plaza», el río de drogas que fluye hacia el norte por Juárez, llega a El Paso y de ahí atraviesa todo Estados Unidos. Facciones que luchan, también, por las Plazas que han aparecido en el propio Juárez y el norte de México: porque, allá por donde pasa el río, la gente beberá, y como consecuencia directa del monopolio casi absoluto del suministro de narcóticos a Estados Unidos por parte de los cárteles mexicanos, el México septentrional sufre los estragos de la adicción al crack y a las anfetaminas, y las batallas sangrientas por el territorio donde se venden. La sábana escrita, conocida como 'narcomanta', y su mensaje, conocido como 'narcomensaje', son rasgos característicos de los asesinatos, y están pensados para que el crimen transmita amenazas o incluso un recado opaco: Lázaro Flores no era el nombre del muerto sino el de un prominente empresario local..., un mensaje que la ciudad, y más aún el señor Flores, debían tomar en consideración.

Esa macabra y bárbara ejecución, en noviembre de 2008, elevó el número de asesinatos en la anárquica ciudad de dos millones de habitantes a 1300 hasta ese momento del año. El número de víctimas superaría las 1700 antes de finales de diciembre. A escala nacional, la suma de asesinados en todo México superó los 5400 en 2008. En 2009, pese a las sucesivas oleadas de refuerzos militares y la promesa que hizo el alcalde José Reyes Ferriz de que Juárez «no puede pasar otro año como éste», el número de víctimas fue todavía mayor: 2657 personas asesinadas, lo que convirtió a Ciudad Juárez en la ciudad con más crímenes del mundo, con una tasa de 192 homicidios por cada 100.000 ciudadanos. La cifra total de los asesinados en el país en 2009 alcanzó los 7724.[1] Eso significa que a finales de ese año, más de 16.000 personas habían sido asesinadas desde que el presidente mexicano Felipe Calderón lanzó una ofensiva militar contra los cárteles en diciembre de 2006, y muchas de esas víctimas, como ese hombre del puente, fueron mutiladas, espantosamente y a conciencia, y luego exhibidas para transmitir algún mensaje o amenaza. En el verano de 2010, el total de asesinados desde diciembre de 2006 había superado los 24.000. La matanza se desarrolla por todo México, pero se concentra en especial a lo largo de la frontera con Estados Unidos, de 3400 kilómetros, la frontera más transitada del mundo, un espacio que, a la vez, pertenece a ambos países y a ninguno de los dos.

Ciudad Juárez vive pegada a Estados Unidos y a su «ciudad hermana» de El Paso, al otro lado de la frontera. A veces la proximidad adquiere tintes surrealistas: desde el campus de la Universidad de Texas, en El Paso, uno ve, en primer plano, el plácido discurrir de la vida: los estudiantes paseando de aquí para allá. A media distancia, a menos de un kilómetro, se extiende la frontera de dos formas: un intencionadamente severo muro decorado con alambre de espino y el hilo de agua del Río Grande. Y más allá de la frontera, uno de los barrios –o 'colonias', como se los denomina aquí– más pobres de México: una destartalada y desvaída barriada de chabolas llamada Anapra levantada con madera y uralita en los márgenes de una ciudad floreciente. La tierra y el polvo del desierto sobre los que se ha erigido Anapra están surcados por cables de suministro eléctrico ilegales que llegan hasta las chabolas del barrio. El Paso y Juárez constituyen el corazón, y el punto intermedio, de esta singular franja de tierra que une dos países. El territorio fronterizo es un espacio de paradojas: de oportunidades y pobreza, de promisión y desesperación, de amor y violencia, de belleza y miedo, de sexo e Iglesia, de sudor y familia. Incluso la propia frontera es una dicotomía, simultáneamente porosa y rigurosa. La policía de fronteras de Estados Unidos reconoce la contradicción en la valla publicitaria con la que llama al reclutamiento en la Interestatal 19, al norte de Nogales, en Arizona, que reza: «Una carrera en Fronteras, pero sin Límites».

La frontera misma puede ser brutal. En 1994, Estados Unidos puso en marcha la Operación Portero en San Diego, la Operación Mantener la Posición en El Paso y otra operación similar en el valle del Río Grande. Desde entonces y a lo largo de cinco administraciones sucesivas (dos de Bill Clinton, dos de George W. Bush y en la actualidad la de Barack Obama), la frontera se ha convertido en primera línea militar, a lo largo de la cual se extiende una valla de más de mil kilómetros reforzada con puestos de vigilancia, reflectores y patrullas fuertemente armadas. En los lugares que no cubre la valla, hay cámaras de infrarrojos, sensores, soldados de la Guardia Nacional y unidades de operaciones especiales de otras fuerzas de la ley especializadas, como la Drug Enforcement Administration [Organismo Antidrogas] (DEA) y el Bureau of Alcohol, Tobacco, Firearms and Explosives [Oficina para la Regulación del Alcohol, el Tabaco, las Armas de Fuego y los Explosivos] (ATF), además de las recientemente habilitadas patrullas fronterizas y sus propias fuerzas especiales, denominadas BORTAC y BORSTAR. Al otro lado, aparte del mar de fondo de drogas y emigrantes pasados de contrabando por la frontera, están los asesinatos: el del agente de la patrulla de fronteras Robert Rosas, en el sur de California, en agosto de 2009, abatido a tiros cuando intentaba interceptar una incursión armada, y el del respetado ranchero Rob Krentz, cerca de Douglas, en Arizona, cuando tropezó en su finca con lo que, se supone, era un grupo de contrabandistas.

Hay un llamativo contraste entre el asfalto de Estados Unidos y el instantáneo y confuso desorden de México. Cuando se sobrevuela la frontera, las calles distribuidas en cuadrícula en el lado de Estados Unidos dejan paso repentinamente a esas otras dispuestas, por decir algo, como una colcha confeccionada caóticamente a retazos. Y la discrepancia es todavía mayor entre la pobreza del lado de Estados Unidos y la del lado mexicano. A uno le impresiona la absoluta y brutal desigualdad en riqueza y poder en cuanto cruza la frontera, sea a través de los atestados tornos, clinc clonc, entre el Mexicali en imparable crecimiento y el diminuto Calexico o a lo largo de la remota carretera del desierto entre Lukeville, en Arizona, y Sonoita, en Sonora; o sobre el hilo de agua del Río Grande desde El Paso a la olla a presión de Juárez, o por la corriente más caudalosa entre Eagle Pass y Piedras Negras o en el último ferry transfronterizo en funcionamiento, entre Los Ébanos, en Texas, y Díaz Ordaz, en Tamaulipas.

Pero la frontera es, como digo, porosa. Cuanto más levanta su valla Estados Unidos, cuanto más refuerza su empalizada tecnológica y atribuye nuevas potestades a sus patrullas y funcionarios fronterizos, más gente cruza la frontera... legalmente: en la actualidad alrededor de un millón de personas cada día. Muchas familias viven a horcajadas sobre la frontera; trabajadores, compradores, parientes y escolares cruzan la línea de separación a diario; se tarda veinte minutos a pie desde el centro de El Paso a la calle principal de Juárez, desde lo que se supone que es el Primer Mundo a lo que parece el Tercero, aunque no lo sea. La frontera Estados Unidos-México es la que tiene más tránsito comercial del mundo, por un monto que alcanza hoy en día los 367.400 millones de dólares al año.[2] Cinco millones de camiones cruzan la frontera todos los años, además de miles de vagones de mercancías cada día, transportando bienes de todas las Américas –y también de China a través del puerto mexicano de Lázaro Cárdenas– a Estados Unidos, así como hacia el sur, llevando las exportaciones de Estados Unidos. Un cinturón de miles de fábricas de producción en cadena, llamadas maquiladoras, ha crecido a lo largo de la línea que separa ambos países para suministrar mano de obra barata a Estados Unidos justo al otro lado de su propia frontera. Los servicios de bomberos norteamericanos y mexicanos responden a las llamadas indistintamente y, durante el año 2008, más de cincuenta víctimas de la violencia de la droga en Ciudad Juárez fueron tratadas de heridas de múltiples disparos en el Thomason Hospital de El Paso. La zona fronteriza tiene su propio estilo de música, el 'norteño', y su propio argot spanglish hablado a ambos lados de la frontera, un léxico que a veces no va más allá de mezclar ambas lenguas, como en la puerta de un bar de El Paso: «Minores and Personas Armadas Strictly No Entrada». Los amigos pueden llamarse entre ellos «¡Mano!», mezclando el *«hey, man»* estadounidense con el español 'hermano'. En todo México, una bicicleta es una 'bicicleta', salvo en la frontera, donde puede ser una 'baica'. Y una esposa puede ser la 'waifa' de su marido más que su 'esposa'. En Estados Unidos, un miembro chicano de una banda es un 'vato', pero en la frontera es un 'cholo'.[3] Y luego está la palabra para designar la diarrea: 'turista', por razones obvias. Tal vez el término fronterizo más útil sea 'rasquache' o 'rasquachismo', definido por el escritor Tomás Ybarra-Fausto como «postular una conciencia osada y obscena, intentar subvertir y darle la vuelta a los paradigmas imperantes. Es una postura ingeniosa, irreverente e impertinente», y aunque esa actitud no defina del todo la línea fronteriza, ésta ciertamente no anda falta de ella.[4]

La zona fronteriza es un territorio por derecho propio, a horcajadas sobre la línea, alejado tanto de Washington como de Ciudad de México, los centros de poder desde donde se promulgan las leyes sobre su vida cotidiana, a menudo sin comprender muy bien cómo funciona o deja de funcionar el territorio. A lo largo de la misma hay tantas similitudes como contrastes. Hay tanto que vincula a ambos lados de la frontera como lo hay que los separa, aunque estos rasgos comunes e integradores están siendo puestos a prueba y tensados por la guerra del narco. Gloria Anzaldúa, que revolucionó la escritura chicana de su generación, llamaba a la frontera «'una herida abierta', donde el Tercer Mundo se roza contra el primero y sangra. Y antes de que se forme la costra, sangra de nuevo, y el flujo sanguíneo vital de ambos países se funde para formar un tercer país, una cultura de la frontera».[5] La zona fronteriza posee una identidad y un estilo de vida cotidiana propios que desbordan la línea política de separación, y yo llamo a esta tierra –3380 kilómetros de largo y unos 80 de ancho, desde el Pacífico hasta el Golfo– *Améxica*. Ahora, debido a la marea de narcóticos que la cruza y la recorre, Améxica es un campo de batalla, pero un campo impregnado en la vida cotidiana. Y, pese a todo el desasosiego, la frontera es un espacio tan carismático, complejo e irresistible como terrorífico y pavoroso.

«Améxica» no es sólo un juego de palabras. El término original y apropiado para el pueblo azteca de lengua náhuatl que emigró al sur para levantar su gran ciudad en Tenochtitlán –más adelante Ciudad de México– y fundar su imperio es «mexica», y este pueblo procedía del norte de la frontera, de la zona de las denominadas Cuatro Esquinas, donde se encuentran Nuevo México, Colorado, Arizona y Utah. El movimiento de conciencia chicana de los latinos de Estados Unidos durante la década de 1960 resucitó la noción de una tierra madre del pueblo mexica –en los desiertos del norte (o del sudoeste para los estadounidenses)– llamada Aztatlán o simplemente Aztlán. Esta tierra fue importante para la mitología de la creación mexica, basada, como la misma frontera hoy en día, en un concepto de la dualidad y la oposición de complementarios. El dios creador Ometeotl integra tanto al varón como a la mujer, y sus hijos, Quetzalcoatl y Tezcatlipoca, son tanto aliados como adversarios, y representan la armonía y el conflicto, el equilibrio y el cambio.[6] Según ciertos relatos, el dios más importante, Huitzilopochtli, dirigió a los mexicas desde Aztatlán hacia el sur, hasta lo que se convertiría en la capital de su imperio.[7] Fue en lo que en la actualidad los mexicanos consideran la frontera del desierto septentrional donde nació Huitzilopochtli de su madre, Coatlicue, madre primordial y diosa principal de la fertilidad y la destrucción, útero y tumba, que vestía una falda de serpientes y un collar de manos y corazones humanos.

La palabra española para *«border»* es 'la frontera', con todas las connotaciones añadidas de la palabra *«frontier»*, como en la americana *«Last Frontier»* («última frontera»). Mientras que el sudoeste de Estados Unidos es *«the frontier»* en el lenguaje y el folclore estadounidenses del siglo XIX, 'el Norte' –el mismo territorio a ojos mexicanos– toca una fibra de mística similar en la tradición tanto de los conquistadores españoles como de los mexicanos que les siguieron. El Norte poseía ya una carga simbólica en las antiguas leyendas mexicas: según el sistema de colores con que los aztecas representaban las cuatro direcciones del mundo plano, el norte era blanco: su piedra era el sílex blanco y se decía que crecía allí la ceiba blanca, el árbol de la abundancia. Pero el norte se asociaba también con la muerte y el invierno, y era el camino hacia el infierno. Antes de convertirse de hecho en frontera, esta región ya era un territorio vinculado al mito de la exploración, el riesgo, la oportunidad, el *glamour* y el peligro del forajido. Con posterioridad, mientras que los estadounidenses tenían a Billy el Niño, los mexicanos tenían al Zorro; para los estadounidenses, el *cowboy* habita en el sudoeste, para los mexicanos, el 'vaquero' está en el norte: son el mismo personaje en el mismo sitio, en la 'Frontera'. Miguel Olmos Aguilera, un musicólogo de hablar pausado que dirige el departamento de Estudios Culturales en el Colegio de la Frontera Norte en Tijuana, sostiene, en una conversación, que «la 'Frontera' siempre ha tenido un significado imaginativo y emocional, además de geográfico. Desde los tiempos prehispánicos, ha sido un lugar en la imaginación para la muerte y la fama, el sufrimiento y el heroísmo, así como una realidad que mata gente».[8]

Para los ciudadanos de Estados Unidos, la palabra «América» suele identificar sólo a su propio país. Sin embargo, para el resto del continente designa al continente entero, además de al equipo de fútbol más famoso de Ciudad de México, el América. El poderoso y ubicuo símbolo e icono de México, la Virgen de Guadalupe, es la Madre de Dios y Reina de México, pero también la Emperadora de las Américas, de todas. Hay, además, un debate académico sobre cómo y de dónde surgió la palabra masculina «México», dado que «mexica», como «América», tiene terminación femenina.[9]

La frontera se creó en el Tratado de Guadalupe Hidalgo en 1848, que puso fin a las guerras mexicano-estadounidenses, después de lo cual, la Compra de Gadsden [Gadsden Purchase] de 1853, llamada en México La Venta de La Mesilla, extendió lo que son las actuales Arizona y Nuevo México al sur del río Gila hasta la frontera presente.[10] Desde entonces, no ha parado de llegar gente a la frontera, no sólo para cruzarla sino también para quedarse. Cuanto más crecen las poblaciones, más estrechamente vinculadas están cada par de ciudades hermanas, más se han acercado ambos países, un acercamiento ahora puesto en peligro por la guerra del narco. Los datos demográficos de la emigración son, mientras tanto, asombrosos: uno de cada cinco mexicanos visita o trabaja en Estados Unidos en un momento u otro de su vida.[11] Pero *Améxica* no trata (por utilizar esa espantosa expresión taquigráfica) de «la hispanización de Estados Unidos», ni de ese momento, en 1996, cuando la salsa superó al kétchup como condimento favorito de Estados Unidos. Cierto es que la población hispana de Estados Unidos lleva ahora Améxica hasta la frontera canadiense y aún más allá, y sobre todo a lugares como Los Ángeles, y de ahí a Chicago, Nueva York y las Carolinas. Pero este libro no trata sobre los aproximadamente doce millones de mexicanos y veintiocho millones de mexicano-americanos que viven legalmente en Estados Unidos ni de los otros (probablemente) veintiocho millones de mexicanos ilegales residentes en el país. Trata de la quintaesencia de «Améxica», de la frontera misma.

Améxica me encontró tanto como yo la encontré a ella. He trabajado durante años a lo largo de la frontera: contando historias sobre el transporte internacional y las fábricas donde se trabaja en condiciones infrahumanas, las mujeres secuestradas y el imponente desierto, todo recortado sobre un telón de fondo de aventura y penalidades, amor y lujuria, logros y tribulaciones, luces titilantes y sombras ocultas. Es un lugar de calor implacable durante el día y vientos mordientes que atraviesan las tinieblas de la noche. He sido reportero de guerra en muchos campos de batalla, pero en ninguna parte la violencia ha sido tan extraña ni tan abrumadoramente coactiva ni ha provocado tanta repugnancia como a lo largo de esta frontera. La guerra ahonda las dicotomías, intensificando el campo magnético de Améxica. Oscurece la sombra ya de por sí opaca, tornando los colores todavía más apagados. El filo se vuelve más afilado, pero la sonrisa pronta también se hace más irresistible; el peligro aumenta, pero la bienvenida se hace más cálida. La perversión de los valores hace que lo cotidiano sea más precioso, la salvaje crueldad física de la matanza acentúa la espiritualidad de la frontera, así como su sensualidad y libido. La guerra del narco tiene algo de claustrofobia asfixiante, como contrapunto a la belleza única y la escala infinita del paisaje, la eternidad del desierto y del cielo que forma su telón de fondo. Las distancias puede que sean liberadoras, pero resultan engañosas, y también salvajes: algo está siempre a punto de suceder en Améxica, de ahí el pavor y la expectación, la aprensión y el vivir en vilo cada momento.

Ésta no es una narración con principio, nudo y desenlace, sino sólo un fragmento de historia muy reciente e inacabada. O, por citar la introducción de Brian Delay al más importante de todos los libros escritos sobre la frontera, *War of a Thousand Deserts:* «Éste es un relato compartido. Es historia estadounidense, historia mexicana e historia india». Este libro no trata tanto sobre una guerra cuanto intenta ofrecer una imagen de un lugar singular en tiempos de guerra. Trata de las formas en que la guerra afecta a Améxica, pero también muestra cómo esta guerra es consecuencia de otras degradaciones y explotaciones –sobre todo económicas– que la gente de la frontera ha padecido y que poco tienen que ver con las drogas. Un sufrimiento debido en no poca medida al hecho de que los cárteles de narcos son empresas como cualquier otra, que aplican la lógica comercial y siguen los mismos «modelos de negocios» globalizados que la multitud de empresas legales que han causado un tipo diferente de estragos a lo largo de la frontera.

Es más, la violencia de las drogas es en muchos sentidos una consecuencia directa del empobrecimiento y la miseria causados por la economía globalizada legal. Los cárteles no son imitaciones del capital multinacional, son sus pioneros, parte esencial del mismo, y aplican sus reglas y lógica (o, más bien, su falta de reglas y lógica) a su mercado, igual que haría cualquier otra empresa comercial.

Este libro es también un viaje de oeste a este, del Pacífico al Golfo. Empieza en Tijuana, enfrente de San Diego, donde dos cárteles están enzarzados en una guerra. De ahí pasa a los desiertos de Sonora y Arizona, y a los caminos letales que recorren la mitad de todos los emigrantes ilegales que entran en Estados Unidos a través de la frontera, un negocio que controlan los cárteles de narcos. El centro del viaje es Ciudad Juárez, donde la idea de una guerra entre cárteles da lugar a una anarquía criminal y un espantoso sufrimiento causado por la violencia, la adicción y las privaciones. La carretera serpentea después por un paisaje impresionante, en el lado estadounidense por Texas y en la orilla derecha del Río Grande por poblaciones como Ciudad Acuña y Piedras Negras, completamente transformadas por la llegada no tanto de los cárteles de la droga como de las fábricas maquiladoras. A continuación llega el principal corredor comercial de la frontera y templo de su porosidad económica, de Nuevo Laredo a Laredo, en Texas. Es la ruta de camiones entre México y Estados Unidos: es también donde empezó la última guerra de las drogas, porque el comercio está contaminado por un río de drogas de contrabando. El viaje acaba en el territorio más rico y complejo de la frontera por historia e identidad: Tamaulipas al lado mexicano y el valle del Río Grande en Texas, entre los que las drogas de los cárteles fluyen hacia el norte, y las armas hacia el sur cruzando la frontera para los aterradores Zetas, un cártel paramilitar.

El viaje no sólo será geográfico. Se permitirá echar un vistazo a lo que hay detrás de las connotaciones insistentemente glamurosas que disfruta el negocio de las drogas. Cuando el traficante se mira al espejo, no ve a un criminal sino a un bandido romántico. Roberto Saviano, autor del excelente libro *Gomorra* sobre las organizaciones de la Camorra napolitana, me comentó en una conversación: «Les gusta verse como Scarface, es su película favorita».[12] Pero, debido al producto singular con el que comercia el narcotraficante, los medios de comunicación y la sociedad también ven en el narco algo más que un pequeño Scarface, gracias al envoltorio con el que presentan la cultura de la droga nuestros medios y la cultura de masas. Hoy en día, se ha convertido en una moda casi obsesiva el consumismo de «comercio justo», hasta el extremo de que las cadenas de supermercados compiten en retórica sobre dónde y cómo cultivan los tirabeques felices aldeanos africanos. Las cadenas de cafeterías multinacionales se esfuerzan por que sus clientes se sientan satisfechos con las plantaciones andinas o indonesias «sostenibles» de las que procede su marca concreta de *latte*. Pero este léxico publicitario de pop moral no sirve para los orígenes de la droga: la fascinación pública con la drogadicción de los famosos ha eximido a las drogas del vocabulario delicado y sensible del consumismo «ético». Pese a toda la preocupación, por loable que sea, por las vidas arruinadas para confeccionar ropa barata o un *cappuccino* inmoral, pocos son los que se detienen a preguntarse cuántas vidas se han perdido a través de la nariz de una supermodelo; más bien al contrario: los mismos medios de comunicación que pontifican sobre el consumismo ético tratan la adicción a las drogas de un famoso como carnaza para los chismorreos, acompañada con un risueño –y sólo ligeramente desaprobador– meneo del dedo índice. O incluso es peligrosa la comprensión excesiva que muestran por la estrellas en rehabilitación o la admiración por las desinhibidas apariciones en los *realities* de televisión. *Améxica* ofrece un pase a la zona entre bastidores, acceso a todas las áreas, detrás de los cotilleos sobre famosos y de las rutilantes noches de cocaína en Los Ángeles, Nueva York, Londres y Madrid.

La guerra del narco encaja de otra forma en el *modus vivendi* contemporáneo, algo que la convierte en gran medida en una guerra de su tiempo. Es la primera verdadera guerra del siglo XXI porque, en última instancia, es una lucha que se libra por nada. La guerra de México es un conflicto de la era pospolítica. Se libra en una época en que el hipermaterialismo beligerante es una ideología en sí mismo, cuyos representantes principales dirigen sus empresas o bancos con el único credo de la codicia personal y sus marcas son los iconos de una religión posmoderna. Hasta esta era hipermaterialista, la raza humana ha vivido en un mundo donde, desgraciadamente, se combatían musulmanes y judíos, comunistas y fascistas, serbios y croatas, tutsis y hutus, soldados estadounidenses o británicos e insurgentes islámicos, y así sucesivamente. Podemos dar interpretaciones muy diferentes de por qué lo hacían, pero, al menos nominalmente, era por una causa, una fe o una identidad tribal, por descabellada que fuera. Pero la guerra de México (a algunos no les gusta denominarla guerra) no tiene ni siquiera el pretexto de una causa desencadenante. Los mexicanos se están mutilando, decapitando, torturando y matando unos a otros aparentemente por dinero y por las rutas del contrabando de drogas que lo generan. Se dirá que todas las guerras se libran indirectamente por el dinero y los recursos, sean las guerras por los imperios en el siglo XIX hasta 1918, o las de ideología o religión del siglo XX. Pero la mayor parte de la violencia brutal de México se debe a la lucha por los pequeños beneficios del mercado doméstico y el trapicheo callejero, sin que haya nada más detrás. No tiene ninguna importancia económica asesinar a un adicto callejero. Hay identidades regionales y de clanes, en los estados de Tamaulipas, Michoacán o Sinaloa, pero son fluidas y están sujetas a demasiadas alianzas caprichosas y traiciones como para que permitan definir la guerra como tribal al modo, pongamos, de Ruanda. La guerra de México no tiene ínfulas ideológicas ni se oculta detrás de ninguna fachada, su única tapadera es que al principio se libró, como otras guerras mafiosas menores, por las líneas de productos, en la actualidad tan diversificadas, que *colocan* a Estados Unidos (y Europa). Pero el *casus belli* es a estas alturas todavía más vacuo. La narcoguerra se libra por los accesorios de un nuevo prestigio social posmoderno, por la notoriedad social, la capacidad para exhibir las marcas, productos y etiquetas correctas conformes a la publicidad, por vestir la ropa apropiada, ir acompañado por la chica convincentemente deseable, charlar por el último teléfono móvil con las últimas «aplicaciones», poseer el aparato electrónico correcto y conducir el todoterreno adecuado. Por estas marcas definitorias del estatus personal mueren miles de personas. La guerra del narco se libra en YouTube y en los teléfonos móviles además de en las calles y en las trastiendas de las cámaras de tortura: los cárteles utilizan YouTube para amenazar a rivales y funcionarios, jactarse de sus asesinatos y abrir perversas páginas webs muy visitadas para emitir sus barbaridades y pedir comentarios. En una de esas webs, alojada en El Paso, se recibieron más de 320.000 visitas y se colgaron más de mil comentarios.[13] Asesinatos, mutilaciones y ejecuciones se cuelgan en internet, una mezcla de ciber-sado-pornografía. A diferencia del ciber-exhibicionismo de Al Qaeda, a quien, se dice, le copiaron la idea, los narcos utilizan la comunicación digital no como un arma de una desquiciada guerra santa, sino como un medio, con algo que bordea el sentido del humor, para provocar y alardear por el ciberespacio, envolviendo su sed de sangre de la vida real en papel de regalo para el éter electrónico de la excitación vacua y el sinsentido.

Un rasgo llamativo de la guerra pospolítica es que ni la izquierda ni la derecha han conseguido plantear la menor resistencia. No hay ningún sindicato importante, ningún movimiento abiertamente revolucionario u obrero contra los cárteles del narco (aunque las organizaciones de la sociedad civil que hacen lo que pueden suelen situarse en la izquierda). Del mismo modo, no hay señales de ningún movimiento derechista, fascistoide o de «vigilantes» en defensa de la ley y el orden (al menos en el lado mexicano de la frontera), el papel del Ejército es veleidoso, y no ha aparecido ninguna figura mussoliniana a la derecha del presidente Calderón. Por el contrario, esta guerra, que es esencialmente materialista y en gran medida machista, se encuentra con la resistencia de dos sectores que no pertenecen a la política convencional. La guerra materialista y pospolítica se enfrenta a la resistencia del clero y grupos de la Iglesia «prepolíticos» más que de cualquier otro sector de la sociedad, tanto de católicos (aunque no siempre de la Iglesia organizada) como reformados. Y la guerra machista se enfrenta a la resistencia de mujeres fuertes, tanto a escala individual como de organizaciones, y en casa. Que estos sectores sociales ofrezcan el único contrapeso apreciable, por no decir contundente, a la violencia del narco en las calles es algo que hace sentir visible y profundamente incómodos a los medios de comunicación tradicionales, siempre a la busca de medidas gubernamentales y «soluciones» militares o políticas convencionales, sobre todo porque todas ellas, sistemáticamente, fracasan.

Éste era el tipo de guerra que libraban los cárteles durante las dos semanas de las Navidades de 2008:

- Un hombre que se hacía pasar por pescador, y dijo llamarse Enrique Portocarrero, es detenido en Colombia por diseñar y construir veinte submarinos de fibra de vidrio para llevar cocaína a la costa de México. Se le apodaba Capitán Nemo.[14]
- Una repentina proliferación de grandilocuentes 'narcomantas' en lugares públicos, por lo general nombrando y advirtiendo a funcionarios públicos, alcanzó su cenit en todos los sentidos cuando se colgó de la catedral de Monterrey una que denunciaba amenazadoramente al presidente Calderón por favorecer al cártel de Sinaloa sobre su principal rival, el cártel del Golfo.[15]
- Un miembro de la guardia personal permanente del presidente Calderón fue detenido y acusado de estar a sueldo del cártel de los hermanos Beltrán Leyva, a los que además revelaría secretos sobre las medidas políticas y movimientos del presidente.
- Después de que, tan sólo en El Paso, cinco hombres fueran detenidos y acusados de adquirir armas de fuego en Texas y pasarlas de contrabando a México, la secretaria de Estado de Estados Unidos Condoleezza Rice insistió en que la eliminación de la prohibición de las armas semiautomáticas no tenía nada que ver con las enormes cantidades de ese tipo de armas que se requisaban en México.[16]

- Se encuentran los cuerpos decapitados de doce soldados del Ejército Federal en el estado sureño de Guerrero, la más cruenta ejecución en una sola acción de miembros del Ejército desde la Revolución mexicana de 1910. Cuando los ejecutaron, tenían los brazos y los pies atados y se encontró un mensaje que rezaba: «Por cada uno de los nuestros que matéis, nosotros mataremos diez».[17]
- El informe estadounidense National Drug Assessment Threat [Evaluación Nacional de la Amenaza de la Droga] para el año 2009 afirma que «Las organizaciones de tráfico de drogas mexicanas representan la mayor amenaza del crimen organizado para Estados Unidos».

Durante las dos primeras semanas del nuevo año, 2009:

- Veintiuna personas son asesinadas en cuarenta y ocho horas en Ciudad Juárez y sus alrededores.
- Veintisiete personas son asesinadas en una semana en Baja California.
- Un canal de televisión de Monterrey es atacado con granadas tras informar sobre asesinatos de los narcos.[18]
- El general Mauro Enrique Tello Quiñones, que dejó el Ejército para trabajar como asesor de seguridad para el alcalde de Cancún en su lucha contra los narcos, es secuestrado, torturado y ejecutado con dos de sus ayudantes. Entre los detenidos en relación con el asesinato se encuentra el jefe de policía de Cancún y varios de sus altos oficiales.[19]
- En Tijuana es arrestado Santiago Meza López, acusado de desintegrar trescientos cadáveres en ácido.
- Entre las veintiuna personas asesinadas durante la primera semana del año en Tijuana hay cuatro decapitados de diecisiete años.[20]
- Veintiún funcionarios de las fuerzas del orden son detenidos en Tijuana por proteger al cártel de Arellano Félix. Se discute si se trata de una ofensiva genuina de las autoridades contra la corrupción o si las citadas autoridades trabajan para el cártel rival de Sinaloa.

El paso de las Navidades de 2009 al Año Nuevo de 2010 fue como sigue:

- Durante los cuatro primeros días de diciembre, veinticinco personas son asesinadas en Ciudad Juárez mientras una inusual nevada cubre la ciudad, lo que hace ascender la suma total de muertos en el año a 2390 sólo en esa ciudad.[21]

- Se descubre que sólo el dos por ciento de los tan cacareados 1400 millones de dólares de la Iniciativa Mérida de ayuda de Estados Unidos a México para combatir a los cárteles ha llegado al país receptor debido a problemas burocráticos, normas de contratación y dificultades para enviar helicópteros a México.[22]
- Trece gánsteres de los Zetas mueren cuando marines mexicanos irrumpen en un refugio de los narcos en las afueras de Monterrey. Varios transeúntes, entre ellos una niña de doce años, resultan heridos durante el intenso tiroteo. Los Zetas pidieron ayuda, que llegó en una docena de vehículos armados que se enfrentaron a una patrulla del Ejército que venía en camino.[23]
- Un profesor y consejero escolar estadounidense del sur de California, Bobby Salcedo, es secuestrado y asesinado en Durango cuando visitaba el pueblo de su mujer, Gómez Palacio, durante la celebración del hermanamiento entre ese pueblo y el de él. Otras cuatro personas fueron secuestradas y asesinadas.
- La Corte Interamericana de Derechos Humanos dictamina que México ha investigado inadecuadamente las muertes de mujeres jóvenes secuestradas, torturadas, violadas y asesinadas en Ciudad Juárez. La resolución se dictó a partir de una muestra de tres casos denunciados.
- Antonio Mendoza Ledezma, miembro de la pandilla callejera de los Aztecas que actúa como brazo armado del cártel de Juárez, es acusado de participar en el asesinato de doscientas personas.[24]
- El periodista Bladimir Antuna, de Durango, que, tras recibir varias amenazas de muerte, se jactaba ante sus colegas de que no le importaba que lo mataran pero le aterrorizaba que lo torturaran, es hallado estrangulado y torturado hasta la muerte. Una nota encontrada al lado de su cuerpo mutilado reza: «Esto me ha pasado por dar información a los soldados y escribir demasiado».[25]
- Aparecen seis cuerpos en descomposición en el centro turístico costero de Puerto Peñasco, en Sonora, a dos horas de coche de Tucson, Arizona, un lugar frecuentado por los turistas estadounidenses, que lo llamaban Rocky Point.[26]
- Fuerzas especiales de la Armada realizan la redada más exitosa de la historia contra uno de los principales jefes de los cárteles de droga: Arturo Beltrán Leyva, jefe del cártel rebelde enfrentado al

cártel de Sinaloa del Chapo Guzmán y al Gobierno mexicano, es asesinado en su casa en Cuernavaca, elegante zona residencial de Ciudad de México.

- Un alférez de las fuerzas especiales de la Armada, Melquisedet Angulo Córdova, fue asesinado durante el tiroteo en que cayó Beltrán Leyva. Dos días después de su funeral oficial, unos pistoleros irrumpieron en la casa de la familia de Angulo Córdova y asesinaron a cuatro de sus parientes más cercanos, entre ellos su madre.[27]
- El cuerpo de Hugo Hernández, de treinta y seis años, secuestrado en Sonora el 2 de enero, aparece en Los Mochis, Sinaloa, aunque no entero. Su torso se encuentra en un sitio; sus brazos y piernas amputados, en cajas, en otro, y su cráneo en un tercero. Pero le han despellejado la cara, que han dejado cerca del Ayuntamiento de Los Mochis, cosida a un balón de fútbol.[28]
- El número de víctimas en Ciudad Juárez sólo durante la primera semana del nuevo año, 2010, asciende a la abominable cifra de cincuenta y nueve.[29]

El último día que estaba escribiendo este libro, el 30 de enero de 2010, empezó con la recepción del siguiente correo electrónico de Molly Molloy, quien –desde el campus de la Universidad Estatal de Nuevo México en Las Cruces– lleva el recuento más fiable de la violencia relacionada con las drogas en Ciudad Juárez. La introducción de la señora Molloy al informe de hoy es tan cuidadosa como la de la mayoría de los días:

> *Diario* informa de que doce personas fueron asesinadas en diversos incidentes con tiroteos ayer... O podrían ser más. Revisé las noticias en *Diario* antes de acostarme a eso de las 10:00 y varias mujeres y un bebé habían resultado heridos en esos incidentes. Debajo va un post de Lapolaka [un sitio web de Juárez] colgado anoche a las 23:10 que dice que son diez las víctimas. Más tarde, otro *post* de la 1:03 describe otra masacre pasada la medianoche en el barrio de Oasis que dejó tres muertos más. El recuento de ayer [se refiere al total de lo que llevamos de año, es decir de un mes] rondaba los 183, así que con estas últimas la suma asciende al menos a 195 o 196. Da la impresión de que un aparente respiro ha acabado con un final violento el viernes por la noche. Molly.[30]

La noche siguiente, dieciséis adolescentes murieron a tiros cuando un grupo de pistoleros irrumpieron en una fiesta de jóvenes.

El día de Nochevieja, una semana antes de que se descubriera la cara del señor Hernández atada a un balón de fútbol en Los Mochis, se habían encontrado también los cuerpos atados, golpeados y torturados de dos hombres en las cercanías, con las manos atadas a la espalda. Un mensaje a su lado rezaba: «Este territorio ya tiene dueño». Pero el detalle llamativo era éste: estos últimos muertos de 2009 eran cadáveres que colgaban de un paso elevado, como el hombre decapitado del Puente de los Sueños de Juárez.[31]

1
La Plaza

Mi amigo Jorge Fregoso y yo estábamos tomando una cerveza en un bar en un laberinto de tranquilos callejones apartados del centro de Tijuana, un sábado por la tarde de septiembre de 2008, cuando empezó el tiroteo. Iba dirigido contra una mansión art-déco en el barrio acomodado de Misión del Pedregal. Camiones del Ejército Federal llegaron por la izquierda, unidades de asalto de la policía estatal por la derecha. Daba la impresión de que se disparaban pocos tiros desde dentro del edificio, pero una ensordecedora descarga de fusilería machacó la villa. Hasta el día siguiente no se supo que las autoridades habían intentado detener a Eduardo Arellano Félix, el Doctor, jefe del clan que intentaba defender la Plaza del tráfico de drogas entre Tijuana y California para el grupo de los hermanos Arellano frente al ataque del cártel de Sinaloa. Misión del Pedregal está claramente señalada como, según reza el rótulo contiguo a la casa de Arellano, una zona con «Vecinos Vigilando», pero, comenta una mujer que limpia su porche justo enfrente del de Arellano al día siguiente, «No creía que nadie viviera en esa casa». Lo que siguió al anuncio fueron setenta y dos horas de desaforada carnicería, incluso para los estándares de Tijuana, que elevaron el número de víctimas de la ciudad a 462 en 2008, y que hicieron que hasta el periódico local *El Sol de Tijuana,* más que acostumbrado a cosas así, publicara el titular: BAÑO DE SANGRE.

Fregoso, periodista del canal de noticias local Síntesis TV, y yo recibimos el primer aviso poco después de las 3 de la tarde del lunes, cuando nos convocan a una colonia llamada Libertad, donde un cadáver yacía tirado en la tierra bajo una escalera confeccionada con neumáticos. Una multitud de jóvenes acude a observar el afanoso trabajo forense posterior, guardando un desconcertantemente resabiado silencio, salpicado por inesperadas risitas ante un chiste o una llamada de móvil, mientras que a unos treinta metros, la valla de hierro que marca la frontera con Estados Unidos también se asoma a mirar, esa vieja valla confeccionada con planchas de pista de aterrizaje utilizadas por la fuerza aérea estadounidense desde la guerra de Vietnam hasta la de Irak de 1991.

Tres mujeres jóvenes del equipo forense (que visten camisas grises y tejanos negros idénticos y llevan el pelo recogido en colas de caballo) toman cuidadosas fotografías y notas y luego, como los camiones que las acompañan llenos de policías federales, todos cubiertos con pasamontañas, se van a toda prisa a otro escenario, en Mariano Matamoros, una de las arterias principales de las afueras de la ciudad, donde yace otro cadáver, visible gracias a la luz verde de una gasolinera de Pemex. El parabrisas del Ford Explorer (con matrícula de California) de la víctima presenta tres orificios de bala, y, por lo que parece, el fallecido consiguió apearse y correr por la calle, seguido por otros veinticinco disparos más, y cada casquillo ha sido señalado con una tarjeta amarilla en la que se ha escrito un número en azul. Antes de que las forenses hayan tenido tiempo de terminar aquí, se nos convoca a un cruce de calles de una barriada en el distrito de Casablanca, al que llegamos a través de caminos de tierra –a toda prisa, zigzagueando, entre edificios de cemento–, donde hay un cuerpo sin vida junto a la puerta de una tienda de barrio con flores amarillas pintadas. Cuando los policías disfrazados de ninjas apartan la sábana, vemos a un adolescente al que han disparado a bocajarro en la cara, la sangre que rezuma sobre los adoquines, y una chica que miraba se da la vuelta para llorar mientras habla por su teléfono móvil. Pero es sólo ahora cuando la noche empieza de verdad.

Fregoso, que tiene acceso a las comunicaciones de la policía, recibe las noticias tan rápido que incrustamos nuestro Volkswagen naranja entre el cuarto y el quinto jeep de un convoy de policías armados con metralletas (provocando la furia de la bocina del quinto jeep) de camino al siguiente asesinato. El cordón de cinta plástica que reza Precaución ni siquiera está colocado todavía delante del autoservicio 9/4 de Villa Foresta, que en teoría vende Vinos y Licores, donde una manta cubre los restos de un guardia de seguridad, y en cuyo interior hay otros dos muertos. Cuando destapan el cuerpo del exterior se oyen los sollozos desconsolados de mujeres: le han rallado la carne dejándola convertida en algo parecido a kebab crudo, disparándole a bocajarro con un Kalashnikov o 'cuerno de chivo', como se conoce por aquí al AK-47. Siguen más gritos al ver a los asesinados en el interior de la tienda, que son sacados en camillas e introducidos en el camión del departamento forense del Desarrollo Integral de la Familia, que ahora lleva cinco personas. La tienda, dice el 'susurro' –el rumor que recorre la multitud–, era un escondite de drogas que luego se cargaban allí para su exportación en dos coches, que supuestamente pretendían unirse a los 65.000 que cruzan de Tijuana a San Diego todos los días, pero que ahora se lleva la policía. Mientras tanto, llegan hombres corpulentos y con trajes chillones que observan desde cierta distancia, abrazándose de un modo que desvela que se consuelan con una lúgubre camaradería, pero poca tristeza. Los intentos de hablar con ellos son rechazados con un silencio amenazante y una mirada fija. Uno de ellos se acerca a consolar a una joven que sostiene un bebé, en el paroxismo de su dolor, bajo un anuncio mural de alarmas de coches Viper.

Los 'yonkes' –combinación de chatarrería y taller donde se reparan coches con piezas de segunda mano– son un sello de las carreteras secundarias de Tijuana, y a la mañana siguiente otro grupo de sicarios –o tal vez el mismo comando– vuelve a Villa Foresta a plena luz del mediodía; los asesinos pasan por delante del mural de una chica en bikini tumbada sobre un todoterreno, entran en la puerta número 1, la del Yonke Cristal, y matan a un hombre cuyo cuerpo, con una camisa roja, se ve ahora a través de los barrotes de una verja roja. Otros dos cadáveres han sido ocultados detrás de una furgoneta blanca, y los esqueletos metálicos de las piezas de los vehículos están esparcidos a su alrededor, los cubos de las ruedas separados parecen ojos fisgones; se leen las palabras «Jesucristo Excelsior» grabadas en la ladera de la colina. Es martes, y el miércoles por la mañana Tijuana se despierta con la noticia de que mientras la ciudad dormía, se han encontrado tres cuerpos en una furgoneta abandonada y otro más en un coche. La furgoneta ha sido abandonada en un barrio llamado Los Álamos, en un cruce entre las destartaladas colonias de la ladera de la colina, una barriada elegante vallada y una fábrica de electrónica, y los muertos han sido torturados, mutilados y estrangulados, uno de ellos esposado. Las personas asesinadas y abandonadas en vehículos se conocen en esta guerra como 'encajuelados', metidos en el maletero. El cadáver del coche es el de un agente de policía llamado Mauricio Antonio Hernando Flores. Es su propio coche, y el agente había aparcado bajo la enorme estatua de Cristo con los brazos abiertos que domina Tijuana, a imitación de la de Río de Janeiro, con el motor en marcha, poco después de la una de la madrugada, aparentemente para esperar a alguien. Quienquiera que lo mató y dejó su cadáver para que fuera descubierto desmadejado sobre el asiento del conductor empapado de sangre, lo conocía, y se le aguardaba en la escena del crimen.

Hay dos tipos de asesinatos de policías en la guerra del narco. Uno se ejemplificó en enero de 2008, cuando los narcos cruzaron una línea roja en el protocolo de la guerra de las drogas. El coche de los sicarios salió de una carretera principal y se introdujo en un camino de tierra hasta la mísera colonia de Loma Bonita. Aparcaron junto al hangar del mercadillo Swap Meet y fueron andando a lo que ahora es una parcela vacía en venta, señalada con una cruz blanca de madera, donde vivía el agente Margarito Zaldano. Irrumpieron en la casa y asesinaron no sólo a Zaldano sino también a su esposa Sandra y a su hija de doce años, Valeria. ¿El delito de Zaldano? Ser un policía que procuraba hacer su trabajo y detener a criminales que contaban con la protección de su propio cuerpo policial. El otro tipo de asesinato de miembros de la policía –o de la 'chota', como se la conoce en la frontera– implica a aquellos que se han enredado con los narcos, trabajan directamente para ellos o complementan los ingresos de su trabajo habitual con el pluriempleo para los cárteles, a menudo con los mismos uniformes y las mismas armas. Estos agentes son eliminados si se niegan a cumplir un encargo, cobran demasiado por sus servicios, vigilancia o información, o si su trabajo para un cártel molesta a otro cártel. Los mexicanos bromean contando que a un agente de policía sólo se le ofrecen dos opciones en su carrera profesional: plata o plomo; y muchos de ellos, mientras pueden, optan por la primera. Tras el asesinato de Flores, las autoridades, en contraste con las efusiones y homenajes rendidos a Zaldano el enero anterior, procuraron evitar las exhibiciones de duelo público por esta ejecución de uno de sus colegas con un único tiro de gracia. En Tijuana, como en todo el país, la Policía Municipal puede trabajar para un cártel, la estatal, para otro, y los federales para un tercero. Nada de esto sucede en el vacío.

Como toda guerra, esta matanza tiene una historia, y es conveniente comprender los antecedentes del negocio de los narcocárteles para que el conflicto no parezca la sangría sin sentido que no es. O, al menos, no era al principio. Es más, se tiene que conocer la historia de la Mafia de un país tanto como la de cualquier otro actor importante de la economía y la política globales, porque las organizaciones criminales son más poderosas, más astutas y tienen mayor facturación que la mayoría de las empresas multinacionales, y también surten nuestra sociedad con sus productos. Los cárteles de la droga fueron prototipos y pioneros de la globalización; la Camorra napolitana fue la primera multinacional que entró en la Europa oriental poscomunista, y se dedicó a acumular Kalashnikovs fabricados bajo licencia soviética. La Camorra se cuenta también entre las primeras empresas capitalistas que penetraron en la China comunista, comerciando con los tejidos y las drogas que llegaban al puerto de Nápoles. Ahora que la economía global «legal» está en crisis, los narcocárteles reaccionan a su propia crisis dentro de esa economía a su modo, pero en absoluto aparte de la misma.

A diferencia de sus equivalentes italianos, los cárteles mexicanos no pueden remontar sus orígenes al siglo XVIII, pero empezaron a traficar con drogas antes que ellos. La organización contrabandista con sede en Ciudad Juárez no sólo fue la primera narcomafia dirigida por una mujer, Ignacia Jasso, la Nacha, sino también una de las primeras en introducir heroína en Estados Unidos, después de que el mercado para suministrar alcohol a Estados Unidos durante la Ley Seca llegara a su fin en 1933. Otro mercado, el de opio y de heroína mexicana de Sinaloa, cobró impulso durante la segunda guerra mundial, cuando Estados Unidos firmó un acuerdo para comprar el opio que satisficiera sus necesidades médicas en tiempo de guerra.[1] Los contrabandistas mexicanos de narcóticos empezaron a traficar con drogas a mayor escala al mismo tiempo que los italianos, hacia finales de la década de 1960, cuando se hizo patente que la demanda de Estados Unidos y Europa era insaciable. «La narcoeconomía», escribió Guillermo Ibarra, un economista de la Universidad Estatal de Sinaloa, «y los giros de dinero de las familias desde Estados Unidos son lo que de hecho mantienen en pie al Estado.»[2]

Al principio, el papel de México se limitaba al de productor, concretamente de heroína Mexican Mud, amapolas para las que resultaba ideal el clima de la costa del Pacífico en el estado de Sinaloa, tierra de los narcocárteles «clásicos», entonces y ahora. Dos iniciativas del Gobierno de Estados Unidos durante las décadas de los setenta y ochenta cambiaron las cosas, y en parte sentaron las bases para los cárteles modernos. Primero, durante los años setenta, Estados Unidos utilizó al Gobierno mexicano para llevar a cabo la Operación Cóndor, que triunfó en todo salvo en destruir la producción de heroína indígena mexicana, incinerando y defoliando los cultivos de amapola de Sinaloa, en dicotómica sociedad con el mismo aparato político mexicano que había gobernado en estrecha relación –protegido por y protegiendo– con los 'gomeros', o barones de la heroína, así apodados por la textura gomosa de su mercancía.

En segundo lugar, Washington se embarcó en el respaldo encubierto a los rebeldes derechistas de la Contra, que combatían al Gobierno sandinista de Nicaragua.[3] Los Contras fueron pertrechados con armas transportadas en secreto desde Estados Unidos, y el submundo delictivo actuó como proveedor y mediador. Pero las armas tenían que pagarse en «divisas» que no llamaran la atención por sí mismas, y así fue:

en cocaína de Colombia. Afortunadamente para todos los implicados, la ciencia de los narcóticos y la moda de su consumo coincidieron con los intereses de Washington, así como con los de los cárteles de Colombia y México. Al mismo tiempo que Estados Unidos necesitaba la moneda natural de Colombia para conseguir y pagar las armas para la Contra, la cocaína se estaba convirtiendo en la droga de moda: en forma de polvo para el mundo del espectáculo y otros círculos elegantes estadounidenses, y en su forma química derivada, el crack, en la calle y el gueto. Según el relato de ficción *El poder del perro*, de Don Winslow, los mexicanos se convirtieron en el servicio de mensajería para las armas en una dirección y para la cocaína en la otra, un servicio que se conoció como el Trampolín Mexicano. Los cárteles de México combinaban tres ventajas para comportarse como el canal ideal para inundar Estados Unidos de crack y cocaína: su conocimiento de las rutas de contrabando tan antiguas como la misma frontera, la aquiescencia extraoficial de la administración Reagan, y sus buenas relaciones con el Partido Revolucionario Institucional mexicano, que había gobernado desde 1917. Al hacerlo así se dieron cuenta, como explica Winslow: «de que su verdadera mercancía no son las drogas, sino la frontera de tres mil trescientos kilómetros que comparten con Estados Unidos. La tierra puede quemarse, los cultivos pueden envenenarse, la gente puede ser desplazada, pero la frontera no va a ir a ninguna parte».[4]

Como dueños y señores de la frontera, los narcos mexicanos estaban en una buena posición para asumir el control del hemisferio. Las rutas de suministro de cocaína a través del Caribe y Miami fueron estranguladas por las autoridades de Estados Unidos que todavía se tomaban en serio una «guerra contra las drogas», lo que sólo sirvió para aumentar el flujo a través de México, que era imposible de ahogar. Los traficantes mexicanos exigieron que sus proveedores colombianos pagaran el necesario transporte no en efectivo sino en especie, y el porcentaje de cocaína que los colombianos tenían que pagar como comisión por el servicio de entrega aumentó sin parar. Los colombianos que intentaron asentarse en México fueron prestamente asesinados. De manera que en la actualidad, según la DEA de Estados Unidos, el 90 por ciento de todas las drogas que entran en Estados Unidos lo hace como parte del negocio de los cárteles mexicanos. Las importaciones más relevantes siguen siendo la cocaína y la marihuana, aunque la reciente producción en serie de metanfetamina en México da cuenta de la mayor parte del consumo de esa droga en Estados Unidos, así como en toda Latinoamérica. En una redada en una fábrica de metanfetaminas en Argentina en septiembre de 2008, la mayoría de los detenidos eran ciudadanos mexicanos. Los servicios de la lucha antidroga también responsabilizan a los cárteles mexicanos del repentino incremento en la disponibilidad de la heroína y de la caída en picado de los precios en la calle, de cinco mil dólares por onza (28,35 gr) en 2004 a sólo mil en 2008.

Pero cuando hablamos de «los mexicanos» no estamos refiriéndonos a una organización homogénea, más bien lo contrario. Hablamos de cárteles que funcionan, durante este periodo, bajo licencia de las autoridades. Organizado a modo de franquicias concedidas por funcionarios municipales, estatales, del Gobierno Federal y de las fuerzas policiales, el sistema se basaba, a través de una red de corrupción hasta la caída del PRI en 2000, en lo que se denominaba la «Plaza», palabra que en español significa un lugar de reunión, sea una plaza en el centro de un pueblo o la 'plaza de toros', o la jurisdicción sobre la que es competente una fuerza militar o policial. Además, y se trata de un detalle crucial, la frontera, en su tramo oriental hacia el Golfo, estaba estratégicamente repartida en «Plazas» de contrabando de drogas, cada una de ellas considerada el territorio de una subdivisión de la mafia de Sinaloa original, que pagaban a las autoridades por protección y colaboración –con porcentajes ajustados a todos los niveles, hasta el más alto– en su zona de influencia. A cambio, la mafia señalaba a delincuentes autónomos o rivales para que las autoridades dieran la impresión de aplicar la ley.[5]

Aunque a veces sea algo parecido a una fijación inútil, es conveniente familiarizarse con los nombres y la historia de las organizaciones de traficantes más importantes que se dedican a un comercio cuyo monto alcanza aproximadamente los 323.000 millones de dólares al año: metiendo droga por las venas de los infelices, por las narices de los ricos y friendo los cerebros de los jóvenes.[6] La gente se refiere a «la Mafia» como si fuera una fuerza ajena amorfa o, peor aún, una fraternidad romántica que funciona según cierto código de honor establecido por el Padrino Corleone, un Don a lo Marlon Brando. «Mafia» es un término genérico útil, pero con propiedad puede aplicarse sólo a la Cosa Nostra siciliana, la organización que mejor se conoce debido a su historia y a su presencia mítica en la cultura de masas. Pero en México, como en Italia, los personajes del narcotráfico son más complejos que «la Mafia» y nosotros necesitamos conocer el reparto.

El pionero de la mafia del narcotráfico en México fue Pedro Avilés Pérez, de Sinaloa, que fue quien incrementó el contrabando de marihuana y heroína a Estados Unidos a finales de la década de 1960. Pero el Padrino mexicano original fue Miguel Ángel Félix Gallardo, un protegido de Avilés, que lo sustituyó al frente de su organización cuando éste murió en un tiroteo con la policía en 1978. Félix Gallardo fundó el cártel de Guadalajara y se convirtió tal vez en el mayor narcotraficante del mundo durante su apogeo. Sin embargo, en 1985, una desgracia cambió la situación del cártel, el compadreo del Gobierno mexicano con él y la complicidad estadounidense con esa relación. Un agente secreto de la DEA estadounidense, Enrique «Kiki» Camarena, fue delatado, secuestrado y torturado hasta la muerte en Guadalajara (hay pruebas de que la CIA lo sabía y puede que incluso entrenara a la gente que lo hizo, hasta el punto de que las relaciones entre las dos agencias nunca se han normalizado del todo desde entonces).

La verdad oculta tras la muerte de Camarena ha eludido todos los intentos de desvelarla, pero, fuera cual fuese, Washington exigió que México hiciera algo: y ese algo fue detener a Félix Gallardo. En 1989, Gallardo fue condenado por haber ordenado el secuestro y asesinato de Camarena, pero desde la prisión intentó mantener unida su organización, repartiendo las diversas Plazas en las que operaba. Incluso se celebró un consejo, en un caro hotel de Acapulco, al que el encarcelado Gallardo envió mensajeros para definir el control de las Plazas, exhortar a los cárteles para que cooperasen contra su enemigo común, las fuerzas de la ley de Estados Unidos, y dar consejos sobre cómo negociar con las autoridades mexicanas, así como imponer disciplina.[7]

La concepción que tenía Gallardo es lo que en Italia se denomina *Pax Mafiosa* –la paz de la Mafia–, en la que cada organización criminal sabe cuál es su sitio con relación a las demás, las fuerzas de la ley saben también qué lugar ocupan dentro de ese universo, la mercancía sigue fluyendo, y los políticos comprenden que este tipo de tranquilidad tiene un precio: la protección. Una *Pax Mafiosa* puede garantizar votos al político, y una base de poder, a cambio de, en el mejor de los casos, tan sólo la indiferencia de hacer la vista gorda, o, en el peor, de encubrir o implicarse en un cártel concreto. Pero no es así como funciona la mentalidad criminal. Si los cárteles son avariciosos, ¿por qué no habrían de serlo todavía más? Si su *modus operandi* es infringir las leyes, ¿por qué habría de cumplirlas su *modus vivendi?* Cuando las cosas se tornan sangrientas en el mundo del narcotráfico y la paz salta por los aires significa que hay un cambio de poder, o que éste se desintegra o se resiste a su desintegración y se lucha por las Plazas asignadas. Cuando, en atentados tristemente famosos, la Cosa Nostra voló a los jueces anti-Mafia Giovanni Falcone y Paolo Borsellino en 1992, se interpretó erróneamente como una señal de la fuerza de la Mafia. Lo cierto es que la Cosa Nostra se tambaleaba tras los golpes que le habían infligido los jueces y –sobre todo– se estaba dando la vuelta a la tortilla en las Plazas de Italia. La Cosa Nostra se veía rebasada por nuevas organizaciones –más preparadas–: la Camorra de Nápoles y la 'Ndrangheta de Calabria. La vieja guardia tenía problemas, la Plaza estaba revuelta. Tampoco en México un acontecimiento tan trascendental como la detención de Gallardo podía suceder sin dejar un vacío, o sin que cualquiera de sus subordinados se resistiera a llenarlo. El cártel de Guadalajara se dividió, y las diferentes ramas reclamaron su parte: una, dirigida por los sobrinos y sobrinas de Gallardo, fundó el cártel de Tijuana; otra, controlada por el sobrino de Avilés, Joaquín Guzmán, el Chapo, fundó el cártel de Sinaloa; y una tercera formó el cártel de Juárez. Pero el que la *Pax Mafiosa* saltara hecha añicos no tuvo como consecuencia una reducción del flujo de drogas, significó sólo que el control del tráfico, de las Plazas, quedó a disposición de cualquiera. Y también ha acabado significando, en México, que una codicia sin trabas y unos excedentes descomunales han creado una nueva Plaza en el propio territorio nacional, contaminando el país entero. Y así se trazó el borrador del mapa de la guerra actual.

La Plaza más famosa, que se extiende entre Tijuana y California, aparecía en la película *Traffic,* de Steven Soderbergh. La controlaba el cártel de Tijuana, también llamado Organización de Arellano Félix, la OAF, pero ahora su poder es cuestionado. El cártel de Tijuana es el único que puede atribuirse una relación familiar directa (aunque discutida) con Gallardo: Gallardo tenía cinco sobrinos, los hermanos Arellano Félix; Eduardo, detenido aquel sábado en Misión del Pedregal era el último que quedaba en libertad. La primera serie de ofensivas de Joaquín Guzmán, el Chapo, sobre la frontera siguió la propia línea fronteriza, de oeste a este, empezando a principios de los años noventa en Tijuana, poco después de la detención de Gallardo, cuando Guzmán reclamó el reconocimiento como Padrino y el legado de su propio tío, Pedro Avilés Pérez. Por entonces, la OAF mantuvo a raya a Guzmán: los primeros años noventa fueron los de los Narco Juniors en Tijuana, que alardeaban de un estilo chulesco que la reciente espiral de violencia ha hecho pasar a mejor vida. Los hermanos y su camarilla recorrían la ciudad y su vida nocturna, vestidos con estridencia, en sus motocicletas o en todoterrenos, llamados 'trocas'. En muchos sentidos, inventaron un estilo narco de exhibicionismo yuppie. La OAF es la responsable del tristemente famoso peor golpe contra la jerarquía de la Iglesia católica perpetrado jamás por una organización criminal, cuando sus pistoleros asesinaron al cardenal Juan Jesús Posadas Ocampo el 24 de mayo de 1993 en el aeropuerto de Guadalajara.

Puede afirmarse que la OAF fue la primera organización que instigó el cambio en las normas de combate para incluir mujeres y niños, además de sacerdotes, algo que los narcos de la «vieja guardia» se enorgullecían de evitar. En agosto de 2008, Jesús Rubén Moncada –alias el Güero Loco, el rubio loco– fue detenido en Los Ángeles por una famosa masacre de 1998 en la que murieron diecinueve personas, entre ellas un bebé en brazos de su madre, en la terraza de una villa cerca de Ensenada, en la costa sur de Tijuana. Llevaba diez años viviendo ilegalmente en Los Ángeles.[8] En 2002, el líder del cártel, Ramón Arellano Félix, fue muerto a tiros por la Policía Federal. Y en el último estallido de violencia desde 2006, la OAF ha sido sometida a un ataque continuado por parte del cártel de Guzmán, que sólo ha remitido recientemente cuando su hombre en Tijuana, Eduardo García Simental, conocido como el Teo, fue detenido en febrero de 2010. La detención de Eduardo Arellano Félix aquel sábado por la tarde de 2008 deja a su hermana Enelda como jefa del clan de Tijuana (la primera mujer con el mando de una organización desde Ignacia Jasso en Juárez durante la Ley Seca), mientras que el sobrino de Eduardo, Fernando Sánchez Arellano, el Ingeniero, dirige las actividades en la calle. Enelda es una figura importante porque el narcotráfico se había convertido en un negocio exclusivamente masculino, hasta hace poco, cuando cada vez más mujeres participan en él. El tráfico de drogas se considera una profesión más digna que la prostitución, y se elige a mujeres para encargarse del contrabando sobre el terreno porque tienen más posibilidades de pasar los controles fronterizos y los retenes que los hombres. Se han producido algunas detenciones importantes de mujeres, y el cuerpo de María José González, cantante y ganadora del concurso de belleza del Festival del Sol, fue encontrado en una carretera en Culiacán en la primavera de 2009, cerca del de su marido traficante y un rótulo que rezaba: «No tiren basura». Las autoridades creen que ella colaboraba con el cártel de Sinaloa: una de las muchas reinas de la belleza que se convierten en mascotas de los cárteles, para acabar como víctimas de otros cárteles rivales.[9]

Un amplio trecho entre Tijuana y Ciudad Juárez es controlado de forma veleidosa por una organización que cambia de lealtad entre los cárteles mayores para poder funcionar. En el pasado fue dirigida por dos hermanos, Arturo y Alfredo Beltrán Leyva, que procedían de la misma sierra montañosa que el Chapo Guzmán, cerca de la ciudad de Guamúchil, en Sinaloa. Durante años, los hermanos Beltrán Leyva controlaron su trecho de frontera en nombre del cártel de Sinaloa, con el que estaban aliados. También servían de grupo de seguridad para Guzmán, supervisando los comandos de sicarios y protegiendo a los comandantes del Chapo y a sus familias. Pero ocurrieron dos hechos en rápida sucesión: en diciembre de 2007, mientras el cártel de Guzmán luchaba contra el del Golfo y su ala militar, los Zetas, jefes del cártel de los Beltrán Leyva mantuvieron una reunión alevosa con los Zetas en Veracruz, supuestamente para hablar de abrir un espacio para los hermanos en el centro de México, aparte de Guzmán. La reunión era una más de una serie que, se decía, estaban manteniendo los Zetas, ofreciendo sus servicios como asesinos a sueldo a un «supercártel» del que formarían parte cuantos estuvieran dispuestos a desafiar a Guzmán.[10] En enero de 2008, un mes después de la reunión, Alfredo Beltrán Leyva fue detenido, y ese momento supuso un punto de inflexión en la guerra. Se dice que Guzmán comentó que la reunión de los Beltrán Leyva con los Zetas le obligaba a «amputar ese brazo de la organización». El clan de los Beltrán Leyva abandonó a Guzmán, convencidos de que él había entregado a Alfredo a las autoridades para congraciarse con ellas o incluso garantizarse su protección. El hermano menor, Arturo Beltrán Leyva, el Alfa, se vengó asesinando a funcionarios públicos de alto rango, entre ellos el comisionado de la Policía Federal, y al hijo de Guzmán, Edgar Guzmán López, a quien sus sicarios abatieron a tiros en un centro comercial en mayo de 2008. Como jefe de seguridad de Guzmán, Arturo tenía las direcciones de los domicilios de los miembros más importantes del cártel, y la violencia desencadenada por Beltrán Leyva contra el entorno de su anterior protector explica parte de las peores matanzas de los últimos tiempos en Sinaloa.

En la Navidad y el Año Nuevo de 2009-2010 alcanzó su punto álgido y más dramático una ofensiva del Gobierno contra el cártel Beltrán Leyva. El 16 de diciembre, una unidad de las fuerzas especiales de la Armada, con la cobertura de helicópteros, irrumpió en el complejo residencial de Arturo en Cuernavaca y lo mataron a tiros: el capo de la droga más importante abatido por los militares desde la ofensiva lanzada por el presidente Calderón y el primero desde la caída de Ramón Arellano Félix en 2002. El cadáver ensangrentado de Beltrán Leyva fue sometido por sus ejecutores militares a un rito oficial asociado con los propios narcos. Las fotografías lo mostraban con los tejanos bajados hasta las rodillas y el torso adornado con hileras de billetes ensangrentados de cien dólares; en otra instantánea aparecía con accesorios espirituales. Tal exhibición irritó a analistas como Jorge Chabat de *El Universal*, que calificó el rito como «el típico *modus operandi* de los narcotraficantes»,[11] pero su periódico, como los demás, publicó encantado las imágenes.[12]

Durante la redada del 16 de diciembre, un alférez de la unidad de comandos, Melquisedet Angulo Córdova, de treinta años, había sido asesinado en el intercambio de disparos con los guardaespaldas de Beltrán Leyva. Fue enterrado con todos los honores militares; pero la reacción de los hombres de Beltrán Leyva fue inmediata. El día siguiente al funeral en el pueblo natal del militar en el estado de Tabasco, unos pistoleros irrumpieron en la casa de su afligida familia y mataron a su madre, su hermana, su hermano y a una tía.[13] Al fijar como objetivo a la familia más cercana de los militares que los combatían, los narcos habían subido su desafío un grado más en la guerra, pero la respuesta de las autoridades fue igual de rápida. Con los dos hermanos mayores Beltrán Leyva fuera de juego, la jefatura del cártel recayó en el más joven, Héctor Beltrán Leyva. Él sigue en libertad, pero el 2 de enero de 2010, otro hermano, Carlos, fue detenido en una redada incruenta en la capital de Sinaloa, Culiacán. El Gobierno no podía haberlo dejado más claro: la guerra se llevó todavía más lejos. Pero ¿quién tenía posibilidades de ganarla? El presidente, por descontado; pero también, se rumoreaba por las calles –lo que en la frontera se denomina el 'susurro'–, el cártel de Sinaloa, que tenía todo que ganar en la guerra del Gobierno contra sus rivales, como bien sabe el Gobierno.

Ciudad Juárez siempre fue el centro de Améxica, antiguamente se la denominaba el Paso del Norte, y ya era una ruta comercial mucho antes de que se estableciera la frontera y una ruta de contrabando tan antigua como la frontera misma. La Nacha Jasso fue la reina indiscutida de la heroína y más tarde de la marihuana de Juárez desde los tiempos de la prohibición del alcohol hasta los años setenta. Pero el cártel moderno de Juárez lo creó Amado Carrillo Fuentes, que emergió como fuerza independiente después de trabajar para el señor de la droga más poderoso de la zona central de la frontera, Pablo Acosta Villarreal, durante la década de 1980. Acosta dirigía sus actividades desde la aislada ciudad de Ojinaga, situada enfrente de la tejana Presidio, y en una serie de entrevistas sin precedentes con el escritor Terrence Popper detalló que su organización contaba con la protección de la policía estatal y federal, de políticos y del Ejército.[14] Pero, viendo la oportunidad que se le ofrecía, Carrillo organizó el asesinato de su mentor a manos de oficiales federales durante una redada en su pueblo natal de Santa Elena en 1987, en una acción que requirió la colaboración de fuerzas del lado estadounidense. En su excelente relato de la creación del cártel de Juárez por Carrillo, *Down by the River,* Charles Bowden cuenta cómo éste pagó un millón de dólares a un comandante federal para que organizara la redada y se asegurara de que Acosta moría.[15] Seguidamente Carrillo Fuentes trasladó la base de poder del cártel a Juárez y lo reforzó: a mediados de los años noventa, según la DEA, el cártel de Juárez era el mayor traficante de drogas del mundo, y movía más del cincuenta por ciento de todos los narcóticos que se consumían en Estados Unidos. En 1996, Carrillo murió durante una operación de cirugía estética facial..., si es que murió: el misterio sigue rodeando su muerte, y los cuatro cirujanos que intervinieron en la operación fueron asesinados con posterioridad. A su muerte se desató la violencia en Juárez, pues el hermano y heredero de Carrillo Fuentes, Vicente, intentó controlar el territorio, pero incluso ese baño de sangre fue poca cosa en comparación con la carnicería que se desarrolla en la actualidad en la ciudad, que, se supone, se inició cuando el cártel de Sinaloa de Joaquín Guzmán la asedió en 2007. El que el cártel de Juárez siga siendo una fuerza que cuenta algo en el laberinto de intereses en lucha que están sembrando de muerte toda la ciudad a día de hoy todavía está por ver; pero puede suponerse que su encarnación actual, La Línea, conserva cierta potencia en la vorágine en la que están envueltas unas quinientas pandillas callejeras, el cártel de Sinaloa y diferentes niveles de cuerpos policiales y militares corruptos. Apropiada y truculentamente, La Línea es también un término habitual en el habla cotidiana para referirse a la frontera.

Como hombre que se considera heredero del imperio de Avilés/Gallardo, además de sobrino de Avilés, Joaquín «el Chapo» Guzmán veía la Plaza de su cártel de Sinaloa a escala nacional, casi por derecho de nacimiento. En cuanto Gallardo fue detenido, Guzmán, que había establecido sólidas alianzas con los exportadores de cocaína en Colombia, declaró la guerra primero contra aquellos que despreciaba como aspirantes al poder en Tijuana y, con el tiempo, a todas las demás organizaciones criminales de México. Sin embargo, Guzmán fue detenido al poco de consolidar su jefatura en el cártel, en 1993. Fue en la cárcel, en un confinamiento con todos los lujos en la prisión de máxima seguridad del Puente Grande, cerca de Guadalajara, donde, según creen fuentes de los servicios de inteligencia estadounidenses, Guzmán adaptó sus tácticas para establecer alianzas con los cargos públicos y los políticos importantes. Tal vez gracias a esos contactos, Guzmán se fugó espectacularmente en 2001, justo antes de que fueran a extraditarlo a Estados Unidos, convirtiéndose así en el paradigma por excelencia para la última moda del culto al heroísmo folk del narco. *La fuga del Milenio* era el título de un 'narcocorrido' que conmemoraba su huida de la prisión. Otro, de Los Buitres, emitido por las ondas de radio, en las *jukeboxes,* en internet y YouTube, dice: «A veces duerme en casa / a veces en tiendas / la radio y el rifle a los pies de la cama / y a veces su techo es una cueva / Guzmán está en todas partes». Guzmán es semianalfabeto, pero emite comunicados en los que alardea de pagar cinco millones de dólares al mes a funcionarios corruptos, y realiza repentinas y osadas apariciones en público, como la de mayo de 2005 en un restaurante de Nuevo Laredo (en pleno territorio del cártel del Golfo, que estaba disputando por entonces), cuando unos cuarenta clientes se encontraron con las puertas repentinamente cerradas por sus pistoleros. Se pidió a los comensales que no utilizaran sus teléfonos móviles mientras Guzmán y sus acompañantes disfrutaban de su ágape y copas, tras lo cual el Chapo en persona sacó miles de dólares en efectivo y pagó las comidas de cuantos estaban en la sala.[16]

Desde la cárcel, Guzmán había dirigido asaltos sucesivos a las Plazas fronterizas, que, siguiendo un orden cronológico, se extendieron a lo largo de la frontera de oeste a este. Tras Tijuana siguió Juárez, después de la muerte de Carrillo. Pero fue tras su fuga cuando Guzmán lanzó la ofensiva que desencadenó la última fase de la guerra al mandar a sus fuerzas, sin éxito, contra el cártel del Golfo en 2005, en busca del premio gordo: Nuevo Laredo, el puesto fronterizo comercial más transitado del mundo. La ofensiva en Nuevo Laredo era a la vez un fin y un principio: fue el último de la primera serie de ataques de Guzmán, pero también el comienzo de la guerra actual, que ha llevado la violencia a una escala desconocida hasta entonces. Algunos observadores creen que Guzmán se ha convertido en una especie de testaferro, un narcomonarca simbólico que tiene menos poder que fama, y que el cártel es ahora dirigido por otros con menos notoriedad pero más implacables, Ismael Zambada, el Mayo –quien en 2010 concedió una rara entrevista a *El Universal,* jactándose de la fuerza del cártel– e Ignacio Coronel (abatido por tropas mexicanas en julio de 2010). Se ha especulado con frecuencia, en el 'susurro', con la posibilidad de que si todos estos hechos formaran parte de una estrategia del Gobierno para restablecer una *Pax Mafiosa* respaldando a un cártel frente a los demás en su tentativa de hacerse con el monopolio, en ese caso el cártel elegido sería el de Sinaloa. Pero ahora es demasiado tarde para conseguir tal objetivo debido al poder implacable que ha adquirido el principal rival del cártel de Guzmán, el del Golfo.

Hasta 2005, el drama se libraba con y entre sinaloenses que se acercaban cada vez más a la frontera, lo que inicialmente excluía a la única organización a la que Gallardo había concedido su propio territorio indígena, el cártel del Golfo, asentado en el estado nororiental de Tamaulipas, frente al sur profundo de Texas. En el momento en que escribo, es demasiado pronto para discernir un resultado concreto de la ofensiva lanzada por el presidente Calderón en diciembre de 2006, pero al menos una consecuencia parcial sí está clara: el cártel del Golfo y lo que se creó como su ala militar, los Zetas, han conservado su territorio frente a sus rivales y también frente al Ejército. Aunque el Chapo Guzmán sigue siendo el más poderoso señor de la droga de México y su cártel parece todavía el más cercano al poder político, la insurgencia y la capacidad de resistencia de los Zetas ha convertido a éstos en el problema más grave para el Gobierno, junto con la muy diferente pesadilla de la anarquía en que está sumida Ciudad Juárez. Por esta razón el cártel del Golfo y los Zetas merecen una atención especial.

A diferencia de otras organizaciones con jefes de Sinaloa, el cártel del Golfo creció –y está fieramente orgulloso– en su propio territorio y estado originarios, que se extienden a lo largo de la frontera desde Nuevo Laredo hasta la desembocadura del río. El cártel lo fundó un contrabandista de whisky de la década de 1930, Juan Nepomuceno Guerra, cuando entró en el negocio de la marihuana y la heroína en los años setenta. Se dice que mandó matar a su único rival sobre el terreno, Casimiro Espinosa. Ese asesinato, en 1984, fue supuestamente organizado por el sobrino de Guerra, Juan García Abrego, y señala el nacimiento del moderno cártel del Golfo. Al introducir el cártel en el tráfico de cocaína, García Abrego se convirtió en el primer traficante de drogas que entró en la lista de «los diez más buscados» del FBI, y fue oportunamente detenido y extraditado a Estados Unidos en 1996, lo que desató un conflicto por la jefatura del cártel, en el que se impuso con facilidad Osiel Cárdenas Guillén. Cárdenas, que procedía de un rancho pobre en las afueras de Matamoros, consolidó su poder en el cártel asesinando a su rival, Chava Gómez –lo que le hizo merecedor del apodo del Mata Amigos–, y dirigió la organización desde su ciudad natal hasta que fue detenido durante un tiroteo en 2003. Fue extraditado a Estados Unidos en 2007 y sentenciado en Houston a veinticinco años de prisión en febrero de 2010, en un juicio celebrado en secreto. Cárdenas, a su modo, es un paradigma de la actual guerra del narco: de extracción muy humilde y miembro de la policía, no pretendió manipular la alta política sino asegurar su posición, dentro del cártel y contra sus competidores, reclutando un ala armada entrenada por antiguos miembros de las unidades militares de servicios especiales, que Cárdenas bautizó como los Zetas por el indicativo con el que la policía llamaba a su líder, Arturo Guzmán, Z1. Los Zetas crecieron hasta dominar el cártel y como organización autónoma (una situación que está siendo cuestionada desde dentro del propio cártel mientras escribo). Ahora constituyen una de las organizaciones más formidables y terroríficas del narcotráfico de todo el mundo, y cuentan con un ejército paramilitar formado, según cálculos de la DEA, por unos cuatro mil soldados muy bien entrenados. Arturo Guzmán y sus ayudantes Rogelio González, Z2, y Heriberto Lazcano, conocido como Z3, atrajeron a antiguos miembros de la unidad militar antidroga aerotransportada mexicana, el GAFE, para que desertaran y formaran a otros. Según se dice, algunos de los hombres de los Zetas fueron entrenados por Estados Unidos en Fort Benning, en Georgia, aunque no ha sido demostrado concluyentemente. Después de que Z1 Guzmán fuera abatido en 2002 y Z2 Rogelio fuera detenido en 2004, Lazcano, un antiguo comando de las fuerzas especiales del GAFE mexicano, asumió la jefatura. El reclutamiento continúa: los Zetas, que se hacen llamar Grupo Operativo, colgaron una «narcomanta» de un puente en Nuevo Laredo en 2008, solicitando hombres con «experiencia militar» que debían llamar al número de teléfono exhibido. «Ofrecemos buen salario, comida y asistencia médica a sus familias», se mofaban. El cártel del Golfo/Zetas considera parte de su territorio el punto de contrabando más lucrativo de la frontera, un premio codiciado por todos los cárteles: la carretera de tráfico de mercancías y los puentes de ferrocarril que cruzan el Río Grande entre Nuevo Laredo y Laredo, en Texas, el cruce de fronteras comercial con más tránsito del mundo. En 2005, el cártel de Sinaloa atacó, buscando una tajada del tránsito contaminado que cruza la frontera todos los días. El ataque fue el principio de la guerra actual, la última y más despiadada fase no solamente de la larga historia de la narcoviolencia sino de la historia de México desde la revolución de 1910.

Mientras tanto, los Zetas casi han cumplido su objetivo de controlar una ruta por la costa del Golfo hasta América Central, que permite acceso directo al tradicional país productor de cocaína, Colombia, y abre nuevos mercados para la exportación de la droga en Perú y Venezuela. Las ventajas de la supremacía costera quedaron ilustradas por un novedoso alijo descubierto el 16 de junio de 2009: docenas de tiburones misteriosamente muertos encontrados en dos contenedores llevados a la costa por las autoridades marítimas del puerto de Progreso, en el Golfo, resultaron tener los vientres rellenos con bolsas que contenían un total de casi 900 kilos de cocaína.[17] Para garantizarse una ruta segura a los países productores de cocaína, los Zetas están combatiendo al cártel de Sinaloa con tácticas de guerra de guerrillas en Guatemala. Los Zetas son el cártel que cuenta con mejores conexiones internacionales en los mercados de Gran Bretaña y Europa continental, aliado con sus colegas, la 'Ndrangheta de Calabria. Cuando en septiembre de 2008, unos 175 miembros del cártel del Golfo fueron detenidos por autoridades de Estados Unidos –cuyo servicio de inteligencia denomina al cártel The Company–, diez cayeron en Calabria.[18] La alianza es importante, a la luz de los comentarios realizados por el entonces procurador general mexicano, Eduardo Medina Mora, en marzo de 2009, que declaró que las enérgicas medidas tomadas contra el tráfico de drogas interfronterizo estaban obligando a los cárteles mexicanos a cambiar su centro de atención y, potencialmente, sus operaciones, y «centrarse más en Europa».[19] La alianza es igualmente lógica si se tienen en cuenta recientes informes del servicio diplomático mexicano que señalan que un leve descenso en el consumo de cocaína en Estados Unidos supone unos excedentes que hay que enviar a alguna parte, lo que podría explicar por qué Gran Bretaña, España y otros países europeos atendidos por la 'Ndrangheta han superado en la actualidad a Estados Unidos en el consumo per cápita de cocaína y sus derivados «cocinados». Ya hay informes recientes sobre contactos directos con bandas de traficantes en Merseyside en Gran Bretaña.[20]

Una alianza entre los Zetas y la 'Ndrangheta también es lógica desde el punto de vista del estilo social narco. Aunque los paralelismos no sean exactos, puede trazarse una progresión similar en el declive de la Cosa Nostra siciliana «clásica», comparable al de la federación de Félix Gallardo durante los años ochenta, pues ambas fueron desbordadas por organizaciones criminales más feroces, de extracción más humilde y sin pretensiones de convertirse en figuras como el Padrino, cuyos epítomes serían los Zetas de Tamaulipas (cuestionando el poder de Sinaloa) y la 'Ndrangheta de Calabria (cuestionando a Sicilia). Tanto en México como en Sicilia hay una nostalgia omnipresente, aunque fuera de lugar, por los gánsteres «de los viejos tiempos» que tenían pretensiones casi aristocráticas, con sus códigos de «honor», su estilo gallardo y conexiones políticas. Pero ambos han sido desplazados, tanto generacionalmente como en salvajismo: en el caso italiano por la Camorra y la 'Ndrangheta, y en México por los más preparados Zetas, que procedían de un ambiente de barrios de chabolas rurales, pandillas callejeras urbanas y academias militares o de policía. En ambos casos, los viejos sombreros Fedora o el Stetson del Oeste han sido sustituidos por las cabezas rapadas y los tatuajes, y la cita con un político por otra con un entrenador personal en artes marciales. Osiel Cárdenas era mecánico antes de hacerse policía, vestía con recato, y se le ve como gurú del estilo de esta transición a lo que podríamos denominar «Generación Z» en la genealogía, sin fin, del tráfico de drogas.

Además, los Zetas están dejando una huella cada vez más marcada en Estados Unidos. Aparte de su penetración profunda en uno de los ejes más importantes de la frontera, la ciudad de Houston, se les ha vinculado a algunos hechos de espeluznante violencia en el profundo sur. En agosto de 2008, se encontraron cinco hombres con el cuello cortado en Columbiana, Alabama; habían sido torturados con descargas eléctricas. El FBI afirma que las víctimas tenían una deuda de 400.000 dólares con el cártel del Golfo. Durante la gran redada contra éste en septiembre de 2008, doce de sus miembros fueron detenidos en Atlanta, donde las autoridades informaron de un nivel creciente de violencia relacionada con los cárteles. En julio de ese año, la policía de Atlanta había matado a tiros a un miembro del cártel del Golfo que había llegado a recoger un rescate de dos millones de dólares de un secuestro; y en el verano de 2007, la policía había encontrado a un ciudadano de la República Dominicana atado, amordazado y encadenado a una pared en el suburbio de Lilburn en la misma Atlanta: debía 300.000 dólares al cártel del Golfo. En 2001, se incautaron 41 millones de dólares en efectivo del cártel del Golfo en Atlanta, y otros 2,3 millones en Houston. En Estados Unidos, la batalla por el control de la distribución se libra esencialmente entre Guzmán y el Golfo. Después de la redada contra el segundo en septiembre de 2008, 750 miembros del cártel de Sinaloa fueron detenidos en otra famosa redada en todo Estados Unidos, la Operación Xcellerator, en febrero de 2009. La redada había empezado en el valle Imperial de California, pero muchas de las detenciones se produjeron en Washington DC y los alrededores suburbanos de la capital. Se incautaron unos 460 millones de dólares en efectivo, junto a 11.000 kilos de cocaína y 500 de metanfetamina.

En esencia, por tanto, la guerra de los cárteles de México se está convirtiendo en una batalla a tres bandas entre el Ejército, Guzmán y los Zetas, pero hay un último y reciente añadido a la lista: La Familia. La Familia surgió como organización enteramente autóctona durante los años noventa en el estado costero vecino del sur de Sinaloa, Michoacán. Reclamó para sí el control del narcotráfico que se realizaba desde y a través del estado frente a una filial del cártel de Guzmán, el Milenio, dirigido por la familia Valencia. Según ciertos informes, la ruptura se debió a la rivalidad por una mujer entre un miembro de los Valencia y el hombre que fundó La Familia, Nazario Moreno González, conocido como el Más Loco. La Familia «se estrenó» con un famoso incidente el 6 de septiembre de 2006, cuando veinte hombres enmascarados irrumpieron en una discoteca de mala muerte, la Sol y Sombra, en Morelia, la capital del estado, y lanzaron rodando cinco cabezas decapitadas por la pista de baile, acompañadas de un mensaje que resultaba estrafalario incluso para los peculiares estándares de la narcocomunicación: «La Familia no mata por dinero. No mata por mujeres. No mata a los inocentes. Sólo a aquellos que merecen morir. Sabe que esto es justicia divina». El Más Loco busca prosélitos con un libro que mezcla citas de los Evangelios con sus propios risibles mantras, como: «No te tomes los obstáculos como problemas, acéptalos y descubre en ellos la oportunidad para mejorar».

Para combatir a sus vecinos de Sinaloa, la emergente Familia optó por instruirse con los Zetas. Sin embargo, en 2007, decidió hacerse con una identidad propia y expulsar a los Zetas, que estaban empezando a dominarla, como había sido su intención desde el principio. La respuesta de Tamaulipas al desplante fue un descarado acto terrorista contra civiles: lanzaron una bomba a la multitud de familias que celebraba la tradición mexicana del Grito la noche del 15 de septiembre, víspera del Día de la Independencia mexicana. Mató a ocho personas e hirió a más de cien en la ciudad natal del presidente, Morelia. La Familia envió una lluvia de mensajes a los medios de comunicación locales criticando el ataque y colgó 'narcomensajes' responsabilizando a los Zetas. Después de las redadas, primero contra el cártel del Golfo y luego contra Guzmán, las autoridades estadounidenses se concentraron en los hombres que trabajaban para La Familia, y detuvieron a 305 de ellos a mediados de octubre de 2009, en una acción conocida como Proyecto Coronado. Las detenciones se concentraron alrededor de Dallas, donde se arrestó a setenta y siete personas que trabajaban en una red de distribución que abarcaba Illinois, Minnesota y Mississippi.

Cuando el año 2006 se acercaba a su final, unas dos mil personas habían sido asesinadas en la violencia entre los cárteles, la mayoría en Nuevo Laredo y Michoacán. Para hacer frente a ese caos, el 11 de diciembre de 2006, sólo diez días después de haber jurado su cargo, el recién elegido presidente de México, Felipe de Jesús Calderón Hinojosa, movilizó a 40.000 soldados. Calderón, un abogado formado en Harvard y católico conservador y devoto de Morelia, fue el segundo presidente electo miembro del Partido de Acción Nacional (PAN), del cual había sido cofundador, que sucedió al primer presidente del mismo, Vicente Fox, un antiguo ejecutivo de la empresa Coca-Cola en México. Durante los setenta y dos años anteriores, México había sido gobernado sin interrupción por el Partido Revolucionario Institucional, que se había convertido en una organización más institucional que revolucionaria, creando y gestionando un bizantino sistema de gobierno mediante el clientelismo corrupto, que le permitió ejercer el poder o la influencia del partido en cada poro del tejido social, hasta un extremo desconocido en cualquier otra parte de Occidente. La victoria de Fox en 2000 se consideró en aquel momento una ruptura con una época asfixiante, que liberaba por fin a México en los Campos Elíseos de la meritocracia capitalista de libre mercado. Su victoria fue abrumadoramente urbana y especialmente contundente a lo largo de la frontera. Fox ganó en todos los estados fronterizos y en dieciséis de los diecinueve distritos electorales contiguos a Estados Unidos.[21] Los analistas, tanto de Estados Unidos como de México, consideran una desgracia que la narcoviolencia coincida en el tiempo con la transición a un mercado libre genuinamente capitalista en México, pero uno de los argumentos principales de este libro es precisamente que la violencia no constituye, pese a todo, una fuerza que se oponga a lo que el título de un informado relato de esta mutación en la historia del país denomina la «apertura de México» *[El despertar de México*, en su traducción española].[22] La violencia se da no pese sino, en gran medida, debido a estos cambios; es, en el mejor de los casos, un efecto secundario de «abrir México» y, en el peor, un elemento esencial a esa apertura. La Plaza es un mercado como cualquier otro, y los cárteles de narcos no son imitaciones delictivas del capitalismo «tardío», contemporáneo y multinacional, sino que más bien forman parte del mismo, y funcionan según sus valores implacables, o, mejor dicho, su carencia de valores.

Habría sido casi imposible que los narcocárteles se desarrollaran sin la ayuda del PRI: eran un reflejo especular y formaban parte del sistema monopolista y piramidal del partido. Pero un entorno económico cada vez más competitivo y la derrota del PRI forzaron a los cárteles a replantearse sus propias actividades, a estrechar alianzas internacionales y a diversificar sus mercancías más allá de la cocaína, que había sido su producto principal durante los años de auge, las décadas de 1970 y 1980, a lo largo de las cuales habían mantenido una cohabitación constante con el PRI. Una nueva generación de líderes de los cárteles, cuyo paradigma sería Osiel Cárdenas, ampliaron la gama de su catálogo y reforzaron la producción y el suministro de drogas sintéticas como la metanfetamina o cristal. Y cuando el consumo de cocaína descendió en Estados Unidos, también volvieron al producto de más venta de antaño, la heroína, buscando nuevas permutaciones adaptadas a los últimos gustos, como la moda de la *«cheese heroin»* en Texas, que mezclaba heroína con medicamentos sin receta para abaratarla y producir efectos más fuertes y duraderos. Éstos son productos del México de la era de Fox-Calderón.

La franca y joven portavoz del presidente Calderón, Alejandra de Sota Mirafuentes, se cita conmigo en la Brasserie Lipp (la de Ciudad de México, no la de París, y que forma parte de un complejo hotelero de lujo) para insistir, ante una botella de agua mineral: «No podemos hacer la vista gorda a la criminalidad. El poder de los cárteles se ha convertido en una amenaza muy real para el Estado mexicano, con su capacidad para sobornar autoridades locales y estatales, incluso del Gobierno Federal. Durante años», añade refiriéndose a la época del PRI, «las autoridades sencillamente cedieron». Pero «esto es muy importante: México ha cambiado, políticamente. Si en el pasado el Gobierno era codicioso y quiso aprovecharse de los cárteles, ya no es el caso». La intervención inicial en Michoacán, dice, «abrió el cuerpo y, una vez abierto, vimos que había contraído un cáncer grave: Juárez, Sinaloa, Tamaulipas, regiones enteras estaban controladas por los cárteles». Parece un poco raro que esta joven inteligente –por no decir el Gobierno entero de Calderón– no lo hubiera sabido antes. Después de todo, el presidente también ha tenido que purgar su propio aparato de corrupción en una iniciativa que denominó Operación Limpieza. Su anterior comisionado interino de la Policía Federal Preventiva, Gerardo Garay, fue detenido por proteger a los hermanos Beltrán Leyva; y su «zar de la droga», Noé Ramírez, por aceptar un soborno de 450.000 dólares del cártel de Sinaloa. Ambos están a la espera de juicio, ambos han negado las acusaciones. Sin embargo, la Operación Limpieza no había conseguido atrapar a otro de los aparentemente fiables zares de la droga mexicanos, José Luis Santiago Vasconcelos, que fue calurosamente acogido por Washington y el hombre que extraditó a Osiel Cárdenas. Vasconcelos murió en un misterioso accidente de avión sobre Ciudad de México en noviembre de 2008 y seis meses más tarde, en mayo de 2009, aparecía citado en un informe de la DEA como uno de los que estaban en nómina del cártel de los Beltrán Leyva.[23]

La idea clave de la ofensiva, afirma De Sota, es debilitar militarmente a los cárteles a la vez que se reforman «agresivamente» el sistema legal y las instituciones, empezando por la estructura federal. La tarea, dice, «empieza con los militares, pero a finales del mandato presidencial pretendemos haber establecido una Policía Federal honesta y bien estructurada. Empezamos con los militares porque no podemos contar con la Policía Municipal ni la Federal. En varias zonas, los traficantes controlan a la policía». Eso, al menos, es oficial. Como lo es esto: «El

Ejército va a estar ahí tanto tiempo como sea necesario». Tanto como sea necesario, ¿para qué? «Tanto como sea necesario para que el Estado cumpla con sus obligaciones básicas: la seguridad pública y la recaudación de impuestos; obligaciones que en la actualidad se ven amenazadas, y hasta subvertidas y reemplazadas por las imposiciones de los cárteles.» Extrañamente, y con notable sinceridad, De Sota añade: «El presidente es claro: la lucha no es contra las drogas, sino contra la violencia y la capacidad de las organizaciones criminales para subvertir el Estado. El presidente sabe que las drogas no desaparecerán».

Éste es el mapa al principio, la plantilla de la guerra de los cárteles, que debe tenerse siempre presente a medida que se explora la frontera, aunque no hay forma de predecir cómo se desdibujarán las líneas del mapa o demarcarán la narcotopología. Sin embargo, un viaje por el mapa tal como está conlleva, vagamente, tres etapas: la primera, la carretera de Tijuana a Ciudad Juárez, por un territorio donde se libra la guerra entre los cárteles de Sinaloa, Tijuana y Beltrán Leyva. Seguidamente, una inmersión en Juárez, donde las pirámides del cártel se desmoronan sumiéndose en una anarquía criminal. Y, por último, de Ciudad Acuña y Nuevo Laredo hacia el este, por una carretera que lleva a un territorio donde, entre 2005 y 2010, hubo relativamente menos lucha, pero que es el trecho más pavoroso de toda la frontera. Hasta principios de 2010, fue un territorio sometido a un férreo dominio de los Zetas y el cártel del Golfo. Pero ya no son organizaciones paralelas, y ahora las alas «clásica» y militar libran una guerra intestina entre ellas.

Con la elección de Barack Obama, el mapa también ha cambiado a escala del Gobierno estadounidense. Tras décadas en las que Estados Unidos consideró el problema del narcotráfico como básica y exclusivamente mexicano, ahora se ha adoptado la versión oficial de reconocer la «corresponsabilidad» sobre áreas cruciales de ese problema. Durante diversas visitas a Ciudad de México de la secretaria de Estado Hillary Clinton y del presidente en persona, se ha abordado la cuestión del tráfico de armas de Estados Unidos a México, que hasta entonces había sido tabú. Se ha reconocido también el hecho básico de que la causa originaria de la crisis es la adicción a las drogas en la sociedad estadounidense. En marzo de 2009, el presidente Obama anunció un paquete de medidas con dos frentes: se guarnecerían las defensas fronterizas, a la vez que atacaría las causas de la adicción. Aumentó la financiación de todas las agencias federales de la frontera, asignando 700 millones más ese año para personal y tecnología, y se prometió más en un futuro. El presidente Obama afirmó que afinaría la recolección de información y se mejoraría el control interfronterizo, pero también que «redoblaría» esfuerzos para disminuir la demanda de drogas en Estados Unidos y detendría el flujo de armas de Estados Unidos a México. «Nos encontramos ante una situación que implica dos direcciones», dijo el presidente en un lenguaje que nunca se había oído en la Casa Blanca, «las drogas vienen hacia el norte y nosotros mandamos fondos y armas al sur.»[24]

La realidad sobre el terreno es voluble y, en algunos lugares, mucho peor de lo que da a entender el mapa, porque si éste muestra una guerra provocada por la lucha entre cárteles por el control de las rutas de contrabando y por las subsiguientes enérgicas campañas del Gobierno, no muestra otra de las causas, una causa monstruosa de la guerra: el lado mexicano de la frontera se ha convertido en una región infernal por la adicción a las drogas duras. Esto parece tener poca importancia para Estados Unidos y es poco menos que tabú en México, pero es la causa de la mayoría de los asesinatos y de las situaciones más desdichadas en esta guerra de la droga. Toda guerra tiene sus horrores «secundarios» derivados. Los efectos secundarios resultantes de la adicción en Estados Unidos a las drogas duras suministradas desde México y de la guerra de ambos países contra el tráfico son dobles: primero, los estragos que causan las drogas duras a lo largo de la frontera y, segundo, la guerra salvaje por el control de esta Plaza del interior, que es tan brutal como la que se libra por la exportación de narcóticos, sino más. Un aspecto fundamental tanto de la estrategia del Gobierno mexicano como de las concepciones sobre la lucha de la DEA es que fragmentar a los cárteles es debilitarlos, y por tanto dificultar el tráfico de drogas y reducir la violencia. «Queremos desorganizarlos», afirma Eileen Zeidler, portavoz de la DEA en San Diego, refiriéndose a la fragmentación de los cárteles desde la ofensiva del presidente Calderón. «Si no están organizados, no funcionan. Queremos romperlos.»[25] El superior de la señora Zeidler y jefe de inteligencia de la DEA, Anthony Placido, llegó al extremo de considerar la violencia una «señal del éxito» y de hablar de cárteles «heridos y vulnerables».[26] Pero la fragmentación no implica un debilitamiento del narcotráfico, sencillamente introduce matices en el mercado: la Plaza del interior es disputada ahora por la plétora de pandillas que sirven a los grandes cárteles cuando las drogas cruzan la frontera, pero que luchan entre sí cuando tratan en su propio territorio, llevando la muerte y la miseria a las colonias. Como cualquier empresa normal, en la actualidad los cárteles «externalizan» –según el argot empresarial– buena parte de sus negocios a subcontratistas como pandillas callejeras o fuerzas policiales corruptas que licitan por una porción de los beneficios. La externalización del narco incluso tiene su propio nombre: 'el derecho de piso', el derecho a participar en el negocio.

Nuestro viaje empieza donde el sol del desierto se oculta en el Pacífico, en el filo occidental de Améxica, la frontera entre Tijuana y San Diego. Esta última no es en realidad una ciudad fronteriza: es demasiado grande, demasiado californiana. Pero uno ya puede sentir la frontera en el centro de tránsito de la calle 12 e Imperial, que por la mañana temprano, entre los sin techo murmurantes que empujan sus pertenencias en carritos de supermercado, vive una hora punta en doble sentido: la de la gente que llega a trabajar desde Tijuana, y la de la que sale para trabajar en Tijuana.

La línea de cercanías azul traquetea hacia los depósitos ferroviarios y el arsenal de la Flota del Pacífico de Estados Unidos, pasa ante las fragatas y mástiles cargados de radares, y los murales que ilustran la «Historia de nuestra comunidad» en Barrio Logan (un asentamiento español que lleva el nombre de un pionero irlandés), representando un indio mesoamericano que sopla una caracola marina, pescadores que recogen su pesca y delfines en el parque temático Sea World. Entre las fábricas y las luces y el humo del alba, los locales de Rosebud Law Enforcement y Tactical Assault Gear están puerta con puerta con el Rosa's Mexican Diner, como ocurriría en cualquier otro punto de Estados Unidos. Pero cualquier otro sitio no es la zona residencial de Chula Vista, tres kilómetros y medio al norte de Tijuana, ni San Ysidro, final de la línea, y de Estados Unidos. Hacia el sur, a treinta minutos del centro de San Diego, sobre el andén atestado a las 7:30 de la mañana, la hora punta de doble sentido está en su momento álgido, como también lo está un McDonald's, que es un centro neurálgico de la frontera por sí solo: agentes de aduanas, chicas cargadas con inmensos paquetes de pañales, hombres de negocios mexicanos que han huido de Chula Vista pero regresan cada día a trabajar en Tijuana y damas mexicanas de camino a limpiar lavabos norteamericanos, todos están desayunando..., y ahí está: la barrera de cemento, el puente peatonal y, más allá, México. «Aquí empieza la patria», es el lema municipal de Tijuana, y una bandera mexicana, desafiante y descabelladamente gigantesca, con la imagen del águila que, según la leyenda, predijo el nacimiento de la nación, aferrando una serpiente sobre un cactus, ondea ante las narices de Estados Unidos, en la frontera.

2
Aquí empieza la patria

Al norte de la frontera, la imagen de Tijuana siempre fue la de una ciudad festiva. Y para los estadounidenses que entraban a miles en «TJ» cada día, y a decenas de miles cada fin de semana, lo era. «Está en la ciudad más visitada del mundo» proclama un rótulo por encima de la avenida Revolución, y tanto si es estadísticamente cierto como si no, la gente atestaba la ciudad para saborear los productos exóticos mexicanos, comprar recuerdos, beber margaritas a jarras (a una edad inferior a la que se permite en Estados Unidos), arreglarse la dentadura a precios más baratos, invertir en un par de gafas de repuesto y, en los últimos tiempos, comprar Viagra, Prozac y otros medicamentos por una fracción de lo que cuestan en el país del norte. Tijuana creció durante el siglo XIX, después de que México perdiera la Alta California ante Estados Unidos en 1848. El centro de la ciudad adquirió la reputación de vender un sucedáneo de «México» a los estadounidenses en 1915, cuando Tijuana decidió celebrar su propia versión de la Exposición Panamá-California de San Diego de aquel año, con una feria propia llamada Feria Típica Mexicana para atraer visitantes del otro lado de la frontera. Desde entonces, la ciudad se ha especializado en sombreros mexicanos, reproducciones de supuestos objetos aztecas, ponchos y otras baratijas que, en realidad, nada tienen que ver con la sexta mayor ciudad del país y su millón y medio de habitantes. Todas las ciudades y pueblos fronterizos mexicanos se dividen entre los indígenas 'Norteños', los 'Sureños' y los 'Chilangos', procedentes de la capital. Existe incluso un grupo definido que se denomina 'Fronterizos'..., y se trata de elementos cruciales que determinan la identidad.[1] Más de la mitad de la población de Tijuana procede del México sureño «tradicional», y llegó a la ciudad no para vivir siguiendo una irreal imagen kitsch folclórica sino para trabajar en las fábricas maquiladoras o para buscarse la vida en las terriblemente pobres colonias de los suburbios de la población. Para los sureños, o para los que proceden de El Salvador, Honduras y Guatemala, Tijuana puede ser poco acogedora, inclemente, peligrosa y violenta. Los ataques a los mixtecas, los mayas y los zapotecas están a la orden del día. Hasta hace poco, cuando se construyeron amplias urbanizaciones de viviendas uniformes alrededor de la ciudad, comunidades enteras procedentes de Centro y Sudamérica vivían en los 'dompes' o vertederos de basura industrial y doméstica.[2]

La fama de Tijuana como ciudad de vida canalla nació durante la Ley Seca, poco después de la 'Feria', cuando se convirtió en un imán para quienes buscaban no sólo un México de cartón piedra sino también alcohol, juego y la diversión de los vicios fugaces que los acompañan. La existencia de la mayor base naval en la orilla del Pacífico en San Diego, garantizaba una clientela continua de marinos francos de servicio además de turistas civiles. Pero la guerra del narco lo ha cambiado todo, de manera que en la actualidad, según cuenta Enrico Rodríguez en su tienda vacía de clientes pero llena de bisutería, baratijas y ropa occidental que nadie entra a mirar, «me santiguo cada vez que hago una venta, y hace dos días que no me santiguo». Nadie quiere ya una fotografía polaroid de sí mismo con un sombrero mexicano junto a un viejo burro pintado a rayas blancas y negras como una cebra, y las bailarinas danzan en las barras de los clubes de *striptease* casi sin más espectadores que sus propias colegas. Sin contar, tal vez, a algún que otro vagabundo colgado de California, demasiado ciego para que le importe cualquier peligro potencial, y, claro, los reincidentes locales, provistos de una cantidad limitada de billetes. El famoso barrio que se extiende alrededor de las calles transversales de Avenida Revolución y Constitución tiene más de sórdido que de afrodisiaco. Venido a menos, el Mermaid's Club and Hotel, con sus puertas batientes al estilo de una cantina del Oeste, se ve obligado a ofrecer «Dos masajes por el precio de uno». El Adelita Bar (fundado en 1962), que tiene oportunamente situado al hotel Coahuila en la puerta de al lado, ha vivido mejores tiempos, pero ahora espera atraer huéspedes con rótulos de neón de chicas ataviadas con cananas de 'bandolero' blandiendo fusiles Kalashnikov. Con mi pinta de gringo, un portero profusamente tatuado me hace pasar con desesperada insistencia y me presenta rápidamente a la gentil Gabriela, ataviada con un biquini fluorescente y brillante de color azul turquesa y una cola de plumas de plástico como un pavo real. Ella me pregunta si me gustaría invitarla a una copa mientras el portero, que no llega a la altura del pecho articulado de Gabriela, repasa una lista de ofertas –entre ellas alcohol fuerte, sexo y una partida de cartas– que son fáciles de rechazar. Las cavernosas profundidades no están completamente vacías: un grupo de mexicanos comparte una botella de tequila mientras sus acompañantes femeninas dan sorbos a refrescos y un solitario y pálido estadounidense con perilla cuya piel hace mucho que no ha visto la luz del sol contempla a la bailarina retorciéndose alrededor de la barra. Pero ésa será toda la clientela de la noche, admite el portero. Los Narco Juniors, como se les conoce, que en el pasado paseaban por aquí como gallitos, también han desaparecido. Desde que estalló la guerra, el narcotraficante moderno, por prudencia y supervivencia, lleva una vida discreta, celebrando fiestas en su villa y recibiendo a mujeres que le llevan a casa en lugar de hacerlo descaradamente en público, como era costumbre hasta no hace mucho.

Qué bien recuerda ella aquellos tiempos. Cómo iba a olvidarlos..., cuando los Narco Juniors estaban en su apogeo y exhibían su riqueza por toda Tijuana, chorreando oro acompañados de una belleza apenas vestida colgada del brazo. Cuando salían a ligar en sus todoterrenos y ocupaban los *night-clubs* en los que sólo bebían champán. Cristina Palacios Hodoyán se enciende cigarrillos ultrafinos con un mechero de oro que sostiene en sus dedos no menos finos, mientras los recuerda con una pena en la mirada que ni siquiera su porte elegante puede ocultar. Cómo iba a olvidar a los Juniors si dos de sus tres hijos formaban parte del grupo. El mayor, Alejandro, fue secuestrado dos veces: una en 1996, y otra al año siguiente, y desde entonces no se le ha vuelto a ver. El menor, Alfredo, al que conocían como el Lobo, está cumpliendo una sentencia de 176 años en una cárcel mexicana, condenado por asesinato múltiple y asociación criminal. «Yo había querido que se hicieran abogados o se dedicaran al trabajo de su padre como ingenieros», recuerda su madre. Tras acabarse un cigarrillo, mordisquea desganada un sándwich de salmón ahumado en una mesa del Merlot Restaurant, cerca del Club Campestre de Tijuana, lugar de encuentro de la clase más pudiente de la ciudad. La señora Palacios cumple sesenta y nueve años el día siguiente de nuestra comida y dice que tiene pensado celebrarlo con una comida tranquila, en compañía de amigos íntimos, nada extravagante.

Sus hijos habían tenido la ciudad a sus pies. Como herederos de la familia Palacios Hodoyán, eran miembros automáticos y tenían acceso directo al Club Campestre y al denominado Instituto Set, alumnos del instituto de las elites de Tijuana. Si querían, tenían un futuro prometedor en el negocio legal de su padre. Alfredo recibió la Confirmación en la iglesia de manos del por entonces obispo de Tijuana, un amigo de la familia que se convertiría en el cardenal Posada Ocampo, que sería asesinado por el mismo cártel del que más adelante formarían parte Alejandro y Alfredo. «Le teníamos mucho aprecio a Ocampo», recuerda Cristina, «era muy conocido y querido en Tijuana.» Nacidos en Estados Unidos, sus hijos podían cruzar la frontera siempre que querían, y establecer sus negocios al otro lado si lo deseaban, con la agenda de clientes de su padre a su disposición. Y los hermanos Hodoyán parecían encaminarse en esa dirección, hasta que Ramón Arellano Félix llegó a la ciudad procedente de Sinaloa.

«Recuerdo a Ramón», dice Cristina con un estremecimiento. «Siempre vestía un abrigo de visón, incluso los días calurosos, y pantalones cortos, y llevaba una gran cruz de oro sobre el pecho desnudo. Había un sitio junto a un árbol, donde siempre habían jugado los niños con triciclos y bicicletas, y más tarde, por las noches, se reunían allí a coquetear los chicos o las chicas. Álex estudiaba Derecho en la facultad, por entonces tenía veinticinco años, y Alfredo, dieciocho o diecinueve. Ramón Arellano Félix y los chicos de Sinaloa empezaron a rondar por aquel árbol, presentándose como gente interesante y aventurera, exhibiendo su dinero, y las chicas querían que se las viera con ellos.[3]

»Y así, la gente que empezó a traer drogas a mi casa –aunque yo no lo sabía por entonces– eran muchachos que yo conocía de niños, desde la guardería», prosigue Cristina Palacios. «Ramón los llevaba a los clubes. Entraba en el local y se apropiaba de una mesa, y, si estaba ocupada, echaba a los clientes. Pedía champán para sus acompañantes durante toda la noche; pero si hablabas con alguien que no fuera del grupo te consideraban un traidor. En cualquier momento, podían sacar a alguno a la calle y asesinarlo, y lo hacían. Una vez habías entrado, habías entrado para siempre, y no había modo de salir. Mis hijos acabaron formando parte de todo aquello; eran de los que se reían mientras le amputaban los dedos a alguien, o lo mutilaban en trozos por simple diversión. De todo eso me he enterado más tarde, cuando Álex fue secuestrado y Alfredo ya estaba en la cárcel.»

El 11 de septiembre de 1996, «Alejandro desapareció en Guadalajara. Y de septiembre a febrero permaneció detenido, en manos del general Jesús Gutiérrez Rebollo, del Ejército mexicano». Durante ese periodo, en diciembre de 1996, el general Gutiérrez Rebollo fue nombrado «zar de la droga», el cargo más importante en la lucha contra el narco, y pasó a dirigir la lucha del Gobierno contra los cárteles, y una de las razones, y no la menor, de ese nombramiento fue el haber detenido a Alejandro Hodoyán. Alejandro estaba «cantando», contándole al general todo lo que sabía sobre su cártel, la OAF.

Cuando Alejandro habló con su familia se descubrió, según Cristina, que las confesiones habían sido obtenidas ilícitamente y que el general había jugado sucio con su presa. «Los soldados», recuerda la señora Palacios, «le aplicaron descargas eléctricas en los ojos y en los pies, le quemaron con cigarrillos y mecheros para que hablara. Gutiérrez Rebollo», prosigue, «se presentó más tarde, después de que otros le torturaran, de manera que Álex se sintió en deuda con él y le contó todo.» A finales de noviembre, cuando había ablandado a su prisionero, Rebollo convocó a algunos procuradores de Ciudad de México, que grabaron una confesión en una cinta de vídeo en la que Alejandro, entre tragos de agua, recuerda cómo sus secuaces del cártel «se reían después de cometer un asesinato, y salían y se iban a cenar langosta». Asesinar, le contó a sus captores, «es una fiesta para ellos, una diversión». Alejandro le contó a los procuradores que había empezando haciendo recados para el cártel, luego pasó drogas a través de la frontera y más tarde formó parte de una unidad de sicarios. En cuanto consiguió la información que necesitaba, la Secretaría de Defensa Nacional mexicana entregó a Alejandro a los estadounidenses, que estaban preparando los cargos contra la OAF. «También sabemos ahora», añade la señora Palacios con un estremecimiento, «que los estadounidenses estaban al tanto de cómo le obligaron a hablar.»[4]

«El 10 de febrero de 1997», prosigue, «Alejandro fue trasladado en avión a San Diego, según me contó, y quedó bajo custodia del FBI y la DEA. En ese momento, mis dos hijos estaban en San Diego, en prisiones distintas, porque Alfredo también había sido detenido. Aunque en realidad Alejandro no estaba detenido, sino en una situación mucho peor: iba a convertirse en testigo protegido. "Sé muchas cosas", me contó, "y necesito protección." Pero no la tenía: lo que no le dijeron a Álex fue que cuanto había contado en Ciudad de México había sido filtrado por la Secretaría de Seguridad Pública al cártel de Tijuana, y que el general Gutiérrez Rebollo trabajaba desde el principio para el cártel de Juárez. Sólo dos meses después de ocupar su puesto en su nuevo cargo en la cumbre de la supuesta ofensiva contra los cárteles de México, el general Gutiérrez Rebollo fue acusado de colaboración con Amado Carrillo Fuentes..., el general incluso vivía en una villa propiedad del Señor de los Cielos.»

Después de diez días bajo custodia de la DEA en San Diego, «le pidieron a Alejandro que testificara contra su hermano», dice Cristina. Alfredo Hodoyán, el hijo pequeño, había sido acusado de asesinato y estaba a punto de ser extraditado para que lo juzgaran en México. Alejandro se encontró en una situación imposible, entre la espada de la lealtad familiar y la pared de su propia supervivencia. La señora Palacios dice: «Alejandro volvió a toda prisa a Tijuana. A esas alturas era un hombre condenado: por la OAF tras haberse chivado a Gutiérrez Rebollo, y por el cártel de Juárez por formar parte de un grupo rival». Alejandro se escondió en casa. Dos semanas más tarde, Cristina lo llevaba en el todoterreno de la familia: «Estábamos en un aparcamiento cuando un camión nos cerró el paso. Nos rodearon varios hombres, con armas, y nos ordenaron que bajáramos del coche. Yo dije que no. No llevaban máscaras ni nada. Luego sacaron a Álex a la fuerza y se lo llevaron. No volví a verle». Enciende otro cigarrillo ultrafino, inhala el humo con una calada profunda y añade: «Todo tenía sentido. Todos ellos trabajaban para un cártel u otro. Cuando revisé un álbum que me enseñó la policía con fotografías de los agentes de inteligencia, reconocí la cara del hombre que había visto en la furgoneta, el que secuestró a mi Alejandro. Pero todavía me queda Alfredo. Está en prisión, en Matamoros, y estamos intentando conseguir que reduzcan la condena». Alfredo Hodoyán había sido extraditado a México poco después de la desaparición de su hermano, fue encarcelado en Ciudad de México y declarado culpable de varios cargos de asesinato.

Todo eso forma parte del pasado, insiste Cristina. Ella ha renovado sus expectativas sobre su propia vida y trabaja con padres y familias de personas que han sido secuestradas, y probablemente asesinadas, por narcotraficantes, intentando presionar a las autoridades para que busquen a sus seres queridos desaparecidos, y hagan algo que sólo muy raramente hacen: perseguir a los secuestradores y a los asesinos. «Pero el problema es», prosigue Cristina con aire indiferente, «que la mayoría de esas personas, después de que las secuestraran, acabaron disueltas en ácido.» Se une a nosotros Fernando Ocegueda Flores, a cuyo hijo, que también se llamaba Fernando, se lo llevaron del domicilio familiar, dice, el 10 de febrero de 2007. «La policía colaboró tan poco, es más, incluso puso tantas trabas, que al principio pensé que habían sido ellos mismos los que habían secuestrado a mi hijo», cuenta. «Entonces, por los rumores que corrían por el vecindario me enteré de que había sido la Organización de Arellano Félix. Durante todo este tiempo, las autoridades no me han dado ninguna explicación, cero, ni tan sólo una respuesta, ni han investigado. Me volví loco y decidí emprender mi propia investigación. Durante dos años estuve buscando: acudí a todos los que conocía del cártel y les pregunté, a bocajarro. Fui a sus casas, llamé a sus puertas enfurecido.» «Estábamos preocupados», dice Cristina, «porque creíamos que no sobreviviría a esa línea de investigación.» «Alguien lo había hecho, y yo tenía que descubrir quién», replica Fernando. Por último, dice: «Fui a un lugar muy peligroso, me metieron en un coche y hablé con un hombre. Mi petición había acabado llegando muy arriba en la cadena de mando, y me dijeron que mi hijo había sido asesinado y su cuerpo disuelto en ácido».

El 24 de enero de 2009, la Policía Federal realizó una redada en una fiesta de narcotraficantes que se celebraba en un centro turístico de lujo junto al mar, en la autopista costera que va de Tijuana a Ensenada, y detuvo a Santiago Meza López, conocido en todas partes y buscado en Tijuana como el Pozolero. El 'pozole' es un guiso caldoso de cerdo, verdura y condimentos muy popular, pero no era eso lo que preparaba Meza. Confesó que se había deshecho de unos trescientos cadáveres disolviéndolos en cubas de lejía o ácido clorhídrico, al principio al servicio de la OAF, aunque más tarde se había pasado a trabajar para el cártel de Sinaloa, que le pagaba 600 dólares americanos a la semana.[5] La confesión de Meza fue muy clara: llenaba una cuba con agua y dos bolsas de lejía y, equipado con un par de guantes protectores y gafas, hervía el caldo rosáceo y se deshacía de los cadáveres que le llevaban a su guarida en camión, uno por uno.

Y de esta manera, Fernando Ocegueda llegó a descubrir que la respuesta a sus preguntas y las de otras afligidas familias se encontraba a lo largo de la carretera que, desde Tijuana, va hacia el sudeste hasta la colonia satélite de Florido, una población de huertos marchitos y casas destartaladas, sede de la terminal de propano de la empresa Silza. Por un camino de tierra que se introduce en el desierto se llega a la aldea de Ojo de Agua, sobre la cual se levantan dos pequeños cementerios acurrucados en la ladera de la colina. La guarida del Pozolero está rodeada de lona alquitranada azul y vigilada por un campamento de federales aburridos. Es una parcela cuadrada, de unos 30 x 30 metros de superficie, rodeada por muros de bloques de hormigón grises, abierta al cielo, con una pequeña cabaña en un rincón. Por una propina de 400 pesos (32 dólares), los federales abren el candado y deslizan la pesada puerta blanca para ofrecer una visita guiada. Por todo el recinto hay tierra apilada en montículos y barriles de plástico azul esparcidos por el suelo. Dos contenedores de acero se levantan junto a un depósito de líquido en la cumbre de la leve pendiente sobre la que está construida la guarida. «Aquí es donde los metía en ácido», dice el capitán de la Policía Federal, hablando con sencillez y sin florituras, pero esbozando algo entre una mueca y una sonrisa.

La visita extraoficial es parca en información: «Debían de traerlos en camión y los descargaban aquí», dice el capitán, moviéndose alrededor a grandes zancadas, «luego los acercaban hasta aquí, posiblemente en carretillas, los metían en las cubas, y ya está, ¡no hay cuerpos!». Pero un fuerte olor se percibe entre el calor vespertino: el inconfundible olor pútrido, enfermizamente dulzón de la muerte y la descomposición, de restos humanos. «Siempre es más fuerte cuando hace calor, sobre esta hora del día», comenta el capitán, como si fuera una disculpa. De manera que el Pozolero no era tan concienzudo cuando ejecutaba su tarea como se ha hecho creer a la gente; como tampoco lo eran, a todas luces, los investigadores policiales cuyo deber consiste, en teoría, en recoger cualquier resto con ADN que quede sobre el escenario, sellarlo, procurar identificar al difunto y localizar a sus parientes. La realidad es que estamos aquí, pisoteando la escena de un crimen que ha sido abandonada, pero sigue cubierta de pruebas. «No hemos visto el menor rastro de detectives desde hace tres meses..., a nadie, no sabemos nada, sólo se nos ha ordenado que nos quedemos aquí..., bueno, y que vigilemos a cualquiera que se acerque», se queja el aburrido capitán. Eso sucedía en agosto de 2009, siete meses después de la detención y la confesión. El capitán señala el depósito, del que sale un hedor especialmente acre que impregna la tarde. «Todavía hay mucha cosa ahí dentro», informa amable pero innecesariamente. Y no sólo «ahí dentro»: echamos un vistazo dentro de uno de los barriles de plástico azul, y vemos una encía inferior, con dientes todavía, que de algún modo se ha librado de la disolución. En el fondo de uno de los depósitos de acero hay carne humana y tejido gelatinoso.

También hay bastantes restos de la vida recreativa que llevaban el Pozolero y los aprendices que necesitara para practicar su oficio: una barbacoa, varias docenas de latas de cerveza Tecate vacías esparcidas por todas partes, trozos de marisco entre el polvo y una florecida planta de marihuana. La detención se realizó en enero y en la pequeña cabaña en un rincón del recinto sigue todavía el árbol de Navidad del Pozolero, con sus adornos confeccionados con una alegre cinta de terciopelo rojo y oropeles centelleantes.

Durante la reciente guerra, la matanza se ha vuelto cualitativa, además de cuantitativamente más grotesca: mutilaciones salvajes, decapitaciones, torturas hasta un extremo de perversa crueldad. La carnicería ha acabado requiriendo un desquiciado sentido de la innovación, una creatividad retorcida: «hacer cosquillas en los huesos» significa raspar el hueso con un punzón para hielo clavado a través de la piel. Se contrata a médicos para asegurarse de que los interrogados o los torturados no pierdan la conciencia. Los métodos de ejecución son casi inventivos en su calculada atrocidad: una de las víctimas de los hermanos Arellano fue abandonada atada a una silla y le amputaron las manos, de manera que se desangrara lentamente hasta morir, en soledad. La gama de asesinatos se ha ampliado y ya incluye a familias enteras y niños entre las víctimas. No es del todo nuevo: en cierto momento de la década de 1980, Félix Gallardo tuvo que lidiar con la interferencia en sus negocios de Guadalajara de un intruso llamado Héctor Palma. Gallardo encargó a uno de sus hombres que sedujera a la esposa de Palma y huyera con la dama y los hijos, lo que hizo. Un día, el cornudo Palma recibió un paquete por mensajero. Contenía la cabeza cortada de su mujer. Más tarde se enteró de que el hombre de Gallardo, Clavel Moreno, había matado a sus hijos tirándolos de un puente. Palma construyó una pequeña capilla en su memoria.

Los hijos de algunos narcos de segunda fila asisten a la escuela primaria Valentina Farias Gómez de Tijuana. La escuela se mantiene inmaculadamente limpia y los niños, vestidos con uniformes rojos, canturrean por el patio antes de acomodarse para las clases con ordenada disciplina. Sin embargo, una mañana de marzo de 2008, los pequeños llegaron al colegio y se encontraron un mensaje para que lo recordaran mientras preparaban su futuro en la comunidad: doce cadáveres purulentos amontonados enfrente de las puertas de la escuela, desnudos, torturados y con las lenguas arrancadas..., gente que hablaba demasiado. Era una lección para que los alumnos no hicieran lo mismo, dice el director, Miguel Ángel González Tovar, a la vez amable y agotado mientras le quita importancia a su trabajo dirigiendo una escuela a la que «asisten los hijos de los narcos, los hijos de oficiales de policía y los de trabajadores normales. La situación es muy delicada. Hay gente malvada en nuestra zona, pero aun así envía a sus hijos a la escuela».

«Fue pavoroso», dice refiriéndose a aquella mañana de marzo. «Los niños estaban aterrorizados, el personal estaba aterrorizado y yo tenía que fingir que no lo estaba, pero todo el mundo sabía qué había pasado. Era un aviso, y significa lo que significa. Aquí intentamos enseñar, instruir contra ese mensaje, como en una isla de educación y paz para los niños, pero estamos combatiendo una forma de barbarie, y no podemos aislarnos de lo que está sucediendo fuera. Sin embargo, eso no es fácil. Me dieron una cámara de vídeo de circuito cerrado, pero no funciona. Me dieron un botón de alarma, pero se ha roto. Es muy triste, una situación que deploramos, que nos asusta, pero contra la que luchamos.»

El doctor Hiram Muñoz, un patólogo forense adscrito al departamento del procurador del estado de Baja California en Tijuana, explica cómo «cada tipo de mutilación deja un mensaje claro. Se han convertido en una especie de tradición popular. Si han arrancado la lengua, significa que hablaban demasiado, que era un soplón o 'chupro'. A un hombre que delata al clan le cortan el dedo y puede que se lo metan en la boca»; lo que tiene su lógica, pues a un traidor se le conoce como un 'dedo'. A veces se meten dedos en el recto. «Si te castran», prosigue el doctor Muñoz, «puede que te hayas acostado o mirado a la mujer de otro hombre del negocio. Los brazos amputados pueden significar que has robado del alijo del que eras responsable; y las piernas amputadas, que intentaste abandonar el cártel. La decapitación es algo completamente distinto: se trata simplemente de una afirmación de poder, una advertencia para todos, como las ejecuciones públicas del pasado. La diferencia es que en tiempos más normales, a los muertos se les hacía "desaparecer" o se les arrojaba en el desierto. Ahora se les ejecuta y se les exhibe para que todos los vean, de manera que se convierte en una guerra contra la gente.»

En otra escuela, en el vacío centro turístico de Rosarito Beach, en la costa, a unos kilómetros de Tijuana, se está organizando una visita oficial en la cancha alquitranada de baloncesto. Víctor Hugo, un alumno de quince años de la Escuela Secundaria Número 32 Abraham Lincoln, fue abatido durante un tiroteo de narcos unos meses antes, este mismo año, por razones que todavía no están claras. Y hoy, el recientemente designado nuevo procurador del estado de Baja California, Rommel Moreno Manjarrez, ha escogido esta escuela para dar un discurso en el que asegura a los adolescentes que ahora hay una fuerza en las calles intentando que los traficantes rindan cuentas. «La policía está ahora de nuestra parte, y hay una nueva esperanza contra la violencia», dice el procurador. Y los alumnos aplauden; «¡Viva México!», grita uno.

El señor Moreno aceptó un trabajo difícil cuando se convirtió en procurador general del Estado en 2007. Su predecesor, Antonio Martínez Luna, dimitió después de que un vídeo entregado en mayo de ese año por un conocido traficante de drogas le acusara de proteger al cártel de Sinaloa; incluso le habían puesto un apodo, el Blindado. El traficante que aparecía en el vídeo fue encontrado muerto poco después de su entrega, así que su veracidad no pudo ser demostrada. El señor Martínez, que, se dice, vive ahora en Estados Unidos, ha negado toda relación con el cártel de Sinaloa, pero aun así dimitió y Moreno fue designado para sustituirle y limpiar la imagen de un cargo fundamental en una guerra contra la droga.

Había parecido razonable conceder a Moreno el beneficio de la duda. Cuando nos conocimos en 2008, me cayó bien inmediatamente, entre otras cosas porque había estudiado Derecho en la Universidad de la Sapienza en Roma, y había hecho muchos viajes a Sicilia para aprender de su mentor, el gran juez anti-Mafia Giovanni Falcone. Tiene modales afables, aunque un tanto vagos, y pasamos un buen rato compartiendo recuerdos del inimitable Falcone, y hablando italiano en Tijuana. Recordó, también, la campaña que lanzó otro conocido de ambos, el valeroso Leoluca Orlando, que organizó un movimiento popular masivo contra la Cosa Nostra llamado «*La Rete*», la red. «Eso es lo que yo quiero ver aquí, en México», dijo Moreno. «Una cultura en la magistratura similar a la de Italia, comprometida en perseguir a la Mafia, apoyada por movimientos en la sociedad civil como el que organizó Orlando.» Todo sonaba muy bien, y yo esperaba seguir hablando, llevar la conversación a un punto elusivo de su discurso, el que trataba de la eficacia, las detenciones y las condenas. Pero Moreno no estuvo disponible para continuar la conversación hasta semanas más tarde.

La mayoría de las mañanas, yo merodeaba como un cortesano por los diversos compromisos oficiales en los que intervenían Moreno y unos personajes itinerantes, como una troupe ambulante de actores de repertorio, de cuyo elenco también formaban parte el alcalde de la ciudad, Jorge Ramos, y José Osuna Millán, gobernador de la Baja California. El formato siempre era el mismo: el panel de personajes se sentaba a la sombra de una carpa abierta por los lados y se aplaudían unos a otros los discursos sobre el combate contra los cárteles, tras lo cual unas camareras con tacones altos y minifaldas les servían bebidas frías. En una de esas ocasiones, cuando se presentaba una flota de vehículos dotados con la última tecnología destinada a la policía estatal, la edición de esa mañana del periódico de Tijuana *El Mexicano* traía una noticia en primera plana sobre el asesinato de la encantadora Adriana Alejandra Ruiz Muñiz, una modelo y animadora del equipo de fútbol local, los Xoloitzcuintles de Caliente.[6] La terrorífica escena de su muerte se había encontrado grabada en el teléfono móvil de un tal José Carlos Meza, conocido también como el Charlie en los círculos de narcos, que había sido detenido e investigado por el departamento de Moreno. Meza se declaró inocente y afirmó que Adriana Alejandra era una confidente de la policía, que facilitaba información a las autoridades sobre el hombre de Guzmán en Tijuana, Eduardo García Simental, el Teo. Meza dio a entender que Adriana Alejandra había sido la amante del Teo, y dio un nombre, el del hombre que, según él, obedientemente la secuestró y la asesinó. A Adriana Alejandra le habían arrancado las uñas y le habían roto los huesos de los dedos durante el interrogatorio, tras lo cual fue decapitada.

Mientras el periódico contaba la noticia y Rommel Moreno daba discursos, el doctor Muñoz, en el departamento de autopsias forenses del servicio de la procuraduría de Moreno, examina el cadáver de Adriana Alejandra sobre su mesa de autopsias. De buena gana ha aceptado satisfacer mi petición de acompañarle mientras realiza el análisis del cadáver para desarrollar e ilustrar su desciframiento de las mutilaciones con ayuda visual. Pero el ayudante del procurador Moreno dice que es imposible, que ni siquiera es competencia del procurador, sino una cuestión que depende de los tribunales. El doctor Muñoz se irrita porque está estudiando este caso con sumo cuidado, sopesando las diversas hipótesis: «que podría ser obra de los grandes narcos, como se dice, o que se trata de un crimen específicamente contra una mujer, el denominado "crimen pasional", cometido por un delincuente normal, porque ¿qué pasión es más iracunda y violenta que la de un hombre contra una mujer que le obsesiona y a la que no puede tener? Y ésta es la opción por la que, de hecho, me inclino en este caso. He observado con mucha atención cómo se rompieron los dedos, y no se hizo muy bien, podría decirse que se hizo con descuido, desconsideradamente, y cuando los narcos torturan a un confidente, las huellas que dejan nunca son descuidadas. Habrían rebanado los dedos por las articulaciones, no se habrían limitado a aplastarlos, aunque sólo fuera por si querían enviárselos a alguien. Pero mi trabajo no consiste en emitir juicios de este tipo, no soy oficial de policía y ellos no me preguntan quién creo que lo hizo ni por qué. Mi trabajo se limita a redactar un informe, y el resto queda en manos de procuradores e investigadores, y –¿cómo decirlo?– es ahí donde empieza la farsa. Las autoridades no contemplan nada de esto desde un punto de vista social ni tampoco forense». El doctor extrae una bala de una bolsa de plástico y la blande sosteniéndola entre el pulgar y el índice. «Si encuentro balas de la misma arma en cuerpos distintos y lo hago constar en mi informe, nadie se da por enterado. Los narcos nos dejan señales, marcas únicas, como huellas dactilares, pero las autoridades no les prestan atención. Disponen de los archivos, cuentan con el registro de armas, pero no hacen un inventario, bala por bala.»

El doctor Muñoz saca un bolígrafo y escribe en cuatro cajas, etiquetándolas como «Yo», «Oficina del Procurador», «Juez» y «Cárcel». «De cada cien cadáveres que me mandan, veinte casos van a la oficina del procurador, diez se presentan ante el juez y uno acaba en la cárcel..., no, menos: en menos del uno por ciento de los casos se llega a detener al verdadero asesino. Y probablemente ese uno por ciento no es nunca un jefe del crimen sino un don nadie. Mientras tanto, condenan a otros por cosas que seguramente no han hecho.» Hay poca gente en México, o en cualquier otra parte, con el valor suficiente para hablar con tanta libertad y abiertamente desde dentro del sistema sobre su propio jefe, pero nada detiene al doctor Muñoz. «Hay una mujer llamada Jacinta, del sur, una mixteca de la que se cree que ha secuestrado a seis agentes federales ella sola. La estrategia de las autoridades no es más que espectáculo. Necesitan ofrecer un espectáculo con esos casos: ya lo habrá visto, cada vez que atrapan a un narco, lo exhiben, con todas las drogas y armas. Es puro teatro, para impresionar al presidente igual que yo, de niño, intentaba impresionar a mi padre. A la prensa, le dicen que se trata de un 'presunto responsable', ¿qué demonios quiere decir eso? ¿Es una condena emitida por un tribunal? No es más que un montón de basura. Y durante todo ese tiempo, me van trayendo estas víctimas de torturas y mutilaciones, sabiendo que nunca atraparán a la gente que lo hizo. Pero me encanta mi oficio, amo mi trabajo. Combina la medicina y el derecho en la práctica: el cadáver es mi paciente, y mi tarea consiste en interrogar al cadáver, hacerle preguntas. Como los muertos no pueden hablar, tengo que encontrar formas de hacerles decir lo que pasó.»

Tijuana es una ciudad fuerte y, pese a todo lo que ha pasado, los mexicanos locales siguen en ella, aunque ya no haya turistas. Un concierto de homenaje a los Beatles, los *Fab Four,* ha vendido todas las entradas. Llevar a tu novia para tomar un *frappuccino* desnatado de vainilla en un local de la cadena D'Volada –una especie de Starbucks mexicano– es una cita de moda, sobre todo si tiene *wi-fi* de manera que nadie tenga que hablar de nada. Sanborns es una institución de referencia que se encuentra en todas las ciudades mexicanas, que combina restaurante, espacio de reunión y tienda, y Tijuana no es una excepción, atestado su local todos los domingos a la hora de la comida, con sus camareras ataviadas con sus reconocibles vestidos «tradicionales» con alas sobre los hombros. El Cinepolis está lleno para presenciar la última película que glorifica la violencia –violencia de fantasía– realizada un poco más arriba en la costa, en Hollywood.

Después de leerme todo lo que decían Hemingway y D.H. Lawrence, decidí que debía probar una corrida en la plaza cerca de la valla fronteriza junto al mar, lo que sólo sirve para recordarme lo poco que admiraba a ambos escritores, pues me resulta imposible sentir ninguna descarga de viril libido mientras otro toro reventado es masacrado siguiendo el plan previsto y su cadáver es arrastrado con cuerdas. Pero las parejas vitorean, la banda toca y las mujeres agitan sus pañuelos al matador ídolo de esa matinal, vestido con los ornamentos de la Vieja España.

Mucho más auténtico es el pub Sótano Suizo, donde se rumoreaba el domingo que Eduardo Félix Arellano iba a ser trasladado a la capital, pero no porque él quisiera. Había otra llegada, de carácter muy distinto, a Ciudad de México ese día: la del equipo de fútbol del Chivas, de Guadalajara, para el partido que los mexicanos denominan 'el clásico', contra el Club América. En las pantallas del local, ambos equipos lanzan ataque tras ataque en un tremendo juego sin cuartel, mientras Chivas gana por 1 a 2. Un jubiloso seguidor del equipo de Guadalajara presente en el bar, Adán, compara el conseguir la victoria en la capital y sede del poder con «robar la casa de tu jefe y follarte a su mujer cuando te vas». Pero la temperatura del clásico no era nada en comparación con la que se alcanzaría ocho meses más tarde, en el partido de clasificación de México para el Campeonato Mundial, en el que se jugaba su pase a la fase final o su eliminación, contra nada menos que su vecino, Estados Unidos: el derbi transfronterizo de Améxica. Sin mucho que ver con las complejas rivalidades fronterizas, este encuentro deportivo tiene su propia historia. A los mexicanos les resulta difícil reconocer que los estadounidenses juegan muy bien al fútbol hoy en día, y existe una creencia muy arraigada de que aunque los gringos sometan a México, hay una cosa que los chicos de verde hacen mejor que sus vecinos del norte: jugar a fútbol. O al menos eso creían, hasta que una fatídica noche durante el Campeonato Mundial en Japón, Estados Unidos venció a México por 2-0 en una ronda eliminatoria. La herida fue muy profunda, y llegó hasta lo más alto. Antes del partido, el entonces presidente Vicente Fox le propuso a George W. Bush que ambos lo presenciaran juntos en un local de la frontera, como un gesto de amistad entre ambas naciones. Pero la respuesta despectiva llegó de boca de un asistente: dado que el partido se jugaba en Asia, el presidente estaría dormido a esa hora de la noche. Estados Unidos se pasó durmiendo su histórica victoria, mientras México la contemplaba angustiado con los ojos abiertos como platos.

Ahora, con México por detrás de Estados Unidos en la fase de clasificación para el Campeonato Mundial de 2010, la derrota hoy en Ciudad de México supondría un serio peligro de quedar vergonzosamente eliminados del torneo final en Sudáfrica mientras que los gringos seguirían adelante. Los estadounidenses marcan primero: México 0, Estados Unidos 1, en Ciudad de México. Adán, el del partido de hace unos meses, suelta el inevitablemente amargado chiste sobre el jefe que, esta vez, roba en tu casa y se folla a tu mujer. Pero entonces Israel Castro empata el partido con un glorioso disparo desde 25 metros, y, todavía con minutos de margen, Miguel Sabah controla un centro perfecto para marcar el tanto que da la victoria a México. Entonces sucede una de esas cosas que suelen pasar cuando una voz corre de bar en bar, de colonia en colonia: todos a la frontera. Y así lo hacen, a miles, unos a pie y otros tocando el claxon, en un desfile de automóviles ondeando banderas. Se pintan las caras, meten los dedos entre la valla y cantan sus canciones. Por último, la ruidosa multitud corta el tráfico que cruza la frontera y la cosa acaba con seis detenidos. «Mire», dice mi amigo Delgado, intentando explicarlo, «limpiamos sus retretes, recogemos su fruta y regamos su césped. Pero podemos ganarles en el fútbol.»

La alegría en Tijuana tiene cierto tinte surrealista: en el apogeo de las matanzas en el invierno de 2008, muchas parejas y emocionados grupos de escolares con sus uniformes planchados hacían cola para ver en un museo la exposición de momias con la piel conservada como pergamino que miran inquietantemente a través de los siglos desde el Guanajuato preazteca. Las multitudes de visitantes no establecen ninguna relación entre esos cadáveres y otros acontecimientos que suceden en la ciudad, y reafirman de algún modo el antiguo culto a la muerte en México.

El domingo, una muchedumbre atesta la catedral de Tijuana, delante de la cual los puestos de un mercado venden accesorios devocionales inequívocamente mexicanos: puede que resulte molesto para el Vaticano, pero tiene un profundo significado para muchos devotos mexicanos el que la Virgen de Guadalupe, símbolo nacional y «emperatriz de las Américas», represente también a Coatlicue, madre del principal dios azteca. Tal dicotomía –omnipresente en el «catolicismo popular» practicado en México– es incomprensible para los cristianos dogmáticos, del mismo modo que la ambivalencia de los dioses mexicas fue incomprensible para los conquistadores, cuya religión los mexicas incorporaron a la propia. Durante el Credo, en el que la congregación proclama su fe en «un Dios», llega un mensaje de texto diciendo que Eduardo Félix Arellano fue detenido durante aquel tiroteo en la villa. Tras administrar la hostia sagrada, el arzobispo Rafael Romo concede una entrevista, a pesar de que un asistente acaba de informarle en voz baja, hace sólo un instante, cuando se encaminaba al santuario. «Es un tiempo de desafíos para nosotros, como cristianos y como ciudadanos cuya calidad de vida y hasta cuyas vidas mismas están en peligro real e inmediato», dice. «La violencia es ahora estratégica, contra toda la sociedad, y ésa es la diferencia. Por no mencionar los problemas que las drogas causan en nuestra diócesis. Lo que podemos hacer es ofrecer resistencia, y afirmar nuestra esperanza.» La mayoría de la aristocracia del narco, y bastantes de los sicarios, son, sin embargo, devotos católicos, o al menos cumplen con los ritos religiosos: bautismo, matrimonio por la Iglesia, donaciones en efectivo y confesión. Hay incluso un «santo» narco extraoficial, san Jesús Malverde, un bandido con un pasado a lo Robin Hood, a cuyo altar en Sinaloa los devotos traficantes rinden culto con promesas devocionales –'mandas'– a cambio de la bendición del sagrado forajido. Durante la década de 1980, los narcos se alinearon activamente con el ala conservadora de la Iglesia contra los sacerdotes que defendían la Teología de la Liberación.

El arzobispo Romo es muy franco para tratarse de un hombre con su austera autoridad. «Esperan venir a nosotros y hablar de lo que hacen. Nuestras palabras para ellos son claras: hablaremos de esas cosas, de esos peligros. Si creen que son religiosos, se lo discutiremos, les apremiaremos a que abandonen esta maldad y estas actividades contra Dios. Son como esos seguidores "ultras" del fútbol que van al estadio: apoyan a tu equipo, aunque el club no quiera que se comporten como lo hacen, pero aun así sigue siendo tu equipo y se supone que no los vas a expulsar. Además, en los barrios a los sacerdotes no les resulta fácil tratar con ellos cara a cara.»

Eso sucedió en octubre de 2008. Es posible que el obispo hubiera respondido con mayor severidad si hubiéramos hablado unos meses más tarde, tras una terrible ejecución cometida por los narcos en julio de 2009. El padre Habacuc Hernández y dos seminaristas que se preparaban para ser sacerdotes fueron obligados a bajarse de su furgoneta en la carretera que lleva a Ciudad Altamirano, 300 kilómetros al sur de Ciudad de México, y les dispararon repetidas veces. Hernández había viajado a caballo y en camión cientos de kilómetros por terreno montañoso para servir a su diseminada comunidad. Era uno de los diez hijos de una familia pobre que había trabajado, durante un tiempo, ilegalmente, en Texas. Los aldeanos suponían que debía de haber incumplido las instrucciones de los narcos de no meterse en sus asuntos.[7]

El 1 de noviembre de 2008, día de Todos los Santos y primera jornada de la celebración mexicana del Día de Muertos, el periódico *El Sol de Tijuana* salió con una primera plana que parecía una cubierta de un disco de *heavy-metal*, con un esqueleto encapuchado que blandía una guadaña y un titular que citaba una declaración cuidadosamente programada para ese día del obispo: ROMO: LA SANTA MUERTE NO EXISTE. El arzobispo estaba asestando un golpe públicamente, en un diario popular, al culto en el que está impregnada la frontera, a ambos lados. La Santísima Muerte adorna parabrisas de coches, camisetas, fundas de teléfonos móviles y pende como colgante plateado de los pechos por toda la frontera. Para los no iniciados, las imágenes parecen baratijas de una tienda gótica del Camden Market de Londres o del Lower East Side neoyorquino, pero no lo son. En una manifestación más contundente del culto, se han erigido altares al borde del camino dedicados a la Santísima Muerte, también llamada la Señora de las Sombras, en las afueras de la mayoría de las ciudades que bordean la frontera del lado mexicano. En esos altares, construidos a modo de pequeños templos, ella aparece como un esqueleto encapuchado sosteniendo el globo del mundo en una mano y la guadaña en la otra. Suele lucir una corona o una mitra, y su capa es a menudo blanca, pero a veces está pintada con los colores del arcoíris. En algunos de los altares, el esqueleto es auténtico, envuelto en telas. A su alrededor se ven las ofrendas: cigarrillos, fruta, fotografías de los difuntos. Se le ponen velas que llevan su imagen pintada en el cristal que rodea la cera. Se le escriben mensajes y peticiones, pidiendo protección. A veces la adornan con flores.

Este culto tiene su origen en el sincretismo entre el catolicismo, las creencias precolombinas y el culto a la muerte, y se remonta al siglo XVIII. En la década de 1960, se construyó el primer santuario público a la Santísima Muerte en el barrio pobre de Tepito, en Ciudad de México. En 2005, el culto fue eliminado de la lista de ritos religiosos permitidos del Gobierno mexicano, y sólo desde entonces ha atrapado la imaginación de los jóvenes delincuentes, y ha conseguido en poco tiempo un número creciente de devotos entre los narcotraficantes y las pandillas callejeras relacionadas con ellos. La Santísima Muerte se ha convertido en un icono al que los traficantes de drogas y los asesinos ruegan protección contra su propia muerte, un talismán y culto de masas que acompaña esta guerra. Aunque, desde fuera del país, se la considera un elemento exótico más de las supersticiones mexicanas, el culto puede poner la carne de gallina a cualquiera que vea cómo otros detienen sus coches y susurran sus palabras de devoción a la santa en esos altares. La Santísima Muerte tiene una iconografía didáctica muy calculada. En el catolicismo místico, la figura del Anticristo –la imagen de Satán con la apariencia del Mesías– es más terrorífica que el diablo mismo, por el engaño en que se basa. Tal vez por eso el Anticristo es muy raramente retratado en el arte cristiano (entre los pocos retratos se cuenta la representación profundamente inquietante que pintó Luca Signorelli en la catedral de Orvieto de un Satán predicando a las masas orantes, con una máscara de Jesús). Lo importante es esto: los accesorios ornamentales de la Santísima Muerte reproducen exactamente la iconografía del culto a María, la Madre de Dios, en general, y la del de la Virgen de Guadalupe en particular: los altares, ofrendas, oraciones, flores y cirios decorados con su imagen. A diferencia del satanismo, el culto a la Santísima Muerte no es una inversión de la fe. Ella luce las vestiduras de la fe; como el Anticristo, no se trata de una forma invertida sino disfrazada.

Los sacerdotes son reacios a desentrañar el sentido del culto y su potencial, mientras que las autoridades lo temen lo bastante como para atacarlo legal y físicamente. En Tijuana, casi todas las capillas erigidas junto a las carreteras en 2008 habían sido demolidas antes del verano de 2009, por el Ejército, según el alcalde Jorge Ramos, aunque los militares no aceptarían ninguna responsabilidad oficial. Fueron demolidas, pero no desaparecieron. Una especialmente destacada había sido levantada sobre la explanada de cemento de la presa de Abelardo Rodríguez. Recuerdo el altar en lo alto del embalse: pintado de blanco, con una fachada de muros bajos a través de la cual se entraba en un espacio para las ofrendas y las súplicas; la «santa» se asomaba desde detrás de un cráneo humano auténtico, adornado con un chal de los colores del arcoíris, y llevaba una mitra sobre la cual había esparcidos collares de cuentas. La espantosa figura solía aferrar un ramo de flores frescas, que reponían regularmente. Ahora el altar no es más que un montón de escombros mellados y ladrillos rotos, pero entre las ruinas se conserva desafiante un altar, repleto de cirios con la imagen de la Santa Muerte, algunos de ellos todavía encendidos. Las colillas de cigarrillos presentadas como ofrenda están alineadas en ordenadas hileras, incrustadas en la mampostería destrozada. También han dejado puros, así como baratijas personales. A un lado hay una pila de cientos de palmatorias de cristal vacías, la mayoría de ellas ornamentadas con la conocida figura; centenares de personas han pasado por aquí desde la destrucción, y hay todavía más: mensajes pintados sobre los muros desmoronados del altar, ahora esparcidos por el suelo. «Aunque te destruyan, sigo creyendo en ti», dice uno. Y el de al lado reza: «Se han llevado a mi hijo, a mi padre, mi penitencia, mis condolencias». Observándonos durante todo este tiempo, vigilando las ruinas del altar, hay una furgoneta Ford-150 negra con las ventanillas tintadas y un CD colgado del retrovisor. Al día siguiente, vuelvo y veo un vehículo distinto, un Toyota esta vez. Doy una vuelta por allí, despreocupadamente, como un estúpido gringo que visitara el altar. La ventanilla del pasajero de la furgoneta está bajada, y hay dos hombres en su interior; el más joven mira hacia delante, por la ventanilla, hacia el altar. El mayor se vuelve hacia mí, me mira fijamente, asiente dos veces y vuelve a mirar. «Vete a la chingada», dice con aire despreocupado y sin mediar más palabras le da al interruptor electrónico para cerrar su ventanilla.

El Día de Muertos en México es un ejercicio de sincretismo, un entrelazamiento muy denso de antiguas fes con el cristianismo importado, de la comunión azteca con el infierno y las celebraciones católicas de Todos los Santos (1 de noviembre) y Difuntos (2 de noviembre). Se preparan comidas muy elaboradas, se cuecen panes especiales para compartirlos con los difuntos. Se contratan músicos para que les canten baladas y elegías, se llevan juguetes a los niños fallecidos, se susurran oraciones especiales y se cumplen ciertos ritos. La mayoría de estas fiestas religiosas se celebran en cementerios por todo el país, pero en Tijuana ésta puede ser también una ocasión para una reunión familiar a horcajadas de la propia frontera, en la playa donde se tocan México y California. Dicho así, puede que suene más idílico de lo que lo es en realidad. El océano azul turquesa parece seductor y distante, pero esto es un trozo de tierra quebrado, separado por una valla de tela metálica, que hace de frontera, a través de la que las familias se sientan a hacer su picnic, una mitad al lado estadounidense y la otra en el mexicano. Este último tramo de valla a lo largo de la frontera es muy endeble, y en anteriores visitas a Tijuana era un pasatiempo vespertino bajar a la playa y ver a la gente saltar la valla y darse a la fuga. A veces los chicos solían posar sobre la valla, haciendo equilibrios, mientras sus familiares o los turistas les hacían fotos, antes de entrar a la carrera en Estados Unidos de América, sabedores de que la patrulla de fronteras, la 'migra', capturaría a algunos, pero no podría atraparlos a todos. Otro de los puntos de cruce preferidos era un canal de cemento, ya seco, que se extendía entre Tijuana y Estados Unidos, por el cual los denominados «correcaminos» se precipitaban al anochecer, calculando su sprint por el territorio de nadie entre las sucesivas rondas de las patrullas de la 'migra' y de los helicópteros.[8] Pero ahora, el salto de valla como deporte con espectadores en el crepúsculo se ha acabado; terminó después de que el Gobierno de Clinton organizase la Operación Portero en 1994, supervisada y puesta en práctica por el entonces fiscal federal de Estados Unidos en San Diego, Alan Bersin, nombrado «zar de la frontera» por el presidente Barack Obama. Pero los cruces de la frontera continúan, y prosiguen también los picnics como una especie de ritual de fin de semana, sobre todo el primero de noviembre.

La familia Giovanni se reúne: Salvador Giovanni en el lado mexicano con su hija, Jessica, sosteniendo en brazos a su bebé, Jorge, para que el padre de la criatura, su marido Ricardo, pueda jugar con su hijo –juegan a hacerse cosquillas con los dedos a través de la tela metálica, la frontera internacional– y ponerse al día con las noticias semanales de su esposa del lado meridional de la frontera. La otra hija de Salvador, Chantelle, estudiante de Derecho Penal en la Universidad de San Diego, también se ha acercado al lado estadounidense, «por primera vez, al enterarme de que mi hermano podía reunirse con su mujer y su bebé en la valla», junto a su novio Luis, así que se convierte en toda una reunión dominical, sólo que con una frontera internacional de por medio. «Sin duda es un picnic peculiar», dice Salvador en un inglés perfecto mientras le corta a su hijo una rodaja de sandía de un tamaño que quepa a través de la valla. Los billetes de dólares y los tamales se pasan también de un lado al otro de la tela metálica. «Algunos de nosotros no podemos pasar la frontera, y otros no podrían cruzarla de nuevo si vuelven a este lado, como mi yerno. Él pasó, consiguió un empleo, gana dinero y envía aquí la mayor parte... ¿qué padre de una hija y abuelo de un bebé va a poner alguna pega a eso?» Salvador dice que «yo también pasé un tiempo al otro lado, trabajando en Los Ángeles. Pero eran otros tiempos. Íbamos y veníamos cuando queríamos. Durante diez años trabajé en una tienda de automóviles y venía a casa cada dos semanas». Pero ya no es así: Jessica y su marido se besan a través del alambre; ella se demora un momento, la tristeza asoma en sus ojos, papá le hace cosquillas a su hijo, y es hora de marcharse. «Tengo que trabajar», dice Ricardo, y se aleja con pasos desganados por el aparcamiento. Pese a todo, dice Salvador Giovanni, Estados Unidos pronto pondrá fin a estos tradicionales picnics dominicales y sustituirá la valla de tela metálica con la versión reforzada que ya se extiende a lo largo de más de 1100 de los 3300 kilómetros de frontera. Se concentra en los centros urbanos y sus alrededores, de manera que estas reuniones familiares se convierten en un punto vulnerable para las defensas estadounidenses. «Pero la cuestión es», afirma Salvador, «que siempre queda alguna oportunidad» y señala hacia una tierra de nadie en el límite de la valla, cerca del océano. «Cada seis o siete días, un grupo numeroso entra por ahí y los americanos saben tan bien como los mexicanos que no pueden atraparlos a todos, siempre habrá unos pocos que esquivarán las cámaras y los rayos infrarrojos, y que Dios les bendiga.»

Algunos lo consiguen, otros son detenidos y deportados... al cabo de unas horas, unos días o, a veces, unos años en Estados Unidos. Una tarde en el depósito fronterizo para deportados muestra que la mayoría de ellos son como Natalia González, de treinta y ocho años, que vivió veintidós años fabricando pilas en Los Ángeles hasta que las autoridades de inmigración la descubrieron en un control de documentación. «Aquí hay trabajo, en las maquilas», dice, «pero mi hijo está en LA, así que no sé qué voy a hacer ahora.» Pero hay otra pequeña clase entre los deportados, dice Víctor Clark Alfaro, que lleva años defendiendo los derechos humanos en Tijuana, una minoría sumamente útil para los cárteles: «hablan inglés, tienen contactos en Estados Unidos, muchos han sido miembros de pandillas como los Latin Kings y la Mexican Mafia, un tercio de ellos han estado en prisión, conocen las drogas y saben usar armas. Se tapan los tatuajes de las pandillas cuando cruzan la frontera; los sueltan de vuelta sin trabajo, pero no tardan nada en encontrar otro». Un hombre con lágrimas tatuadas llega al centro de paso, el tipo de tatuajes que se hace para ser miembro de una banda, o en prisión. Julio César es un antiguo alumno de la cárcel de Huntsville en Texas, la capital estadounidense de la pena de muerte, donde cumplió condena por traficar con anfetaminas, un joven seguro de sí mismo y amigable, aunque intimidante. «Estás mirando mis tatuajes, ¿verdad?» Dice esa obviedad con un tono que mezcla la amenaza y la diversión. «Pues sí, me los hice, y tú ya sabes por qué, ¿verdad que sí?» Aunque César no tiene intención de extenderse, recuerdo que me lo explicaron en un temible barrio de Los Ángeles miembros de una pandilla con lágrimas tatuadas: por cada persona que asesinaban se rellenaban una lágrima. Eran una forma de iniciación y de protección de la Mexican Mafia o de alguna otra banda tanto dentro como fuera de la cárcel. César vierte muchas lágrimas de tinta, dos de ellas rellenas. Dice que en las tres cárceles en las que ha cumplido condena en Estados Unidos «Me protegió la Raza [así se denominan los mexicanos a modo de afirmación identitaria en Estados Unidos], la fraternidad». ¿Qué fraternidad? ¿La Mexican Mafia?, ¿los Latin Eagles?, ¿los Latin Kings?, pregunto. «Eso sería hablar demasiado», dice César, pero admite: «una de ésas». Ésta es una conversación que yo probablemente no podría haber mantenido de no estar César en este recinto y vigilado por la policía..., y que él no puede continuar por la misma razón. César tenía que haber sido deportado en 1993, pero en la prisión perdieron su historial, afirma, así que siguió allí dentro hasta 2001, luego lo deportaron, volvió a colarse en California, donde vivió cinco años hasta que lo atraparon de nuevo, «sólo porque me gusta fumar». Y ahora está de vuelta, «Voy a hacer cualquier trabajo que pueda encontrar aquí, en TJ, que me permita conseguir el dinero para volver allá», dice. «Tengo algunos contactos. TJ está bien, sólo que no hay forma de que un hombre honrado se gane la vida, no sé si me entiendes.»

A otros de los que cruzan la frontera hacia el norte no se les vuelve a ver jamás: nunca los llegan a recibir los familiares que iban a buscar, ni tampoco regresan a casa, a no ser que sea a bordo de un avión, en un ataúd pagado por el Gobierno mexicano. Para algunos en Tijuana, el Día de Muertos de 2008 tiene un propósito especial: recordar a aquellos que murieron en los desiertos de Estados Unidos, de camino a lo que habían querido que fuera una vida mejor; que es el tema que domina y define la siguiente etapa en el viaje de este libro a lo largo de la frontera. A la procesión conmemorativa de Tijuana asisten los que sobrevivieron al viaje pero fueron deportados, y ahora se reúnen en el hostal Salabrini, que recibe a los deportados abandonados y sin hogar devueltos de Estados Unidos. Cada manifestante lleva una cruz blanca con el nombre de un compatriota que murió intentando cruzar a Estados Unidos: por la exposición a las condiciones del desierto, calor o frío, sed o hambre, ataque de ladrones o serpientes venenosas. Los manifestantes deportados se acercan hasta el lado mexicano de la valla, en la que, tras rezar unas oraciones junto a un pequeño altar de flores y cirios, sujetan las cruces. «Señor, atiende nuestras plegarias», canta el reverendo Luis Kendzerski, «por los emigrantes y los pobres, los abandonados y los muertos, de la frontera.» De cada diez que mueren, dice, dos son mujeres o niños.

Al este de Tijuana, a través de Tecate, por la Carretera Federal número 2, se produce el primero de los muchos momentos de infarto de este viaje: el calor de primera hora de la tarde se eleva de la tierra por debajo de la carretera y por el desierto, extendiéndose por el interior del sur de California y más allá, se diría, hasta la eternidad. Matices de rojo, rosa y siena quemado envuelven la lejanía, ascendiendo hacia la niebla azul ahumada del cielo cuando alcanza el horizonte. Se respira una calma absoluta en el paisaje aparentemente sin límites. En el lado mexicano, la carretera serpentea por Tecate hasta una sierra montañosa muy alta, y una carretera fronteriza paralela corre en el lado californiano a través de claros frondosos hasta un solitario pero acogedor pueblecito llamado Jacumba, que cuenta con un motel balneario, y entra en la caldera del valle Imperial. Aquí el paso fronterizo a México conecta dos ciudades con nombres que las sitúan didácticamente en «Améxica». Se llaman Calexico y Mexicali, California y México empalmados y compartidos. Gran parte de los valles Imperial y de Mexicali se extiende bajo el nivel del mar y ambas ciudades cohabitan en un cuenco geológico en el que el aire queda atrapado, de manera que ni el acre hedor del ganado, de las zonas de engorde y del fertilizante en el lado estadounidense ni las ráfagas de sustancias químicas que se elevan en la brisa desde Mexicali pueden escapar. Aunque es un desierto, el valle Imperial puede alardear de poseer parte de las tierras de cultivo más fértiles y productivas en el oeste de Estados Unidos, gracias al canal All-American, que parte del río Colorado y beneficia a granjeros de ambos lados de la frontera, debido no sólo a la irrigación planificada sino también a una imprevista fuente de vida para el valle de Mexicali: las filtraciones. El agua que se filtraba del canal creó zonas húmedas en el desierto y ha sido bombeada desde el resultante acuífero por los granjeros del lado mexicano, que la han utilizado para sus cultivos. Esto fue así hasta abril de 2009, cuando concluyó la reconstrucción del canal a lo largo de 37 kilómetros de cemento impermeable, lo que ahorraba aproximadamente 3800 millones de m^3 de agua al año.[9] El revestimiento del canal fue muy bien visto en California, como una recuperación económica y medioambiental del agua que se perdía y ahora podrían utilizar los granjeros en el Imperial Valley Irrigation District y los grifos domésticos en el Metropolitan Water District de San Diego. Pero no se vio así en la frontera, en Calexico, que se puso de parte de los enfurecidos granjeros mexicanos. Un antiguo alcalde, Álex Perrone, afirmó que «económicamente, si Mexicali pierde, veremos morir a Calexico. Dependemos casi por completo del desarrollo y el poder adquisitivo de más de un millón de personas que viven al otro lado. Si el agua desaparece, las granjas y las industrias lo sufrirán. Y si ellas sufren, Calexico también». Y por tanto, concluye Perrone, que nació en Mexicali, «nos oponemos al revestimiento del canal. El agua es un bien escaso, y nuestra comunidad conjunta se ha desarrollado alrededor de la poca disponible. Ahora los granjeros están perdiendo tierra al otro lado, porque el agua es limitada. Eso detendrá la creación de empleo, lo que significa que se contrae la economía. Ya repercute en los negocios agrícolas, las personas que venden semillas y fertilizantes o proporcionan y mantienen la maquinaria, y más tarde repercutirá en nosotros».

Pero en este valle sofocante, y por todo el territorio hacia el este, el agua tiene una importancia que supera los problemas de riego y cultivo. A lo largo de la Autopista 98, la carretera que desde la Interestatal 8 llega a Calexico, la temperatura sube a cada kilómetro recorrido –hasta superar los 38 grados centígrados– y se han colocado depósitos azules de plástico por todo el tramo a intervalos regulares. Sobre ellos ondean banderas azules, todas con la palabra «agua» estarcida con pintura blanca. Hay una relación entre estos depósitos de agua y una parcela del cementerio de la cercana Holtville, donde son enterradas aquellas personas desconocidas que mueren en el desierto. Esta carretera nos lleva fuera de California, al estado de Arizona y nos introduce en el relato que da cuenta de lo que hay detrás tanto de los puestos de agua como del cementerio: el del desierto como sepultura. Porque aquí está sucediendo algo más, que no tiene nada que ver con el canal, algo en lo que sólo unas gotas de agua pueden marcar la diferencia entre la vida y la muerte.

3
El Camino del Diablo

Había una carretera al norte, bordeada de leña ennegrecida y de flores; cuerda de arco de pluma de ala, bordeada de cuerda de arco de pluma. / A ese lado, el norte, mis pensamientos no eran buenos. Y lo arranqué, lo rompí, lo tiré, lo pisoteé. / Y eso es lo que tenéis que desear y planear, mis varios parientes.

Discurso de apertura en preparación para la guerra, ceremonia tribal Tohono O'odham[1]

Las bisagras del infierno refrescarían esta tierra; es una pirexia, y de una calma que deja sin aliento. Ni un céfiro altera el aire abrasador. Bajo los mezquites, los arbustos de la creosota (también conocidos como «gobernadoras») y los cactus agaves de hojas como espadas desenvainadas, hay miles de agujeros en el polvo, algunos excavados por las ratas canguro para huir del sol. Estos animales tienen riñones que pueden reabsorber el agua y concentrar la orina para no perder fluidos; sus orificios nasales están diseñados para reciclar toda la humedad del aire que exhalan al respirar. También invisibles hasta que remite el calor implacable son los zorros de orejas largas, cuyas madrigueras son tan ubicuas que parece que hay cientos de ellos en sólo tres kilómetros cuadrados. Pero no es así: este animal cambia de madriguera con frecuencia, y cambia de zorra cada estación, pero nunca abandona su territorio y siempre permanece bajo tierra durante el día.[2] Las ramas altas y delgadas del ocotillo se asemejan a un abanico de palos marchitos y resecos, pero están vivas, hibernando, fingiendo una muerte seca. Reverdecerán con fuerza a la menor precipitación o durante una tormenta del desierto, y durante semanas e incluso meses, almacenarán el agua, para luego recuperar su disfraz de leña momificada. Y cuando sus hojas crecen y sus flores aparecen como llamas en sus tallos, surge una púa detrás de cada diminuta hoja para castigar y ahuyentar a cualquier animal sediento tentado por una sed acuciante a robarle su humedad con un mordisco refrescante. El cactus cholla «*Teddy Bear*», iluminado por detrás, parece tan acogedor como un muñeco de peluche, pero sus espinas pinchan y se clavan en cuanto las rozan siquiera. Su primo mayor, *Cylindropuntia fulgida*, alias cholla brincadora, tiene articulaciones engañosamente frágiles que parecen soltarse solas y, se diría, volar hasta clavarse en la piel, implantando sus espinas. Luego está el cactus de barril con espinas en forma de anzuelo que se entierran en la piel y no pueden extraerse. Al alba y al crepúsculo, las serpientes de cascabel salen a los senderos, agitando sus lenguas bífidas, y en el territorio yermo se oyen ecos de la evocadora variedad de aullidos, ladridos, gritos y gruñidos de los coyotes: los cantos del animal más pícaro del folclore de los nativos americanos, uno de los animales más resistentes, astutos y adaptables de la tierra, incluso en esta tierra árida. Según una leyenda de los navajos, al norte de aquí, el primer coyote lanzó una manta llena de estrellas a los cielos y así creó la Vía Láctea.[3]

En esta xerosis de la tierra, cualquier organismo que ha sido arrojado para que se deseque en el polvo, se rompe crujiendo en el suelo como pergamino viejo. Piel de serpiente desechada yace al borde del camino, seca como papel quemado. La calma en sí es abrumadora, rota sólo por la esporádica carrera de un lagarto entre las rocas, o el vuelo de un pájaro carpintero de lomo blanco y negro a través de la cavidad que ha excavado en el muro de un imponente saguaro dentro del cual anida y cuyos fluidos extrae. El único movimiento constante es en las alturas: el vuelo en círculos de las águilas, listas para abatirse sobre cualquier ardilla listada o liebre que haya tenido la osadía de desplazarse al descubierto a esa hora de la tarde. Y aparte están los buitres, buscando a quienes no pudieron conseguirlo. En la lejanía se extiende un mundo sin límites y un drama constante de color y luz; de predadores, presas y supervivencia. La inmensidad se extiende hasta la sierra de Cabeza Prieta, o Pinta, de la Arizona occidental: picos volcánicos negros desnudos tras milenios de erosión, y que adquieren un tono añil ahumado mientras el anochecer se lo piensa. Hay otros colores oscuros, por el granito y la mica, que bajo el sol implacable crean una neblina azul marino en el territorio: las Diabolo Mountains, el valle Growler, la Scarface Mountain, la Black Mountain, las Gunsight Hills, el Alamo Wash, las John the Baptist Mountains... Como dijo el escritor Luis Alberto Urrea: «Los poemas sobre el mapa se leen como un canto fúnebre».[4]

El afamado naturalista mexicano Exequiel Ezcurra escribió que su «trabajo en el Gran Desierto cambió mi imagen estereotipada de una naturaleza competitiva, donde el matar y el conquistar eran la norma para la supervivencia de los genes egoístas, por una perspectiva distinta y hasta cierto punto opuesta: lo que mueve la vida no es la lucha, sino la simbiosis y un impulso a reproducirse. No tiene tanto que ver con la supremacía como con la cooperación de los organismos y la pasión de los sentidos».[5] Y eso está muy bien, pero para que un animal o planta evolucione y sobreviva en este territorio se requieren milenios de selección natural y mutaciones. Ser un frágil humano en esta tierra es otra cosa, porque por encima de todo manda el sol. Hay algunos signos dispersos de la presencia del *Homo sapiens*. En un sendero para excursionistas que recorre el Buenos Aires Wildlife Refuge en el sur de Arizona, ya abandonado: recipientes de plástico de cinco litros de agua vacíos, zapatos mugrientos, sucias imitaciones de chándales de cremallera de Nike, mochilas escolares con fotografías de Hannah Montana, un estuche de afeitado, libros de ejercicios, pilas usadas..., todo acumulando arena y deshaciéndose bajo el calor. Lo más conmovedor es un álbum de fotografías de bolsillo, con las imágenes descoloridas, apenas distinguibles, que muestran a un grupo de gente sonriendo ante lo que parece un banquete festivo compuesto casi por entero de marisco. Hay tres hombres con bigote, tres mujeres corpulentas con sus mejores galas; otro hombre toca una guitarra. Estos objetos son restos desechados de un viaje que se hizo por allá, en la lejanía abrasada.

A este camino de tierra, que serpentea hacia el sur desde Wellton, Arizona, pasando por el Mohawk Canal y el campo de tiro de la Fuerza Aérea de Estados Unidos Barry Goldwater y el National Wildlife Refuge de Cabeza Prieta, le pusieron nombre los exploradores españoles que lo utilizaron como ruta de exploración al norte de su misión de Caborca, hoy en Sonora, a mediados del siglo XVI. El nombre, que aparece en el recuadro Y 23 del mapa del condado de Yuma que se vende en las gasolineras, es el Camino del Diablo.

El Camino del Diablo era un sendero antiguo que abrieron las tribus nativas pimas hacia el desierto de Sonora, pero, a efectos del registro histórico, la ruta fue explorada por orden de Francisco Vázquez de Coronado, gobernador de Nueva Galicia, al principio en busca de un grupo mítico de siete ciudades de oro llamado Cibola. Se dice que el misionero y explorador Melchor Díaz partió del campamento de Coronado cerca de Caborca en busca de Cibola y para establecer una ruta al mar de Cortés, en el que desemboca el río Colorado. Las penurias que sufrió la expedición de Díaz dieron el nombre a la ruta. Un siglo más tarde la plasmaría en un mapa el hombre cuya memoria sigue siendo omnipresente por todo el norte de México y el sur de Arizona, el padre Eusebio Francisco Kino. El padre Kino, misionero, filósofo y astrónomo del siglo XVII, convirtió a los pimas, pero también defendió sus derechos, y fue el primero en trazar un mapa no sólo del Camino del Diablo, sino también de los manantiales que hay a lo largo de él, llamados 'tinajas'. El conocimiento de las 'tinajas' había sido un medio de supervivencia y sabiduría para los pimas, y el instinto para encontrarlas diferencia a la auténtica gente del desierto de los habitantes pasajeros y los de la frontera incluso hoy en día. En 1775, un grupo de doscientos colonos encabezado por Juan Bautista de Anza soportaron las penurias de la ruta en su camino desde lo que hoy es Tubac, en Arizona, para fundar la ciudad de San Francisco.

El Camino del Diablo volvió a ganarse su nombre en mayo de 2001, cuando catorce emigrantes reclutados por 'coyotes' criminales en el estado mexicano de Veracruz fueron encontrados muertos por deshidratación y las consecuencias de la exposición a la intemperie. Sus guías en el paso de la frontera, que, desde un punto de cruce al oeste de la ciudad mexicana de Sonoita, se encaminaban a la ciudad de Arizona de Ajo, se perdieron irremediablemente en un meandro funesto en medio de uno de los terrenos más implacables del mundo.[6] Los últimos rezagados fueron rescatados en una operación que ningún agente de la pequeña patrulla fronteriza de Wellton olvidará jamás, justo al sur de un acogedor oasis bordeado de palmeras, un acuífero del Colorado, y de una gasolinera en la autopista llamada «Dateland» [«tierra de citas» o «de dátiles»], que vende batidos de dátil. Eran sólo catorce entre los muchos que mueren, pero en México los convirtieron, irrazonablemente, en mártires populares en un país que exporta gente –por su angustiosa pobreza– a través de la frontera a Estados Unidos.

Todos los actores en este negocio del tráfico de personas a través de la frontera tienen un nombre: los emigrantes se conocen como 'pollos', y los que los reclutan son, consecuentemente, 'polleros', quienes a su vez trabajan para los 'coyotes', que son quienes controlan las redes. En el peldaño más bajo de la escalera delictiva están los 'guías', que se encargan de realizar físicamente el trayecto. Para la patrulla fronteriza, los emigrantes son *«wetbacks»* [«espaldas mojadas»], aunque lo único que hayan cruzado sea arena, o también *«bodies»* [«cuerpos»], *«wets»* [«mojados»] o *«tonkies»*. Los propios mexicanos usan también la palabra 'mojados'. La patrulla de fronteras, o policía de inmigración, es, ya se sabe, 'la migra'.

Las causas de la emigración de México a Estados Unidos –sobre las que se ha escrito profusamente– son numerosas y profundas, pero en todos los casos se trata de variaciones del tema de la pobreza extrema en un México brutalmente desigual, la seducción que ejerce la superpotencia económica a lo largo de su frontera norte y la necesidad de ese país de mano de obra barata. Los primeros mexicanos llegaron huyendo de la revolución de 1910 y para cubrir los empleos creados por la primera guerra mundial, lo que llevó a la creación de la patrulla de fronteras en 1924. Durante la Gran Depresión, como en la actualidad, disminuyeron las oportunidades de trabajo y los emigrantes fueron peor recibidos, aunque volvieron espectacularmente con la segunda guerra mundial. Tal era la demanda de mano de obra barata a partir de 1941 que el Gobierno de Estados Unidos concibió el Programa Bracero para regularla, que determinaba las condiciones en que los patrones podían registrar a los trabajadores inmigrantes, y pagarles salarios específicos por trabajos específicos a lo largo de periodos fijados. La situación demográfica y económica de la frontera moderna empezó a consolidarse cuando muchos de aquellos empresarios prefirieron utilizar el programa como tapadera para pagar salarios más bajos que los estipulados a inmigrantes ilegales, mientras que los propios inmigrantes se asentaban en el lado mexicano de la frontera cuando sus contratos acababan, en lugar de regresar al interior, con la intención de que los contrataran de nuevo y volver a Estados Unidos. Acabada la guerra, los emigrantes siguieron fluyendo hacia el norte, de modo que Estados Unidos se creyó obligado a organizar la Operación Espalda Mojada en 1954, una redada masiva de «extranjeros» ilegales. La anulación del Programa Bracero en 1964 tuvo como consecuencia directa un segundo y todavía más trascendental paso en la forja de la situación demográfica y económica de la frontera: un acuerdo entre Washington y Ciudad de México al año siguiente permitía la construcción de fábricas de montaje en cadena, las maquiladoras, en el lado mexicano de la línea, «vinculadas legalmente» a la exportación exenta de aranceles al otro lado de la frontera. El plan, un precursor del Tratado de Libre Comercio de América del Norte, fue concebido sobre todo para que las empresas estadounidenses pudieran pagar salarios del Tercer Mundo a fábricas pegadas a su propia frontera meridional, y, en términos mexicanos, para dar trabajo a los 'braceros' que volvían a casa masivamente, pero dejándolos en la frontera.[7]

La causa directa de las muertes de 2001 en el Camino del Diablo fue el repentino éxodo de emigrantes desde los antiguos puntos de cruce de la frontera en San Diego, El Paso y las ciudades a lo largo del valle del Río Grande al terreno desértico y mortal, como reacción a la ofensiva más fuerte contra la inmigración ilegal que había lanzado hasta entonces el Gobierno de Estados Unidos. En 1994, la administración de Bill Clinton intensificó la perenne batalla de Washington con tres «operaciones»: Portero en San Diego, Mantener la Posición en El

Paso y Río Grande en el valle: tres frentes abiertos que constituyeron la génesis de un proceso más tarde intensificado por el presidente George W. Bush tras los ataques de Al Qaeda del 11 de septiembre de 2001. Las «operaciones» del presidente Clinton se desarrollaron cronológicamente de oeste a este: Portero fue supervisada por el entonces fiscal de Estados Unidos para San Diego y los condados del valle Imperial, Alan Bersin, en un acto que cuestionaba su propia descripción de la comunidad transfronteriza como «San Tijuana». Con la Operación Portero se crearon los primeros tramos de la actual valla fronteriza, se colocaron cámaras de visión nocturna, cámaras de infrarrojos, se reforzó la patrulla de fronteras y se dispusieron sensores de alta tecnología capaces de detectar el movimiento. Y funcionó: a finales de esa década, las cifras de inmigrantes detenidos habían caído en picado... en las ciudades. Pero desde el punto de vista de los emigrantes que pasaban ilegalmente, y más aún para los que eran pasados, «Portero» no supuso una interrupción de las actividades sino un rodeo de las zonas donde se concentraba el vallado, la tecnología y las patrullas fronterizas, y un desvío a lo largo del Camino del Diablo. Los catorce 'pollos' que murieron cerca de Wellton eran sólo catorce víctimas más entre las diez mil que Enrique Morones –fundador de una organización humanitaria llamada Border Angels [Ángeles de la Frontera], que colocaba aquellos depósitos azules de agua a lo largo de la carretera a Calexico– calcula que han muerto en el desierto desde el principio de la Operación Portero. Pero las cifras son de tan poca utilidad en la frontera como en el desierto. Sencillamente no hay forma de saber cuántos han cruzado y fallecido ni cuántos han cruzado y sobrevivido; ni cuántos cuerpos no se encontrarán jamás por cada uno que sí se encuentra. Ni cuántos mexicanos o centroamericanos siguen todavía ilegalmente, aunque trabajando, en Estados Unidos por cada uno que ha muerto o ha sido deportado. Lo único que podemos saber es lo que un fraile llamado Francisco Salazar ya sabía en 1650, cuando escribió que el Camino del Diablo era «una inmensa sepultura de los muertos desconocidos..., los huesos diseminados de seres humanos se convierten lentamente en polvo».[8] No hay ninguna señal de que el éxodo a lo largo de este ampliado Camino del Diablo se esté reduciendo, sólo de que se ha organizado mejor, y de que está expuesto a nuevos peligros y crueldades ahora que los cárteles del narco están adueñándose de la vertiente comercial del asunto.

El reverendo Robin Hoover, de la First Christian Church en Speedway, en Tucson, se recuesta en la silla, con los pies sobre la mesa, las suelas de los zapatos delante de mi cara, y me describe sus muchas buenas obras. Quita importancia a la descripción del trabajo de otros, como Morones y sus Border Angels, calificándola de «exagerada». Señala que yo «debo de ser el milésimo periodista» que lo entrevista. «La CNN estuvo aquí la semana pasada.» Pero tiene una razón de peso para esa actitud. Ha salvado vidas y ha reunido información valiosa que nadie más en Estados Unidos ha podido reunir sobre las muertes en los desiertos.

Durante la década de 1980, los años del apoyo del presidente Ronald Reagan a los regímenes militares y a las milicias fascistas de Centroamérica y Sudamérica, un grupo ecuménico de clérigos junto con unas quinientas congregaciones con sede en la frontera y una red que se extendía por todo Estados Unidos, organizaron el Sanctuary Movement para proteger a los refugiados políticos de los escuadrones de la muerte en El Salvador y Guatemala, y de los regímenes asesinos apoyados por Estados Unidos en Chile, Argentina y demás dictaduras. Después de formar parte del Sanctuary Movement, el reverendo Hoover pasó a fundar y dirigir otra organización, Humane Borders, que defiende a los inmigrantes y organiza la colocación de series de «estaciones» de agua por todo el sur de Arizona, y en especial a lo largo de lo que, según sus datos, parecen ser los nuevos corredores de la muerte. Uno atraviesa el territorio de los Tohono O'odham –«el pueblo del desierto»–, una tribu nativa americana, cuya «reserva», que la frontera atraviesa ahora como una cuchillada, separa a sus miembros en ambos países. El otro es un corredor que se extiende a ambos lados de la Interestatal 19, entre Nogales en la frontera, y Tucson, 115 kilómetros al norte. Esos dos corredores concentran el 42 por ciento de las muertes registradas en Arizona, afirma el reverendo Hoover, cifra que a su vez supone la mitad del total de muertes en la frontera. Las agrupaciones de cadáveres en los gráficos de la pantalla del reverendo Hoover muestran, dice, que, «aunque tuvimos una reducción en los totales año tras año hasta 2007, las cifras de inmigrantes que mueren vuelve a crecer otra vez. Si la patrulla fronteriza y las nuevas medidas de seguridad fueran efectivas, las cifras de fallecidos disminuirían. Pero no lo son: a mediados de la primera década del siglo, nos encontrábamos con un centenar de muertes al año. En los últimos tres años [hasta 2009] esa cifra ha aumentado a doscientos, y la razón es que, como vemos en este gráfico [y cambia a otro gráfico], cuanto más se patrullan las carreteras, más remoto y peligroso es el terreno que los inmigrantes pretenden atravesar. Las muertes tienen lugar más lejos de las carreteras, donde es menos probable que te atrapen, pero también que consigas pasar». Los cotejos y análisis son considerablemente completos: los mapas de 2005 muestran que la mayoría de las muertes sucedían a cinco o seis mil metros de las carreteras asfaltadas. Las últimas cifras constatan que suceden al menos a nueve mil metros. «La distancia a las carreteras, allá donde la gente perece, casi se ha doblado», afirma el reverendo Hoover. «Nosotros somos la autoridad que pone esta mierda sobre el mapa, el Gobierno no lo hace.»

El reverendo Hoover calcula que «hasta un veinticinco por ciento cruza utilizando contactos que conocen –parientes como primos–, personas a las que preocupa el bienestar de todos los del grupo en el caso de que algo vaya mal. Luego hay un pequeño número de personas que lo intenta por su cuenta y riesgo. Lo que deja una inmensa mayoría, alrededor del setenta por ciento, en manos de los 'coyotes' cuyo único interés para que llegues será un añadido al pago acordado, pero que no esperarán por nadie si algo va mal, y eso andando por un terreno donde un tobillo torcido es una sentencia de muerte».

Los catorce fallecidos en el Camino del Diablo en mayo de 2001 habían utilizado como punto de partida en México la ciudad fronteriza de Sonoita, situada enfrente del pueblo de Lukeville, Arizona, puerta hacia el oeste del Camino del Diablo en el lado estadounidense. En aquel momento, Sonoita era un hervidero de tráfico humano: la plaza principal estaba animada por el bullicioso movimiento. Autocares procedentes del interior del país vomitaban carga tras carga de personas del sur, listas para el viaje. La ciudad estaba llena de pensiones de mala muerte donde los transeúntes se alojaban a precios baratos y donde los recogían los 'polleros' y 'coyotes' que merodeaban por todas partes. Ahora Sonoita está tranquila, sumida en una calma inquietante. La ciudad parece haber cerrado. Según los servicios de inteligencia de Estados Unidos, el Chapo Guzmán eligió Sonoita como la ubicación, justo en la frontera, para dar la orden de que los hombres de su cártel «utilizaran sus armas para defender sus alijos a cualquier precio» mientras entraban a Arizona.[9] Y así, según cuenta un dentista en Sonoita, que pide que no se dé su nombre como entrevistado, «los 'polleros' se han ido. Éste es ahora un lugar para otro tipo de cruce de la frontera. Sólo los verá por la noche, y más vale no verlos. Desde aquí, la mala gente transporta ahora drogas, no a otra gente». El *Ajo Copper News,* del lado estadounidense de la frontera, ofrece un recuento semanal de los tiroteos en Sonoita, mientras que el cuaderno del sheriff es una letanía de incautaciones de drogas. Para encontrar a los 'pollos', dice el dentista, «tiene que ir a Altar».

Altar, a unos cincuenta kilómetros al sudeste de Sonoita y a cien de la frontera, no es ni de lejos la ciudad más peligrosa en la zona fronteriza, pero sí una de las más espeluznantes. No hay forma de llegar a Altar sin ser completamente registrado, con el corazón en un puño, porque no hay ninguna razón por la que un gringo como yo esté en esta ciudad, a no ser que quiera fisgonear en su principal comercio. Altar se ha convertido en el nuevo centro, en la mitad occidental de la frontera, para la llegada de emigrantes en tránsito desde el sur de México y Centroamérica. Bajo el calor de una hora ya avanzada de la mañana, los puestos que se extienden a lo largo de los lados de la plaza y por las calles traseras venden el equipo necesario para el cruce y el suplicio que les espera: mochilas negras, camisetas también negras, pantalones militares de camuflaje, linternas...; y, por descontado, las necesarias protecciones espirituales: llaveros, estampitas y monederos para calderilla con la imagen de la Virgen de Guadalupe y san Judas Tadeo, primo de Jesucristo y santo patrón de las causas perdidas, al que se recurre en momentos difíciles.

Por toda la ciudad hay pensiones de mala muerte como las que un tiempo atrás se encontraban en Sonoita: alojamientos donde los emigrantes pagan de tres a cinco dólares por un catre de madera, con mantas usadas y la posibilidad de un colchón manchado de semen y sudor. Hay dormitorios así en la calle Panteón, en uno de los cuales no nos deja entrar un empleado, aparentemente nervioso por la presencia de los otros hombres que pasan el rato por la recepción, 'polleros' ejerciendo su profesión, preparándose para cocer pollos en el desierto. Sin embargo hay un alojamiento que es gratuito y donde se da la bienvenida, el Centro Comunitario de Atención al Migrante y Necesitado, financiado por la diócesis de Hermosillo, la capital del estado. El centro, limpio y salubre, está dirigido por Marcos Burruel, que en el pasado era supervisor de control de calidad en la fábrica de cerveza de Tecate, donde utilizaba su agudo sentido del olfato para reconocer una cerveza de calidad inferior, pero ahora utiliza ese talento para impedir que quien haya bebido alcohol duerma aquí o que un 'pollero' disfrazado de emigrante, pero que en realidad busca clientes, se cuele en el dormitorio. En el centro hay colchones y sábanas limpias para los que se los merecen. Fuera hay una placa grabada y una dedicatoria: «A los caídos en los desiertos de la muerte», «En memoria de aquellos que por buscar una mejor vida / Lo único que encontraron fue la muerte».

Nos sentamos y charlamos mientras el refugio permanece cerrado durante el día. «Qué distinto era todo cuando yo era niño aquí», recuerda Burruel. «No había vallas y la gente cruzaba al otro lado y volvía, cruzaba y volvía. Algo que todavía se hace: hay más ir y venir del que se cuenta. A la mayoría los captan nada más bajar del autocar: el 'coyote' los está esperando allí. Son muy astutos..., el emigrante puede decir "Estoy buscando a Roberto o al Tigre" y el 'coyote' responderá: "Yo soy amigo del Tigre", y hará una llamada telefónica falsa: "Eh, Tigre, tu gente de Chiapas acaba de llegar". Y si los emigrantes no quieren acompañarle, a veces se los llevan por la fuerza y los retienen hasta que pagan. A las autoridades les importa un comino y no hacen nada, además, siempre hay algún trato entre la policía y los 'coyotes': la policía puede sacar cien pesos por cada emigrante, que es más de lo que cobran por su trabajo de policía.»

Burruel calcula que «alrededor de un ochenta por ciento de los que cruzan la frontera conocen los peligros, pero muchos no tienen ni idea. Desde aquí a Tucson o Phoenix pueden tardar cuatro o cinco días, pero los 'coyotes' les dicen que les llevará tres o cuatro horas. Esto se ha convertido en un negocio muy sucio. Y no sólo por el calor, sino por los secuestros. Cada día hay secuestros, aquí, en Altar, y en el desierto. Secuestran a los mojados y piden un rescate [Burruel utiliza el término 'mojado', emigrante, aunque es mexicano y no hay ningún río por aquí cerca]. Los retienen durante días, o semanas. No sé cuántos de ellos desaparecerán. Secuestraron y retuvieron a muchos en aquella casa, al otro lado de la calle», y hace un gesto a su espalda, señalando más allá de la ventana.

Burruel, un hombre menudo que viste una camisa beis, habla de su trabajo y del puesto que ocupa con cierto distanciamiento, pese a todo su compromiso personal, como si esa actitud le protegiera de la mucha gente en Altar que lo critica, y a la que claramente teme. «Los emigrantes acuden aquí porque están desesperados por cruzar, pero no saben nada más que lo que han oído en sus aldeas, donde consideran al 'coyote' alguien importante. En cierto sentido, yo estoy aquí para ayudarles en esta locura: alimento a la gente, doy cama a unos pocos..., pero también les hago saber lo que les espera. Les advierto sobre los secuestros, les enseño vídeos sobre los peligros. Y algunos cambian de opinión. Ven las películas y deciden regresar a sus pueblos. Una vez un hombre no paraba de pedirme que cambiara la cinta de vídeo y así descubrí que era un 'coyote' infiltrado en el refugio. Así es como empiezan mis problemas.

»Lo que yo hago aquí», prosigue Burruel, «enfurece a los 'coyotes'. Si hablo sobre los peligros, se alteran.» Pero, como ha insinuado, se trata de algo más serio que eso. «Aquí, a Altar, ha venido otra gente que forma parte de grupos organizados, para secuestrar emigrantes, criminales que no son 'coyotes' sino que están relacionados con los cárteles del tráfico de drogas. Los contrabandistas de droga también utilizan Altar para esconder y transportar drogas y, además cobran a los 'polleros'. Y eso es muy peligroso para mí. Me insultan, me amenazan, me dicen que van a matarme.» Burruel está repentinamente angustiado, pierde su aire distanciado, y confiesa: «Desde que conseguí mi trabajo aquí, me aterrorizan las noches».

La mayoría de los narcos y los 'coyotes' que se mueven por Altar proceden de Sinaloa, dice Burruel, «como también los 'bajadores' –bandidos–, que vienen con armas y roban a la gente antes de cruzar». Su conversación apunta hacia una reciente característica de la situación: el tráfico de emigrantes entre aquí y la ciudad fronteriza de El Sasabe empieza a ser controlado por los cárteles. «Los narcos controlan la frontera. De aquí a Sasabe, los 'coyotes' tienen que pagar una tasa a la mafia, que recolectan entre los 'pollos' pobres, entre 700 y 1200 pesos [de 50 a 80 dólares] por cada uno. Si no pagan, los narcos paran el camión y le dan una paliza al conductor, a veces también golpean a los emigrantes y queman el autocar.

»Así que, ¿por qué me dedico a esto? Debo de estar loco, lo sé. No es porque crea que importe, porque no importa. De hecho, lo que yo intento hacer es inútil, va contra su negocio. Lo hago porque creo en Dios, y porque el cura es amigo mío. Pero yo soy sólo un ser humano, y por supuesto que tengo miedo. También soy, dicho sea de paso, cartero, y ahora debo hacer el reparto.» Sus deberes repartiendo el correo, dice, le proporcionan un descanso, un respiro fuera de la agobiante claustrofobia de esta engañosamente adormilada ciudad, que está aparentemente en calma, pero en realidad vive saturada del movimiento y la violencia de los que habla Burruel.

Pero quedan muchas cosas más por descubrir. En la maraña de callejuelas por detrás de la plaza hay una tienda que vende ropa, enfocada, como todas las demás, a satisfacer las necesidades de los emigrantes, pero tiene menos de almacén de excedentes militares que los puestos de la plaza: hay ropa infantil y sombreros de ala ancha que no son negros ni de camuflaje. La tienda es de Amanda Ortiz Reina, esposa de un hombre que yo había conocido superficialmente cuando era alcalde de Altar, hace una década, Francisco García Aten, un maestro de escuela que ya entonces había avisado de que los traficantes de droga se introducirían en el negocio del paso clandestino de emigrantes. En 2005, la señora Ortiz se presentó a las elecciones para ocupar el cargo que su marido había ostentado hasta 2003, en una lista que cuestionaba el poder del crimen organizado en la ciudad, pero fue derrotada por su rival, Rafael Rivera Vidrio, que se niega a recibirnos.

La señora Ortiz, por el contrario, recibe a dos desconocidos que se presentan sin anunciar a su puerta –tras una breve pero visible evaluación– y prepara un té dulce para beber con pastelitos servidos en una bandeja con tapete de papel. Llegó a Altar cumplidos los veinte años, para casarse, una ciudad «donde todos se conocían y se apoyaban unos a otros». La mayor parte de la población «trabajaba en los campos, como mi padre, y nadie se hacía rico con las granjas colectivas, pero nos alimentaban. Era un ambiente muy sociable, y vivíamos en simbiosis con el desierto». Pero ahora «los recién llegados de Sinaloa se han apoderado de la ciudad y han sometido a las autoridades locales y a la policía. Y la situación ha ido a peor los dos o tres últimos años; las cosas han cambiado incluso desde que el Gobierno empezó su ofensiva». Por lo que se refiere a los cárteles, señala con ciertas dudas, el territorio está siendo disputado entre Guzmán y los leales al clan de los Beltrán Leyva, ahora aliados con el cártel del Golfo. «Mientras se pelean entre ellos por la Plaza, ambos extorsionan a los emigrantes, haciéndoles pagar hasta cien dólares por cabeza que pasan, según creo.» Pero en la implicación de los cárteles hay un matiz. Mientras afinan el músculo de su organización detrás de la emigración «[ésta] se vuelve también más eficaz. Y más segura en algunos sentidos, aunque no en todos. Nuestros datos nos indican que hay menos violaciones por parte de los 'coyotes', menos robos de los bandidos, menos acoso de camino a las casas de seguridad, menos de cualquier cosa que pueda atraer la atención de las autoridades a las drogas, o interferir en la llegada de su dinero. Pero se paga un precio terrible por todo eso. Una vez llegan a zonas seguras, los emigrantes quedan a merced de los narcos».

Seguidamente, la señora Ortiz se aparta de esa lejana amenaza y vuelve a lo que tiene delante de ella. «Mi mayor preocupación en nuestra ciudad», concluye, «es que los niños de la frontera crecen en este mundo. Mis hijos jugaban en la calle; ahora eso es simplemente demasiado peligroso. Nos aterrorizan los muchachos de Sinaloa, pero los criminales se convierten en modelos para los jóvenes. Cuando me presenté para alcaldesa, los mayores me preferían, pero los jóvenes votaron contra mí..., cuando íbamos a la ciudad a hacer campaña, había niños de doce o trece años, con walkie-talkies, informando de nuestros movimientos, a quien fuera. La verdad que nadie está dispuesto a reconocer es que los jóvenes no quieren enfrentarse a lo que está pasando. Les gusta esta nueva cultura, estas nuevas oportunidades, están creciendo con ellas. Muchos padres se han marchado, dejándonos a los que nos quedamos asustados, solos y frustrados. Nos da miedo hablar con nuestros vecinos, porque no estamos seguros de con quién hablamos.» Mientras echamos un vistazo por su tienda, unos minibuses pasan por delante, atravesando la callejuela y hacia la tierra donde el cactus Buckhorn, una variedad de cholla, cambia de color como reacción a la tensión, adquiriendo un matiz púrpura en épocas de sequía grave o frío, para luego florecer con los variados colores del fuego durante la primavera: los mensajes contradictorios del desierto para aquellos que están a punto de cruzarlo.

Los recién llegados se sientan en la sombra que encuentran alrededor de la plaza principal, y esperan, planean, calculan el próximo movimiento. Son gente que huye de lo que ha dejado atrás y temerosa de lo que le espera por delante. Algunos van al norte, otros vuelven de allí. Estos últimos tienen ahora menos que perder y están más dispuestos a hablar. «Conocíamos los riesgos, y los asumimos», reflexiona Ramón, de Tabasco, que ya ha cruzado dos veces y ha sido deportado otras tantas, «y ya es bastante.» Ramón ha pagado 1200 dólares a los 'coyotes' desde que dejó su casa en Villahermosa hace cuatro meses, «y no queda nada. Y no tengo más remedio que volver a casa, donde no hay nada; no hay nada que hacer». Hay mucho «nada» en esas frases. A Ramón le falta un diente, viste una camisa azul clara y esboza una sonrisa incongruente con su suerte. En su pueblo trabajaba la tierra, «que es hermosa, pero no me daba para alimentar a mi familia, apenas a mí mismo». La segunda vez que cruzaron fue la peor, cuenta Víctor, un amigo de Ramón, de Chiapas, con el que entabló amistad en el autocar que le traía desde Villahermosa. «La primera vez que cruzamos, nos atrapó la 'migra' en cuanto encontramos la carretera principal. Estábamos de regreso en El Sasabe a los tres días. Pero la segunda vez hacía más calor, y caminamos más. Los primeros guías conocían el camino, fue sólo mala suerte el que la 'migra' nos descubriera. Pero la segunda pareja eran unos inútiles, un par de 'pendejos'. Se creían que eran alguien, pero al final no resultaron más que unos cobardes que discutían todo el tiempo entre ellos. Dos días después, seguíamos en la reserva india, o eso nos dijeron, cuando deberíamos haber estado cerca de los servicios de la autopista donde el autocar nos llevaría hasta Phoenix. Nos descubrió un helicóptero, y esta vez todos los de la 'migra' eran mexicanos, auténticos sabelotodo, chicos como los que me cruzaría en las calles de mi pueblo, pero nos dijeron de todo.»

Hay gente mucho más crispada en Altar: los que están a punto de emprender su primer viaje, en el que han apostado su vida. Algunos no quieren decir palabra, y grupos de chicos con tatuajes y la cabeza rapada cambian el idioma en que conversan a una lengua nativa en cuanto nos acercamos. Pero un hombre, Rodolfo, acierta a contar un chiste. Viaja con dos primos para ir con su hijo mayor, que vive en Minnesota, de la que, dice, «me han hablado del frío que hace en invierno y que me matará, pero ahora mismo me preocupa más el calor». El puente que le llevaría de vuelta a casa en Jalisco se ha quemado: «Todo lo que tengo lo he metido en este viaje», dice. «Vendí mi casa y mis animales para pagar al 'coyote' y comprar la ropa y las cosas que necesitamos para el viaje. Sí, conozco los riesgos, pero tenemos que correrlos: ya ni siquiera puedo vender lo poco que cultivo, los precios que pagan por los productos agrícolas son tan bajos que ahora me cuesta dinero cultivar, así que nos pasaremos el día rezando y saldremos antes de que oscurezca.»

La carretera de Altar a El Sasabe, que cruza un paisaje espectacular llamado La Sierrita, es una ruta que debe hacerse a la luz del día. Un flujo esporádico de desvencijados minibuses blancos atestados de emigrantes, o camiones de ganado con la parte trasera descubierta, con listones de madera para contener la carga humana, son el único tráfico que se ve. La belleza es impresionante –praderas y árboles bajos que se recortan sobre un horizonte de piedras de tonos lilas hacia un cielo de un azul oscuro–, pero resulta difícil disfrutarla, pues los minibuses levantan polvo y nuestras matrículas de Arizona llaman la atención, y unos hombres con cazadoras de aviador y tejanos nos hacen señas para que paremos y nos abordan. No nos piden dinero, no se les ven armas, pero hacen muchas preguntas, gestos de desaprobación con la cabeza, y sólo se creen a medias la respuesta de que estamos investigando las pautas migratorias: nadie menciona las palabras «drogas» o «tráfico» por aquí. Y se cuentan historias, verdaderas o falsas, salpicadas de amenazas: sobre una aldea llamada Los Molinos, donde un coche cargado de gente «fue sacado a tiros de la carretera y mataron a todos». Pero quince kilómetros adelante, cuando nos acercamos ya a El Sasabe, el armazón incinerado de un minibús adorna el arcén.

El pueblo de El Sasabe está un poco apartado de la frontera, con lo que los emigrantes tienen que andar un trecho en diagonal antes de cruzar, con la esperanza de eludir las concentraciones de agentes alrededor del pueblo del mismo nombre en Arizona. Se trata de una avenida principal de edificios achaparrados construidos con ladrillos y cemento aplicado demasiado rápido, entre ellos el Super Coyote Café, donde se vende agua dulce. Los emigrantes hacen cola ante una cabaña improvisada para registrarse en una sección de la Secretaría de Gobernación mexicana llamada Grupo Beta. Estos hombres y mujeres vestidos con camisetas naranjas que conducen jeeps del mismo color, desempeñan una función peculiar: son una especie de rama de servicios sociales para emigrantes de la administración de bienestar social del

Gobierno, el denominado Desarrollo Integral de la Familia. Los agentes del Grupo Beta anotan los nombres de los que cruzan, por si se necesita encontrarles o no se vuelve a saber de ellos. Rellenan las latas de agua de los emigrantes e incluso les proporcionan mapas del lado estadounidense, donde las autoridades muestran cierta inquietud por si el Grupo Beta se dedica a salvar vidas o a facilitar, cuando no a animar, la inmigración ilegal a Arizona. Un agente llamado Alemán comenta: «Hacemos todo lo que podemos para conseguir que lo que va a pasar de todos modos, el cruce de los emigrantes, sea menos peligroso. No les animamos a que crucen, sólo intentamos impedir que mueran». Afirma que «el flujo de emigración se ha reducido, porque se está volviendo mucho más duro. Todos sabemos que ahí al lado no sólo les está esperando la patrulla fronteriza sino también la Guardia Nacional». Y les espera en cantidades que acaba de incrementar recientemente la secretaria de Seguridad Nacional Janet Napolitano, que fue, hasta que la llamó el presidente Obama, gobernadora de Arizona, la tierra prometida pero reseca, que se pierde de vista por el Camino del Diablo. Un grupo de emigrantes acampa en medio del polvo, con sus capuchas negras y sus mochilas, y bromean acerca de que los más interesados en ayudarles son los del Grupo Beta, porque si consiguen pasar, el Gobierno se aprovecha del dinero que envían a casa; pero si mueren, el Gobierno tiene que pagar los ataúdes y el avión para traerlos. «Sería la primera vez que el Gobierno haría algo por mí», comenta con ironía Jorge, un joven de Chilpancingo. «¡Si me hubieran dado ese dinero cuando estaba en casa!»

Sólo uno de los traficantes está dispuesto a balbucear unas palabras. Se presenta con reticencias como Mario, es un joven flaco con pelo de punta y una camiseta en la que se lee «Metal Rock On». Entre cigarrillo y cigarrillo dice que lleva dos años haciendo ese trabajo, tras perder su empleo en Ciudad Obregón, al sur del estado. «Soy bueno», nos asegura, pero añade con nerviosismo: «Puede escribir que todas estas personas llegarán a Phoenix»..., como si él pudiera saberlo. Me viene a la memoria el famoso guía, Antonio López Ramos, que acompañaba a los que murieron en el Camino del Diablo en 2001. Todos los supervivientes le identificaron diciendo que tenía un mechón de pelo rojizo apagado, por el que le apodaban Gallo Rojo, y aparentemente era tan creído como este joven de El Sasabe, que incluso copia el estilo de vestir que se le atribuía a López. Se están levantando dieciocho kilómetros de valla por aquí: postes de acero marcan la frontera cuando ésta se pierde entre la maleza y el chaparral, a diez centímetros unos de otros, y los están rellenando con cemento, con una carretera de tierra de servicio a lo largo del lado estadounidense y nada más que hierbas del desierto en la vertiente sur. De golpe, a unos seis kilómetros y medio al oeste de la aldea, la valla se interrumpe, y la frontera continúa como una línea de achaparrados mojones metálicos, que los emigrantes salvarán por el lado o por encima, para entrar en el horno.

El viaje había sido más fácil de lo que Vicente Sánchez Morin se temía.[10] Llegó un autocar, como les habían prometido, para llevarle a él y a un primo de Cintalpa, en el oeste de Chiapas, hasta el aeropuerto de Tuxtla Gutiérrez, desde donde un vuelo chárter los llevó a Hermosillo. «Nunca había volado», dice Vicente, «fue el único momento en que pasé miedo, antes de cruzar la frontera.» Desde Hermosillo otro autocar los condujo hasta Altar, pero tuvieron una avería y se retrasaron un poco en un lugar llamado San Agustín; Vicente recordaba el nombre porque su hermano se llama así, y se iba a reunir con él en Denver. Agustín tenía un buen empleo, o varios, en Colorado: trabajaba en campos y huertos durante el verano, arreglaba coches y hacía turnos esporádicos en una empaquetadora de carne en invierno. El cruce en El Sasabe había sido «sencillo», dijo Vicente, «salimos por la noche, y el guía sabía adónde iba». Formaban un grupo de diez, entre ellos un hombre de Azipaco, en Tlaxcala, que no decía nada y del que Vicente no se fiaba. «Llevaba una camiseta negra y pantalones de camuflaje, siempre estaba mirando a los demás, nunca hablaba ni parecía preocupado.» Un minibús apareció a la hora prevista, Vicente no recordaba dónde, pero tras pensarlo un poco concluimos que debía de haberles esperado en Arivaca, a poco más de treinta kilómetros de Sasabe, desde donde hay una conexión a la Interestatal 19. Vicente vio las luces de Tucson al anochecer, «y creí que ya estábamos en Phoenix. En Altar nos habían dicho que nos dirigíamos allí, y avisé a Agustín para que se acercara a recogerme». La furgoneta llegó a Phoenix en la hora más calurosa de la tarde de mayo de 2009, Vicente no sabe exactamente dónde, aunque «ahora sí podría encontrar el sitio», dice, a salvo bajo el cuidado de un grupo religioso. «He vuelto un par de veces a verlo.»

Cuando llegó la furgoneta, los emigrantes fueron encerrados en la parte trasera de un edificio de las afueras de la ciudad. «Había un grupo de cuatro hombres esperándonos, y nos daban miedo. A esas alturas, me habían separado de mi primo, en el lugar donde nos recogió el autocar en la oscuridad. Había cambiado el estado de ánimo. Ya no parecía que estuvieran intentando llevarnos hasta nuestros parientes, sino que más bien estábamos en una cárcel.» Para su sorpresa, «el hombre de Azipaco, que habíamos pensado que era uno de los nuestros, conocía a los que nos esperaban, como si de repente hubiera cambiado de bando». Las ventanas de la casa estaban tintadas, la puerta cerrada; los emigrantes se quedaron solos. «Todo había salido mal. Yo no tenía ni idea de lo que estaba pasando. Horas después, vinieron más hombres, con armas. Eran gente completamente distinta. Llevaban máscaras, mientras que toda la demás gente con la que habíamos tratado iba con la cara descubierta, aunque nunca nos dijeron sus nombres. Tenían apodos; el que nos llevó por el desierto se llamaba la Flecha. En ese momento, yo estaba muy asustado. Nos quitaron todos nuestros documentos y nuestro dinero. Pasaron dos días, o puede que una noche y un día. Intentaba llevar la cuenta con un hombre de Campeche. Sólo cuando por fin pude hablar con Agustín por teléfono me di cuenta de lo que estaba pasando. Era casi más terrorífico para él.» Se habían puesto en contacto con Agustín por teléfono y le habían pedido tres mil dólares por la libertad de su hermano. «Le entró el pánico. No había esperado nada por el estilo. Me había mandado mil dólares para pagar mi viaje, y no tenía tanto dinero. Fue por todas partes, preguntando a todos los que conocía. Le habían dicho que si no reunía el dinero en una semana, me matarían. Yo no sabía nada de todo eso.»

Vicente es un hombre de rasgos duros, que parece mayor de los treinta y dos años que tiene, aunque está en forma. Cuenta su historia en la oficina de una iglesia como si le hubiera pasado a otro. Lleva una camisa limpia, pantalones planchados, zapatos elegantes con hebillas. Vicente es sólo una de las más de mil personas procedentes de México y Centroamérica que la policía de Phoenix ha liberado de su encierro, en una ciudad a la que ya se conoce como «la capital del secuestro de Estados Unidos».[11] De los 368 casos de secuestro de los que se ocupó el departamento de Policía de Phoenix en 2008, dice su portavoz Tommy Thompson, setenta y ocho fueron intervenciones en casas de seguridad de inmigrantes. Durante los seis primeros meses de 2009, otras sesenta y ocho habían sido identificadas o registradas tras llamadas de emergencia. En una redada a una de esas casas en un barrio llamado El Mirage, las condiciones que encontraron los agentes cuando asaltaron la finca en junio de 2009 eran todavía más pavorosas: unos treinta hombres estaban retenidos semidesnudos, y les habían golpeado con pistolas, mientras a sus parientes se les exigían cinco mil dólares.[12] Ése es el punto de destino de la mercancía desde que los narcos se han apoderado del negocio de los inmigrantes, utilizando sus contactos en la red de distribución de drogas, basada en pandillas callejeras y grupos familiares, para reclutar a aquellos dispuestos a mantener secuestrados a los inmigrantes. Phoenix, que hoy en día es la quinta ciudad más poblada de Estados Unidos, ha sido desde hace mucho destino de los inmigrantes mexicanos, sobre todo de los procedentes de Sinaloa. Según el departamento de Policía, los miembros de las pandillas de Sinaloa recorren los bares de Phoenix frecuentados por vecinos de sus pueblos, como Culiacán y Los Mochis, contratándolos para operaciones de secuestro de inmigrantes, ofreciéndoles adelantos en efectivo que acabarán de saldar al cobro del rescate pagado por los familiares. Como el mercado hipotecario se hunde, el trabajo es más fácil dada la cantidad de fincas que se alquilan, que se ha incrementado en un 75 por ciento desde el año 2000.

«Esperamos, y un día después nos trajeron algo de comida», explica Vicente. «Hasta ese momento nos habían dado agua, pero nada de comer. Vino una mujer para ayudar a los hombres a repartir la comida, nos dijo que "cocinaba para ellos", pero creo que sé lo que eso significa. Esa vez uno de los hombres descubrió su cara. Nos dijeron que nos sentáramos y esperáramos. Necesitaban más dinero, dijo, y nos preguntaron los nombres de los parientes que nos aguardaban. Uno de los emigrantes no quería decírselos, le golpearon y le advirtieron: "Si quieres seguir vivo, danos el nombre y el número". Les dio un número de teléfono de Chicago. Yo les di el de Agustín en Denver, que me había aprendido de memoria. Todos eran muy jóvenes, muchachos, nada, pero daban miedo.»

Cuatro días después, la policía irrumpió en la finca, sin grandes problemas. «Sucedió muy rápido, inesperadamente. Debía de ser antes de amanecer, porque cuando nos sacaron a la parte delantera, era el alba. Anotaron nuestros nombres y se pusieron en contacto con nuestros parientes. No sabía cómo nos había encontrado la policía; ahora lo sé, pero no puedo contarlo.» Vicente, nombre que no creo que sea el suyo verdadero, consiguió eludir la deportación aceptando testificar contra el hombre de Tlaxcala. Por el momento, Vicente está a salvo en Salt Lake City, protegido por su iglesia y la policía estadounidense. «Pero estoy preocupado por mi hermano. Para él todo esto ha sido mucho más turbador y ha tenido que marcharse de Colorado, porque, aunque los detuvieron, ellos tenían su número de teléfono, sabían dónde vivía.» Vicente seguramente será deportado al final, dice el pastor que se encarga de él en la secta evangélica a la que ya pertenecía en México. ¿Y si lo deportan? «Lo intentaré de nuevo», dice Vicente.

El centro agrícola de Caborca, 60 kilómetros al oeste de Altar, se considera como el punto de partida de los españoles en el Camino del Diablo. Al menos, las historias sostienen que la expedición partió de una aldea india cerca de Caborca, lo que deja abierta la posibilidad de que se tratara de Pitiquito, donde la iglesia más bonita de la zona se acurruca entre las callejuelas de la ciudad y los campos de las afueras. El aroma fresco, húmedo y almizclado del yeso y la piedra dentro de la capilla de la Misión San Diego de Pitiqui alivia un poco en una tarde de calor asfixiante, sobre todo cuando las paredes hablan como lo hacen éstas. Construida en 1687, las naves laterales se decoraron en 1719 con frescos monocromos de la Muerte y la Gloria, una espléndida cabeza de águila que representa a san Juan Evangelista, un busto de toro a imagen de san Lucas, una majestuosa Virgen del Apocalipsis y la figura esquelética de la muerte todopoderosa, señalando el camino hacia la Resurrección al profetizar el mes y el año exacto de la crucifixión de Cristo, como en el Libro de Daniel.[13] «Todos los motociclistas quieren hacerse una foto debajo», dice el sacerdote, el padre Claudio Murrieta. Media la cuarentena, es apuesto, enérgico, y siempre anda trabajando por los campos o delante de su ordenador, escribiendo una historia de este rincón de Sonora. Pitiquito era una aldea india, habitada por el pueblo que los españoles llamaban Pima, que es, aproximadamente, la palabra que utilizaban para decir «No», explica el padre Murrieta, y «no» fue la reacción inicial de los nativos ante la llegada de su fe católica. Altar se convirtió en una ciudad comercial, de transacciones legales e ilegales, mientras que Pitiquito siguió siendo una población agrícola, un pueblo de huertos y cultivos: algodón, trigo y, con el tiempo, espárragos. Pero este último cultivo también ha sido un paradigma de lo que ha pasado aquí desde que el Gobierno del presidente Carlos Salinas de Gortari puso fin al sistema de propiedad de la tierra de las aldeas, privatizando las parcelas de tierra agrícola, hasta entonces de propiedad comunal, conocidas como 'ejidos' durante la década de 1980, permitiendo así que las empresas agrícolas se adueñaran de las parcelas de los campesinos. «El espárrago era nuevo por aquí: fue el cultivo que impusieron las grandes empresas, que se lleva los nutrientes y deja la tierra estéril», dice el padre Murrieta, «algo típico del sistema ahora: explota la tierra y a la gente, obtiene una mala producción a cambio de un beneficio rápido, y salarios bajos.»

Salimos en la furgoneta del sacerdote para ver los estragos de la pobreza que siguieron a la privatización de los ejidos promovida por el presidente Salinas... y la llegada de los narcorranchos a estas tierras. Los primeros compradores fueron grandes terratenientes que convirtieron a los campesinos hasta entonces autosuficientes (y que comerciaban también a pequeña escala con su producción) en siervos o bien en desempleados rurales. Es sobre ese proceso y la devastación que implicó para la agricultura mexicana, junto con el acuerdo de libre comercio del NAFTA, de lo que está escribiendo su libro el padre Murrieta. «Hago esta ruta todos los días», dice, «para echar un vistazo a lo que está pasando.» Y lo que pasa, dice, es «que el salario medio mexicano en los campos es de unos quince pesos [unos 8 peniques o 12 centavos] al día», en un país donde los precios no son mucho más bajos que los de Estados Unidos. Nos detenemos en una aldea llamada La Estación, junto a una línea de ferrocarril abandonada a la sombra de los espectralmente hermosos cerros. Otra de las alegres ideas del presidente Salinas fue privatizar los ferrocarriles mexicanos, así que se vendieron miles de kilómetros de vía a empresas de transporte de mercancías estadounidenses, lo que en última instancia llevó al cierre de la red de pasajeros entera. A nuestras espaldas está la antigua estación, en el pasado un lugar bullicioso de encuentros y saludos, de llegadas y partidas de esta comunidad ahora silenciosa y sometida, con el edificio en ruinas.

El padre Murrieta saluda a una mujer que pasa su colada por un rodillo escurridor, las gallinas cacarean alrededor de sus tobillos en el pedazo de tierra que rodea la chabola que es su hogar. «Antes ella cultivaba esta tierra, cuando era comunal», explica el padre Murrieta. «Pero la privatización fue una condición previa impuesta por los estadounidenses para entrar en la zona de libre comercio. Entonces se hundió el peso y ninguno de los campesinos pudo comprar ni un palmo de tierra. Así que primero llegaron los grandes rancheros con contactos políticos», prosigue, «luego vinieron las empresas agrícolas estadounidenses, que compraron viñedos como ése, ahora propiedad de una bodega de California» y señala hacia hileras de viñas que ascienden por las colinas. Los perros están tumbados a la sombra de los mezquites; en un patio, una chica se arregla para una cita, lavándose y aplicándose maquillaje junto a una tina con agua ante un espejo resquebrajado, apoyado en precario equilibrio sobre una bomba de agua herrumbrosa. A lo largo del camino de tierra que corre paralelo a la línea de ferrocarril, se han colocado carteles de los partidos políticos rivales, el PRI y el PAN, para unas próximas elecciones. Los rostros de los candidatos sonríen a la aldea. «Juegan con la gente», se burla el padre Murrieta, «no hay la menor diferencia entre ellos, así que se ponen de acuerdo para competir entre sí por el derecho a robar a la aldea», y ambos coincidimos en que se trata de un fenómeno no precisamente exclusivo de México. En el patio de una casa más grande, con acacias, hay aparcado un todoterreno nuevo con las ventanillas tintadas, que no encaja en el paisaje. «No es difícil descubrir a los que trabajan para los narcos», dice el padre encogiéndose de hombros, «pero no son más que soldados de infantería. Después de los terratenientes y los estadounidenses, llegaron los narcos, que necesitaban lavar dinero y esconder drogas. Puede que tengan caballos, pero desde luego no trabajan la tierra.»

A finales de octubre de 2009, un líder sindical agrícola llamado Margarito Montes Parra, que había intentado defender los derechos de los campesinos, cayó en una emboscada de pistoleros y fue asesinado durante una visita a Sonora. La Unión General Obrera Campesina y Popular, de la que era presidente, tiene su sede en Oaxaca, pero Montes Parra estaba organizando a los pescadores de la costa de Sonora e intentaba arbitrar en las disputas con la tribu de los indios yaquis. Había criticado repetidamente a las autoridades por proteger a los narcotraficantes, y su hijo Adrián también había muerto tiroteado en Sonora en 2007, un asesinato que las autoridades vincularon a las compras de tierra que hacían los narcos. El 30 de octubre, el señor Montes salía de un rancho con un grupo de familias, cuando un convoy de tres furgonetas pasó por delante de ellos a toda velocidad, disparando con sus AK-47 a la pequeña comitiva. En total, murieron catorce personas, entre ellas cuatro niños.[14]

Esta guerra tiene la matanza como seña distintiva o sello propio, y fue también no muy lejos de aquí donde tuvo lugar otra masacre de brutalidad inimaginable. Se encontró un todoterreno blanco abandonado, y dentro un caos de cuerpos mutilados: cortados a tajos, picados, castrados, decapitados; piezas de carne, literalmente, de cabezas, brazos, piernas y torsos amontonados dentro del vehículo, que no parecían pertenecer a los mismos cuerpos hasta que fueron encajados por la policía forense. Las autoridades tomaron fotografían truculentas impublicables del hallazgo y sus momentos posteriores, mostrando la profundamente perturbadora imagen de pedazos de cuerpos humanos dispuestos sobre una lona en el suelo de un hangar. Es una escena del Infierno ante la cual, El Bosco, hasta en sus más vívidamente imaginativos momentos de terror piadoso, se habría estremecido.

Recorremos la zona en coche con el padre Murrieta, con los cerros cubiertos de nubes a media distancia, y pasamos por delante de un recinto junto a la antigua vía del ferrocarril vallado con cable de acero coronado con alambre de espino, dentro se ve una bombona de gas y furgonetas y tráileres aparcados en el camino de grava interior. «Son ellos», dice el padre Murrieta, «transfiriendo y cargando drogas; ni siquiera se molestan en ocultarlo.» Acelera porque no es un sitio donde convenga que te descubran fisgoneando. Al poco, vemos un rancho elegante, con unas puertas amplias y caballos visibles detrás de una valla a lo largo de un camino de entrada bordeado de cipreses. «Ésos son otros», dice el padre Murrieta casi despreocupadamente. «Estamos pasando por delante de una operación importante. Ahí tienen unas cuadras bastante buenas, pero no es ésa precisamente su línea de negocio.» Confirma el diagnóstico de Amanda Ortiz: las facciones enfrentadas aquí son el cártel de Sinaloa y el de los Beltrán Leyva, y este último representa en la zona el frente occidental de los Zetas. Le decimos al sacerdote que pasaremos una segunda noche en Caborca, pues no nos fiamos mucho de la situación en Altar, a lo que el padre Murrieta replica con una risotada: «Se dejan llevar por las apariencias, ¿verdad? Sin duda, es más probable que les secuestren en Altar, o que se lleven su coche. Pero hay una posibilidad mucho mayor de que les maten en Caborca, por más tranquila que parezca. Es mucho más peligrosa, porque es ahí donde se encuentra la infraestructura que necesitan los narcos: centros de distribución, industrias de apoyo: empaquetado, transporte, ese tipo de cosas». Señala más allá de una antigua fábrica de algodón cerrada, ahora de propiedad estadounidense, pero abandonada: «Hay un importante yacimiento arqueológico allí, pero nadie puede visitarlo desde que un narco compró la tierra».

El padre Murrieta se ha quedado un poco lívido y necesita tomar algo. La ventaja de ser párroco en México es que las ancianas de la aldea están encantadas de cocinar para el que las nutre con la comunión cada domingo. El padre Murrieta no dice nada mientras nos dan la bienvenida en la casita de María Bonilla, donde nos sirven un copioso ágape de pasta, marisco y judías, con una botella de Tecate para el sacerdote, y durante la comida nos cuenta una historia divertida. El padre siempre había querido, dice, pasarse unas vacaciones cerveceras en la Oktoberfest de Múnich, y lo había hecho hacía poco. Se había celebrado una reunión de religiosos en el Véneto, tras la cual la mayoría de los fieles quisieron ir a Roma, «¡salvo los curas!», bromea. Así que el padre Murrieta y un amigo se encaminaron a Baviera, «y vivimos de patatas y cerveza durante unos días. Tenían vasos ¡así de grandes!» y levanta una mano sobre el mantel de encaje para ilustrar la altura de una jarra alemana. «Pero, vaya por Dios, los hoteles eran carísimos. Teníamos que ir al aeropuerto y dormir allí, en los asientos, y luego, por la mañana, volvíamos al *bierkeller*. Lo que no estaba mal, pero si vuelvo a ir, ¡antes ahorraré para pagarme una cama!».

De los dos «corredores» de los que los gráficos del reverendo Hoover mostraban más muertes de emigrantes, el más letal era el que atravesaba el territorio de la tribu nativa americana de los Tohono O'odham, para quienes el contrabando, y la guerra del Gobierno estadounidense contra él, constituye tan sólo el último capítulo en una historia de luchas contra –y de convivencia con– el sojuzgamiento y la persecución desde que el hombre blanco, primero los españoles, luego los estadounidenses, puso el pie en esta antigua tierra. Los O'odham eran un pueblo que habitaba la región que los españoles llamaban «Pimería Alta», unido por unas tradiciones y un idioma propios, aunque durante siglos la tribu había vivido en grupos autónomos sin un gobierno tribal ni un liderazgo secular centralizado. Los O'odham no tenían leyes formales, se esperaba que los individuos y las familias mantuvieran «el orden y el decoro apropiados, y a los que iban contra las costumbres se les pedía que se marcharan», escribe el historiador de la tribu Winston P. Erickson.[15] Cultivaban la tierra sin tener un concepto de la propiedad privada de la misma, pero eran continuamente atacados para robarles bienes, comida y mujeres por un pueblo al que describían con la palabra O'odham para «enemigo», *apache*. Las expediciones de Coronado pasaron por su territorio, los españoles establecieron misiones en él, y la colonización se aceleró tras el descubrimiento de minas en Sonora. Los O'odham mostraron rápidamente interés en el cultivo de trigo y en las herramientas europeas que servían para las tareas agrícolas, lo que llevó a los españoles a pensar que eran unos conversos potenciales al catolicismo. En los últimos años del siglo XVII, la tribu se vio atrapada entre los abusos de los militares españoles y la comprensión del padre Kino, cuyo altar en Magdalena, en México, sigue siendo un destino de peregrinaje para muchos O'odham católicos. Cuando los españoles se instalaron definitivamente en sus tierras a principios del siglo XVIII buscando oro y plata, los O'odham acabaron desconfiando de ellos, les ocultaron sus fuentes de metales preciosos, a lo que los españoles respondieron implacable y violentamente, contra ellos y sus vecinos, los yaquis. En 1821, ambas tribus pasaron de ser dominadas por los españoles a un breve periodo de control mexicano, y en 1848 se estableció la frontera entre Estados Unidos y México a través de sus tierras. «La división de las tierras de los O'odham entre dos países supuso algunas molestias para ellos, pero todavía habrían de transcurrir muchos años hasta que se aplicaran medidas fronterizas en serio», escribe Erickson quedándose un tanto corto.[16] Con las leyes estadounidenses, prosigue, «los O'odham tenían pocos o ningún derecho cuando los intrusos anglos tomaban lo que querían e ignoraban los derechos de los pueblos nativos». A principios del siglo XX, las matanzas y la destrucción de los O'odham y sus formas de vida se había intensificado: se les asignó una reserva de 12.500 kilómetros cuadrados, tan aislada como extensa, y la monetización de la economía causó estragos en las formas de vida de O'odham y yaquis, cuando muchos nativos emigraron a Tucson en busca de empleo como obreros de la construcción, trabajadores del ferrocarril o sirvientes, o a las minas de cobre de Ajo. Durante la década de 1930, se levantó la primera valla fronteriza, aunque los O'odham siguieron –y siguen– siendo la única tribu de Estados Unidos que cuenta con ciudadanos mexicanos y se les permite votar en las elecciones tribales. La tribu es una de las más pobres del sudoeste de Estados Unidos, con unos ingresos anuales medios por familia de ocho mil dólares y alrededor de un tercio de desempleados.

Cuando la prensa de todo el mundo invadió el sur de Arizona después de las muertes de «los Catorce de Yuma» en 2001, las autoridades tribales de los Tohono O'odham recibieron a los visitantes con orgullo y cortesía. El presidente, los funcionarios y los empleados de la tribu hablaron de la educación y del dilema que afrontaban entre la conservación de la cultura y el idioma nativos uto-aztecas y la posibilidad de dar una oportunidad a los jóvenes O'odham en la América moderna. Hoy, las tentativas de contactar oficialmente con la tribu caen en un agujero negro: los mensajes enviados a su portavoz, Pete Delgado, son en balde. Incluso la más respetada y tenaz periodista especializada en los nativos americanos, la infatigable Brenda Norrell, lleva mucho tiempo llamando a la puerta, a través de un valioso sitio web llamado «Censored News» y otros, en busca de respuestas a preguntas sobre los problemas que ha causado la construcción de la valla fronteriza a la gestión de la tierra, el legado cultural y las personas, y sobre dónde van a parar los beneficios de los casinos administrados por la tribu, muchos de cuyos miembros viven en una pobreza extrema. La inferencia más amable es que las cuestiones tribales son privadas, y la privacidad merece respeto. La interpretación menos generosa de la negativa a hablar es que están sucediendo cosas que la tribu sabe pero que no conviene que las vean miradas fisgonas. «Lo diré públicamente», había declarado el reverendo Robin Hoover en Tucson, «porque puedo y debo, y pocos más se atreverían: hay cierto grado de complicidad en el contrabando de drogas y personas.» A ojos de algunos miembros de la tribu, sus autoridades, irónicamente, han hecho algo aún más grave: tras haberse comprometido a oponerse a una nueva invasión del hombre blanco en su tentativa de reforzar la frontera con vallas y cientos de agentes, han acabado colaborando con la militarización de su propia tierra. La tribu vuelve a ser explotada, atrapada de nuevo entre lo malo y lo peor: entre contrabandistas de drogas e inmigrantes que explotan la pobreza de su gente y las autoridades de Estados Unidos que intentan detenerlos.

Sin embargo, a la gente no puede acallársela y allá donde hay motivos de queja, los valientes hablan, sea movidos por la rabia, el orgullo o la desesperación, o por las tres cosas a la vez. Mike Flores es uno de ellos. «¿Quién es usted?», pregunta a modo de presentación, en el tono inimitable en que los nativos americanos hacen esa pregunta, con una demanda implícita sobre los antepasados del interpelado. Flores es un nativo «amexicano» en el sentido más profundo del término. Vive en una caravana en una parcela de tierra detrás del café de la carretera principal que atraviesa Sells, pero su padre es de Quitovac, al otro lado de la frontera tallada a través de su tierra antigua, y emigró al norte, a Ajo, en Estados Unidos –al oeste de la reserva–, para trabajar en una mina de cobre. La madre de Flores nació junto a un manantial natural, una 'tinaja', en lo que se ha convertido en el parque Organ Pipe Cactus National Monument, contiguo a la frontera en el lado estadounidense.

Flores es un verdadero hijo de esta tierra que llamamos frontera, pero su identidad precede a cualquier frontera y se remonta más allá de la colonización española, de México, de la llegada del hombre blanco y de Estados Unidos. Espiritualmente, se siente próximo a los mexicas, y se considera un «tradicionalista», seguidor de las creencias antiguas de sus ancestros, más que uno de los denominados «progresistas» que se convirtieron a la fe católica y todavía la practican. «Mi abuelo me dijo: éste es nuestro camino, las cuatro direcciones, los cuatro vientos y lo que nosotros llamamos *him'dag*, el camino, el viaje. Cuando fui [a Teotihuacán] a ver las pirámides, me sentí parte de aquello», insiste, «aquella gente miraba las cosas del mismo modo que yo lo hago, las veían como yo las veo, y no es nada sorprendente, porque procedían de aquí.» Yo menciono estúpidamente el viaje de los mexicas a Tenochtitlán partiendo de aquí, pero Flores se burla: «Ya, sí, la gente tiene todas esas antropologías y sociologías y "ologías" de todas clases, pero yo soy un O'odham, no un "ologista", lo único que sé es lo que me contaron mi padre y mi abuelo, que es lo que les habían contado sus padres y abuelos: que puedo restregarme la cara con toda la tierra que hay entre Alaska y Ciudad de México, y llamarla yo, porque es de donde soy». El excepcionalmente complejo y bello emblema de la tribu Tohono O'odham reproduce el viaje humano en la estructura del *him'dag*: una pequeña figura, que representa el nacimiento, sobre un laberinto circular que serpentea, pasando por un penúltimo punto en la esquina del dibujo, hasta un «centro oscuro» de vida eterna, donde uno se limpia y reflexiona sobre lo que ha aprendido durante el viaje. En la actualidad, según informa el diario O'odham *The Runner*, el *him'dag* es una asignatura que se imparte en la escuela de la reserva, y muy popular. Cuenta que los alumnos esperan con ganas la llegada del día de la semana en que la comida tradicional sustituye a la basura habitual que les sirven en el comedor.

Flores habría aprendido cómo el dios creador I'itoi condujo a sus ancestros desde el submundo hasta esta tierra, llamaba a los meses *masads* o lunas, el primero de los cuales era *ed wa'ugad masad*, el mes de la columna, que empezaba con el solsticio de invierno y daba inicio a un ciclo anual dividido en dos mitades, cuyo punto medio lo marcaba la festividad estival del vino de cactus, el día más largo del año.[17] Durante la década de 1970, Flores participó en el comprometido American Indian Movement (AIM), y «todavía siento la guerra, como si nunca hubiera acabado». Flores lleva puesto un sombrero del AIM cuando nos encontramos para desayunar en Sells. «Justo detrás de mi caravana es donde el Ejército de Estados Unidos estableció su primera base en nuestra tierra. Y a veces, por la noche, es como si todavía oyera a nuestros guerreros preparándose para la batalla. El pasado es algo muy cercano por aquí, ¿sabe?, nos acompaña todo el tiempo. Y nuestros ancestros nos miran para ver cómo abordamos esta última situación. La tierra ha enfermado después de que la expoliaran una y otra vez. Primero, el hombre blanco; luego, la frontera; y ahora esto: tipos vestidos de ninjas merodeando por todas partes, helicópteros que sobrevuelan asustando a la gente y a los caballos.» Flores escupe palabras incendiarias pero con una expresión de profunda calma que resulta convincente y seductora, su vocabulario arde en llamas, pero sus ojos están muy abiertos y su voz es suave.

La patrulla de fronteras es objeto del desprecio absoluto de Flores: «Vienen de Texas, de Carolina del Sur, del interior de Nueva York, y no saben una mierda de esta tierra. Se comportan como tipos duros, pero si dejas a cualquiera de ellos al sol sin sus juguetes, habrán muerto en dos días. Yo puedo caminar durante semanas por esta tierra, de día y de noche, porque la conozco, sé dónde están los manantiales y qué comer. Hemos vivido cerca de la tierra desde siempre, comprendemos estas cosas: sabemos cómo empollan los pájaros, cómo fluye el agua, cómo los lagartos se mantienen frescos a 44 grados, así que podemos imitarlos. Pero esos tipos..., se creen que son alguien, pero en esta tierra no son nada». Lo que empeora todavía más las cosas para Flores es que «ellos están interfiriendo en el *him'dag*, en el camino. No podemos traer a los ancianos del lado mexicano para que realicen los ritos sagrados porque no tienen documentación. El año pasado celebramos nuestra ceremonia tradicional, y la costumbre es que nuestros guerreros cacen un antílope americano; tiene que ser cazado, cocinado y comido del modo apropiado. Pero el año pasado, la patrulla fronteriza abordó a los guerreros, los esposó y los detuvo durante ocho horas, por llevar un arma en su propia tierra». Tal osadía supone «sobrepasar el límite», espeta Flores. «Forma parte de la misma mierda que lleva a los chicos a meterse en pandillas, con sólo veintiún o veintidós años y a consumir drogas y alcohol, y yo me subo a mi tribuna y les digo que ésa no es la forma, que eso es lo que nos ha impuesto el hombre blanco. Él nos ha dicho que si quieres llamar la atención de alguien tienes que enseñarle mil dólares y eso es lo que está pasando en la reserva. Quien ofrece el dinero consigue lo que quiere.» Eso se aplica también a las autoridades tribales, dice Flores. «Hay un cambio en las tácticas», prosigue. «Al principio, los líderes tribales se oponían a la valla fronteriza. Pero ahora se sienten más seguros frente a nosotros, los que defendemos las antiguas tradiciones, porque han recibido un poco de dinero. Ahora están dispuestos a colaborar con cualquiera que quiera maltratar esta tierra, tanto les da en lo que estén metidos.»

Vamos en coche hacia al sur, salimos de la autopista que corre paralela a la frontera y tomamos otra que va directa a ella, señalada con una punta de flecha como «Indian 19», dejando atrás chabolas y tráileres, mientras la tierra asciende y nos rodean agaves, chollas, mezquites y creosotas. Al este, una cima montañosa cónica se alza en la sierra sobre los demás picos del desierto y perfora el horizonte como la punta de una flecha. Flores explica: «Ésa es Baroquivari, que nuestros antepasados consideraban el centro del universo»; y uno siente algo muy intenso tanto por el modo pasivo pero apasionado en que lo dice, como por la propia montaña. «Es la tierra la que nos hace seguir adelante», repite. «Nosotros y la tierra somos lo mismo.» Pasamos por delante de un complejo de edificios y un centro de retención, con el rótulo «Law Enforcement Area», del que sale con brusquedad un autocar con el nombre y la insignia de la compañía de seguridad Wackenhut, viene hacia nosotros y nos adelanta. Es uno de los vehículos que va y viene entre el complejo policial y la frontera, llevando a inmigrantes ilegales capturados en –o rescatados de, depende de cómo se mire– el amplio territorio; los encierran y luego los envían a la frontera y los sueltan al otro lado, desde donde regresarán a Altar, de donde vinieron. «En una ocasión», dice Flores, «la policía tribal detuvo uno de esos autocares y descubrió que los guardias habían robado una tortuga del desierto. Ya sabe, para tenerla como mascota, una hermosa tortuga del desierto. Así es como ellos ven nuestra tierra.» Tras recorrer 32 kilómetros de Indian Highway 19, la carretera asfaltada gira a la izquierda hacia una comunidad de caravanas llamada San Miguel, pegada a la frontera, pero nosotros tomamos un camino de tierra a la derecha, al final del cual se abre un claro entre la maleza del desierto y allí nos encontramos con una furgoneta de la patrulla fronteriza, una torre de vigilancia electrónica, una valla de postes de acero de altura variable y una pesada puerta electrónica. Es una vía de tránsito peatonal, no un «puerto de entrada» oficial, sino un punto de paso exclusivo para los miembros de la tribu, que lo cruzan tras exhibir su documentación. Detrás hay una vieja valla confeccionada con palos atados por dos trozos de alambre herrumbroso, que pretendía –con poco éxito, por lo general– detener al ganado que vagaba entre Estados Unidos y México. Esa última valla fue la frontera hasta hace poco. Y más allá de esas dos fronteras, por una tierra idéntica a esta que ahora pisamos, se extiende un espacio con dos nombres: Flores lo considera la continuación del antiguo territorio tribal de los Tohono O'odham. El resto del mundo lo llama México. «Los fines de semana», cuenta Flores, «había un mercado aquí. La gente traía sus puestos de venta, los colocaba a lo largo de la frontera y vendía tacos, ropa y otras cosas por encima de la valla. Ya no se hace.» Los mercados, que recuerdan a los picnics que se organizaban el Día de Muertos en la playa de Tijuana –que tampoco tardarán en desaparecer–, resultan difíciles de imaginar en este silencio vacío, bajo la mirada de la patrulla fronteriza y, sin duda, la de los contrabandistas que persiguen al otro lado.

En las lindes de Sells se encuentra Poltergeist Lane. Nadie parece conocer su nombre auténtico: éste se lo pusieron las pandillas que lo recorren, y marcan las casas vacías, «Poltergeist Northside» reza uno de los grafitos. Son las nuevas viviendas de la reserva, consideradas mejores que las caravanas o las chabolas en las que viven muchos O'odham. Una de las pandillas locales, explica un chico que nos da un folleto para un acto de poesía rock tribal en el café, se llama los Dream Walkers [«Los que caminan por los sueños»] porque «pueden matarte mientras duermes, atravesando tus sueños con maldiciones y cosas así».

«Ahí pasan muchas cosas por la noche», dice Angelita Ramón, que vive en el número 18 de Poltergeist Lane, señalando más allá de los arbustos de la creosota. «Mucha gente viene a través del riachuelo de allí, y también pasan muchas drogas. Los oigo y no me dejan dormir.» Pero el insomnio y la lucha de la señora Ramón se deben a las repercusiones de todo ese movimiento en su propia familia. En el salón de su casa, dos de sus hijas se afanan con los quehaceres domésticos, cocinan y ven la televisión; pero sus tres hijos varones sólo están presentes como retratos en la pared. Uno «se suicidó después de que la policía se lo llevara al desierto una vez y se lo hiciera pasar muy mal. Se puso tan furioso con ellos que se suicidó; tenía dieciséis años», dice Angelita. El segundo, Joseph, «está en la cárcel, en Nuevo México..., dicen que disparó..., bueno, ya sabe..., oh, yo qué sé... Ahora se preocupa mucho por mí, siempre me llama para saber si estoy bien». Y hay un tercero, Bennet, que sufrió una muerte muy extraña e inexplicable, «y todo esto está acabando conmigo».

A las cuatro y media de la madrugada del viernes 9 de abril de 2002, Bennett Palacio, de dieciocho años y conocido como BJ, volvía andando a su casa de Sells tras asistir a una fiesta después de un partido de béisbol. Desde un camino de tierra entró en la carretera principal cerca de una aldea llamada Cowlic, donde el vehículo de una patrulla fronteriza le dio un golpe y murió. Desde entonces, su madre y su padrastro, Ervin Ramón, han sostenido que Bennett había tropezado por casualidad con un transporte de drogas en el que participaban miembros de la patrulla fronteriza en el camino de tierra, y fue asesinado después de huir a la carrera hasta el asfalto. No es tan descabellado: la Operación Verde Vivo del FBI en Arizona y la Operación Estrella sin Brillo vinculada a la anterior, en Oklahoma, acabaron llevando a los tribunales a noventa soldados del servicio y agentes del Gobierno por traficar con droga en esta zona; se dictaron trece sentencias de culpabilidad en un único juicio celebrado en Tucson en 2005, entre ellas la de un sargento de la Guardia Nacional, Robert Bakerx, encarcelado por contrabando de cocaína y por involucrar a otros soldados.[18] Entre 2001 y 2004, sesenta y nueve miembros del Ejército, de las patrullas fronterizas, guardias de prisiones, funcionarios legales y otros empleados públicos han sido condenados por aceptar sobornos para colaborar en el contrabando de cocaína.[19]

Tras años de tribulaciones por los juzgados –en los que la familia Ramón fue despreciada sistemáticamente por las autoridades tanto tribales como federales– y la aparición de unos documentos judiciales en los que se nombraba a dos conductores que habían participado en la colisión y que nunca habían sido convocados como testigos, el Noveno Tribunal Superior de Apelación rechazó, en febrero de 2006 y mayo de 2007, la demanda de la familia por homicidio. El conductor acusado fue considerado no responsable legalmente de la muerte de Bennett Palacio. Las solicitudes para hablar con la patrulla de fronteras sobre el caso para este libro, así como sobre las cuestiones más generales de la inmigración y el rescate, fueron aceptadas informalmente durante las peticiones realizadas en la misma zona, pero rechazadas en Washington.

«Año tras año, las presiones han ido corroyendo nuestra identidad como pueblo original», dice Ofelia Rivas, organizadora de la O'odham Voice Against the Wall, una campaña contra la fortificación de la frontera. «Ahora ya no se trata sólo de una frontera», dice, «es una valla que atraviesa nuestra tierra. Impide que la gente la cruce, incluidos nuestros ancianos, y ya ha afectado a nuestros cementerios. Algunas de nuestras ceremonias se celebran en México, y yo no puedo acudir a ellas. Algunos miembros de la tribu han sido detenidos y deportados en el lado estadounidense mientras visitaban a sus parientes en su propia tierra tribal, porque procedían de México y no tenían la documentación apropiada. Ha alterado incluso los senderos de los pumas, que se han visto forzados a buscar nuevas zonas porque ya no pueden desplazarse. Se trata de nuestra tierra ancestral, ¡no de un Kokopelli en una taza de café! Tengo cincuenta y tres años, sólo cincuenta y tres, pero hasta yo recuerdo cuando obteníamos nuestra agua de las charcas, y teníamos que aprender a entender la tierra para comer y organizarnos el año. Yo vi cómo todo eso cambiaba durante los años ochenta y noventa: los jóvenes se perdieron, la televisión se apoderó de nuestras vidas, y luego llegó la militarización. Dentro de veinte años», predice la señora Rivas, «nuestros hijos mirarán atrás y dirán: "Fue entonces cuando sucedió la segunda destrucción de nuestro pueblo". Y todo está pasando muy deprisa, después de tantos miles de años. Desde siempre, hemos ido a lo que ahora es México y hemos visitado a nuestras familias, y ellas venían aquí. Las autoridades no parecen comprender que nosotros llevamos los espíritus caminando por delante cuando tenemos que hacer esas cosas. Usted debe entender que nosotros sentimos los ojos de nuestros ancestros observándonos, y ahora tenemos que explicarles que nuestra historia está siendo erradicada a toda prisa.» En la carretera que sale de la reserva y lleva a Tucson, un rótulo con una fotografía de un joven y sonriente O'odham reza: «Vivimos y sobrevivimos en el desierto durante más de quinientos años. ¿Sobreviviremos los próximos quinientos?».

Unos 28.000 O'odham viven en el lado estadounidense de la frontera y sólo unos dos mil en el mexicano, la mayoría de los cuales prefieren que se les llame con el nombre que les pusieron los españoles, 'pápagos'. De camino hacia sus aldeas, a través del desierto de Sonora, se encuentra parte de la tierra más majestuosa de las Américas, sobre la cual destacan los cactus saguaros, monarcas del desierto, y las pitayas, de costillas redondeadas y frutos con los que los O'odham hacen mermelada, vino y harina. Como los hacen los habitantes de Quitovac, que se extiende en la parte alta de un camino que sale de la carretera principal entre Altar y Sonoita. Quitovac es una aldea de cincuenta habitantes, la mayor población de pápagos al lado mexicano, con una guardería donde se prepara a los niños para la «escuela mexicana» de Sonoita. Una señora llamada Leticia lleva la 'bodega' de la aldea, donde vende tortillas y productos básicos para la casa. Dice que «vienen profesores de Sells para dar clases especiales sobre tradiciones y cultura O'odham, pero los niños suelen olvidarse cuando crecen, y casi nunca van al lado americano porque los detienen si no tienen documentación. Crecerán como mexicanos, y sólo irán a Sells si tienen que visitar a un médico en el hospital... La mayoría de nuestras familias están en el lado americano, pero es difícil visitarlas, y casi todas las actividades tradicionales se hacen allí, aparte de los peregrinajes religiosos», dice Leticia. «Casi todos los que estamos aquí somos católicos y peregrinamos a Magdalena en lugar de seguir los ritos tradicionales; la mayoría también preferimos que nos llamen pápagos, como nos llamaban nuestros padres, y no O'odham.» Es un detalle más importante de lo que parece porque mientras Flores y Rivas se sienten esencialmente gente de la frontera en su sentido más antiguo, una identidad puesta en peligro por el hombre blanco, y ahora por el materialismo de los cárteles y la lucha contra ellos, los O'odham del lado mexicano parecen menos descontentos, aunque su cultura haya sido en todos los sentidos más erosionada por la cultura y la religión hispanas.

Sentado en una silla delante de su casa está Eugenio Ortega Velasco, de setenta y ocho años y el último hombre que habla el idioma O'odham en México. «Al menos, eso creo», dice. «Cuando era joven, me desplazaba por todo el territorio, a ambos lados de la frontera. Había trabajo en el lado estadounidense e íbamos allí cada dos por tres, de aquí para allá, y también a visitar a la familia. Luego, uno por uno, todos mis hermanos y hermanas fueron a trabajar a Estados Unidos, y ya no volvieron. Desde entonces no han cambiado muchas cosas, salvo que es muy difícil para la mayoría cruzar la frontera. Yo podría, si quisiera», saca un pase con su fotografía, válido por un año, «pero no tengo ganas. Es mucho lío..., con todos esos guardias». Dobla su sobada carta del Departamento de Seguridad Nacional con aire desdeñoso, se la guarda en el bolsillo y se baja el ala del sombrero mientras el sol desciende sobre la tierra. Luego cambia de silla sin ninguna razón aparente y sigue contemplando en silencio el desierto desde el porche de la casa donde nació.

El rentable casino de los Tohono O'odham, en un anexo de la reserva llamado San Javier, al sur de Tucson, está atestado en esta estival noche de sábado. La canción cantada a pleno pulmón bajo una luna llena tras una tormenta se titula *Contrabando y Traición*, y es la que estaba esperando el público. Los jóvenes, en el césped detrás del anfiteatro, gritan y siguen la canción; los mayores y las familias, en los asientos más caros, «hacen resonar sus joyas». La canción, con su acordeón oscilante y su animado bajo, trata de una pareja, Emilio y «Camelia, la tejana», que pasan drogas de Tijuana a San Ysidro, «con las llantas del carro repletas de hierba mala». Superan un cuestionario en las aduanas, llegan a Los Ángeles, recogen el dinero, que se reparten, y Emilio le dice a su socia que ahora se dirige al norte a encontrarse con el amor de su vida. Al recibir esa noticia, «Sonaron siete balazos; Camelia a Emilio mataba», pero cuando llega la policía sólo encuentra una 'pistola tirada' –disparada–, «de Camelia y el dinero nunca más se supo nada». La canción fue uno de los antiguos éxitos de la banda que está sobre el escenario, Los Tigres del Norte, grabado en 1972, cuando los hombres de mediana edad actuales eran adolescentes. Aunque no se trata del primer narcocorrido sí fue el primero en convertirse en un éxito y sonar en todas las *jukeboxes* y pistas de baile en México.[20] Fue tan popular que la banda grabó dos continuaciones: en la primera Camelia es perseguida y abatida por traficantes rivales en Guadalajara, y una segunda, *El hijo de Camelia,* sobre su descendiente, que mata a cinco miembros del cártel de Tijuana y da caza a otros para vengar el asesinato de su madre. Los Tigres –tres hermanos y un primo– son los reyes del género que crearon, cuyos seguidores proporcionan ahora la banda sonora de la guerra del narco. Ellos son los originales, que se han vuelto artistas internacionales de relumbrón, mientras que las semillas o, alguien diría las malas hierbas, que plantaron crecen gruesas y saludables, para mayor glorificación de los criminales.

Esta noche, Los Tigres van vestidos con una escandalosa seda roja engalanada con un chillón dorado; los pantalones reventones, ceñidos a la piel para mostrar visiblemente sus paquetes; los tacones, altos, y sus gestos, lujuriosos, porque éstos son los chicos de revista del narcocorrido, del estado de Sinaloa, claro, pero tocando ante una multitud local en el desierto de Arizona. Tucson –cuyo nombre deriva de la expresión O'odham *«Cuk Son»*, «al pie de la colina negra»– está a 115 kilómetros de México y no es, en sentido estricto, una ciudad fronteriza, más bien puede considerarse un núcleo de comunicaciones de la frontera. Es una ciudad agradable: deshilvanada pero viva, abrasada por el sol, vibrante y ecléctica. Posee una universidad, una vida cultural, musical y artística bohemia y floreciente, zonas residenciales valladas en las faldas de las colinas al norte, un paraíso para los caballos hacia el parque nacional Saguaro y un centro por el que pasan tocando el silbato y traqueteando los ferrocarriles que van de Yuma a El Paso y más allá, después de dejar atrás el Congress Hotel, donde se alojó John Dillinger antes de que lo detuvieran. El lado sur de la ciudad, incluida una entidad local separada denominada South Tucson, se extiende sobre lo que se considera el lado malo de esas vías: una floreciente y animosa comunidad mexicano-americana, que se mantiene conectada como por un cordón umbilical con el otro lado de la frontera. Durante 2008 y 2009, la ciudad sufrió un repentino incremento de delitos relacionados con la droga y asaltos a casas, debidos, en la mayoría de los casos, según la policía, a deudas impagadas con los cárteles que pasaban ilegalmente personas y narcóticos.[21] Pero esta noche no se ven más que bufandas con la bandera mexicana y «Los Tigres del Norte – Gira USA 2009» escrito con letras chillonas en ellas. Porque, pese al brioso exhibicionismo de Los Tigres como padrinos del narcocorrido, ésta es una actuación para toda la familia. El abanico social entero de la sociedad mexicano-americana está aquí: parejas mayores con sus hijos y nietos, chicos con pantalones cortos holgados y tatuajes en las espinillas, un hombre de aspecto que asusta con un largo abrigo negro y un sombrero fedora, y manadas de chicas que se aprietan contra la valla ante el escenario. Jorge Hernández, el líder de la banda, alza su stetson con una inclinación gallarda hacia las multitudes y presenta a los músicos: «Mi hermano Raúl, mi hermano Hernán, mi primo Óscar».

La siguiente canción es una estruendosa melodía titulada *El avión de la muerte*. Trata, supuestamente, de una historia verdadera, recogida de las noticias, la del narco Manuel Atilano, detenido y torturado por el Ejército mexicano para que les llevara en avión hasta la pista de aterrizaje secreta de su cártel en Sinaloa. Sin embargo, Atilano se hace con el control del avión y cuenta los detalles de su tormento por la radio: «Con pinzas machacaron partes nobles de su cuerpo». La canción acaba con un acto de heroísmo cuando Atilano cambia su plan original de estrellar el avión contra un centro policial al ver el patio de una escuela lleno de niños al lado, y opta por precipitarse a la muerte con sus captores contra la ladera de una colina, tras despedirse afectuosamente de sus amigos de la torre de control de la pista de aterrizaje: «Adiós a sus amigos, camaradas de la aviación».

Los Tigres no tienen ninguna relación con ningún cártel, pero uno no sabe muy bien si la burda inclusión (en una cinta grabada, claro) de rápidos y martilleantes disparos de metralleta automática en su siguiente canción, *Pacto de sangre*, es una demostración de fidelidad a sus raíces o de ofensivo mal gusto. No obstante, de lo que no cabe ninguna duda es de lo mucho que disfruta el público con toda esta estridencia: los disparos, que barren en estéreo el escenario de izquierda a derecha, hacen bailar a todos con más entusiasmo y ganas.

Jorge Hernández lo explica así: «Los pobres idolatran a los narcos, admiran su valor y quieren ser como ellos. Cuando cantas las canciones, el público siente que está viviendo como los personajes, como si estuviera viendo una película. Por eso a la gente le encanta el corrido. Les hace soñar».[22] Unas semanas después de esa noche, Los Tigres se verán envueltos en una polémica. La banda se negó a aparecer, como estaba previsto, en la gala de los prestigiosos premios musicales Las Lunas porque sus organizadores no les permitían interpretar su última canción, *La granja*, una crítica a la ofensiva lanzada por el presidente Calderón contra los narcocárteles, que iba acompañada de un vídeo en el que salían unos cerdos que representaban a políticos enriqueciéndose a costa de los pobres.[23] Estos alardes exhibicionistas son la vertiente colorista del género. Sin embargo, las bandas de narcocorridos surgidas más recientemente son a veces contratadas para cantar las glorias de un cártel frente a otro, de un héroe contra un villano o, más a menudo, contra el Ejército. Eso, naturalmente, los convierte en blanco legítimo para el cártel rival.

En un incidente distinto pero escalofriante, el asesinato más famoso de un músico sucedió en Matamoros, la ciudad más oriental del lado mexicano de la frontera, el 1 de diciembre de 2007: el de Zayda Peña, de veintiocho años, la cantante de cabellera azabache de Los Culpables, un grupo de grandes ventas. Peña, que cantaba el famoso éxito titulado *Tiro de gracia*, se alojaba en un motel de Matamoros tras un concierto que había dado la noche anterior cuando unos pistoleros se acercaron a la puerta y abrieron fuego, asesinando a uno de sus acompañantes y al encargado del hotel. Peña fue llevada al hospital donde la operaron de urgencia, pero al salir del quirófano, un comando de sicarios la esperaba en el pasillo para pegar un 'tiro de gracia' en la cabeza de la estrella que se recuperaba. «Nada, nada de nada», fue la respuesta de la oficina del procurador del estado de Tamaulipas cuando se les preguntó por pistas posibles para la detención de los asesinos de Peña.[24] La señora Peña lleva trabajando para la oficina del procurador desde 2007, el año del asesinato de su hija.

Lo que en inglés llamamos *walnuts* en español se dice «nogales», y hay dos ciudades, una enfrente de la otra, a ambos lados de la frontera, al sur de Tucson, llamadas así por los nogales que crecen, silvestres y en huertos, por las pendientes frondosas que se elevan hacia México desde el sediento desierto de Arizona. En las lindes septentrionales del Nogales del estado de Sonora hay un nuevo edificio, inaugurado con gran fanfarria, llamado Camino a Casa, otro proyecto para la frontera del Desarrollo Integral de la Familia, del Gobierno mexicano. Su función es sencilla: recoger a los niños que han sido pasados ilegalmente al norte de la frontera, atrapados y deportados, y devolverlos a sus casas. Pero el proceso es complicado: en el área de recepción, limpia como una patena, una pareja, César e Yvet, espera. Él lleva una camiseta blanca y luce tatuajes; a ella se le notan las arrugas del cansancio y tiene las mejillas manchadas de lágrimas. Ambos están en la treintena, son de Acapulco, donde, dice César, «no hay nada para una familia», y habían cruzado la frontera al este de Nogales, desde donde entraron en el desierto. Los atraparon cerca del pueblo de Patagonia, tras haber pagado mil dólares a un 'coyote' en Acapulco y gastarse otros 400 en accesorios en Altar y por el camino. Los habían deportado por separado y a su hija Francisca la habían traído a Camino a Casa. César firma un último documento y el guardia de seguridad se retira a través de una puerta con cierre magnético. Un poco después vuelve a abrirse, y se oye un coro de agudas despedidas infantiles –«¡Adiós, Francisca!»–, y la hija de la pareja, de doce años, corre a los brazos de su madre llorosa. «No hay nada más que decir, de verdad, gracias», dice César empujando a su familia hacia la puerta. «Vamos a buscar el autocar para volver a casa.» Al otro lado de la carretera, otros niños canturrean y corren por un patio escolar urbano; Francisca les lanza una mirada de envidia, agarra la mano de su madre y desaparece camino de Acapulco.

Al principio, la imponente María Mayela Alessi Cuevas parece una serie de largas uñas pintadas a las que van pegadas una mujer y una chaqueta con hombreras. Ella es la impecablemente vestida directora de esta sucursal de Camino a Casa y gestiona la institución con una mezcla de autoridad sensata y, sin duda, un buen grado de compasión. La señora Alessi explica la situación con sencillez y claridad. «Recibimos alrededor de quinientos al mes», dice, «de los cuales al veinte por ciento vienen a recogerlos sus familias y el ochenta restante son enviados a sus casas.» Cuando entran en Estados Unidos, la mayoría ya tiene a sus dos padres allí, y los mandan parientes que los dejan al cuidado de los 'coyotes'. «Algunos cruzan el desierto, otros a través de los Puertos de Entrada oficiales, con visas o documentos falsos, con otras familias. Les preguntan cómo se llaman, datos que constan en los documentos, así los confunden y los descubren. El instinto natural del niño es decir la verdad, y si el aduanero le pregunta "¿es ésta tu mamá?" se descubre el pastel. A menudo los drogan para que estén dormidos en el momento de pasar la aduana, pero los funcionarios los despiertan y cuando están así, adormilados, cometen aún más errores; a veces nos llegan chicas que se han cortado el pelo para parecer chicos en los documentos falsos». Y ésos, pese a lo que pueda parecer, son los afortunados. «Para los que cruzan el desierto, las cosas son más difíciles», explica la señora Alessi. «Nos llegan chicas, de sólo doce años, que han sido violadas, y algunas también están embarazadas tras haber sido violadas camino al norte. Otros tienen heridas físicas: deportaron a un grupo tras haber sufrido un accidente de coche cuando los perseguía la patrulla fronteriza, y uno de los niños vino en silla de ruedas, con los huesos rotos de los pies a la cadera. A menudo recibimos a alguno que se ha quedado atrás, sin poder seguir a sus hermanos o hermanas: dos que lo consiguen y otro que no, con todo el mundo traumatizado, y los padres intentando ponerse en contacto desde Estados Unidos. A veces creen que cuando vienen aquí es porque han sido detenidos y van a ir a la cárcel. Cuando se entrega el niño a sus padres, o, casi siempre, a sus abuelos, rompen a llorar. Algunos tienen tan poco a lo que volver que uno o dos de los mayores quieren quedarse y trabajar aquí; pero la mayoría, cuando llegan aquí, lo único que quieren es volver a su casa. Tanto que a menudo intentan escaparse, rompen las ventanas por la noche e intentan fugarse.»

La mayoría de los niños, explica la señora Alessi, proceden del sur; y luego suelta la bomba: «la mayoría de los chicos de Sonora, de por aquí, son utilizados por los cárteles como 'burros', para transportar droga, a veces con sólo trece años. Cruzan, conocen el territorio y entregan las drogas, luego intentan volver a casa haciendo autoestop y es cuando los atrapan. Los americanos no los detienen porque son menores, y los cárteles lo saben. Y algunos de ellos se enganchan o venden las drogas que llevan: es una forma de pagarles». La señora Alessi nos deja y nos da permiso para hablar sin supervisión con los niños.

Dos grandes salones recreativos al lado del patio alojan respectivamente a chicos y chicas. En cada uno de ellos, un centenar de caras muestran toda la gama de las emociones juveniles. Algunas están arrugadas, llenas de malicia; otras son tristes, casi lacrimosas. Algunos de los chicos ocultan su valor –o su miedo– detrás de una pantalla de firmeza, incluso agresividad. Algunas de las chicas ocultan los suyos tras una máscara de exuberancia, mientras que otras muestran su desconfianza a gritos. Los chicos hablan primero, y César Magaña maldice al 'pocho' –mexicano-americano– agente de la 'migra' que «me dio una patada en la espalda» cuando lo detuvieron tras dos días de caminata. Su padre, que vivía en Carolina del Norte, había pagado al 'coyote' que lo había llevado desde Tabasco y «las cosas habían ido bien, hasta que nos empezó a perseguir la 'migra', primero en una furgoneta y luego, cuando nos metimos entre los árboles de la montaña, a pie. Nos atraparon, nos dieron patadas y puñetazos y nos dijeron: "esto es por hacernos correr, ¡'mojados'!". Todos eran 'pochos' menos uno, ¡y el gringo era el único que no nos pegaba!». Al lado de César está Marcos, de dieciséis años y originario de Campeche, que, con un aire más serio, habla más bajo: «A los tres días estábamos desesperados», cuenta con la mirada perdida. «A esas alturas éramos nosotros los que buscábamos a la 'migra' para que nos detuviera, para que nos salvara. Mi padre había pagado al 'coyote', y yo no tenía que pagar nada; me mandaron que hiciera todo lo que un hombre llamado Zepeda dijera; tenía que esperarme al bajar del autocar en Altar. Pero Zepeda era un mentiroso; no conocía el camino y se perdió. Nos descubrieron una noche que llovía tanto que no se veía nada. Un día no teníamos nada que beber y al siguiente estábamos empapados. Cuando nos atrapó la patrulla fronteriza fueron amables, sabían que nos alegrábamos de verlos. Los hombres mayores salieron corriendo, pero nosotros caminamos hacia la patrulla porque lo único que queríamos era volver a casa.»

Dos chicos se sientan en silencio, más asustados y taciturnos, según descubriremos, a causa de los demás chicos, no de nosotros. Xochitl, de dieciséis años, e Itzel, un año más joven, no son los habituales mestizos mexicanos, sino aztecas puros, de Veracruz. Para ellos todo es «más o menos». ¿Queréis volver a casa? Más o menos. ¿Os asustasteis en el desierto? Más o menos. Entonces Xochitl añade: «Iba bien, hasta que nuestro amigo se fue. Luego se marchó el guía. Quedamos ocho y no sabíamos dónde estábamos, a oscuras, de noche. Cuando nos encontraron nos trajeron aquí, a tres, no sé qué le sucedió a los otros». «Ya no me importa nada Texas», dice otro chico, Adán, de catorce años, de San Luis de Potosí. «No quiero una gringa rubia y rica de Dallas. Antes creía que sí, que quería eso y a mi mamá y a mi papi, pero me equivocaba. Pero ahora ya no me importa nada, ni siquiera quiero ver a mis padres en Texas. Sólo quiero volver a casa.»

Unas manos alzadas no es precisamente un método muy científico para medir la opinión, pero a veces sirve, y cuando les preguntamos si preferían volver a sus casas o intentarlo de nuevo, sólo una mano de entre unas ochenta se levanta a favor de la segunda opción. Es la de Gabriel, de diecisiete años, de Cacahoatán, en Guatemala, sin billete de vuelta. Es raro que esté aquí; en teoría, el Desarrollo Integral de la Familia sólo se ocupa de ciudadanos mexicanos, y a aquellos de más al sur se les mira con más desprecio que a los propios mexicanos en Estados Unidos. «Vine en tren», dice, «todo el camino, con mi tío. En el sur de México nos robaron, y volvieron a robarnos en Nogales; la primera vez, unos mexicanos; la segunda, salvadoreños. Esta ciudad era nuestra última oportunidad, dijo mi tío. Y después de un día de marcha, el helicóptero apareció sobre nosotros, y nos dispersamos. Perdí a mi tío, y acabé aquí. La señora que me atendió dijo que no le dijera a nadie de dónde era, y que podría marcharme con otros e intentarlo de nuevo. Tengo que hacerlo otra vez.» Tiene diecisiete años, pero podría pasar tanto por doce como por treinta y cinco, tan resuelto parece, pero a la vez tan conmovedora y completamente solo y, al fin y al cabo, no es más que un niño.

«Este lugar está en el medio de ninguna parte», dice Arturo, de Hidalgo. «Lo odio. Te dan dos tortillas al día y un poco de agua. Nada más. No nos dejan jugar a fútbol por miedo a que nos escapemos; y nosotros sólo esperamos..., esperamos a que ellos encuentren a nuestros parientes y a que nuestros parientes reúnan el dinero para llevarnos a casa.» Yo había dado ingenuamente por sentado que, dado que la poéticamente llamada Camino a Casa era una institución gubernamental, el propio Gobierno se ocuparía de pagarles un billete de autobús para que los niños volvieran a sus casas. «Claro que el Gobierno no paga», se mofa una chica llamada Magdalena, de Chiapas, con una sensatez y un sentido del humor que todavía no debería tener a los quince años: «El Gobierno sólo paga si vienes en un ataúd». Y por fin todos se ríen, una risa hueca pero angustiosamente necesitada, y hablamos de fútbol y de la inevitable rivalidad del clásico –que viven con igual intensidad chicos y chicas– entre el Chivas y el Club América.

«América» es una palabra hermosa, sobre todo cuando es el nombre de un niño. Y el grupo abandonado al cuidado temporal de Camino a Casa en Nogales está sostenido por la fascinación colectiva que sienten todos por –y las atenciones que deparan a– la residente más conmovedora del refugio: América, de cuatro años. En otra vida, estaría destinada a los escenarios; tal como es ésta que le ha tocado, sabe Dios qué le espera. Los padres de la pequeña viven en Florida, y a ella la mandaron a cruzar la frontera unos parientes de su Acapulco nativo, en apariencia para que fuera con ellos. Sin embargo, nos había explicado la señora Alessi, «los 'coyotes' la llevaron hasta la misma frontera con otras dos niñas, de cinco y seis años, en plena noche, les hicieron pasar la valla, señalaron una casa y les dijeron: "Si seguís las luces y vais a aquella casa, vuestros padres irán a recogeros". Y así lo hicieron: las niñas fueron andando hasta la casa y los vecinos estadounidenses llamaron a la patrulla de fronteras. Las dejaron a las cuatro de la madrugada en el centro de deportados del lado mexicano, sin ninguna explicación ni ningún adulto presente. En teoría, no deben deportar a menores después de las seis de la tarde, pero en la práctica no les importa. Así que fuimos a buscarlas, y América sigue aquí mientras intentamos localizar a su familia». De momento llevan dos semanas buscando, sin resultados.

Un adolescente llamado Francisco y una chica llama Lizabeth se sienten muy orgullosos del papel especial que desempeñan cuidando a América. «A una niña pequeña pueden pasarle cosas que no puede entender», dice Francisco, espantosamente perspicaz. «Y no podemos dejarles hablar con ella sin estar nosotros delante», añade Lizabeth, de trece años, con autoridad. «Quiero volver a Acapulco», gorjea la pequeña América, «porque allí hay un parque de atracciones y mi madre [que en realidad debe de ser su abuela] tiene mi precioso par de botas, en la calle de Chile.» La niña empieza a lanzar besos por el pasillo. «Entonces me atraparon», dice de repente. «Pasé por la puerta para jugar y vinieron los hombres. Pero ahora me voy a ir, y después del parque mi madre y yo nos sentaremos y veremos a Amy en la tele.»

Un repentino escalofrío recorre el pasillo, el sol centellea a través del techo de cristal esmerilado y dispara un rayo de luz que rebota por el suelo embaldosado. Amy es un personaje de una telenovela que los niños conocen de casa y quieren que América cante como el personaje. Una de sus canciones favoritas la canta Danna Paola, que interpreta el papel principal de Amy en la exitosa telenovela *Amy, la niña de la mochila azul*. América se acerca al rayo de sol y se queda quieta un momento, recordando la letra, con los ojos cerrados. Luego los abre, respira hondo y canta: «Fiesta, fiesta / La vida es fiesta / Escucha tu corazón / Fiesta, fiesta / Qué poco cuesta / Dar un poquito de amor».

Sí, qué poco cuesta dar un poco de amor. Entonces América se calla; todo el mundo aplaude; ella esboza una sonrisa grande y luminosa, también aplaude, y se echa a llorar.

Paréntesis
La punta de un calibre 12
La guerra de Barrett y Morgan

El Gadsden Hotel de Douglas, en Arizona, es seguramente demasiado grandioso para los tiempos que corren. Pero eso no impide que uno contenga el aliento al entrar en el vestíbulo, contemplar esas columnas de mármol, esa imponente y sinuosa escalera, y las paredes que resuenan con el eco de la guerra del Salvaje Oeste a lo largo de la frontera. Construido en 1907, el hotel lleva el nombre del teniente James Gadsden, presidente del South Carolina Canal and Rail Road Company, fanático nacionalista sureño, defensor de los derechos de los estados confederados y la esclavitud. Más tarde sería nombrado embajador de Estados Unidos en México y conseguiría la adquisición en 1853 de todo el territorio, incluido el sur de Arizona, al sur del río Gila, que pasó de México a Estados Unidos. La adquisición era una posdata territorial al Tratado de Guadalupe Hidalgo de 1848, que puso fin a la guerra mexicano-americana, aunque algunos dirían que la guerra se sigue librando todavía, porque la frontera está cargada de tensión. A finales de marzo de 2010, un respetado ranchero llamado Rob Krentz fue asesinado a tiros por un grupo de mexicanos que cruzaban sus tierras, lo que avivó la rabia, además del dolor, y reforzó a un movimiento «vigilante» contra la emigración y el contrabando. Un mes después, la gobernadora del estado de Arizona, Jan Brewer, firmó una ley con una norma que permitía a la policía parar a los inmigrantes y exigirles que le enseñaran la documentación que justificara su condición de residentes legales, bajo pena de detención y deportación en caso de que carecieran de ellos. Miles de manifestantes tomaron las calles de Phoenix y Tucson y los sheriffs de dos condados, Pima y Yuma, dijeron que no cumplirían la ley.

Pero la carretera de la frontera nos ha llevado al este de los condados de Tucson y Pima, al extremista condado de Cochise, por delante de las tiendas de armas y de reparación de motocicletas de Sierra Vista, un bastión de los «vigilantes», en la inhóspita esquina sudeste de Arizona, donde fue asesinado el ranchero Krentz. Aquí hay dos ciudades vecinas, que fueron en el pasado centros de la minería del cobre: Bisbee, una localidad moderna y liberal y centro artístico, y la más áspera Douglas, con su Gadsden Hotel, construido antes de que Arizona se convirtiera en estado el día de san Valentín de 1912, mientras Gerónimo todavía dirigía partidas de apaches contra estadounidenses y mexicanos. Pese a todas las repetitivas leyendas y la pompa del ambiente del hotel, Butch Barrett viste informalmente bajo el calor abrasador: se presenta en pantalones cortos y con una gorra de béisbol salpicada de estrellas a nuestra cita en el vestíbulo. Barrett fue durante décadas agente especial de aduanas en esta esquina de Arizona, una zona que recorría a caballo y en la que mantuvo frecuentes enfrentamientos cuerpo a cuerpo y tiroteos con los narcotraficantes de Agua Prieta, al otro lado de la frontera. Durante el tiempo que patrulló esta zona, el territorio que se extiende entre Nogales y la frontera oriental de Arizona con Nuevo México se conocía como «el callejón de la cocaína», tal era el volumen de polvo blanco que entraba desde Agua Prieta.[1] Para Barrett y un compañero llamado Lee Morgan esta tierra era a la vez su casa y su castillo.

Ya no se cuentan de primera mano muchas historias como las de la guerra de Barrett y Morgan, en estos tiempos de control policial de la frontera con alta tecnología, sensores y vallas virtuales. Pero Lee Morgan la relató en unas memorias tituladas *The Reaper's Line* [La línea de la Parca], que dicen cosas como ésta: «El forajido apuntó con su Blazer y buscó la silueta redondeada y rellena de Miller. El agente se preparó y apuntó al conductor con una escopeta de pistón del calibre 12. Al mirar la punta del calibre 12 el contrabandista se convenció de que estaba a punto de cometer un grave error».[2]

El libro de Morgan es la mejor película de acción jamás rodada sobre la frontera: un Western con un protagonista solo ante el peligro moderno que se desarrolla casi siempre a medianoche, porque Morgan trabajó en el periodo álgido de los primeros tiempos de la guerra del narco, que había visto venir desde una década antes. Tras formarse en la Academia de la Patrulla de Fronteras, en 1975, Morgan fue destinado al principio a Douglas, pero trabajó por todo el país y el Caribe en los equipos antidroga del servicio de inmigración antes de regresar a la zona en 1987 como agente especial de aduanas. A su vuelta, Barrett y él se embarcaron en una guerra perpetua y total en dos frentes: contra sus presas, los contrabandistas y contra lo que ellos denominan «REMF» –«los cabrones de los mandos de la retaguardia», en sus siglas en inglés–, a los que paga el contribuyente para que empujen bolígrafos en Washington y se encarguen de toda la burocracia. «¿Qué aprendí de mi primer tiroteo como agente federal?», escribe retóricamente Morgan. «Pues aprendí que, para variar, los REMF se equivocan y que son los soldados rasos quienes saben lo que necesitan sobre el terreno para hacer su trabajo.»

Para la redacción de este libro, lamentablemente, Washington nos negó el acceso a la patrulla de fronteras actual, así que, ¿qué mejor opción que enterarse de cómo era antes? Como agente especial de paisano, Morgan formó equipo con Barrett y otro agente llamado Allan Sperling en una patrulla montada. Tanto Morgan como Barrett eran excombatientes de Vietnam, y aunque, dice Morgan, «yo ya había visto un trozo del infierno cuando la mierda alcanzó el ventilador en la jungla, Butch sí que vio mierda de la peorcita. Intente imaginarse flotando en una masa de agua tan densa de cadáveres hinchados que tenías que lancear los cuerpos con la bayoneta para que se hundieran». Cuando regresaron de combatir al Vietcong, los enemigos de Barrett y Morgan pasaron a ser los miembros del cártel de Agua Prieta, aliado con el de Ciudad Juárez, y el caballo favorito de Morgan se llamaba *Cougar* [Puma]. A lo largo del cambio de década, Morgan y Barrett cabalgaron contra narcos que montaban a pelo, se enzarzaron en tiroteos con ellos y los detuvieron en combates sin armas; es la guerra del desierto del Salvaje Oeste del siglo XX, tan emocionante como mal presagio de lo que se va a convertir en el siglo XXI: «Le grité al gilipollas que le reventaría la cara si levantaba el cañón de su fusil. Me repele cargarme a un tío, a no ser que sea absolutamente necesario. Temeroso de Dios y acertado en su decisión, el forajido bajó su arma de asalto, la dejó en el suelo y levantó las manos por encima de la cabeza». De lo ocurrido durante una incursión de soldados mexicanos que protegían al cártel dice: «Déjeme que se lo aclare sin la menor duda: esos uniformes negros armados no estaban patrullando en México. Habían invadido nuestro país y estaban realizando maniobras de combate en territorio estadounidense». En cuanto a los narcos, Morgan respeta a las mulas que transportan 'la merca'. «¿Ha visto a esos escaladores profesionales que utilizan picas y botas de clavos para escalar una montaña rocosa escarpada casi vertical? ¡Un juego de niños digno de Micky Mouse! Hemos visto a mulas subiendo la misma pendiente utilizando sólo sus dedos desnudos y los pies calzados con zapatillas deportivas.» Sin embargo, sobre los narcos también dice: «Pese a que esos traidores del otro lado de la frontera chuleen de su valentía, cualquier demostración de una fuerza superior les hace salir corriendo como liebres asustadas perseguidas por coyotes». Y: «Pero el forajido mexicano no estaba acabado todavía. El hijo de perra luchó con Butch con uñas y dientes mientras seguía pisando el acelerador con la puntera de su bota de cowboy. La furgoneta seguía saltando y girando en un pequeño círculo como un pato herido al que le hubieran pegado un tiro en un ala».

El hijo de Butch Barrett no sólo se casó en la majestuosa escalera del Gadsden Hotel sino que se unió hace poco a la patrulla de fronteras, «y estoy muy orgulloso de eso», dice su padre, a pesar de todos sus recelos sobre el servicio en estos tiempos. Los suyos «eran tiempos en que tenías que comprarte tu propio caballo y tus sillas de montar», recuerda, «hasta que un par de éxitos que tuvimos convencieron a los REMF de que nos merecíamos el equipo. Pero funcionó: perseguirlos a caballo fue muy eficaz. Conocíamos el terreno, sabíamos cómo atraparlos y los atrapamos. Por entonces era otro mundo: pre 11-S, pretecnológico, pre Generación X y Generación Yo y sólo Yo..., pero había más héroes, sí, se lo aseguro. Sí, ahora se ríen de uno, pero lo hicimos por Dios y por la patria. Algunos lo hacían por los subidones y la adrenalina, pero esos probablemente se retiraban por puro terror cuando se enfrentaban a alguien que transportaba un alijo e intentaba matarles para salirse con la suya». Estamos sentados en sofás ante una mesa de madera baja y antigua. No hay té ni café ni cerveza, sólo la charla y un inmenso vestíbulo vacío a nuestro alrededor. «Ahora los chicos lo hacen sobre todo por el dinero, porque es un empleo. No les echo la culpa, pero ahora sólo es una forma de ganarse la vida..., en nuestros tiempos, uno tenía que probarse a sí mismo, presentar detenidos, mancharse las manos y seguir adelante. Los contrabandistas de droga proyectan la imagen de ser unos machos, pero lloran como niños en cuanto les pones las esposas.»

Pero, sostiene Barrett, «Todavía hablo con algunos de los agentes jóvenes. No son tontos, y se encuentran con situaciones en las que necesitan algún consejo de la vieja escuela, sobre todo cuando llega la hora de tratar con la gente que tiene los pies debajo de las mesas. Ése fue el único error que cometí: ¡dejar que me ascendieran para sentarme detrás de una mesa! El problema es el de siempre: los REMF en Washington DC. En mis tiempos, se dejaban caer por aquí, echaban un vistazo durante un cuarto de hora con el secretario de prensa, y eso que nosotros nos ofrecíamos a guiarles en una visita que merecía la pena, pero ellos ni siquiera se subían a nuestros coches».

Butch está orgulloso de Douglas, aunque no tiene tan claro qué le ha hecho la frontera a la ciudad últimamente. «Si va al ayuntamiento y mira los retratos de los alcaldes, verá que los blancos desaparecen de repente y al cabo de un tiempo, alrededor de 1980, cuando Phelps Dodge [la empresa de las minas de cobre] cerró y se fue, ya todos son mexicanos. Bueno, no digo que me moleste, pero si la ciudad acaba mexicanizándose, entonces va a haber muchos de ellos metidos en el contrabando, ya sabe, es parte del paisaje. Van a darse situaciones en que tendrás a un tipo en la policía y a sus primos al otro lado de la frontera. Y va a recibir una llamada que dice: "Eh, nos gustaría que entraras en el servicio de aduanas e hicieras lo que se te mande", ya sea dejar pasar este o aquel coche o hacer la vista gorda. Y eso se lo va a decir su primo del otro lado, y va a ser una oferta que no puede rechazar. Ya ha pasado, yo sé que ha pasado.» Había un funcionario de aduanas, dice otro agente, por delante del que pasaba la misma chica bonita todos los días, «¡Hola!», le decía, sonriendo y saludándole con la mano, hasta que él, previsiblemente, le pidió su número de teléfono. Tras una cita y un par de salidas a tomar copas, se presentó un coche cargado de hombres en el supuestamente discreto bar con un maletín que llevaba 250.000 dólares en efectivo, lo pusieron encima de la mesa y le hicieron una sugerencia: toma el dinero o llamamos a tu mujer... ahora. Lo único que le pedían era que siguiera haciendo lo mismo de siempre: devolver el saludo a la chica y dejarla pasar; sólo que ahora estaba dentro, y una vez dentro no hay forma de salir.[3]

Mucho antes de que la administración de Obama encontrara un cliché para reconocer la «corresponsabilidad» de Estados Unidos en la guerra de las drogas mexicana, Lee Morgan escribió: «Tal vez nosotros, los decadentes y arrogantes norteamericanos, deberíamos empezar a cuestionarnos nuestro apetito insaciable de drogas». Él también investigaba el contrabando de armas hacia el sur cuando el tema era tabú: tras una pavorosa «excursión subrepticia» a Agua Prieta, un hombre al que Morgan seguía fue detenido con «munición suficiente para empezar una pequeña guerra», lo que indicaba, junto con las cada vez mayores incautaciones de armas procedentes de China que realizaba Morgan, que las puntas de las escopetas de calibre 12 no tardarían en ser sustituidas por las de los AK-47, los AR-15 y las ametralladoras TEC-9. Nadie vio venir la guerra del narco, escribe Morgan, porque «Tenemos una industria del entretenimiento y de los medios de comunicación que prospera manteniendo nuestras mentes vegetales alimentadas de estiércol..., así que no hay la menor necesidad de pensar por uno mismo en América». Y su conclusión: «La frontera es una línea de alambre de espino y columnas con púas que parece servir tan sólo de símbolo de los fútiles desvelos de toda una vida de un hombre, de sus tentativas de poner límites a la Madre Naturaleza, así como de las aspiraciones nacionales del hombre sobre un trozo de lo que ningún humano podrá llamar jamás su propiedad. Los hombres siempre estarán dispuestos a luchar y morir por las locuras del nacionalismo, pero nunca serán capaces de controlar sistemáticamente sus propias fronteras».

Morgan y yo nos encontramos carretera adelante, en San Antonio, en el paseo fluvial enfrente de El Álamo, que, comentamos divertidos, se ha convertido en la principal atracción turística de Texas y en un icono de la revolución tejana contra México, pese a haber caído frente al Ejército mexicano en la famosa batalla de 1836, en la que murieron todos salvo dos de sus defensores. En ropa informal más elegante, parece más joven, y sin duda más esbelto que la curtida rata del desierto de la solapa interior de sus libros, en la que aparece aferrando unos prismáticos.

«Éramos unos exaltados», dice Morgan. «Estábamos fuera de control, éramos socialmente inaceptables. Pero éramos eficaces. Ahora todo es política, política y más política, y órdenes desde arriba. La buena gente está siendo expulsada, apartada: "hacedlo a nuestro modo o quitaos de en medio", y ha sido así desde que los avisamos de lo que se venía encima, de que los señores de la droga se estaban poniendo serios, como si esa gente de Washington no quisiera saber la verdad. Ellos no entienden a los señores de la droga, no comprenden que no se puede negociar con ellos. ¡Mire las barbaridades que le hacen a la gente! No se les puede ofrecer un empleo mejor porque no quieren dedicarse a nada, a no ser que se trate de otra forma de delito.»

Y nos espera una sorpresa junto a El Álamo. Morgan y Barrett tenían un mentor en el servicio de aduanas, un hombre llamado James Rayburn, el jefe del equipo, un poco mayor que ellos, que conocía cada grano de arena del desierto y que le enseñó a Morgan unos cuantos de los trucos que aparecen en el libro. Rayburn se ha unido a nosotros, para charlar un rato junto al río. Son dos de los mejores agentes especiales con los que ha contado jamás su servicio, pero tienen problemas para saber cómo funciona la simple máquina informatizada que distribuye los tickets horarios en el aparcamiento y que deben colocar en el salpicadero de la furgoneta que han traído a la ciudad desde las colinas. A estos hombres no les gusta que los controlen, y bien que hacen. Los dos fuman y disfrutan de sus cigarrillos. Morgan y yo pedimos cerveza mexicana Dos Equis; Rayburn prefiere una Bud Lite. Una de las muchas habilidades de Rayburn consistía en manejar a los confidentes en México, gente, dice Morgan, a la que los abogados defensores consideraban «Judas» y los fiscales «una dolorosa pero necesaria peste negra».

El 2 de julio de 1988, la administración de Clinton firmó un compromiso con la presidencia mexicana de Ernesto Zedillo que sería conocido como «Acuerdo de Brownsville». El acuerdo obligaba a los departamentos de seguridad de Estados Unidos –sobre todo a los de frontera, la DEA y el FBI– a notificar, a través de la embajada en Ciudad de México, a la oficina del procurador general mexicano, sus investigaciones secretas en marcha así como los nombres de sus confidentes. Las agencias de inteligencia, notablemente la CIA, quedaban exentas. «Para nosotros, los agentes de narcos de la frontera, fue como si nos convirtieran en el único cabrón ciego en la mesa de póquer», se queja Morgan. «¡Todo el mundo te ve las cartas, salvo tú mismo!» En la práctica, el acuerdo significó que un Gobierno mexicano profundamente infiltrado por los cárteles del narco recibía la información de quiénes eran los soplones, con desastrosas consecuencias tan sólo en Douglas, y sobre los confidentes que controlaba Morgan. Uno de ellos se estaba infiltrando en una mafia que fabricaba y traficaba con metanfetamina. Pero tras ser avisados por su Gobierno de quién era el confidente, los contrabandistas evitaron una operación que Morgan había preparado contra ellos en el Motel 6 de Douglas. Es más, el confidente fue uno de los tres –de un total de cuatro– espías que trabajaban para Morgan al otro lado en Agua Prieta asesinados poco después del Acuerdo de Brownsville.

Esos hechos recuerdan el histórico asesinato del agente de la DEA Kiki Camarena en 1985, con el que James Rayburn, que ahora bebe su Bud, tuvo cierta relación. Rayburn había controlado a un confidente, Benito Suárez, al que el servicio de aduanas de Estados Unidos le ordenó buscar a Camarena, que había sido secuestrado por orden del Padrino en persona, Miguel Félix Gallardo. Pero cuando Suárez llegó a Sinaloa, el clan de Gallardo sospechó de su demasiado oportuno regreso de Arizona. Otro confidente mexicano llegado de Phoenix y él fueron llevados a una casa particular de Jalisco donde Suárez fue golpeado y torturado, y creyó oír la voz de Camarena en una habitación contigua. Más tarde, llevaron a los dos hombres en coche hasta el borde de un acantilado; a Suárez lo acomodaron en el asiento del conductor, a su amigo le aplastaron la cara con la culata de un AK-47 y a él le dieron un golpe en la base del cráneo. Pero cuando el coche fue empujado por el filo del acantilado para que cayera al fondo del cañón, Suárez salió milagrosamente despedido del mismo y sobrevivió. Rayburn hizo todo lo posible para rescatar a su hombre sacándolo de México por el Puente Córdova-Las Américas, entre Ciudad Juárez y El Paso. «La última vez que le vi antes de que fuera a buscar a Camarena», dice Morgan, que durante un tiempo se turnó con Rayburn para llevar a Suárez a fisioterapia, era un «joven sano con fuego en la mirada y ganas de vivir. Pero la persona que me recibió en la puerta de su apartamento en mi primera visita posterior ya no era más que los lastimosos restos de un hombre al que no reconocí». Suárez murió de sida en 1998, tras haber sido repetidamente sodomizado durante la tortura, un secreto que prefirió guardar para sí antes que pedir que lo trataran.

«Fue el principio del fin», reflexiona Rayburn. «Tras el Acuerdo de Brownsville fue casi imposible realizar la menor operación secreta eficaz; era más difícil tratar con Washington que combatir a los criminales. Cuando se hace algo en secreto, los REMF lo detestan mientras la operación está en curso, pero luego salen por la televisión poniéndose todas las medallas cuando metes a los delincuentes en la cárcel. Nada puede sustituir a la infiltración y la información humana, y eso es algo que estamos perdiendo, en la misma medida que los señores de la droga lo ganan. Mientras que cada vez nos resulta más difícil infiltrarnos en sus filas, ellos utilizan familiares y amigos para infiltrarse en las nuestras, llaman a un primo en el lado americano y le dicen: "Eh, queremos que trabajes en la policía de la frontera, para nosotros"; y no se les puede decir que no. Ya hemos visto cómo sucedía: hemos detenido a uno de nuestros agentes de aduanas pasando cocaína para una jefa de las drogas llamada Yolanda Molina. Hace unos años nos dijeron en toda la cara: "si no podemos venceros con armas, nos infiltraremos", eso me lo dijo en las narices un hombre al que había detenido. Nosotros informamos, pero nadie nos escuchó. Y, estaba cantado, antes de darnos cuenta, el agente especial a cargo de Nogales resultó que había estado trabajando para ellos desde el principio.» Se referían a Richard Padilla Cramer, otro excombatiente condecorado en Vietnam, que sirvió durante tres décadas en las fuerzas del orden, encerrando a oficiales corruptos y aprehendiendo droga, y fue ascendido a agregado para inmigración y vigilancia de aduanas en la embajada estadounidense de Ciudad de México. A esas alturas, según la alegación de la fiscalía en el momento en que escribimos estas líneas, y mientras Cramer espera para someterse a juicio, ya vendía información a los cárteles, una traición que se remontaba a su época como jefe del Inmigration and Costums Enforcement [Servicio de Inmigración y Control de Aduanas] (ICE) en Nogales, Arizona. «Esto», declaró Rene Andreu, antiguo ayudante del jefe de la división de aduanas del ICE en Tucson, «es imposible de entender.»[4] «No nos lo creíamos», murmura Morgan, «debí de hablar con él mil veces..., y todo ese tiempo, ya era uno de ellos.» Cramer todavía tiene que ser juzgado y ha negado todas las acusaciones.

«Cuando nos llamaban *cowboys*», reflexiona Morgan, «la intención era insultarnos. A mí me dijeron que iba de John Wayne..., bien, ¿y qué tiene eso de malo? Maldita sea, los contrabandistas sí que van de John Wayne: viven como contrabandistas y como tales esperan morir, y nosotros éramos lo mismo. Uno tiene que conocer a su enemigo, tiene que conocer su territorio mejor que él. Nuestra forma de trabajar consistía en introducirnos en la organización de contrabando y golpearla de lleno. Trabajábamos con el conocimiento desde dentro de cómo actúan ellos, quiénes son, qué hacen; llegábamos a saber todo lo importante, hasta las presiones a las que estaban sometidos. Eso es lo que intento explicarles a los jóvenes ahora: conocedles, no los despreciéis..., pero ahora no podríamos hacerlo; sencillamente no me permitirían trabajar como antes. Nosotros estuvimos en el lugar oportuno en el momento oportuno.»

Dado que hace una tarde muy agradable junto al río, otra ronda de cervezas parece lo más adecuado, y nuestra conversación gira hacia uno de los temas favoritos: seguir el rastro, o *«cutting for sign»* [«buscar señales»], como se conoce en el oficio, una habilidad que antecede incluso a la presencia de la humanidad en el desierto, donde ocultar y detectar los rastros lo es todo. El zorro rojo recorre el desierto de tal modo que sus patas traseras pisan cerca o justamente encima de donde han pisado sus patas delanteras –lo que se conoce en zoología como «registro directo»–, borrando así las huellas de las pezuñas delanteras; cambia de pelaje con las estaciones, por razones tanto de aislamiento como de camuflaje, adoptando lo que se denomina «fase oscura» cuando es necesario.[5] El arte de ocultarse y *cutting for sign* fue perfeccionado por los nativos americanos para cazar animales, y más tarde por las fuerzas de la ley, para cazar humanos. Hay una unidad especial de la patrulla de fronteras en la reserva de los Tohono O'odham llamada Lobos Rastreadores, experta en buscar señales. Y, por descontado, ese tipo de rastreo fue perfeccionado por hombres como Morgan, Rayburn y Barrett. Uno tiene que reconocer, dice Morgan, la diferencia entre una huella de perfiles marcados de otra dispersa, cuándo se ha añadido una suela de cualquier tipo a los zapatos, cuándo las huellas han sido borradas por la última persona de un grupo, caminando hacia atrás y rastrillando el terreno, como han hecho los invasores de tribus enemigas desde que fue habitada esta árida tierra. Y también interpretar la señal que te dice cuándo exactamente se hicieron esos movimientos, porque tu presa puede estar cerca o ya demasiado lejos, el tipo de detalle que descubres comprobando si el rastro de un insecto pasa por encima o por debajo de la huella de un pie.

Antes, en el vestíbulo del Gadsden Hotel, Butch Barrett había rememorado la historia del *sign-cutting*. «Era algo que nos transmitían a los chicos del campo», explica. «Mi padre me llevaba a cazar cuando yo tenía doce años y lo primero que aprendí fue a interpretar las huellas de los animales. Así que ese conocimiento lo apliqué luego a cazar personas. La verdadera caza empieza cuando sales de las carreteras: descubriendo cuándo una huella de un pie no es una huella verdadera, cuándo han cometido un error intentando dejar pistas falsas..., eso es algo que a los mejores de los jóvenes polis interesados en conseguir resultados les encanta preguntarnos. "En vuestros tiempos", dicen, "cuando buscabais señales...", y nos preguntan cómo se hacía.»

Junto al río, Morgan confiesa: «Todavía sigo rastros a todas horas. Por lo general, siempre que voy a dar un paseo. Lo cierto es que funcionaba. Todos esos sensores y artefactos, se rompen, funcionan mal. [Imita una voz tonta en una línea telefónica]: "Lo sentimos, el sistema ha caído". Y además pueden mentir. Pero la tierra no miente. Un trozo de tejido enganchado en un cactus no miente. Sabes que el menor signo de tierra removida en el suelo no miente. Del mismo modo que una valla fronteriza puede demorarte durante veinte minutos, pero no puede detenerte..., no va de John Wayne. A diferencia de los señores de la droga, que observan todo esto y se ríen». Puede que también se rían de un informe de la Government Accountability Office [Oficina General de Contabilidad] (GAO) realizado en agosto de 2009 que afirma que la Secure Border Initiative lanzada por el presidente Bush en 2005 llevaba siete años de retraso sobre lo programado para colocar los últimos artilugios en su sitio, y había sobrepasado su presupuesto en varios millones de dólares a causa de los gastos de mantenimiento. El sistema de «valla virtual» diseñado por Boeing había «caído víctima del clima y de problemas mecánicos», afirmaba el informe de Richard M. Stana, de la GAO. La factura total ascendería a 6500 millones de dólares a lo largo de veinte años, según sus cálculos. La misma semana que se publicó el informe, el Gobierno amplió el contrato de Boeing un año más.[6]

Los cárteles, dice Morgan, también «se estarán planteando cómo todo esto puede mejorar su capacidad para infiltrarnos más profundamente, corromper el sistema y mantener el dinero en movimiento». Hace una pausa. «Es un poco raro, ¿no? El que Washington se moleste en traer toda esta tecnología, pero nunca vaya detrás del dinero, de miles de millones de dólares. Millones que se mueven por los bancos estadounidenses y vuelven a México. Eso nunca lo investigan. ¿No le parece un poco raro?»

La herejía ha sido enunciada: Morgan, que vio venir la guerra, se pregunta ahora por el carrusel de dinero que da vueltas entre México y Estados Unidos, en el momento en que el sol tardío lanza sus últimos e intensos rayos contra El Álamo. Mucho más allá de la carretera fronteriza del territorio de Arizona oriental de Morgan, Barrett y Rayburn, un antropólogo de la Universidad de Texas, El Paso, Howard Campbell, sugiere que deberíamos rebautizar a los cárteles narcos, siguiendo el movimiento del tiovivo del dinero, y llamarlos cártel de Sinaloa-Phoenix-Denver, cártel de Juárez-El Paso-Chicago o cártel del Golfo-Houston-Atlanta, para así reflejar con mayor precisión su esfera de influencia. Ahora la carretera prosigue a lo largo del desierto y más allá, hasta el despacho de Campbell en El Paso y su gemela Ciudad Juárez. Pero antes, una última ronda con los jinetes que cabalgan a lo John Wayne, un brindis a la Parca y la línea que deja en la arena.

4
Frankenstein urbano

Si Juárez es una ciudad de Dios es porque el Diablo tiene miedo de venir aquí.

Dicho callejero

Ciudad Juárez: diría que en este momento es la ciudad más segura de México.

Teniente coronel Jorge Alberto Berecochea, tras tomar el mando del sexto distrito policial, marzo de 2009[1]

De todos los cautivadores paisajes de América ninguno es tan complejo en su sobrecogedor magnetismo como el que se extiende hacia el sur desde el balcón de la habitación 262 en la planta superior de La Quinta Motel en la Geronimo Avenue de El Paso, en Texas, contemplado en compañía de un paquete de seis cervezas, una lima, salsa picante y una bolsa de tortilla chips. A media distancia se despliega la frontera. Y más allá se extiende el humo de las fábricas, el mar de luces, el atractivo y la amenaza de la más carismática y abrumadora de las urbes: Ciudad Juárez. Mientras que El Paso es la tercera ciudad más segura de Estados Unidos, en la que sólo se produjeron dieciséis asesinatos en 2008, Juárez es en la actualidad la ciudad más peligrosa del continente y, según algunas estadísticas, del mundo. La vista resulta especialmente llamativa al anochecer, cuando flotas de autobuses escolares estadounidenses de segunda mano han acabado sus rondas devolviendo a sus casas al turno de día en las fábricas maquiladoras, de manera que una capa de polvo gris se levanta y acaba depositándose en los carriles de las carreteras y sobre el laberinto de cables ilegales que proporciona electricidad a las chabolas de las colonias.

Para llegar hasta aquí desde el este de Arizona, la carretera ha cruzado el estado fronterizo de Nuevo México, en el lado de Estados Unidos, y Chihuahua occidental, en lo que muchos estadounidenses que viven en la frontera todavía denominan «el Viejo México» cuando quieren demostrar cierto afecto rudo. El pueblo de Columbus, en Nuevo México, se levanta enfrente de Palomas, en Chihuahua, en un trecho de tierra por lo demás agreste y vacío, poblado por los fantasmas de la Revolución mexicana: el parque Pancho Villa está cerca. Alima McMillan vive en la remota Columbus, pero tenía su empleo al otro lado de la frontera, en un centro médico de Palomas, cuyo alcalde, Estanislao García, fue secuestrado y asesinado a tiros una semana después de que ella y yo nos reuniéramos en septiembre de 2009. La señora McMillan ya había decidido que el estallido de violencia en la ciudad, a un corto paseo de donde comíamos en un café, le impediría proseguir con sus consultas regulares allí. Con frecuencia, las víctimas de la violencia se presentaban en el punto de cruce de la frontera necesitadas de ayuda, como un adolescente la semana anterior, al que habían dado una paliza, disparado, empapado con gasóleo y prendido fuego. Palomas había sido un pueblo al que acudían regularmente visitantes de Nuevo México para arreglarse la dentadura y comprar medicinas más baratas hasta que unos nuevos vecinos, recién llegados a la ciudad, afirma McMillan, «metieron el miedo a Dios en todos los corazones y empezaron a limpiar el territorio». Palomas se convirtió de la noche a la mañana en un campo de batalla con tres frentes, entre el Ejército, y los cárteles de Sinaloa y Juárez, hasta que acabó imponiéndose una de las familias, entre el silencio, las casas abandonadas, las nuevas villas de los narcos y los helicópteros Blackhawk del Ejército en el cielo, «cuyos morros vuelan justo encima de la frontera», dice McMillan, «metiendo un poco de polvo mexicano en Columbus». Desde Columbus, la carretera avanza pegada a la frontera a través de una aldea llamada Malpaís, y por Sunland Park, un suburbio de El Paso que, sin embargo, pertenece todavía a Nuevo México, luego cruza la frontera estatal con Texas, pero sigue pegada a la valla de hierro oxidada, el alambre de espino y la colonia de Anapra, que se introduce ya en Ciudad Juárez, a sólo unos metros de la autopista que lleva al centro de El Paso.

La vista del otro lado de la frontera que se contempla desde El Paso es más surrealista si cabe la noche del Grito, en la que se conmemora la independencia mexicana de España en 1810. Esto es Estados Unidos, pero sobre un escenario en la esquina septentrional de la San Jacinto Square, una banda de mariachis al completo da inicio a una noche de celebraciones que precederá al día que conmemora la jornada en que nació México hace 199 años. «¡Viva la independencia!», grita la cantante, ataviada con un largo y muy ceñido vestido de gala en el que apenas cabe. «¡Viva!», responde una multitud de varios miles de familias, tiernos adolescentes y ancianas señoras con los rostros indios del profundo sur de México, arrugados por el trabajo duro, sonriendo bajo las alas redondas de sus sombreros. «¡Viva México!», grita la cantante, ése es el Grito. «¡Viva!», replica la multitud cuando la banda empieza a tocar el himno nacional, instante en el que la muchedumbre se queda inmóvil, con las manos sobre los pechos, aferrándose los corazones, aquí en el Viejo El Paso. Se forman largas colas para comprar la comida que se sirve en puestos: dulces churros fritos, tacos y trozos de ternera, aunque la cola más larga está ante un rótulo que promete «Turkey Breast, Bratwurst, Hamburgers». En otros puestos hay juegos: pincha el globo y gana un querubín de yeso de un metro de alto para el jardín o un inmenso gorila de peluche.

En una calle lateral, una solitaria furgoneta con luces centelleantes anuncia «Sodas, Aguas, Gatorades» y emite una canción más inquietante que alegre. Como cabría esperar, dado lo que está pasando al otro lado de la frontera, en Ciudad Juárez. La multitud de unas diez mil personas reunida en El Paso puede oír a sus equivalentes al otro lado del río, que los cuadruplican en número, los gritos de diversión y la música que raramente se escuchan en una ciudad que vive bajo un autoimpuesto y contundente toque de queda. A las once de la noche, los fuegos artificiales llenan los cielos a ambos lados de la frontera, estallando con un ruido que recuerda los disparos, y así ocultan las descargas de verdaderos tiros asesinos que se están disparando en Juárez en ese preciso instante. Es más, algunos de los testigos del asesinato de diez personas en un centro de rehabilitación de drogadictos creyeron que las ásperas ráfagas de los AK-47 formaban parte de las celebraciones.

Los asesinos irrumpieron por la puerta de Anexo de Vida, un centro de rehabilitación en pleno Barrio Azul, una colonia pobre de unas cuantas callejuelas, y lanzaron una granada en la primera habitación a su derecha, ocupada por un guardián de dieciséis años. La mañana siguiente, dentro de la habitación hay un colchón salpicado de sangre, y el suelo a su alrededor también está empapado, pero el adolescente parece haber llegado a salir por la puerta antes de desplomarse en el suelo, donde todavía están las pesas de ejercicios. Los asesinos se mojaron las suelas de sus pesadas botas en la sangre y pisotearon por todas partes dejando huellas espantosamente nítidas, huellas que cualquiera que se molestara en intentar resolver el crimen debería examinar, pero por aquí nadie parece resolver ningún crimen.

El cemento y las paredes encaladas del Barrio Azul están jalonados con grafitis con la firma azul de la 'pandilla' local, los Bazul, que proclaman su control de la colonia y recuerdan «En memoria de Zaiko y Nordiano», posiblemente dos «hermanos» de las luchas callejeras que murieron «defendiéndola». Un perro descansa en la basura hedionda esparcida por la vía Juan Escutia. Un edificio incendiado ha sido marcado también por los Bazul, y a su lado hay una casa limpia y rosa con macetas de flores en los alféizares, en la que ondea la bandera por el Día de la Independencia. Doblando la esquina hacia la vía Jaime Nuño, está la entrada a Anexo de Vida. Sobre la pintura blanca destacan escritas con letra esmerada las palabras «Para enfermos de drogadicción y alcoholismo». Pero ahora ya no hay vida en este local, sino unas cadenas en sus puertas con cerraduras y una lona negra que oculta las consecuencias del horror desatado aquí justo cuando el alcalde de Juárez, José Reyes Ferriz, tocaba la campana y lanzaba el Grito la noche anterior. La semana previa, setenta y cinco personas habían sido asesinadas en Juárez; entre las víctimas, había un hombre decapitado y otro al que se había dejado morir colgado de unas esposas en una valla de acero. Y eso ocurrió sólo unos días después del 3 de septiembre, cuando diecisiete personas más fueron asesinadas en otra clínica de rehabilitación, el centro Aliviane, a sólo unas manzanas del ayuntamiento y del puente del centro que lleva a El Paso. Unos pistoleros vestidos de negro habían irrumpido en el Aliviane y habían obligado a formar en fila contra una pared a los internos varones antes de ejecutarlos sumariamente. El padre de uno de los asesinados declaró que su hijo había acabado la rehabilitación, pero que volvía a Aliviane para las reuniones de oración.

Trepamos al tejado y desde ahí bajamos al patio de Anexo de Vida, que sigue siendo un caos trece horas después de los asesinatos, los intentos de ocultarse y las huidas. Se ven zapatillas deportivas amontonadas, cajas boca abajo y muebles tirados por el suelo, a lo largo del camino que señalan los rótulos pintados indicando la «Ruta de evacuación». Al lado del patio están las habitaciones que se convirtieron en cámaras de la muerte durante la noche y todavía despiden el hedor enfermizo y dulzón de la sangre pegajosa que se coagula en charcos a nuestro alrededor, envuelto en otros aromas de lo que hasta anoche era un centro de rehabilitación gestionado por gente pobre para gente más que pobre: sudor rancio, brócoli descomponiéndose amontonado en cajas y las cenizas de una hoguera en la que se estaba preparando la cena. No hace falta ser policía para entender lo que sucedió, pero hay pocos indicios de que se haya llevado a cabo ninguna investigación policial, ni menos aún de que se haya protegido la escena del crimen, ni se nos impide a nosotros contaminarla, ni se les impide el paso a los niños que nos siguen dentro, que buscan recuerdos y cosas que puedan vender: medicamentos, herramientas, pares de zapatos, paquetes de galletas.

Tras asesinar al guardia adolescente, la matanza se dividió en dos direcciones, a cada lado del patio. A su izquierda, el comando letal se encaminó a la habitación del director del centro, que parece haber conseguido salir a la calle, donde un charco de su sangre se pudre sobre el cemento. Al lado estaban los alojamientos de la vicedirectora, una mujer cuya habitación ofrece una imagen desoladora: la sangre salpica la colcha con motivos florales de su cama y se extiende por el suelo, donde ella parece haber sido ametrallada, y luego hay unas espantosas manchas donde debió de derrumbarse en su sofá, bajo la ventana. Ahora dos niños juegan, miran los cajones desvalijados y se llevan dos gorras de béisbol. El bolso de la fallecida está en un sofá: contiene revistas cristianas y una guía en rústica de lugares sagrados en Tierra Santa. Su colección de cedés está esparcida por el suelo, *Metal en Rosas,* una antología de Guns 'n' Roses, y Radiohead. Extrañamente sólo hay un casquillo de bala en el suelo, tal vez los niños se han llevado los demás. O a lo mejor hasta ha sido la policía.

Los asesinos pasaron por delante del dormitorio principal, en el que todavía se ven los colchones y los carteles que cubren la pared advirtiendo que «La adicción es una enfermedad». Y en esa sala aparece ahora un hombre, con una gorra de los Dallas Cowboys, que ha vuelto a recoger las herramientas y los zapatos que se dejó al huir anoche. «Dormía allí, en el rincón. Sucedió a eso de las once», declara. «Estábamos viendo el boxeo en la tele. Oímos la explosión, luego los tiros y nos escondimos debajo de los colchones allí, al fondo. Todo pasó en dos minutos.» ¿Cómo iban vestidos? No se acuerda. ¿Por qué lo hicieron? «No tengo ni idea. La gente que llevaba este centro lo hacía por su cuenta, y nosotros veníamos porque queríamos, después de que nos recogieran de las calles. Nunca nos amenazó nadie y nosotros nunca amenazamos a nadie. No escondíamos nada a los narcotraficantes y tampoco teníamos nada que esconder.» Abre un paquete de galletas y empieza a comer. No, no dirá cómo se llama –«Anónimo», repite–, y no, nada de fotografías. El comando de asesinos se dirigió a la sala del fondo en el rincón de la izquierda, donde ahora hay dos camas vacías, entre las que se ve un charco de sangre tan espesa que todavía se pega a las suelas, trece horas después, y su capa superficial, más oscura sobre el rojo que todavía no se ha coagulado, brilla bajo el rayo de sol que entra por la puerta.

Mientras tanto, otro comando de ejecutores avanzó desde la entrada por el flanco derecho del patio, por delante de una zona de almacén, el «Área de fumar» y la cocina, donde cuelgan las ollas ennegrecidas en las que se habría preparado la sopa, y hay una tina de metal para lavar la ropa. La parrilla del fuego que calentó la..., bueno, la última cena, sigue llena de ceniza. La escena en la pequeña habitación siguiente indica que los asesinos buscaban algo: un colchón boca abajo al que habían hecho jirones a disparos, pero ningún indicio de asesinato. Sin embargo, en la esquina del fondo a la derecha descubrimos una imagen brutal, dentro y fuera de la enfermería. En el patio hay otro charco de sangre y la pared está cubierta de orificios de balas. Quienquiera que haya venido a investigar la escena ha garabateado «Cuerpo I» en un trozo de papel colocado en el suelo. Dentro de la enfermería la visión es pavorosa: un armario de medicinas ha sido saqueado, aunque gran parte de su contenido todavía sigue ahí, y se ha disparado un balazo a través de una puerta cerrada. Hay un charco de sangre junto a la puerta, pero alguien parece haber conseguido salir de ahí a la desesperada, como un animal atrapado, porque su sangre salpica toda la pared acribillada fuera y la puerta metálica –entreabierta– está torcida en la base, mientras se tambaleaba hasta caer delante para convertirse en «Cuerpo F».

Esta habitación debe de haber sido una especie de santuario: hay trofeos deportivos y una estantería con varias ediciones de la misma Biblia en rústica. Esa colección pertenecía a un hombre llamado José Ángel Torres, que obviamente leía, y posiblemente enseñaba, inglés, porque tenía varios ejemplares de un volumen titulado *Famous Christians*. Tenía cactus en macetas, un CD/casete, y acababa de dar unos sorbos de una botella de plástico de Diet Coke cuando llegaron sus asesinos, que sigue llena en sus tres cuartas partes. Al fondo de esta recepción hospitalaria hay un catre, más sangre en abundancia y una etiqueta que dice «Cuerpo H» junto a un armario detrás del cual se ve el estetoscopio del médico, en el suelo. Mientras revolvemos todo intentando recrear el crimen, un todoterreno con las ventanillas tintadas se detiene en la calle, por lo demás vacía, delante de la puerta. Una vez hemos entrado, no hay forma rápida de salir: estamos atrapados. Mientras permanece allí parado, inmóvil, se nos pone la piel de gallina pese a los 35 grados de calor, y la vista se nos nubla por el miedo. Pero al momento se aleja ronroneando.

Curiosamente, hay Cuerpo F, H e I, pero no A, B, C, D, E o G. Tal vez suponía demasiadas molestias marcarlos o los niños se han llevado las etiquetas como recuerdo. Tanto da: nadie va a perseguir a los hombres que llevaban las botas que dejaron más huellas ensangrentadas en este rincón. Aunque no es eso lo que declaran en la conferencia de prensa celebrada en las oficinas estatales de Chihuahua. «Proseguimos nuestro implacable trabajo contra los criminales», afirma Patricia

González, la procuradora del estado, con tono tan poco amenazante como el del desventurado Rommel Moreno en Tijuana. «Hemos demostrado al mundo que la lucha contra el crimen organizado es resuelta y contundente.» El nuevo jefe de policía «confía en nuestras continuadas investigaciones» sobre esta última matanza en un centro de rehabilitación más. Ser jefe de policía de Juárez es trabajar en la cuerda floja. En febrero de 2009, los narcotraficantes decidieron que el jefe Roberto Orduña, un mayor retirado del Ejército que llevaba en el cargo desde mayo de 2008, tenía que dejarlo. Tras purgar a trescientos agentes policiales acusados de trabajar para los cárteles, los narcos juraron matar a un policía cada cuarenta y ocho horas hasta que Orduña dimitiera, y empezaron por su director de operaciones Sacramento Pérez Serrano y tres de sus hombres. El 20 de febrero, Orduña –que llevaba meses viviendo en comisaría– renunció a su cargo y abandonó la ciudad. Había sustituido a otro jefe que también huyó y se instaló en El Paso. El alcalde de Juárez, José Reyes Ferriz, también ha recibido amenazas de muerte, una en la primavera de 2010, escrita en la cabeza amputada de un cerdo, y mantiene casas a ambos lados de la frontera. Entrevistado en El Paso, promete: «Yo no voy a rendirme». Tras invitarme a asistir a un festival cultural de verano en Juárez, el alcalde hace una lista de lo que necesita, entre otras cosas, una red de radio encriptada para que los policías y él no tengan que escuchar constantemente el sonido de unos golpes que llaman a una puerta seguido de un narcocorrido con el que los cárteles entran en su frecuencia para anunciar que otro agente ha sido o va a ser asesinado. Reyes Ferriz ha sido amenazado en comunicados que afirman que lo matarán y lo decapitarán, incluso en El Paso, si «continúas ayudando a quien tú ya sabes», como decía uno de los mensajes.[2] El alcalde y las autoridades se niegan a especular sobre lo que pueda significar el mensaje, que parece implicar que se favorece a un cártel frente a otro. El gobernador de Chihuahua, José Reyes Baeza, también fue víctima de un intento de asesinato: un coche de su convoy fue ametrallado en febrero de 2009. Esa vez, uno de los cinco pistoleros, un ex militar, fue detenido. Estas personas gobiernan una ciudad que, en enero de 2010, se confirmó que tenía la tasa de homicidios más alta del mundo, según un grupo con sede en Ciudad de México llamado Consejo de Ciudadanos por la Seguridad Pública y la Justicia Social. La organización calculó que en Juárez morían asesinados 191 ciudadanos por cada cien mil habitantes, muy por delante de la segunda, San Pedro Sula, en Honduras, con 119; Nueva Orleans, con 69; Medellín, en Colombia, con 62; y Ciudad del Cabo, con 60.[3] Lo que caracteriza los asesinatos en Juárez –o, mejor dicho, lo que no los caracteriza– es que nadie sabe quiénes son los asesinos ni qué quieren conseguir con los crímenes. No hay ninguna razón por la que un «señor de la droga», como llaman los periódicos a los jefes de los cárteles, quisiera aniquilar a diez maltrechos adictos en un centro de rehabilitación.

Una semana después de que el alcalde lanzase el Grito de la independencia, se han retirado las sábanas de plástico negro que tapaban la puerta de Anexo de Vida en Barrio Azul. Dentro, la sangre ha sido limpiada con cal; lo único que queda son los orificios de las balas, los colchones, una gorra de los Toronto Blue Jays y un periódico del día de la masacre (que al día siguiente sería primera plana). Su primera página trae una cobertura vívidamente ilustrada de la atrocidad del día anterior, pero el periódico está abierto por el desplegable de una *pin-up* que muestra a una chica con un bikini de cuero tachonado, amordazada y encadenada.

Yo había cruzado por primera vez el Río Grande para ir a Juárez en 1981 por las dos mismas razones que todos: el primer verso de la canción de Bob Dylan *Just Like Tom Thumb's Blues* («Cuando estás perdido en la lluvia en Juárez, y además es Pascua») y para mirar boquiabierto la salacidad y la audacia con la que todo se vendía, básicamente todo lo carnal. Y aunque los antros de perdición, los tugurios de maría y el Kentucky Club en el que Marilyn Monroe celebró su divorcio de Arthur Miller ciertamente no son la «auténtica» Juárez, tampoco son engaños por entero. No tanto porque Juárez fuera superficialmente un parque de atracciones del peligro y el vicio para los visitantes cuanto porque era, y sigue siendo por encima de todo, un mercado puro y duro, sin trabas de ningún tipo. Juárez es una pionera de, y un monumento a, la desregulación económica. Cuando volví dos décadas más tarde, en 2001, Ciudad Juárez estaba a punto de implosionar, algo que ahora ya ha sucedido. La implosión no fue repentina, y sus raíces son profundas. Juárez es a la vez una ciudad muy singular y que condensa muchas características comunes a la mayoría de ciudades, aunque llevadas al extremo.

Juárez se extiende, o eso dicen, 'entre algo y la nada'. Es una ciudad de tránsito: primero un centro militar, luego una encrucijada de carreteras y más tarde un nudo ferroviario. Uno de los ejes de la colonización española, es el asentamiento más antiguo en lo que es ahora la frontera, fundado como Misión de Nuestra Señora de Guadalupe de los Mansos del Paso del Norte en 1659, cuando los exploradores, comerciantes y misioneros españoles se preparaban para cruzar lo que denominaban Río del Norte, el mismo que los mexicanos llaman ahora Río Bravo y los estadounidenses Río Grande. («Mansos» era una palabra con connotaciones completamente desagradables que los españoles coloniales aplicaban a los indígenas de la zona.)[4] El Paso del Norte era un centro de distribución y encrucijada comercial entre Nueva España y su provincia de Nuevo México, y más tarde entre el México independiente y sus territorios más septentrionales.

Hasta que en 1848 se trazó la frontera internacional por delante de Juárez, a lo largo de la línea que sigue el río cuando gira abruptamente hacia el este, había poca cosa en su orilla izquierda septentrional; sólo después de que se estableciera la frontera se fundó la ciudad de El Paso en el lado estadounidense. La metrópolis en la orilla derecha mexicana creció como núcleo comercial para los campos de algodón que la rodeaban, pero a finales del siglo XIX se había urbanizado con la llegada de la línea del norte del Ferrocarril Central Mexicano procedente de Ciudad de México, que conectó Paso del Norte con la red ferroviaria que había tejido una infraestructura industrial por todo Estados Unidos. El ferrocarril llevó a cientos de miles de mexicanos a las puertas de Estados Unidos y a los apartaderos de la nueva ciudad hermana estadounidense, que ya era un eje de transportes, de manera que un flujo constante de tráfico de bienes y personas conectó entonces la ciudad fronteriza con un Estados Unidos en proceso de industrialización. Las cartas que envió desde El Paso un inmigrante alemán, Ernst Kohlberg, describen la ciudad fronteriza del lado estadounidense como «casi el fin del mundo y lo último de la creación», mientras que en El Paso del Norte, en el lado mexicano, tras la llegada de unas unidades de refuerzo de caballería, él «nunca había visto tantas gargantas cortadas juntas de una vez». Los hombres de negocios de la ciudad, comentaba, eran extorsionados y tenían que pagar 160 dólares cada uno para sufragar la estancia de los soldados. «El dinero no se perderá si ningún otro grupo se hace con el control», escribía, pero, «si otra multitud toma la sartén por el mango, declarará que el impuesto recaudado era ilegal y nos hará pagar otra vez.»[5] Visto desde hoy, es una mera cuestión de juicio subjetivo que el comentario de Kohlberg describiera con más acierto la llegada al poder del PRI y el PAN, o la de los narcos.

En 1888, El Paso del Norte cambió su nombre por el de Ciudad Juárez, en honor de Benito Juárez, presidente de México durante la década de 1860, que había utilizado la ciudad como cuartel general. Durante un breve periodo, incluso sirvió de capital provisional del país, mientras las fuerzas republicanas de Juárez combatían la intervención francesa en México. Juárez se convertiría de nuevo en capital, pero de un tipo diferente, durante la Revolución mexicana de 1910, de la cual fue la cuna. En la reconstrucción posterior, Juárez se transformó en un centro manufacturero por derecho propio, donde se fabricaba alambre de cobre. Pero la recuperación económica de la ciudad después de la violencia revolucionaria se debió también a un próspero comercio contrabandista durante la prohibición del alcohol en Estados Unidos, entre 1919 y 1933. Juárez, en ese periodo, abrió las puertas a cualquiera que deseara venir y consumir la prohibida agua de fuego en lugar de tomarla donde se la servían ilegalmente. Y así nació la fama de la ciudad como mercado propicio para el oportunismo y los mercados ilícitos, fama que se afianzó con el paso –orquestado por Ignacia Jasso González, la Nacha– del alcohol a la heroína cuando el primero volvió a ser legalizado en la otra orilla del río. La Nacha fue la reina de la droga de Juárez hasta la década de 1970, momento en el que otra oleada de cambio económico estaba a punto de envolver la ciudad con consecuencias muchísimo mayores: la llegada de las maquiladoras. Cientos de miles de mexicanos acudirían a Juárez desde el interior y del angustiosamente empobrecido sur, pero no para cruzar la frontera sino para trabajar en ella, en la proliferación de fábricas de montaje en cadena que se extendieron de la noche a la mañana por la región fronteriza como una invasión de anodinas y achaparradas piezas de Lego. Al principio, y por complejas razones de explotación y demografía, la mayoría de los empleados en esas fábricas embrutecedoras fueron mujeres jóvenes. Juárez atrajo más maquiladoras que cualquier otra ciudad de la frontera, y por tanto más trabajadores, pero no creó ninguna infraestructura para alojarlos o acogerlos, ni mucho menos para mantenerlos calientes, iluminar sus chabolas o escolarizar a sus hijos. Y menos aún, si cabe, para protegerlos de esta metrópolis de pesadilla que surgió de la explotación inmediata de la mano de obra barata. Para los grandes terratenientes, en especial para la familia Bermúdez, la cual da nombre al mayor parque de maquiladoras de Juárez, del que es propietaria, la explosión industrial fue un boom que superó sus sueños más disparatados. Como explica Julián Cardona, el fotógrafo que ha captado el desmoronamiento de la ciudad: «Los ricos de la ciudad habían pagado a los políticos para que subieran los impuestos a los pobres, para convertir el sitio donde vivían en un Frankenstein urbano».

Conocí a Cardona mucho después de haber visto su trabajo: él había seleccionado unas fotografías impactantes y asombrosas para un libro titulado *Juárez, The Laboratory of Our Future*, con textos de Charles Bowden, que me había comprado en 1998. El volumen resultó ser aún más pesimista y profético de lo que había osado presumir cuando se publicó. Juárez ciertamente se ha convertido, desde entonces, en el laboratorio de nuestros futuros: un prototipo de la economía global pospolítica y ahora también el campo de juego donde se libra la guerra pospolítica que esa economía ha desatado en la ciudad. Una década después de la publicación de *The Laboratory of Our Future*, Bowden reflexionaba en otro libro sobre la ciudad: «Juárez no se ha quedado desfasada. Es la punta afilada que acuchilla un tiempo denominado el futuro... No se trata de un desmoronamiento del orden social. Éste es el nuevo orden».[6]

De una carretera que lleva al sudeste desde la ciudad –por puentes construidos por los grandes terratenientes para conectar sus fincas con los parques industriales–, sale un camino de tierra que se introduce entre la maleza, hacia el cementerio principal. La puerta de cemento y los muros de hormigón están cubiertos de las firmas de las pandillas cuando vienen a enterrar a sus bajas: «RIP Hulk» y «RIP Oxxy». «RIP Onza» se refiere a alguien apodado con el nombre de esa antigua moneda. En una esquina hay una sección identificada con un rótulo pintado de blanco sobre una pared amarilla, la fosa común, que se extiende hacia el desierto..., montículos y más montículos de tierra, debajo de los cuales yacen los que murieron sin identificar en Juárez, sin un nombre, aunque algunos tengan tablas vacías para la inscripción de la identidad, y otros incluso cruces y placas, aunque también sin nada escrito en ellas. Curiosamente, a algunos les han dejado flores como recuerdo; tal vez las haya depositado un colega paciente en una clínica de rehabilitación, un amigo adicto o un miembro de su familia que no se atrevió a dar el nombre de su ser querido asesinado. Desde el tráfico que se ve sobre el horizonte, llega un zumbido de vida distante por la carretera que atraviesa el puesto de control del Ejército y se pierde en el desierto, y un viento del norte dispersa la basura desperdigada y agita los pétalos dejados en recuerdo de los difuntos anónimos.

Hugo de León, propietario de la Marmolería Hugo, uno de los vendedores de lápidas que hay a la entrada del cementerio, ve el ir y venir de los cortejos fúnebres, y cree que «alrededor de un ochenta por ciento tienen que ver con las peleas por las drogas, y demasiados de los difuntos son jóvenes. Pero algunos de los funerales todavía traen a los mariachis y celebran una fiesta». Algunos no tienen nombres, indica, «porque la familia no podía pagar lo que cuesta traer el cadáver desde la morgue», y otros «porque nadie se atrevió a delatarse y reclamar el cadáver por el riesgo de que los mataran a ellos también». Por descontado, muchos de los enterrados en otras partes del cementerio sí tienen nombres: «Han entrado ochenta cuerpos los últimos cinco días, la mayoría a causa de la violencia, y la mayoría acabó allí, en el cementerio normal», explica León. Las paredes del «cementerio normal» tienen pintadas como las de la entrada: «RIP Flozo 2008» y «Perro Triste». En algunas de las lápidas hay fotografías, como la de Miguel Ángel Juan Pavilla, que lanza su mirada firme y casi desafiante por el cementerio, tras haber sido asesinado la noche del Grito de 2009 –posiblemente sea una de las víctimas del centro de rehabilitación del Barrio Azul–, justo antes de cumplir los diecinueve años. Tenía una mandíbula poderosa, el pelo rapado y llevaba una chaqueta azul de cremallera, en la que se leía «Rocket». Alguien ha dejado un oso de peluche rosa sobre la tumba de Luis Ramos Vega, asesinado el 20 de junio de 2009, a los veinte años, y ha formado las letras TQM con unos guijarros: 'Te quiero mucho'. También han dejado una botella de Coca-Cola en la que han metido flores amarillas y blancas, que ahora se esfuerzan por digerir la soda a través de sus tallos. Más allá de las últimas lápidas, los sepultureros han cumplido con su abundante trabajo: ya han excavado nuevos y profundos hoyos, y se ven montículos de tierra a su lado, preparados para acoger la cosecha de mañana.

«Si Juárez es una ciudad de Dios es porque el Diablo tiene miedo de venir aquí», afirma el viejo dicho. Pero Julián Cardona, más valiente que el Diablo, sigue en Juárez y se está construyendo una casa nueva, a la que su perro guardián alsaciano *César* se empieza a acostumbrar. En noviembre de 2008, Cardona y yo nos habíamos embarcado en una investigación casi forense de la situación, a partir del cuerpo decapitado que apareció colgado del Puente de los Sueños el mismo día del asesinato. El narcomensaje era en sí un enigma: «Yo, Lázaro Flores, apoyo a mi patrón, el monta-perros», pero ése no era el nombre del muerto. Lázaro Flores es un destacado hombre de negocios –sin ninguna relación con ese asesinato– que posee un salón de congresos y que escapó por poco de un intento de secuestro supuestamente realizado por agentes de policía que trabajaban para el cártel de La Línea. También había una amenaza escrita contra un conocido oficial de policía, cuyo hijo, según decían los rumores, había desertado de La Línea para pasarse a servir a otro jefe de narcotraficantes. Aquellos días, La Línea había adoptado la costumbre de publicar listas de agentes de policía que pretendía ejecutar en narcomensajes públicos. Una lista con veintiséis agentes apareció en un canódromo justo antes de las Navidades de 2008, encima de los cadáveres de cuatro civiles, uno de los cuales llevaba un gorro de Santa Claus.

El paso elevado del Puente de los Sueños se llama oficialmente Puente Rotario, por el Rotary Club, cuyo emblema, la rueda dentada, luce justo al lado de donde colgaba el cuerpo. Es uno de los cruces más transitados de la ciudad, así que no habrían faltado testigos, sobre todo a las 4:30 de la madrugada, cuando la marea de los trabajadores del turno de mañana se encaminaba a las maquiladoras. Cientos de personas debieron de ver cómo se hacía. ¿Con qué rapidez puede un vehículo o, seguramente, un pequeño convoy de vehículos detenerse en un paso elevado, descargar el cadáver ensangrentado de la víctima, colgarlo entre las vallas publicitarias que anuncian Frutti Sauce y Comida Express, atar y asegurar las cuerdas y colgar la sábana con el mensaje, y todo subrepticiamente? Los asesinos debieron de pasar en el coche en el que huyeron por delante de un bar donde se ven deportes, el Hooligans, el concesionario de la General Motors y una maquiladora propiedad de Honeywell, que estaría cambiando de turno cuando el cuerpo sin cabeza fue colgado allí.

La cabeza cortada de la víctima, que era de Sinaloa, se encontró unos días más tarde en la Plaza de los Periodistas, a los pies de una estatua de un niño que vende diarios, un canto al orgullo de la vieja Juárez por haber sido la cuna de la prensa libre durante la Revolución mexicana. El mensaje a los periodistas no podría haber sido más claro. Unos días después, el 14 de noviembre de 2008, uno de los principales reporteros de sucesos de Juárez, Armando Rodríguez, del periódico local *El Diario* –que había informado tanto de la ejecución en el Puente de los Sueños como del descubrimiento de la cabeza debajo de la estatua–, fue asesinado a tiros mientras ponía en marcha su coche. Su hija de ocho años, a la que llevaba a la escuela, estaba en el asiento de al lado.[7]

«Aquí hay mucho negocio de primer orden», dice Cardona, cuando pasamos por delante de las maquiladoras siguiendo la ruta de la huida de los asesinos. «Y esos mundos se entrelazan, son inseparables», explica. «Las familias jóvenes vienen al norte, la chica consigue un empleo en la maquila, y el hombre se encuentra en una situación en la que es sexualmente potente pero económicamente impotente. Sin embargo, puede ganar dinero trabajando para los narcos, como parte de la mano de obra de reserva, y, si está enganchado, que probablemente lo esté, se dedica a delinquir y al tráfico de drogas para pagarse la adicción. Así que su adicción se convierte en una actividad económica en el mercado. Si consideras las cosas por separado», me aconseja Cardona, «no entenderás lo que está pasando en esta ciudad. Narco – Maquiladoras – Migración: ése es el triángulo, todo está relacionado. Y, ni que decir tiene, hay dinero de los narcos en las obras que ves por todas partes.» Dejamos atrás el esqueleto de vigas de un edificio que no parece terminarse nunca; ya estaba en construcción cuando pasé por aquí hace siete años, y así sigue. «Una instalación artística del narco», dice Cardona. Más adelante, un coche con el parabrisas acribillado: «El nuevo diseño de parabrisas en Juárez». En el habla burlona de la ciudad, la arquitectura reciente ha sido calificada en diversas categorías, según periodos: «Narco temprano», «Narco medio» y «Narco alto». Una sucesión de arcos avisan de la entrada en el acomodado Rincón San Marcos, una comunidad cerrada y vigilada de villas inevitablemente rebautizada en la calle como Rincones de San Narcos. Alrededor de un agradable prado de césped se ha dispuesto una tranquila zona de mansiones apartadas, a cuál más chillona, y se ven anuncios para cirugía cosmética y facial. Aquí se ofrece una metáfora de la economía del poder en Juárez. Delante de algunas de las villas hay vehículos con los logos de las empresas de las maquilas, y en los patios delanteros de otras, propiedad de conocidos barones de las drogas, se ven potentes todoterrenos con ventanillas tintadas..., vehículos que ahora son ilegales en Juárez, pero, qué más da.

En Juárez, el mapa de la guerra de los cárteles se deshilacha. Cualquier idea preconcebida sobre el combate entre las estructuras del narcotráfico se disipa en un delta de violencia. Las cadenas de mando del narco se han venido abajo, o eso parece. Algo distinto está ocurriendo, algo que es pavoroso y más criminal. Antes de explicarlo, una palabra de advertencia de uno de los más renombrados periodistas mexicanos que considera a Juárez su hogar, Alejandro Páez Varela, director de *El Universal.* Páez ha vuelto a casa de Ciudad de México para saludar a un grupo de amigos en un centro cultural llamado *Cafebrería* –café y librería– y presentar su novela, *Corazón de Kalashnikov,* sobre dos mujeres que se involucran con narcos. La *Cafebrería* es un espacio agradable, un oasis en Juárez, frecuentado por una parte de la vida de la ciudad cuya existencia apenas se conoce fuera de ella: una asediada intelectualidad con gafas de pasta y colas de caballo se reúne a hablar en sofás blancos bajo una escalera de hierro. Pero hasta este local se considera merecedor de la atención de los cárteles. La *Cafebrería* la gestionan José Pérez Espino y su esposa Claudia. José es un antiguo periodista de *El Universal* y dirige Almargen, un sitio web alternativo de noticias de Juárez. En enero de 2010, colgó este mensaje en su página de Facebook: «Temo por mi vida. He sido periodista durante veinte años y he superado muchas amenazas. Una persona me ha amenazado con matarme. Sé que puede ser un extorsionador, como tantos otros. Sólo quería publicar esta información aquí».

Se sirve vino tinto tras la lectura que hace Páez de su libro. Luego Páez me dice: «Juárez ha sido dominado por el cártel de Juárez, eso es verdad. Pero olvídese de lo que haya leído u oído sobre quién controla qué. Sean quienes sean los controladores, dejan la lucha a muerte en manos de los que permanecen en la ciudad, lo que implica el exterminio de los rivales y de otros. Esto se ha convertido en una guerra enloquecida, ni siquiera necesariamente entre los cárteles de Sinaloa y de Juárez, es la anarquía. Sí, todos están aquí, Juárez, Sinaloa y los Zetas, intentando entrar. Pero las pirámides se han desmoronado, y ni uno de los grandes jefes involucrados en la batalla de Juárez ha sido rozado, ni uno..., todos están muy lejos. Ésta es una pelea entre los grupos y las pandillas sobre el terreno, los que trabajaban para ellos, y se ha convertido en una masacre».

Julián Cardona advierte que «sencillamente no tiene sentido, a diferencia de lo que piensan los medios y el Gobierno, trazar líneas entre los cárteles en Juárez. Es posible que sí lo tenga hacerlo a lo largo de los corredores de contrabando a Estados Unidos, pero no en las calles. Ni siquiera los propios cárteles reconocen ya esas líneas aquí. Por supuesto que existen cárteles de la droga, son los actores principales, pero ya no son la principal razón de la violencia aquí. Considerémoslo como una fábrica. Usted tiene un producto y una cadena de fabricación. Hay jefes, directivos, cuadros medios, trabajadores de la cadena de montaje, contables, banqueros, transportistas..., todos forman parte del proceso, pero nunca se encuentran entre ellos y la mayoría ni siquiera están contratados directamente por la empresa. A finales de año habremos sumado 1700 muertos en esta ciudad [eso lo dijo, acertadamente, el mes de septiembre de 2008], y en la mayoría de los casos, los ejecutores ni siquiera saben para qué cártel trabajan, si es que trabajan para alguno. Si cambian de bando, y se pasan de trabajar para alguien que está lejos de aquí y forma parte del cártel de Juárez a trabajar para alguien que también está lejos de aquí y forma parte del cártel de Sinaloa, no lo sabrán. Lo único que saben es qué misión se les ha asignado, conocen su trozo de territorio, y tal vez alguna orden para hacer esto o aquello o para matar a alguien. No por qué ni para quién. No tienen ni idea por dónde se mueve el dinero de verdad ni de quiénes son sus jefes».

La explicación me produce una sorpresa parcial (si es que algo puede sorprender en Juárez), al subvertir el «mapa» oficial de la guerra de los cárteles. Pero resulta absolutamente convincente. La idea de que la guerra de los cárteles ha implosionado y ya no sirve para explicar el derramamiento de sangre en Juárez es una herejía contra las versiones de lo que está pasando que exponen los Gobiernos mexicano y de Estados Unidos y muchos de los medios de comunicación en ambos países. Cuestiona en su base la idea de una guerra ordenadamente librada por los cárteles sobre un tablero de Monopoly del narco, así como la de la «ofensiva» gubernamental contra el tráfico de drogas en la ciudad. La herejía la formularon dos periodistas, Cardona y su amigo Ignacio Alvarado Álvarez, que dirigía el servicio de información e investigación Almargen, que ahora dirige Pérez Espino desde la *Cafebrería*, pero al que convenció su paisano Páez para que trabajara en *El Universal* en la capital. «Tengo familia», dice Alvarado como explicación de su decisión de dejar Juárez.

Pero nos habíamos conocido cuando Ignacio todavía vivía en Juárez, con Cardona, avanzada la mañana después de que colgaran el cadáver decapitado en el paso elevado, en la inimitable e inevitable cafetería Sanborns, en lo que fue para mí una inolvidable sesión informativa. Los cárteles, explicó Ignacio, «han sustituido la antigua cadena de mando piramidal por el mismo sistema de concesiones o franquicias que utiliza cualquier empresa que venda un producto o servicio en la economía globalizada». Uno tarda un momento en darse cuenta de lo sarcásticamente irónico que está siendo Alvarado acerca de la economía legal que nos rodea. «Ya sabe que una empresa nunca se encargará ya de su propio trabajo al detalle –¡no!–, eso no es rentable desde el punto de vista de los costes, eso es monopolista. Así que, como un buen capitalista, el cártel externaliza, saca contratos a concurso, da una oportunidad a otros para que compitan, y así reduce sus propios costes. ¿Por qué habrían de ser distintos los narcotraficantes? Son un negocio como cualquier otro. Los cárteles se han vuelto mucho más democráticos en el sentido capitalista: externalizados, meritocráticos y oportunistas», dice, con una media sonrisa y los ojos muy abiertos con una expresión entre maliciosa, asqueada y asustada. «Ciertamente, hoy en día hay muchas más oportunidades para el pequeño inversor, con un riesgo mayor, por supuesto, y más gente a la que asesinan. Pero ¡piense en la libertad para poner en marcha los negocios! El pequeño paga una comisión al cártel por el control sobre funcionarios corruptos y la frontera, y de vez en cuando le dicen a quién matar, aunque no siempre. Los cárteles no necesitan controlar las calles, porque no pueden, así que las ofrecen en franquicia, hacen que otra gente mate y muera. El problema es: ¿qué ocurre si han externalizado tanto que han acabado por perder completamente el control? ¿A usted le parece que la externalización hace que el capitalismo sea más eficiente? Claro que no, ¡es un caos absoluto! Así que los cárteles acaban descubriendo que no se trata de que no necesiten controlar las calles, sino, simplemente, de que no pueden.» «¿Qué acomodado señor de la droga», añade Cardona, «querría controlar *esto*?

»Yo antes solía considerar a mi ciudad una urbe con dos economías», prosigue Cardona, que pide unos huevos rancheros, «una legal y otra ilegal. Pero ahora que ambas se han globalizado, la línea de separación ha desaparecido. Tanto las maquilas como la Plaza de las drogas se basan en la noción de que el mercado encontrará su equilibrio apropiado, y sólo el mercado dictará cómo serán los negocios de Juárez. Y eso es justamente lo que ha pasado. La economía "legal" trajo a cientos de miles de personas a Juárez, yo entre ellas, para trabajar en las maquilas, como yo trabajé, y ahora les ofrece un salario de tres dólares por turno. El mercado ilegal necesita gente, y ofrece mejores oportunidades, como doblar ese jornal traficando en la calle, multiplicarlo por diez si haces de transportista y por cien si asesinas. El mercado de trabajo de las maquilas no puede sostener ya lo que ha creado, así que te expulsa para que te absorba el otro mercado, el paralelo de las drogas, donde te pagan en especie, te conviertes en adicto, cortas las drogas que vendes, y así tu adicción se convierte en una actividad más del mercado, y tú pasas a ser un agente económico. Cuando llega la recesión, las maquilas encuentran mano de obra aún más barata en Asia, así que se pierden más empleos y mucha más gente cambia de trabajo y se dedica a comprar, consumir y vender drogas. Y a asesinar.»

En el curso de su historia, mucho antes de que se convirtiera en el modelo económico para una inflación de asesinatos, Juárez fue con frecuencia escenario de peleas entre contrabandistas de mercancías a Estados Unidos. Pero ahora, en este campo de batalla posmoderno del capitalismo tardío la lucha se libra por una Plaza que no aparecía en el «mapa» del capítulo 1. Una Plaza en la que se recurre a una violencia más diabólica que la utilizada en cualquier guerra librada por el tráfico a Estados Unidos: la batalla por el mercado interior de drogas de Juárez o, más aún, de todo México. En el periodo posterior a la guerra de los cárteles y en pleno desarrollo de este nuevo tipo de conflicto, Juárez sufre la plaga de la adicción a las drogas, en especial al crack y la metanfetamina. De hecho, una de las razones que da Alvarado para la erosión de las estructuras de los cárteles y de sus límites, sobre todo en Juárez, es «que México se ha convertido en un país con un inmenso mercado de consumo interior de drogas que es deliberadamente subestimado por las mentiras del Gobierno, y demasiado anárquico para que lo controlen los cárteles, aunque quisieran». «Si dividimos el comercio de drogas en periodos», dice Cardona, «podemos considerar que el periodo del contrabando fue la era de los cárteles –la era del monopolio capitalista, si lo prefieres– y que la explosión del consumo interior se corresponde con la del mercado libre, de la anarquía criminal. Antes, en la era de los monopolios, todo el mundo sabía cuál era su sitio: los señores de la droga, los políticos, la policía estatal y la local, los narcos intermedios y las pandillas. Ahora Juárez ha desarrollado la jerarquía informe y horizontal propia del mercado libre: algunos se hacen muy ricos, la mayoría acaba en la basura.» Juárez es una ciudad con quinientas colonias sin servicios municipales que puedan hacer frente a las necesidades de los ocho mil emigrantes llegados diariamente (hasta la reciente recesión). En cada colonia, los barrios dejados de la mano de Dios son el territorio donde trafica con drogas uno de los correspondientes quinientos grupos violentos, sin contar los grandes espacios en los barrios periféricos como Anapra. Allí, dice Cardona, «los espacios vacíos están controlados por una pandilla llamada "policía"».

Cada colonia también tiene lo que en Tijuana se denominaban 'tienditas', puntos de venta de cocaína, marihuana, drogas sintéticas y heroína. En Juárez se llaman 'picaderos', y suelen señalarse con un zapato atado a un cable telegráfico cercano. A medida que se desmoronan las pirámides de los cárteles, éstos pierden el control del floreciente mercado interior de drogas y cada 'picadero' reclama y gestiona su propia Plaza, protegido por la pandilla local. Cuanto más se expande la Plaza interior, menor es el control de los cárteles, y necesitan gestionarlas no tanto en el marco de una cadena de mando cuanto mediante un sistema de afiliación de pandillas «externalizadas». Como consecuencia, ahora en Juárez se está luchando en una laberíntica Caja de Pandora de intereses enfrentados. Algunos de ellos los representan pandillas callejeras coaligadas en una federación llamada los Aztecas, que a su vez sirve a La Línea, una versión renacida en las calles del viejo cártel de Juárez, al que se creía, erróneamente, destruido por Guzmán. Otra federación de pandillas es la de los Artistas Asesinos, que participan en el asedio del cártel de Sinaloa a Juárez, en el que también intervienen los Mexicles, todos a las órdenes de Guzmán, y que asesinarán a cualquiera que descubran siquiera lejanamente relacionado con La Línea. Una animadversión especialmente perversa existe entre los Aztecas de La Línea y los Mexicles, pues éstos son una facción que desertó del cártel para unirse a Guzmán. Esa traición provocó un motín en la prisión de Juárez en marzo de 2009, en el que veintiún mexicles fueron asesinados por aztecas, supuestamente con el permiso oficial. Luego están las diversas fuerzas policiales. En enero de 2009, se descubrió que el jefe de la policía al que se le había encargado la persecución de las pandillas, Francisco Ledesma, había sido a su vez uno de los coordinadores de La Línea, y fue asesinado. En parte como consecuencia de su asesinato, se cree que los elementos corruptos de la policía estatal de Chihuahua, que habían sido una rama del cártel de Juárez, se han convertido en una fuerza independiente. Por su parte, el mercado interior ha liberado a la Policía Municipal de sus compromisos con políticos y cárteles y puede funcionar a su aire. Del Ejército y la Policía Federal, que supuestamente han venido a la ciudad para controlar este caos asesino, hablaremos más adelante.

En el extranjero se tiene la vaga idea de que los asesinatos se circunscriben a un sector de la sociedad, o a los barrios de chabolas, pero no se producen en el centro ni en los barrios acomodados. No es así: vamos en coche a una elegante villa que en la actualidad está «bajo control administrativo», donde se encontraron nueve cadáveres recientemente, justo delante de un local de moda llamado La Cité, que se alquilaba para bodas y espectáculos. Luego recorremos la avenida Rivera Lara, pasamos por delante de Desperado, un local que hace las veces de discoteca y rodeo, y entramos en la calle Sierra del Pedregal para llegar a una finca blanca y con verjas donde se encontraron unos treinta y seis cuerpos (aproximadamente, depende de las versiones que se acepten) enterrados en el patio en marzo de 2007. En otra casa en el número 3363 de la calle Parsioneros, conocida como la Casa de la Muerte, se encontraron enterrados doce cuerpos más. Sobre estos asesinatos se desató una encendida polémica, con informes que sostenían que un confidente del Gobierno de Estados Unidos formaba parte de la célula que los llevó a cabo, y que los que lo «controlaban» en el servicio de aduanas habían sido avisados por adelantado de la mayoría de los asesinatos y sabían que la masacre –en la que participaron agentes de la policía estatal en nómina del cártel de Juárez– iba a producirse.[8] En el patio que hay detrás de la Casa de la Muerte, se ha clavado a la pared el retrato de una mujer bella y misteriosa, al que se le ha disparado en la boca, como si lo hubieran utilizado para prácticas de tiro. «El patrón habitual era», dice Carmona, «que si exhibes los cuerpos no estás matando para la policía. Si los escondes es que o matas para la policía o eres de la policía.» Nada más entrar en la carretera que se encuentra al doblar la esquina de la Casa de la Muerte, una valla publicitaria de reclutamiento de la policía muestra a un policía-ninja con pasamontañas y las palabras: «¡Juárez te necesita!».

Sólo pueden hacerse conjeturas para explicar por qué la ciudad satélite de Riberas del Bravo se encuentra donde se encuentra: a una hora en coche de Ciudad Juárez, pegada a la frontera en el extremo más oriental de la ciudad. Según el 'susurro', estas comunidades de casitas implacablemente idénticas –construidas para acoger a los trabajadores de las maquilas que vivían en chabolas de cartones– se erigieron precisamente ahí para satisfacer a los terratenientes confabulados con los políticos que tomaban las decisiones, porque ambos grupos querían aprovecharse económicamente de un acuerdo sobre una localización muy remota. O puede que se trate tan sólo de que las autoridades municipales creyeron que era una buena idea levantar este laberinto de calles encima de una ciénaga junto al río, sobre lo que antes eran arrozales y plantaciones de algodón, alejado de la ciudad, sin el menor plan de conexiones de transporte salvo una única ruta de autobús hasta el centro. Parece que hubo cierta intención de construir un parque en el que los niños pudieran jugar: todavía se ven los restos herrumbrosos de un tiovivo, medio sumergidos en el agua cenagosa que se filtra desde el Río Bravo. En cualquier caso, a día de hoy, la construcción de todas esas casas durante el auge de las maquiladoras parece haber sido un ejercicio de optimismo: desde la emergencia de mano de obra más barata en Asia y la llegada de la recesión, una hilera tras otra de viviendas han sido abandonadas y saqueadas después de que sus dueños fueran despedidos y devueltos a sus hogares en el sur. La pandilla PFK –sean quienes sean– parece haber transformado la mayoría de esas casas en tugurios para consumir crack, ha pintado grafitis en sus paredes o las ha quemado. En una calle, cuatro casas seguidas han sido incendiadas, sea como consecuencia de la guerra entre pandillas o simplemente por diversión pirómana. La MK 18, según parece otra de las pandillas de la ciudad, se ha adueñado de una hilera de casas vacías que llevan a una alcantarilla descubierta, de manera que el hedor de los excrementos es arrastrado por la brisa en ráfagas que atraviesan su territorio. Al final de Rivera de Zempoala, dos centinelas vigilan con un *walkie-talkie*. Hace diez años, ésta era una ciudad de cajas de cartón que crecía del fango, ahora es una vitrina del Frankenstein urbano. Como sucede con frecuencia, el único alivio o signo de resistencia procede de la iglesia, rodeada por una valla alta y con la puerta cerrada con llave desde que le robaron los ordenadores al sacerdote. Aquí, los niños que se quedan solos todo el día mientras sus padres trabajan en las maquilas encuentran una comida y compañía: forman en filas ordenadas –primero las chicas, luego los chicos–, charlan sobre las bandejas de poliestireno divididas en tres secciones –para las judías, la pasta y una tortilla–, antes de pasar al salón común a ver vídeos de Michael Jackson. Cuando el sacerdote sale a hacer sus visitas, el centro lo lleva Alfredo Aguilar, que había sido pandillero en estas calles y que ha sido padre hace poco y ahora ejerce de guardián de la siguiente generación. «Aquí, los dejan solos», dice para empezar la conversación. ¿Quién los deja solos? «Sus padres, sus hermanos mayores, sus familias. Nos encontramos con traumas por el acoso sexual de padres y mayores; lo más frecuente es la violación de las niñas por sus padrastros, y a veces un hombre mata a los hijos de la mujer con la que se junta si los ha tenido en un matrimonio anterior.» Al lado de su mesa, el ordenador de Aguilar muestra un salvapantallas con una escena tropical paradisíaca: cascadas, pájaros y una vegetación exuberante.

«Los pequeños se quedan solos cuando sus padres se van a trabajar», dice Aguilar, «y son víctimas de todo lo imaginable. Nosotros intentamos darles refugio, que atisben otros valores. No es fácil: tenemos a niños de diez años que pegan a niñas todavía más pequeñas porque es eso lo que ven en sus casas. En sus vidas hay demasiada violencia, demasiadas drogas, y todo eso también empieza en los hogares: entre cinco y diez personas viven amontonadas en una casa diminuta, con malos tratos, violencia contra los niños, sin intimidad y sin que nadie pueda dormir. Así que la mayoría de los pandilleros tienen quince o dieciséis años, y algunos tan sólo trece. Yo era uno de ellos, no me metí mucho, pero crecí entre ellos: niñas violadas, niños que se unen a pandillas y son asesinados; viví con ellos.» Aguilar, de veintiocho años, quiere señalar algo importante, no hacer una confesión. «Lo principal», prosigue, «es que son personas rechazadas por el sistema de las fábricas maquiladoras, y de ahí salen las pandillas y las drogas. Esta gente vino de Veracruz, Tabasco u Oaxaca para trabajar en las maquilas, y cuando la maquila te echa a la calle, el tráfico de drogas se convierte en una forma de seguir aquí, una forma de vida. Te quedas y sobrevives como puedes, o te marchas y tu casa se convierte en una guarida para que se metan crack. Pero no son sólo las maquilas, la ciudad también ha expulsado a esta gente. A quién extraña que el absentismo escolar sea un problema si sólo tienes seis pequeñas escuelas de primaria para siete mil familias y ninguna escuela de secundaria.» Para llegar a un instituto de secundaria en Ciudad Juárez hay que hacer un trayecto de dos o tres horas a través de la ciudad, tanto de ida como de vuelta, porque las rutas de autobús se despliegan como un abanico desde las poblaciones del extrarradio como ésta. Todos los autobuses escolares estadounidenses retirados convergen desde las colonias al centro de la ciudad como destino final, no hay ningún medio de transporte entre las ciudades satélites, así que los alumnos tienen que viajar a través de lo que la mayoría considera una zona prohibida de la ciudad antes del alba por la mañana y después de que oscurezca por la noche.

El padre Roberto vuelve al cabo de unos días y me dice: «Cuando llegué aquí, celebraba muchos funerales de niños, niños que habían muerto en accidentes en casa..., bueno, accidentes, quiero decir que los mataban sus padrastros, los violaban y los mataban. Descubrí que para tener un amante, una mujer tenía que asumir esta elección: o matar al niño o perder al hombre. Celebré seis funerales de ese tipo durante mis dos primeros años aquí». Luego el padre Beto, como se le conoce en todas partes, repasa algunas estadísticas. «En esta colonia hay veinte mil casas, de las cuales ocho mil están ahora abandonadas», lo que supone que unas sesenta mil personas viven en doce mil diminutos hogares. La proporción de casas vacías es muy alta, incluso para Juárez, aunque las cifras de la propia ciudad ofrecen una imagen terrorífica. Un informe del Colegio de la Frontera Norte, publicado en enero de 2010, desvelaba que hay 116.000 viviendas vacías en la ciudad, de un total de 416.000 unidades. Las moradas vacías, afirma el informe, «son consecuencia de la recesión económica que se inició en 2001 y la despoblación se ha incrementado notablemente en los dos últimos años a causa de la violencia y la inseguridad. Muchos inmigrantes que vinieron del sur de México para trabajar en la industria de las maquiladoras han decidido regresar a sus lugares de origen. Otros han emigrado a Estados Unidos. Varios barrios han quedado reducidos básicamente a casas vacías y desvalijadas. Además, las estadísticas de las oficinas de la administración de impuestos muestran que, desde 2008, han cerrado más de 10.670 negocios, la mayoría de ellos, según los líderes empresariales, debido a la crisis económica y a la inseguridad. Hay muchos edificios industriales vacíos que no pueden venderse ni siquiera regalados a otros empresarios debido a las condiciones actuales. El porcentaje de inmuebles industriales sin utilizar es ahora del catorce por ciento. Muchos de esos negocios han abandonado Juárez». El autor del informe, el investigador del COLEF César Fuentes, declaró al periódico *Diario:* «La seguridad pública y económica y la crisis social en la ciudad tienen importantes repercusiones sobre la viabilidad económica y social. Es muy difícil que alguien invierta en la ciudad si sabe que será víctima de la extorsión, el robo y el secuestro».

Damos un paseo con el padre Beto. Al fresco de la alcantarilla descubierta, en una calurosa tarde, dos perros ruedan por el suelo entre los excrementos en una especie de abrazo, mordiéndose juguetonamente de vez en cuando el cuello el uno al otro. Según los grafitis de las paredes, hemos llegado a un territorio disputado por otras dos pandillas, West Side y Siglo XIX, donde hubo otra tentativa de construir un pequeño parque. Hay un balancín con tres asientos, oxidado y estropeado, tirado en un charco de aguas residuales. En los bancos, con la pintura descascarillada, no se ha sentado nadie desde hace tiempo y las malas hierbas crecen entre ellos. Seguimos caminando por otro canal pútrido y de aguas inmóviles, pasamos por delante de lo que había sido un arrozal bordeado de árboles que relucían al viento, hasta llegar a un reguero de agua que serpentea entre orillas de hierba seca. Es el Río Grande, y al otro lado, a veinte metros, está Texas.

«La frontera es como la basura», dice Cardona. «Piense en Juárez como un lugar con un movimiento perpetuo de distintos tipos de desperdicios: el frigorífico estropeado o el coche reciclado de algún otro; se transforma a seres humanos en basura en las maquilas, en basura humana muerta en los centros de rehabilitación..., aunque no pueda recuperarse a los muertos en un 'yonke' ni ponerlos de nuevo en venta como se hace con los coches destrozados.» Mantenemos esta conversación en una elevación con viviendas precarias sobre la caótica colonia de Poniente, a la que vino a vivir al principio el propio Cardona, procedente del estado de Zacatecas, para trabajar en una maquila. Criado por sus abuelos en el campo, desde que llegó ha vivido aquí siempre, salvo una temporada que pasó en su casa, durante la que intentó organizar la resistencia contra la división de la tierra que hasta entonces había sido poseída y cultivada en comunidad, después de la privatización. Pero ni la campaña contra los grandes terratenientes que se apropiaban de las pequeñas parcelas ni una historia de amor salieron bien. Así que volvió al norte y se instaló en la miasma de pequeñas viviendas que se extiende a nuestros pies, donde acabamos de visitar a un hombre llamado Antonio, que en el pasado había sido miembro de una pandilla, el Callejón, y que ahora dirige un centro para pandilleros donde se buscan formas más creativas de expresar lo que él denomina «nuestra territorialidad». Cardona contempla el panorama, con vistas al centro de El Paso en una dirección y, hacia el sur, a florecientes viviendas de hormigón y cemento que descienden arrastrándose por el valle y ascienden por la otra vertiente, con perros y niños diseminados por el laberinto de calles y las antenas de radio perforando el cielo. «Más de medio millón de personas», dice Cardona, «y un solo instituto de secundaria. A todos los que no salen adelante, los tiran al montón de basura.»

La basura puede traer trabajo a Riberas del Bravo, donde un hombre llamado Marco empuja un viejo cochecito de niño cargado con desperdicios por la calle, camino de su casa, una de las pocas que no han sido abandonadas ni quemadas. Marco está rodeado de cuatro de sus seis hijos, que también llevan restos de desechos, todos con valor en Ciudad Juárez: latas, tuberías de acero, grifos de bañeras; los aparatos desechados de las vidas anteriores de otros. Al cabo de un rato, empujan su botín por el pequeño camino de entrada de la quinta casa contando desde el final de la hilera. La familia vino de Durango hace dieciséis años, explica Marco, pero tanto él como su esposa perdieron su empleo en la Maquila BRK dos años atrás. El salario en la fábrica era de 600 pesos (50 dólares) a la semana. Recogiendo basura –«cualquier cosa de metal, de hierro, cualquier cosa que pueda venderse»– se sacan «cien pesos un buen día, sesenta uno malo». Los seis hijos de Marco le ayudan, según un horario que él ha establecido: «trabajamos de lunes a miércoles, nos tomamos el jueves libre, y volvemos al trabajo de viernes a domingo». Ni se plantea que vayan a la escuela porque «la escuela exige una matrícula de veinticinco dólares por familia, más dinero para la calefacción, la luz y los libros. Y eso antes de pagar los billetes de autobús, seis billetes que cuestan seis pesos, dos veces al día –eso hace setenta y dos pesos al día–..., ¿de dónde se supone que los saco?». Uno de sus hijos lleva una camiseta con una imagen de una banda de *heavy metal* llamada Ángeles del Infierno, y el perro de la familia se llama *Satanás*.

El principal problema, dice Marco, es que cuando volvió de Estados Unidos y empezó a recoger chatarra, «yo era el tercero que se dedicaba a esto. Ahora somos demasiados y sólo hay basura para ir tirando, ¡incluso en un sitio como éste!». Sin embargo, las cosas están mejor aquí, insiste Marco, que en Durango, «donde no hay nada». Otra vez nada. Mejor aquí, pese al acoso permanente de los drogadictos: «Un día, al volver a casa, ¡estaban llevándose la puerta! Los espanté. Ahora van y vienen por esas casas [señala hacia el extremo de la calle]. Las cuatro que hay desde aquí hasta el final están vacías y después ya está la frontera, ¡así que somos la familia más cercana a Estados Unidos!».

Un bucle de vías de acceso elevadas conecta la Interestatal 10 de Estados Unidos, cuando esquiva por unos metros la valla fronteriza y penetra ruidosa en El Paso, con la Patriot Freeway que se dirige al norte desde la frontera. Hoy los coches están formados en toda su resplandeciente gloria. No, no los que van por la autopista, sino los que están debajo, en el Lincoln Park, donde son atendidos con esmero y cariño por gente de los duros barrios de las lindes de la ciudad. Un descapotable Impala Caprice de 1968 de la cuarta generación de la icónica línea de Chevrolet está flanqueado por dos banderas mexicanas y lleva el eslogan «Viva la Raza» escrito sobre el capó en letra Palace Script. En su interior, un abultado tapizado de color crema. Un Impala de 1961, en granate, luce la famosa silueta «bubbleback» en el techo y lleva escrito el lema «Low Riding Girl». De hecho, delante del coche hay una muñeca infantil vestida con una minifalda con los colores de la bandera mexicana, junto a la cual está una chica de carne y hueso a juego, sometida a una sucesión de fotos mientras posa ante el vehículo sobre unos altos tacones, exhibiendo el pelo que se peina sin parar, las piernas, los tatuajes y, supuestamente, el Impala de 1961. Los asientos del coche están tapizados de –cómo no– verde, blanco y rojo, con la expresión «Chicano Power» bordada en ellos. El acto, el Chicano Arts Festival, resulta conmovedor: en parte feria de automóviles, en parte comida familiar al aire libre, en parte pasarela de jovencitas, en parte convención de pandillas, en parte feria artística, en parte disco vespertina y en parte desfile de niños ataviados con trajes típicos mesoamericanos. Sobre los pilares de cemento que sostienen la autopista, hay grafitis de las pirámides de Teotihuacán y una declaración: «Lincoln Park: el Corazón de El Paso». Los pilares proyectan sombras en largas líneas rectas a lo largo de las cuales hileras de personas, casi todas familias numerosas, alinean sus tumbonas para comer sus picnics de barbacoa, y las hileras rotan como la sombra proyectada por un reloj de sol, para estar siempre a la sombra. Pero lo importante, lo que se dirime aquí, es la batalla entre los clubes automovilísticos, que representan vagamente a los barrios e incluso a las pandillas –o los clanes–, en los que el respeto mutuo y la rivalidad coexisten en aproximadamente la misma medida: el Oldies Car Club de Nuevo México contra los Imperials de El Paso, el Latin Pride Car Club contra el Natural High Car Club, el Our Story Car Club contra el Ekztazy Car Club. «La cosa va de carros, va del orgullo chicano, y va de nuestro propio orgullo por tu propio club, que es el de tu hermano», dice Alejandro Dávila, de la zona oriental de El Paso, un hombre imponente que lleva el calendario azteca tatuado en el hombro y una serpiente bicéfala en la espinilla, debajo de pantalones de camuflaje. «Todo empezó aquí, tío: los carros trucados, los Zoot Suits, ése es nuestro legado aquí, en El Paso, y somos muy conscientes de él. Las 'chicas' forman parte de la escena, van con los carros. Consigues el carro, te llevas la chica; si no tienes el carro debes buscar otra manera, ¿me entiendes?» Y se ríe, como si pidiera que se le hiciera la obvia y torpe pregunta sobre el territorio de las pandillas y el tráfico de drogas. «Sí», responde con cautela, «hay un papel para algunos 'chucos'» (alguien nacido en El Paso) y lo que Alejandro llama Segundo Juárez que, supongo, significa el Juárez de Estados Unidos, «ya sabe..., lo que se desborda de lo que está pasando allá. Hay alguna relación entre Juárez y una banda de este lado que se llama Barrio Aztecas.

»Pero», continúa Alejandro, «la mayoría de los tipos no se mezclan con los del otro lado. Eso se ha puesto muy duro ahora. Nos quedamos a este lado, sólo clubes 'chucos' y clubes de carros. El rollo desquiciado no llega demasiado hasta aquí, y nada en el mundillo de los carros. Este mundillo es una cuestión de familia, de hermanos, puede que de gente que haya estado en la cárcel, pero que ha salido y se ha limpiado. Ahora cuidamos nuestro legado, el legado chicano. Y te digo que hay cosas muy hermosas, tío, objetos muy hermosos y un montón de trabajo y de dinero relacionado con él. Y en los carros está todo eso, ya sabes: fraternidad, vida de barrio, todo tipo de relaciones, y, claro, también están los conejitos.» Llega una mujer y se acaba la conversación. «Es mi madre», dice Alejandro, que me presenta a una limpiadora del distrito escolar, y luego se van juntos a admirar los coches y a unirse a su amplia familia con sus empanadas.

Alejandro tiene razón en algo: el tan cacareado «desbordamiento» de la violencia desde el otro lado del Río Grande no ha ocurrido (todavía), salvo en una serie de episodios aislados. Los traficantes de drogas y sus sistemas de apoyo en el territorio de las pandillas –y no importa lo que diga el sector financiero «legal»– parecen reacios, hasta el momento, a atraer la atención de las autoridades a la frontera misma. Por descontado, hay excepciones que van más allá de la rutina diaria del robo de coches con intimidación y los atracos transfronterizos. Una edición del periódico matutino de Juárez *El Diario* de septiembre de 2009 llevaba una horripilante fotografía de un par de brazos amputados, cruzados y reposando sobre el pecho de su anterior dueño, Sergio Saucedo, de treinta años, secuestrado en el suburbio Horizon City, de El Paso, una agradable tarde de mayo.[9] Tres hombres con gorras negras de béisbol y guantes negros irrumpieron en su casa y se lo llevaron en un Ford Expedition granate, tal como contaron su esposa y los pasajeros de un autobús lleno de escolares que presenciaron el secuestro. Saucedo había sido condenado en Estados Unidos por blanqueo de dinero y posesión de cocaína con la intención de distribuirla, y sus captores se lo llevaron al otro lado de la frontera, a Juárez, donde se encontró su cuerpo mutilado cuatro meses más tarde, arrojado en una calle bulliciosa. Poco después del secuestro, el 15 de mayo de 2009, José Daniel González Galeana fue asesinado a tiros delante de su villa de estilo colonial en El Paso: había sido uno de los mandos intermedios del cártel de Juárez que se convirtió en confidente del servicio de aduanas, y, según parece, fue descubierto y localizado por sus antiguos compadres, que lo convirtieron en lo que el FBI de El Paso considera el miembro de más alto rango de un cártel mexicano asesinado en Estados Unidos.[10] Uno de cada ocho habitantes de El Paso trabaja para el Ejército y, en agosto de 2009, el FBI detuvo a un soldado de dieciocho años acantonado en el cercano Fort Bliss, que habría sido contratado por el cártel de Juárez para llevar a cabo la ejecución.

La suerte de los confidentes, y de aquellos que se refugian en Estados Unidos huyendo de amenazas personales directas, se cuenta entre las preocupaciones de un hombre incansable que ayudó a organizar la reunión de los clubes de coches y trabaja desde una pequeña oficina en la zona de casas bajas de Yandell Drive, en El Paso: Eduardo Beckett, de origen mexicano-irlandés, abogado que dirige el centro legal Las Americas Inmigrant Advocacy. La mayoría de los clientes de Beckett son familias que se enfrentan a la deportación, o las que tienen problemas para el reconocimiento de su ciudadanía o de los otros muchos tipos que suelen darse en una amplia comunidad de emigrantes o inmigrantes... citas con las familias: mamá y los chicos en el despacho de Beckett, la hija que se queda en la recepción para echar una cabezada. «La mayoría de la gente que vemos aquí», dice Beckett, «ha pasado toda su vida en Estados Unidos, comete un delito y la deportan. Son personas que carecen de estudios y acaban aceptando chapuzas en México. Algunos salen adelante, otros acaban en prostíbulos o cometiendo más delitos. Y luego están los otros, que a veces han trabajado hasta diez años para agencias gubernamentales estadounidenses en México –la DEA, el FBI, las aduanas, los departamentos de policía– con el sobrentendido de que, si pasaban información, recibirían a cambio una visa algún día. Se llama la "Visa-S", más conocida como "Visa del Soplón". Pero, por mi experiencia, una vez los descubren o después de que hayan testificado, sencillamente se los quitan de encima, son basura. Las agencias con las que trato ni siquiera reconocen que eran confidentes, así que los devuelven a los lobos que los están esperando.»

Estos casos especiales, que requieren toda la energía y motivación de Beckett, son los de gente que, tras haberse enfrentado a los cárteles narcos por una u otra razón, se encontrará casi con toda seguridad con la tortura y la muerte si regresan a México.

Beckett revisa sus papeles, tantos casos que se desbordan por todas partes, con el aire de un gladiador exhausto. Este hombre se pasó sus años de estudiante llamando a todas las puertas en nombre del sindicato United Mineworkers of America, en Gillette, Wyoming, donde «toda aquella gente se preguntaba: ¿qué pinta este tipo moreno por aquí arriba?». Cree que «a la mayoría de mis clientes el sistema los considera basura, y ése es el punto de partida. Con los confidentes es todavía peor: que si lo hacían por el dinero, que si no son más que soplones... Ellos saben que si vuelven a cruzar, los van a torturar y asesinar. Y no tienen otro sitio al que ir, les han bombardeado a preguntas ya antes de ir al tribunal y se saben atrapados. Y aun así los federales dicen: "No, nunca he visto a este hombre". Les explicamos que corren peligro y que se encuentran en una situación infernal, pero ellos se limitan a lavarse las manos o a decir que estas cosas no pueden tratarse en un tribunal público porque eso supondría un riesgo para sus operaciones y la forma en que trabajan. Las autoridades quieren que los reubiquen dentro de México, pero en México no hay ningún sitio donde esconderse. Y si eres un policía honesto, y te has visto en una situación imposible y temes por tu propia vida, los de aquí responden que si eres policía está claro que los criminales van a por ti. Dicen que eso no es persecución. Nos acusan de que metemos la política en lo que no son más que problemas de los narcos». Así que la ley de asilo, persecución y tortura todavía no está preparada para la guerra pospolítica, y es incapaz de reconocer la persecución a no ser que tenga un matiz político. La legislación de Estados Unidos no está preparada para –ni puede enfrentarse a– la pesadilla pospolítica de la que la guerra del narco es sólo un anuncio: el terror organizado por ramas del Estado cuyo único color político es el del polvo blanco.[11]

Entre los casos de Beckett está la extraordinaria historia de Martín Espino Ledezma. Ledezma era un oficial de la Policía Montada de Juárez, pero dejó el cuerpo debido a la tensión personal que le producía la tarea encomendada a su división: desenterrar los cadáveres de mujeres jóvenes que habían sido secuestradas y asesinadas. Dejó Juárez en 1993 y se instaló en el pueblo de su mujer, La Junta, para trabajar como profesor de canto. La Junta se encuentra en un centro estratégico para el transporte de drogas a Juárez desde el sur y allí abordaron a Ledezma los líderes del PAN local y le pidieron ayuda para imponer el orden en «una ciudad sin ley». Entonces Ledezma descubrió, según afirma en una declaración jurada presentada en su solicitud de asilo federal en El Paso, que su contacto en el PAN «era una marioneta [de los narcos] en La Junta». Un día, «dos individuos entraron en mi oficina y dijeron que venían en nombre de Pepe Estrada, una autoridad del municipio, para que me pusiera a su disposición y que trabajara para el crimen organizado, y a cambio me ofrecían una cantidad sustancial de dinero... Mi tarea consistiría en distraer a los agentes de la Policía Federal en los puntos de control cerca de La Junta. También tenía que poner a los agentes bajo mi mando a su servicio. Cuando me negué, pasaron de comportarse con amabilidad como habían hecho al principio a mostrarse autoritarios y amenazantes». Después de su negativa a colaborar, «el 3 de marzo de 2008, el señor Estrada mandó a unos hombres a asesinarme. Sucedió ese día, el de mi cumpleaños», dice Ledezma. Su mujer abrió la puerta, delante de la que habían aparcado dos todoterrenos, y se topó con «al menos seis individuos con armas de gran calibre que habían rodeado la casa y apuntaban hacia ella. Le dijeron que yo debía andarme con cuidado, que allá donde me encontraran me matarían, y que no importaba adónde me fuera porque podían dar conmigo en cualquier sitio ya que tenían contactos en todo México». Más tarde «se confirmó», sostiene Ledezma en la misma declaración, «que Estrada trabajaba para La Línea, el cártel de Juárez».[12]

I wish life was still like that, my Uncle Tommy says
But everything's gone straight to Hell since Sinatra played Juárez
You could get a cheap divorce, get your Pontiac tuck and rolled
You could take your dolly to the dog track in her fake chinchilla stole.

The Fiesta Club, The Chinese Palace, The Old Kentucky bar
The matadors and baseball heroes and great big movie stars
Those were truly golden years, my Uncle Tommy says
Cause everything's gone straight to Hell since Sinatra played Juárez

Now Uncle Tommy Gabriel he still plays Fats Domino
He speaks that border Spanglish well, He owns a carpet store
He lives out on his pecan farm, 'I don't cross the bridge,' he says
Cause everything's gone straight to Hell since Sinatra played Juárez.[13]*

* «Ojalá la vida fuera como entonces, dice mi tío Tommy / pero todo se ha ido al infierno desde que Sinatra tocó en Juárez / Podías divorciarte a buen precio, te tapizaban el Pontiac, / podías llevar a tu chica al canódromo con su estola de chinchilla

Es una canción de Tom Russell, que llegó a El Paso en 1997, procedente de Brooklyn, en una camioneta alquilada de U-Haul. Antes de eso, había enseñado criminología en Nigeria, trabajado en explotaciones madereras canadienses, se había dado un descanso en Noruega y en muchos sitios más. Pero ahora Russell es el bardo de voz profunda de la frontera, «una de las personas que todavía cree que las canciones deberían contar historias», como dice él mismo. Y, sobre El Paso: «Mierda, la ciudad lleva medio muerta desde hace casi medio siglo. Si vas hacia el centro, te tropezarás con la plaza central con su fuente de esculturas de fibra de vidrio de caimanes saltando. Hasta los años sesenta había caimanes de verdad allí, pero los borrachos se caían y perdían los brazos y piernas». A Russell le gusta recordar la canción de Johnny Cash *Mean As Hell*, en la que el diablo iba buscando el Hades en la tierra y Dios le dio «una parcela cerca del Río Grande que se parece a El Paso». Pese a lo cual, Russell compró una casa de adobe en medio de una parcela de 12.000 m^2, «no tanto para encontrar mi identidad cuanto como para perderla», dice. Colina arriba estaba Cormac McCarthy, que «vivía en un cuchitril destartalado, intentando hacer lo mismo. Que lo dejaran en paz para escribir. Desgraciadamente, la fama y los admiradores lo buscaban y lo localizaron en Santa Fe. Yo sigo aquí». El Paso, dice, «es una avenida abandonada de empobrecimiento cultural. Cuando las grandes empresas y los grandes negocios vinieron a llamar a la puerta, hace décadas, el ayuntamiento y las fuerzas vivas de la ciudad presentaron un ultimátum que decía, más o menos: les permitiremos que se instalen aquí, pero ¿qué van a hacer ustedes por nosotros? Los que traían el dinero de verdad hicieron una mueca de asco y se fueron». Como consecuencia, añade Russell, «los gerifaltes de la ciudad que quedaron a cargo acapararon los derechos de captación de agua tras despedir a la corporación municipal y convirtieron El Paso en una gran autopista, y arrasaron la tierra agrícola al este y al oeste para construir zonas de centros comerciales y viviendas de baja calidad». Sin embargo y pese a todo eso, «El Paso es mi propia Patagonia. Excesiva y remota. Lírica en su esencia, trágica en su destino, cómica en su existencia. Pero es un lugar pacífico. ¿Le parece curioso? La guerra

de imitación // El Fiesta Club, El Chinese Palace, El Old Kentucky Bar / Los matadores, los héroes del béisbol y las grandes estrellas del cine / aquéllos sí que fueron años dorados, dice mi tío Tommy / porque todo se ha ido al infierno desde que Sinatra tocó en Juárez. // Ahora el tío Tommy todavía toca a Fats Domino / habla bien el spanglish de la frontera, tiene una tienda de alfombras / vive en su granja de nogales, Ya no cruzo el puente, dice, / porque todo se ha ido al infierno desde que Sinatra tocó en Juárez.» *(N. del T.)*

no se ha desbordado a este lado del Río Bravo. La vida es barata y sencilla. Me gusta la gente».

Estamos sentados ante la cena en un restaurante encajonado entre el barrio de Sunland Park, pegado a la frontera del estado de Nuevo México, y la frontera con México, al otro lado de la cual está Anapra, la colonia más pobre de Juárez. Otro tren pasa traqueteando ruidosamente, con la línea de ferrocarril iluminada a contraluz por el resplandor de la ciudad sobre la que Russell canta en otra canción titulada *The Hills of Old Juárez*, una balada sobre el contrabando. Es la ciudad que su «Tío Tommy» de ficción amó hasta que todo se fue «al infierno», y que a Russell le gustaba visitar para ir a los toros y al Kentucky Club, la ciudad donde murió Steve McQueen. Pero Russell, como el tío Tommy, se lo piensa dos veces antes de cruzar el puente desde que la ciudad se fue al infierno; además, dice, «Ahora ya no cantaría algunas de estas canciones, como *The Hills of Old Juárez:* la menor insinuación de que el contrabando de drogas fue en algún sentido audaz o romántico –los bandidos bajo los mezquites– ya es sencillamente inadmisible. Pero eso no quiere decir que no eche de menos la vieja Juárez, y cómo era». Russell tiene una canción nueva, sobre las drogas que vienen al norte, las armas que van al sur, y el fantasma de Benito Juárez observándolo y derramando una lágrima.

Como los de Tom Russell, mis recuerdos de Juárez son los de una ciudad que explota por la noche. Cualquier sábado, Esfinge, una disco con forma de pirámide egipcia que se levanta detrás de lo que había sido el Holiday Inn, estaba atestada de una multitud de gente bebiendo y bailando, casi todas chicas que se gastaban sus salarios de la maquiladora como si el mañana no existiera. Porque es un sistema económico extraño: los salarios son miserables según los estándares de Estados Unidos, pero no para los del México interior y si uno quiere salir a bailar con sus amigos un fin de semana, dispondrá de la calderilla para hacerlo. La vida en la frontera gira en torno a la inspección: uno ficha para entrar y para salir de la maquiladora, su productividad es supervisada, su descanso para el desayuno y hasta sus visitas al lavabo son monitorizados, la documentación es examinada por la policía, el Ejército y en los controles de paso de la frontera, si es que le dejan cruzar el puente. Incluso le registra el portero y los guardias de seguridad de la disco. Pero, una vez dentro de Esfinge, la inspección es de otra clase: la que cada varón presente aplica al cuerpo de las chicas de las fábricas que mueven el esqueleto en este salón de baile canalla. Y es una inspección que ella siempre pasa con éxito, tanto si ha venido a ligar con chicos en serio, a coquetear un poco o sólo a bailar con otras compañeras, con las que fabrica correas para la distribución del coche durante el día, y luego volver a casa. Las recuerdo en los podios y las pasarelas, bailando y contoneándose, con sus movimientos ondulantes y parpadeos, humillando y deslumbrando simultáneamente a su público, que las contemplaba boquiabierto y con los ojos como platos, y rechazando nueve de cada diez invitaciones que les hacen para tomar una copa o lo que sea. Trabajadora de fábrica durante el día, con su gorra y su delantal, *danseuse* de noche, vestida para conquistar. Pero no todos esos hombres con camisas almidonadas y pantalones ceñidos se darán por satisfechos con admirarlas desde lejos, ni tampoco sus atenciones serán necesariamente amorosas. El horror de la violencia extrema contra las mujeres acabó convirtiéndose en una maldición (pero también en un rasgo definitorio) para esta ciudad, y anunció la forma actual de violencia en la guerra del narco.

Sin embargo, aquí lo único que importaba era la música y la libido. Como la concupiscencia de la Roma de Nerón, la de Ciudad Juárez se relacionaba de alguna forma perversa con el desmoronamiento inmediato que se percibía a su alrededor: la superabundancia, las copas rebosantes, el arco melifluo de un brazo perfecto y unos cabellos que se desmelenan eran un desafío despreocupado a la muerte en las calles y al duro trabajo en la fábrica. Besos soplados y concedidos, aceptación y rechazo; flirteo y pelea: la diplomacia de tablero de ajedrez de la pista de baile era como la que se practica en cualquier lugar del mundo, con la diferencia de que en Ciudad Juárez era más lasciva que en ninguna otra parte, y eso a pesar de lo que estaba sucediendo fuera o puede que a causa de ello. A las chicas que ahorraban para ir a estos locales ostentosos las llamaban 'fresas' en el pasado, durante la década de los noventa y los primeros y canallescos años de este siglo. Las que preferían gastar menos o no podían permitirse la entrada de ocho dólares podían ir a otro local de menos relumbrón como El Patio y escuchar a una banda que tocaba narcocorridos en lugar del tecno estridente de Esfinge. Pero El Patio también destilaba lujuria de sobra: los depravados en tejanos ceñidos y botas de piel de cocodrilo azules, rojas y verdes se aferraban a las puntas de los dedos de las chicas mientras las hacían girar con brazos elásticos pero asiéndolas con firmeza, mirando cómo volaban las faldas y los aros de humo exhalados en el aire espeso y húmedo. Dicho sea de paso, en la frontera, un 'corrido' (masculino) se convierte en una 'corrida' (femenino) cuando se baila.[14] En El Patio, un extranjero de paso era un alienígena, que ni siquiera se merecía una amenaza, una presencia tan absurda que los 'bravos' hasta me invitaban a copas..., sólo a una. Sin embargo, en Esfinge, cualquier extranjero que no fuera estadounidense se veía arrastrado dentro del ambiente. Todo era «¡Bienvenido a Juárez!» y entrechocar de vasos de paloma, que en este tugurio es el nombre de una bebida de tequila y pomelo. Estaba escrito en las estrellas luminosas falsas del techo: uno formaba irrevocablemente parte del juego de las fresas en un lugar al que en realidad no pertenecía nadie, salvo aquellos que contaban el dinero blanqueado.

De regreso en Juárez siete años después, en 2008, Esfinge estaba apagándose. La gran ciudad de la noche de Améxica, con décadas de historia de picardía amable, se sentía incómoda después del crepúsculo. Al volver en 2009, Esfinge ha cerrado definitivamente. El hotel de nueve plantas en el que me alojo está vacío, salvo por un equipo de boxeo de la ciudad de Chihuahua, que está de paso, de camino a combatir en Finlandia. En 2008, Cardona y yo fuimos a tomar una cerveza a otro garito, el bar Amsterdam. Allí, una de las camareras, Giselle, vestida con el microvestido rojo que hacía las veces de uniforme, se sentó con nosotros a tomar una copa. Nos contó la historia de una vida, la suya, genuinamente amexicana: consiguió cruzar la frontera cuando tenía catorce años, llegó hasta Denver y encontró un empleo decente, pero la pararon diez años más tarde por una luz trasera defectuosa en su coche, la descubrieron sin papeles y la deportaron. De vuelta en casa, Giselle aceptó el empleo en el Amsterdam, donde se ganaba la vida dejándose mirar con lascivia por los clientes. Llevaba la situación con rabia y palpable frustración. Le hubiera gustado que los hombres que acudían allí a hacer lo que fuera que hicieran para empalmarse fueran tan amables de poner a los Credence Clearwater Revival en la *jukebox* en lugar de ese interminable y jodido norteño. Poco tiempo después, en julio de 2009, Cardona me envió una noticia de *El Diario* que decía: «Cinco hombres fueron asesinados en una balacera anoche cuando se encontraban reunidos en un bar llamado Amsterdam. Los primeros informes afirman que dos de las víctimas estaban junto a la barra y otras tres en los lavabos... Según les contaron a los primeros agentes que llegaron a la escena del crimen, una de las víctimas había sido rematada con el denominado 'tiro de gracia'».[15] Giselle, según el 'susurro', parecía haber conocido a un narco que le gustaba y se había ido a trabajar a otro local, el Dallas, que fue cerrado después de que secuestraran y asesinaran a su dueño. Cardona y yo volvemos al Amsterdam en octubre de 2009, después de los asesinatos. Al entrar, las seis camareras se acercan y se sientan en fila delante de nosotros, como en una línea de coro. Somos los únicos clientes. Nos tomamos una cerveza rápida y nos marchamos por las calles oscuras, vacías y amenazadoras. «Los narcos», dice Cardona, «decidieron apoderarse de la vida nocturna y, al hacerlo, acabaron con ella.»

En cualquier caso, todo ese camelo de no es país para viejos está muy bien hasta que uno se acerca a los otros viejos. La última noche que pasé en el hotel vacío, al equipo de boxeo y a mí se nos unió un estadounidense al que tuve el dudoso privilegio de conocer en el ascensor. Sudaba copiosamente a través de las capas de grasa y las polifibras de su chándal de los San Antonio Spurs, ante la perspectiva de una velada con la encantadora adolescente que le acompañaba hasta la planta debajo de la mía. El tipo de sujeto despreciable que necesita olvidarse de que la chica tiene la misma edad que su hija iba entrechocando dos paquetes de lencería como el que tira una pelota de béisbol a un guante. «¡Duerme bien!», le dije animadamente, a lo que replicó «Tú también», con una mirada que dejaba claro que le gustaría hundirme los dientes hasta la garganta de un puñetazo, mientras la bella jovencita sonreía con una mezcla de desafío y humillación. En lugar de dormir me dediqué a ver la incomparable emisión que ofrece Telemundo de los resúmenes de todos los partidos importantes de fútbol del día en el continente americano, Gran Bretaña y Europa, algo que el canal mexicano hace con gracia cosmopolita y un emocionante amor por el juego, tanto da de dónde sea, lo que debería avergonzar a la miopía provinciana de la cobertura de deportes en Estados Unidos y Gran Bretaña.

Incluso en esta Juárez cambiada, hay todavía tentativas de hacer vida pública. En el aparcamiento de la plaza Renacimiento se celebra una espontánea carrera nocturna de coches trucados, no los clásicos *vintage* de El Paso sino rugientes, chirriantes y potentes Toyotas Camry y Volkswagen Golf, modificados genéticamente con tapacubos hiperdesarrollados y motores trucados, a los que se le ha bajado el suelo para que suelten chispas contra el asfalto. Los jóvenes conductores corren un poco, pero básicamente se dedican a ponerse al volante por turnos y dar vueltas por el aparcamiento haciendo tanto ruido, echando tanto humo y despidiendo tanto olor a goma quemada como les es posible, para disfrute de los espectadores. Resulta un espectáculo crispado e histérico, ciertamente, pero es «la mejor diversión de Juárez», según Antonio González González, orgulloso dueño de un Ford Focus blanco, que luce lo que parecen unas alas sobre las ruedas traseras y con el chasis a sólo unos milímetros del suelo. «Durante el día, en la maquila, es como si todos condujeran las máquinas menos yo, pero cuando me subo a mi coche, soy yo el que conduce», dice. En el otro extremo del espectro social, el 2 de octubre de 2009, fue una gran noche porque

–como si Juárez no hubiera sufrido ya lo bastante– vino Sarah Brightman a cantar, y cerró con su actuación el quinto festival internacional de la cultura de Chihuahua. Allí estaba ella, sobre el escenario del estadio Benito Juárez, en la ciudad más peligrosa del mundo, con un vestido que parecía salido del guardarropa de una película de época, flanqueada por tenores que cantaban en voz baja y un grupo de pulcros músicos. La voz almibarada de la Brightman flotaba por el aire, cargado de gases sulfúricos de las fábricas químicas y de las noticias de esa misma noche que informaban sobre siete asesinatos más. La letra resultaba inevitablemente estrafalaria en este contexto: «*And I think to myself / What a wonderful world*» [«Y me digo / qué mundo más maravilloso»]. La última canción, *Deliver Me,* ofreció un crescendo de esperanza falsa e impostada para Juárez, y dio paso a la segunda y ampliada sesión de fuegos artificiales en una quincena (el Grito de la independencia se había celebrado hacía sólo dos semanas). «*Deliver me, loving and caring / Deliver me, giving and sharing / Deliver me, the cross that I'm bearing*» [«Libérame, con amor y cariño / Libérame, con entrega y generosidad / Libérame, de la cruz con la que cargo»], cantó dulcemente en la noche mortífera.

Y hay que reconocérselo a la señora Brightman: muchos otros, influidos por los titulares de prensa, habrían rechazado la actuación, ella hizo bien aceptándola. Porque Juárez sorprende a los que vienen aquí por negocios o a echar un vistazo. Los periodistas que llegan esperando encontrarse un Sarajevo o una Grozni asediados se sienten decepcionados (o aliviados); los reporteros de las noticias de la BBC hablando a cámara con chalecos antibalas parecen simplemente estúpidos. Durante el día, no ha cambiado visiblemente gran cosa en las callejuelas de detrás de la catedral ni en el bien surtido mercado de Cerrajeros, sobre todo un sábado, cuando se levanta el velo del trabajo y el rostro de Juárez es cordial y optimista. Este paisaje de restos y desechos en venta sólo puede existir en una ciudad fronteriza, y sólo en una que tenga frontera con Estados Unidos. Todo lo que ya no está *à la mode* al norte de la frontera se alinea por las calles en cantidades industriales: mobiliario de los años sesenta, sifones, rulos, neveras Kelvinator y batidoras Osterizer, como si se hubieran saqueado los platós de cientos de películas de posguerra para poner todo a la venta en las aceras mexicanas. Hay una Venta de Boilers Eléctricos y de Gas Termostatos, una manzana entera dedicada a la venta de sofás y sillones de los años sesenta, otra a neveras de la misma década y una tercera llena de aparatos electrónicos predigitales: grabadoras de carrete y tocadiscos mono, y hasta algún antiguo estéreo. Lo que en una ahíta ciudad moderna se llama hoy en día «retro», Ciudad Juárez lo llama mercado del sábado. Pero sin duda, la atracción principal –la obra maestra– es el mercado de coches.

Aquí se encuentra la economía fronteriza amexicana en su versión más creativa y excéntrica, un comercio que suministra a México coches estadounidenses restaurados, que habían sido previamente desechados o sufrido un accidente (y declarados siniestro total) de entre cinco y veinte años de antigüedad. Mientras que la periferia de Juárez es una sucesión infinita de talleres de reparación de automóviles, o 'yonkes', las calles que salen del mercado están bordeadas de kilómetros y kilómetros de modelos restaurados. El hombre que vende un trecho de ellos, Enrique, explica el sistema: «Vamos todos juntos en la parte de atrás de una furgoneta, a las subastas, por todo Estados Unidos, luego volvemos conduciendo o remolcando los carros que han sido desechados. Algunos han sufrido accidentes y los recuperamos de los cementerios de carros porque sabemos que podemos hacer cosas con ellos que los americanos no hacen. Otros son sólo viejos o tienen alguna avería, y los gringos los venden a precios tan bajos que nos sale a cuenta repararlos. A veces están en muy mal estado, y tenemos que trabajar un poco al otro lado, en los talleres de nuestros parientes. Por eso solemos ir a las ventas en Carolina del Norte, Texas o Chicago». Uno por uno, reparan los coches hasta que pueden llevarlos a casa, y pasan la frontera sobornando a los aduaneros mexicanos. En Juárez se ponen a punto para circular otra vez, se llevan de vuelta a Estados Unidos, se legalizan de nuevo, y se devuelven una vez más a México y, o bien se registran con una matrícula mexicana, o se conducen como un codiciado coche estadounidense. La «tasa» de exportación que se paga en la aduana mexicana por el segundo y más delicado cruce suele ser fruto de un acuerdo informal con un agente o turno concretos, explica Enrique. Y el sistema funciona: la gente viene de todo México a comprar estos coches.

Este afable relato elude cuidadosamente cualquier conexión entre este comercio y el de las drogas. Como todo el mundo sabe, parte del trabajo de los 'yonkes' consiste en acondicionar ingeniosamente compartimentos secretos en un vehículo particular donde ocultar los alijos de droga que pasan la frontera. Preparar así los coches es un trabajo especializado, con espacios habilitados ocultos en las baterías, las llantas, las puertas y en cualquier otra parte, a menudo tratados con mostaza, grasa de motor, chile picante o perfume para confundir a los perros. Pero incluso sin el más lucrativo acondicionamiento de los vehículos para el contrabando, la economía del mercado de reventa resulta más desconcertante cuando nos enteramos de lo baratos que se venden estos coches. Le pregunté al aprendiz de Enrique, Emilio cuánto costaba un Chevrolet Impala, delicadamente reformado. «Alrededor de un kilo», dice, en un elocuente lapso freudiano, con una cara completamente seria, lo que significa mil dólares. La mayoría de estos negocios probablemente sean semilegales, los agentes de aduanas cobran tasas de importación privadas, dice Emilio, pero crean los empleos que tan angustiosamente se necesitan en una ciudad que se afana en formar mecánicos. Aunque, dada la ambigua palabra con la que Emilio se refiere a mil dólares, el término que utilizan los mexicanos para un coche cargado con drogas para pasar de contrabando es 'clavo'. Y hay un bar en la carretera, un poco más adelante –el local al que los mecánicos y vendedores acuden a tomar una cerveza y dar un bocado–, con un gran clavo que se eleva de su tejado, que se llama, cómo no, El Clavo.

Afirmar que en el mercado ha habido pocos cambios no es rigurosamente cierto. Hay vehículos Humvee patrullando entre las multitudes y los frigoríficos, soldados con trajes claros de camuflaje para el desierto, con las armas preparadas y los seguros quitados. Y furgonetas similares conducidas por policías federales, en uniformes ninja azul oscuro, con ojos que asoman por detrás de sus pasamontañas. Y nadie sabe muy bien qué pinta aquí el Ejército mexicano, una fuerza muy potente pero enigmática a lo largo de toda la historia del país.

Uno de los rasgos más asombrosos de la espiral de violencia en Juárez es que se disparó espectacularmente durante el año 2009, pese a la llegada de sucesivas oleadas de refuerzos militares. La insistencia del Gobierno mexicano en que el incremento de la presencia militar es la única forma de enfrentarse a la violencia de las drogas convierte a Juárez en la prueba de fuego de esta política. Es una prueba que ha fallado estrepitosamente. En enero de 2009, había unos 5000 soldados en Ciudad Juárez. El uno de marzo se desplegaron otros 3200 en la ciudad, con una impresionante exhibición de fuerza, acompañados de otros setecientos policías federales, todos ellos bajo el estandarte de lo que los militares denominaban Operativo Conjunto Chihuahua. Los soldados recién llegados llevaban uniformes nuevos que no podían copiarse, dijo el portavoz de la operación, Enrique Torres, después de acusar a los escuadrones de la muerte de los narcos de disfrazarse de soldados para llevar a cabo sus ejecuciones.[16] Siguió un breve respiro en la matanza, pero fue eso, breve, y ya el 26 de abril, Ciudad de México envió 5000 soldados más a Ciudad Juárez, con lo que su número total ascendía a más de 13.000 hombres. Tras sus fracasadas tentativas de reformar la policía, el alcalde Reyes Ferriz anunció que los militares asumirían funciones policiales y de otras ramas de la autoridad civil, se encargarían de los controles callejeros, realizarían registros en viviendas, perseguirían a los grupos de extorsionadores y vigilarían las escenas de los crímenes.[17] El 21 de abril, un antiguo teniente de la fuerza aérea, Jorge Alberto Berecochea, que había tomado el mando del sexto distrito policial, llevó a unos periodistas del *Washington Post* a visitar la colonia de Casas Grandes, para que vieran lo que el diario había denominado la «repentina y sorprendente calma» en Juárez.[18] «Los cárteles han sido prácticamente eliminados por aquí», dijo Berecochea, expresando una idea que sólo era verdad a medias. «Ya no operan, al menos, no en Juárez.» Explicó el «efecto cucaracha» que producía el Ejército al dispersar a los traficantes de drogas y proclamó: «Ciudad Juárez: yo diría que en este momento es la ciudad más segura de México».[19]

Era una declaración extraordinaria, y un informe descabellado. Dos meses después, la cosa se complicó: el Ejército afirmó que había capturado a veinticinco pistoleros de los cárteles que cometían sus asesinatos disfrazados de soldados. Nunca se dio sus nombres, y si alguna vez llegaron a ser acusados formalmente, su caso desapareció, como casi todos los demás. A principios de junio, la escalada y la pauta de la matanza proseguían, a menudo con adolescentes como objetivo. Había tres chicos entre los cinco asesinados del 13 de junio, según la revista *Proceso*. Tres adolescentes más murieron al día siguiente, y otros cinco el posterior.[20] A mediados de verano, Howard Campbell, un ensayista de la Universidad de El Paso especializado en la guerra de la droga de Juárez, calculaba que el 90 por ciento de los asesinados eran traficantes callejeros, no contrabandistas que pasaban la droga a Estados Unidos.[21] Y así siguió a lo largo de todo el año 2009, al final del cual se habían registrado 2657 muertes sólo en Ciudad Juárez.[22] De esas estadísticas, y de la naturaleza misma de las ejecuciones, surge una segunda herejía en las tentativas de explicar lo inexplicable en Juárez: que la violencia se ha intensificado no a pesar de la presencia del Ejército, sino a causa de ella.

Una masacre especialmente brutal tuvo lugar en agosto de 2008, junto a la avenida de los Aztecas, en un centro de rehabilitación de drogadictos delante del cual se detuvo un coche en la calle de tierra, los sicarios se apearon y mataron a tiros a nueve adictos del centro mientras estaban rezando. Las ejecuciones se alargaron durante quince minutos y las versiones que contaron los testigos presenciales y recogió la prensa local (en una de las raras acusaciones públicas al Ejército) indicaban que jeeps militares no habían puesto ningún obstáculo a la acción de los asesinos y habían protegido su desplazamiento, mientras otros testigos aseguraban que iban vestidos con uniformes militares (algo que, según el Ejército, suelen hacer los asesinos de los cárteles). Lo que es evidente es que el centro de rehabilitación se encuentra a sólo unas manzanas del impresionante Campamento Militar 5-C, en la carretera principal. Los grafitis de las pandillas pintados sobre el destrozado edificio y en los callejones dan alguna pista de por qué, tal vez, las autoridades tuvieron algo que ver en esa carnicería: «Locos 23. El Signo» y «Signo RIP» se lee en los homenajes pintados con espray. El Signo era un miembro de una pandilla callejera, que, según parecía, se había arrepentido o, al menos, «limpiado», y al que sus rivales querían eliminar, posiblemente con la aprobación del Ejército. O puede que el Ejército quisiera que él y sus colegas pacientes fueran asesinados; nadie lo sabe porque la matanza sistemática de los marginados más miserables constituye el misterio más cruel de Juárez. «El Ejército», dice Ignacio Alvarado, uno de los primeros herejes, junto a Cardona, en los medios de comunicación de la ciudad, «es como Spiderman. Tiene un doble. Por un lado está el Spiderman verdadero, y luego está su oscuro *doppelgänger*». Ningún servicio de urgencias se presentó para ayudar a los heridos de la masacre del centro de rehabilitación, trabajadores y vecinos tuvieron que llevarlos al hospital en furgonetas. La policía tardó horas en llegar. No se ha detenido a nadie. Fue después de este ataque cuando la Cruz Roja de Juárez dijo que dejaría de tratar heridas de bala en centros de rehabilitación y que no respondería a las llamadas de emergencia a partir de las 10 de la noche, porque había recibido amenazas de muerte por su propio canal interno de radio.[23]

Hay tres interpretaciones de por qué, quién y a cuento de qué se producen las masacres en los centros de rehabilitación. Una es la del pastor José Antonio Galván, que dirige una clínica de rehabilitación y casa de acogida en las afueras de la ciudad llamada Visión en Acción: que los cárteles –el de Sinaloa de Guzmán y el de La Línea, los herederos del cártel de Juárez– están persiguiendo a antiguos sicarios y miembros de pandillas que en el pasado habían trabajado para sus rivales. A esa versión le añade un matiz un antiguo paciente y ahora ayudante en otra clínica de rehabilitación que prefiere permanecer en el anonimato: el que a los cárteles les interesa eliminar a su propia gente; la lógica de esta opción es que si los antiguos soldados rasos del cártel intentan limpiarse, rehabilitarse y empezar una nueva vida, se convertirán en un peligro, al no seguir vinculados a la organización y saber demasiado. Y hay una tercera posibilidad, la herética, propuesta por Cardona y Alvarado: que el Ejército mexicano está utilizando la crisis bien para facilitar, por omisión, o incluso para participar en una campaña de lo que ellos denominan 'limpia social' de los marginados poco gratos a la sociedad, los indeseables, los drogadictos, los golfillos de las calles y los pequeños o no tan pequeños delincuentes. El Ejército no es que disipase precisamente esa sospecha cuando el general a cargo del undécimo distrito militar, del que Juárez forma parte, describió cada muerte en su jurisdicción como 'un delincuente menos'. Hizo la declaración durante una conferencia de prensa el 1 de abril de 2008, en el Palacio Estatal de Ciudad de Chihuahua, donde el general Jorge Juárez Loera dijo ante los periodistas y cámaras reunidos: «Los medios de comunicación son muy importantes para nosotros. Cuenten la verdad, digan lo que tengan que decir, pero díganlo con valor. Y sé que los medios a veces nos temen, pero no deberían. Espero que confíen en nosotros y me gustaría ver cómo los periodistas cambian sus artículos y donde decían "una persona asesinada más" ahora dicen "un delincuente menos"».[24] Tampoco cuestiona la idea de que los más pobres entre los pobres son en cierto modo objetivos en esta guerra, con asesinatos como los de un niño desamparado que limpiaba parabrisas en los semáforos, por un peso cada uno, tal como sucedió en octubre de 2009, uno de los siete asesinatos cometidos aquel día. Solicitamos que se nos permitiera acceso al Ejército para la redacción de este libro –acompañar a sus patrullas, hablar de su estrategia general así como de esos comentarios que corren por Juárez–, entre otras instancias, se lo pedimos a una de las más altas, la consejera del presidente Calderón, la señora De Sota, de Ciudad de México..., pero no se nos concedió nada.

La más atractiva figura pública que ha surgido de la guerra de Juárez cree que todas las explicaciones anteriores de los asesinatos en las clínicas de rehabilitación y de los más pobres de las calles pueden ser simultáneamente ciertas, incluida la herética de la limpia social llevada a cabo por el Ejército. Gustavo de la Rosa Hickerson es un hombre fascinante. Nacido en el seno de una familia de clase media en la Chihuahua rural, vino a Ciudad Juárez de niño para hacer dos cosas: vivir peligrosamente y formarse como abogado y así demostrar su valía a su padre, con el que mantenía una relación compleja. La rama materna de su familia, dice, remonta sus ancestros en Estados Unidos al siglo XVIII. De la Rosa explica todo eso con una ingenuidad apabullante ante una cena italiana, en su segundo día como exiliado en Estados Unidos, adonde ha llegado huyendo de las amenazas de muerte realizadas por el Ejército mexicano. Después de licenciarse, De la Rosa se hizo abogado laboralista y defendió los derechos y la mejora de las condiciones de trabajo en las maquiladoras. Pero no era un hombre fácil de conformar: durante la década de 1990, fue nombrado alcaide de la prisión de Juárez, una tarea formidable y un cargo peligroso para cualquiera.

Negoció una tregua entre las pandillas que se enfrentaban dentro de los muros de la prisión, y la dirigió durante un periodo de paz, que sólo se quebró después de que se marchara, cuando, en marzo de 2009, estalló un motín y la guerra entre las pandillas dejó veintiún muertos, con informes que sostenían que las autoridades habían autorizado a los Aztecas a atacar a sus rivales Mexicles, filiales del cártel de Sinaloa.[25]

En abril de 2008, De la Rosa fue nombrado encargado de los asuntos judiciales de la sección de Chihuahua de la Comisión Nacional de Derechos Humanos, una rara institución de supervisión interna del Gobierno mexicano. Creada en 1989 por la Secretaría de Gobernación, la comisión disfruta de facultades legales independientes y puede remitir casos relativos a los derechos humanos a la autoridad de la procuraduría competente, y ésa era la función de De la Rosa en Chihuahua..., en teoría. Poco después de la llegada de los militares a Ciudad Juárez, a principios de 2008, De la Rosa empezó a abrir expedientes sobre lo que consideraba abusos cometidos por ellos. Desde enero de ese año, recogió 154 quejas contra el Ejército, entre ellas «alegaciones de irrupciones en viviendas sin órdenes de registro, detenciones arbitrarias, tortura, malos tratos e incluso asesinatos durante el arresto de víctimas».

De la Rosa volvía a casa del trabajo el 4 de septiembre de 2009, dice, cuando paró ante un semáforo. Otro conductor se detuvo a su lado, bajó la ventanilla, y con la mano hizo el gesto de disparar –«así», dice De la Rosa y hace como si disparara por un cañón formado con dos dedos extendidos, con retroceso y todo–. El automovilista dijo: «Tranquilízate un poco, o te mataremos». Cuando De la Rosa solicitó a su propia comisión protección física, rechazaron su petición; es más, sus superiores en la sede de la comisión estatal de derechos humanos en Ciudad de Chihuahua le ordenaron que dejara de aceptar declaraciones de supuestas víctimas de los abusos militares. Poco después, uno de los guardaespaldas de De la Rosa fue asesinado. El 22 de septiembre de 2009, De la Rosa cruzó a pie el puente y se exilió en El Paso. Se alojó con su hermano, residente en Estados Unidos, y el jueves 24, comió con sus hijos, un chico y una chica, en el restaurante del centenario hotel Camino Real, en el centro de la ciudad. Después de comer, besó y se despidió de sus hijos para que cruzaran el puente a Juárez y volvieran a casa antes de anochecer. Luego se sentó a hablar.

Tiene una estatura impresionante, una melena alborotada de pelo cano y barba blanca; todo el mundo, hasta él mismo, dice que se parece a Papá Noel. Pero también se percibe su severidad y, en estas circunstancias, incluso cierta vulnerabilidad. De la Rosa se refiere a la noción de limpia social en Juárez, remontándose muy atrás, a la década de 1950, cuando, dijo, los indeseables y los delincuentes «eran subidos a aviones y se los arrojaba al desierto». De la Rosa no cree que la limpia social explique todas o ni siquiera la mayoría de las muertes en la guerra de Ciudad Juárez. Pero, dice, «sí creo que la policía sabe quiénes son los expertos verdugos, quiénes son las personas que libran la guerra de los cárteles en las calles. Creo que sabe quién pertenece a las pandillas de los Aztecas y quién forma parte de sus escuadrones de asesinos. Cuando trabajaba en la prisión, la administración, el CERESO (Centro de Readaptación Social), tenía un mapa en el despacho que mostraba qué pandillas de las colonias dependían de cada cártel, y bastante información sobre individuos concretos, lo que significa que cuando se afilian a un cártel saben exactamente quiénes son sus rivales. La información de que disponemos indica que cuando los asesinatos implican a miembros conocidos de los Aztecas, los realiza la gente de Guzmán, y viceversa. Y, como bien sabemos, hay elementos de la policía a disposición de los unos o los otros».

Pero, prosigue De la Rosa a la vez que pide su cuarto café, «otra parte de los asesinatos, unos cuatrocientos o quinientos este año, son de 'malandros' –delincuentes comunes, yonquis, don nadies–, como los de los centros de rehabilitación, los tugurios de crack y las casas abandonadas donde se toman drogas. Se trata siempre de personas expulsadas de la sociedad: marginados, adictos, vestidos con andrajos, a menudo sin techo. No desempeñan ningún papel en esta guerra, aparte del hecho de que sean drogadictos; no pertenecen a ningún grupo y sus muertes no tienen una explicación lógica. Y los asesinan de un modo diferente a los traficantes de drogas o los confidentes. No son asesinados ritualmente ni mutilados, y no creo que esas muertes sean obra de sicarios por la simple razón de que no creo que nadie quiera pagar el dinero que cobran los sicarios de los cárteles sólo para matar 'malandros', y la forma de los asesinatos es completamente distinta. No se necesita a un sicario vinculado a Guzmán o a La Línea para asesinar 'malandros' que se han reunido para intentar limpiarse en un centro de rehabilitación. Los sicarios de los cárteles o bien utilizan pocas balas o bien disparan sesenta con precisión en una pequeña área, como la ventanilla de un coche. Los 'malandros' también son asesinados por expertos en matar, pero de una manera distinta: en muchos sentidos la propia de los soldados o los policías, con una lluvia de balas, rociadas por todos lados, mecánicamente pero sin preocuparse de la cantidad de munición que se utiliza, como es típico de los comandos militares o los escuadrones de la muerte. Las víctimas no son nadie, pero sus asesinatos son sistemáticos y crueles. No tengo pruebas contundentes, aparte de diez homicidios y catorce desapariciones, pero todos son gente humilde, pobres, no narcotraficantes, y creo que este tipo de asesinato mecánico de 'malandros' indica una instrucción en el Ejército o en la Policía Federal. Siempre persiguen a los pobres en las colonias pobres, echan abajo las puertas, se llevan a los hombres jóvenes y, si no los hay, se llevan al padre, que muy raramente es un traficante o un delincuente peligroso, siempre 'malandros', marginados.

»Yo diría», comenta con espíritu menos forense, «que el Ejército ha venido a defender a los políticos, no a la gente. He declarado públicamente que una cultura de la delincuencia está creciendo en el Ejército. Mi error, o mi falta, fue meterme en cuestiones militares. Pero déjeme decirle también que no creo que los soldados sean necesaria ni directamente responsables de la mayoría de los asesinatos, aunque estoy convencido de que hay unidades de asesinos funcionando con su conocimiento, o instruidas por ellos, y a menudo se ve a los asesinos trabajando primero a un lado de un control del Ejército, y luego al otro. Me he fijado en un detalle cuando los asesinos asaltan a veces los centros de rehabilitación, y más a menudo, casas particulares para matar puede que a cuatro o cinco personas, día tras día: con frecuencia sucede a menos de trescientos metros de un puesto de control del Ejército.

»Yo no puedo perseguir esos casos», prosigue De la Rosa, «ni tampoco cualquier otro que haya investigado.» El procedimiento es que él envía sus descubrimientos a la comisión estatal, que los traslada al mando militar del undécimo distrito, que a su vez debe trasladarlos a la división de investigaciones internas del Ejército de Mazatlan, en Sinaloa. «No sé qué documentos llegan a cada destino», dice De la Rosa, «lo único que sé es que no han dado lugar a ningún procesamiento.» Después de haber tomado nuestro séptimo café y un vaso de vino en El Paso, la mayor preocupación de De la Rosa es llegar a Las Cruces, en Nuevo México, para reunirse con Molly Molloy, de la Universidad Estatal de Nuevo México, que ha estado comprobando las amenazas contra él –como parte de su seguimiento de la violencia en Juárez– y recabando apoyos para De la Rosa en su huida. Pero será más tarde; posponemos el viaje hasta la mañana siguiente. En la Interestatal, De la Rosa cuenta un chiste tenebroso: cuando está en El Paso, lo confunden con lo que él describe como «un ejecutivo medio» del cártel de Juárez, que vive en el lado estadounidense de la frontera para huir de la violencia. «Me piden que vaya a comer a sus restaurantes», se ríe, «en sólo dos días ya he visto a siete u ocho de ellos..., sus capos siguen en México, ¡pero todos ellos están aquí!» De la Rosa ha hablado con su despacho y le han dicho que si no vuelve a trabajar antes del 6 de octubre, dentro de dos semanas, perderá el empleo, un trabajo que, en cualquier caso, le están impidiendo realizar. Llegamos a Las Cruces, encontramos a Molloy en la cafetería Milagro, cerca del campus, y De la Rosa pide magdalenas y café, colmando a la camarera de cumplidos. Cuando me reúno con ellos más tarde, para comer, De la Rosa lleva puesta una camiseta beis del Milagro Café.

Cuando, ya tarde, volvemos en coche a El Paso, De la Rosa me pregunta dónde me alojo. En La Quinta, en Geronimo Avenue, como siempre, respondo, nada especial, pero es bueno y limpio, con una vista fantástica de Juárez. «Pues voy yo también», dice De la Rosa, que no lleva encima ni un cepillo de dientes. «La familia y yo no hacemos más que interferirnos; necesito estar solo para pensar.» Se registra, y casi lo reconoce la chica del turno de noche, que es de Ciudad Juárez, va a su habitación en una de las plantas de arriba y hace una llamada telefónica sentado en la cama. Las noticias no son alentadoras: un intermediario a través del cual De la Rosa se comunica con el general Loera le apremia a que permanezca alejado de la ciudad. «Debo intentar localizar al general y luego a mi esposa, en ese orden, para saber qué decirle a ella», dice, y pasa de la cama a la mesa. Este hombre inmenso parece repentinamente vulnerable, vestido todavía con la camiseta del Milagro; son a todas luces llamadas privadas, así que lo mejor que puedo hacer es ir a buscarle una cerveza de la nevera de mi propia habitación, la número 262, en la otra punta del hotel. «¿Negra Modelo o Bud *light?*», pregunto. «Bud *light*», responde rápidamente, «con lima.» La habitación de De la Rosa da directamente a la Interestatal 10, que parece penetrar por la puerta abierta, mientras los camiones rugen a corta distancia de donde esta noche su cabeza conciliará, con suerte, el sueño. Mi habitación, como siempre, está en la parte de atrás, es tranquila y da a la frontera y a una vista de Juárez por la noche, con las luces parpadeantes y el humo que sale bajo mi balcón favorito en América. Me ofrezco a pedir que le cambien la habitación a De la Rosa por una en la parte de atrás, en interés de su sueño y de la vista. «No, ésta está bien.» Sonríe mientras otro camión chirría junto a su puerta. «Prefiero mirar hacia El Paso.»

5
La chatarrería humana

La procesión de los poseídos empieza poco después de que se despierte vivaz el cielo oriental, mientras el sol está todavía bajo, y se abre camino serpenteando a lo largo de la orilla cubierta de basura y de hierba agonizante que se extiende al lado de la Carretera Federal número 45, cuando ésta se aleja de las desvencijadas afueras de Ciudad Juárez y se encamina hacia Nuevo Casas Grandes. Son ciento trece: caminan como marionetas, algunos murmurando para sí, otros gritando, otros riéndose torpemente o silenciosos y absortos en pensamientos desquiciados y ensimismados. Son pacientes de Visión en Acción, un centro de rehabilitación y de acogida que se levanta en las lindes desoladas de la ciudad, para personas que soportan el horror alucinógeno de dejar el crack, el cristal, la heroína, la metanfetamina, el pegamento *blue water*... y todo lo demás. Algunos son tan sólo esquizofrénicos a los que ninguna otra institución abriría la puerta, y que se han encontrado en compañía de los adictos en fase de recuperación. A todos les encanta este paseo; lo hacen tres veces por semana a modo de ejercicio, y las salidas son su punto culminante. Y no tiene nada de extraño: los pacientes pasan la mayor parte del resto de sus vidas entre las paredes de cemento y detrás de las puertas de hierro del recinto de rehabilitación, donde el desierto sembrado de neumáticos usados y basura se encuentra con las afueras gangrenadas de la ciudad, justo después de un puesto de control del Ejército y el último supermercado de Oxxo antes de la carretera abierta. Algunos de ellos, incluso viven detrás de barrotes, en jaulas, cerrados tras candados, por la seguridad de los demás y la suya propia. Algunos son antiguos asesinos; otras, antiguas enfermeras; algunos son antiguos traficantes de drogas; y otras antiguas *strippers;* pero casi todos eran drogadictos, ahora «limpios», aunque haciendo un viaje a través de un paisaje interior de pesadilla y mono. De hecho, la noche anterior ha sido dura, salpicada de gritos, chillidos y lamentos que perforan la calma del desierto, y el ruido de los barrotes metálicos contra las cadenas y los candados que atan a los internos.

Pero la noche ya ha pasado, sus fantasmas se han disipado con el rocío, sobre los arbustos de la creosota y los neumáticos desechados. Y mientras la caravana de los locos avanza por el arcén de la carretera, los caminantes gesticulan desquiciados a los coches que pasan, o unos a otros, o al aire enrarecido o a la monstruosidad o goce que vean en su disparatada imaginación. Algunos conductores contemplan horrorizados este desfile surrealista, y giran bruscamente para apartarse al otro lado de la calzada, a no ser que suceda algún contratiempo a corta distancia a través de la ventanilla del coche. Sin embargo, otros son habituales de la ruta y están familiarizados con la procesión e incluso reconocen a algunos de sus miembros. El conductor de un camión cisterna que lleva agua potable toca la bocina y saluda, y los caminantes que ven el saludo lo devuelven y gritan extrañas contestaciones como respuesta. Alejandro, que lleva una gorra de cuero y gafas de conductor de coche antiguo, empieza a trotar en persecución del camión, luego se para en seco, distraído por algo que ha llamado su atención a lo lejos, o, al menos, la de su imaginación. Antes traficaba con drogas, dice, «por todo el mundo... en China, en Japón y, claro, en Francia». Y ahí está Manuel, avanzando a grandes zancadas, un hombre que da miedo, que intenta matar a su madre una y otra vez, siguiendo el consejo de un rapero llamado Mr. Bone, que lo visita en sus visiones acompañado de «cuatro brujitas». Y también está Becky, «Crazy Baby», como se llama a sí misma, una de las líderes del grupo, animadísima esta mañana, cantando *Escucha la canción de la alegría*. Un hombre llamado Antonio tiene que llevar pañales, pero se le han soltado y aletean alrededor de sus muslos mientras anda, con las piernas desnudas, en un movimiento semicircular en direcciones alternas, dejando un rastro como el de una serpiente, aunque de vez en cuando ladre como un perro. Una chica de veintiún años llamada Olivia acaba de llegar esta misma mañana, y ahora intenta entender lo que bien puede de sus nuevas circunstancias, aferrando una muñeca. Crazy Baby Becky asume como un deber hacer compañía a la recién llegada y asegurarse de que se sienta bien acogida. En la carretera, al borde del asfalto, está Josué Rosales, el hombre que mantiene Visión en Acción en marcha, día tras día, un antiguo traficante de heroína y pandillero en Los Ángeles que ahora se encarga de la gestión del refugio, y esta mañana debe hacer de perro pastor para evitar que ninguno se escape a la Carretera 45 o acabe debajo de un camión. Como el camión que transporta comida, una mole, que pasa ahora por delante de ellos saludando con la bocina al desfile, un bocinazo que suena como un inmenso pedo mecánico, y los caminantes más espabilados le responden, porque conocen bien al conductor: «¡Señor Oxxo!, ¡Hola, Oxxo!», el nombre de la cadena de supermercados va escrito sobre el costado del vehículo. Pero Marisela, que había sido bailarina de *topless,* prostituta y adicta al crack, se queda rezagada, en silencio; ha pasado un mal día hasta el momento, asaltada por 'muchas memorias' y había llorado, inquieta porque el pastor que dirige esta notable institución llegara tarde y al final no hubiera paseo.

Pero no hacía falta que se preocupara, porque ahí está, delante, encabezando la marcha, José Antonio Galván, que fundó y dirige Visión en Acción. Luce una tupida melena plateada que se peina al estilo de los años cincuenta; lleva los pantalones metidos en las botas y utiliza un largo bastón de madera para equilibrar sus largas zancadas, lo que añade un matiz bíblico a este éxodo a ninguna parte en concreto a lo largo de la carretera, tres kilómetros de ida y otros tantos de vuelta. También él, de vez en cuando, echa a correr, luego camina para hablar un rato. «Ésta es la chatarrería humana», dice el pastor, con un gesto del brazo que abarca a su rebaño. Él fue uno de ellos en el pasado, un chico de las calles de Juárez que vivió ilegalmente en Los Ángeles y El Paso, lo deportaron, se convirtió en drogadicto en las calles de vuelta en casa y «toqué fondo, tío, el mismo fondo, antes de que me salvara el Señor».

«Somos la gente que nadie quería», dice con una especie de orgullo, «los expulsados. Aquí es adonde envían la basura que nadie más quiere. Dirijo un centro de reciclado de basura humana. Saco a personas que son poco más que desperdicios de las calles y las trato como seres humanos. Cuando vienen a nosotros, ya no son yonquis ni mujeres de la calle, no son huérfanos, son tan hijos de Dios como cualquiera. Así que ten en cuenta esto, hermano: allí, en la ciudad, los sicarios están matando niños, hay gente secuestrando, violando y asesinando chicas jóvenes, y unos se torturan a otros hasta la muerte, y la gente se corta la cabeza. Aquí no hacemos nada de eso; aquí todavía seguimos vivos, ayudándonos unos a otros, no matándonos. Aquí puedes gritar todo lo alto que quieras, andar por ahí desnudo cuando se te cae el pañal, y nadie te juzgará ni te molestará. Es más, te abrazaremos. Aquí estamos locos, pero tenemos amor, y hemos sido salvados.» Aunque todo sea relativo, el pastor tiene su parte de razón: en la chatarrería humana de Ciudad Juárez, la procesión de los poseídos es, a su peculiar modo, una procesión de los salvados.

Conducir desde Juárez hacia el sudoeste, hacia Visión en Acción, es viajar por un polvo contaminado del desierto entre bulevares de centros comerciales, *night-clubs* y habitaciones que se alquilan por horas con nombres como «San Judas Quick Motel», pasar por delante de más complejos de casas prefabricadas construidas para albergar al forraje laboral de las maquiladoras, colonias en desordenado crecimiento, edificadas a partir de la nada, y terrenos baldíos controlados por las pandillas. Entre el polvo de primera hora de la mañana, el bulevar Óscar Flores atraviesa los denominados «espacios verdes» que un foro cívico de hombres de negocios más ilustrados llamado Plan Juárez quiere «reclamar», unos espacios en los que a veces se juega a fútbol, pero con más frecuencia se utilizan como 'dompes' de basura. «Di no a las drogas», se lee en una gran valla publicitaria. Otra muestra un número de emergencia, el 066, al que pocos ciudadanos se molestan en llamar, porque los que se ocupan del teléfono, según se cree universalmente, trabajan para los cárteles o el personal de seguridad que éstos controlan. La gente bromea que llamar al 066 es el mejor modo de hablar con los secuestradores en el caso de que te hayan secuestrado a un familiar. La carretera rodea la ladera de una colina en la que se ha grabado un gigantesco caballo blanco, a imitación del de Wiltshire. Se hizo siguiendo las instrucciones de Amado Carrillo Fuentes, el Señor de los Cielos. Tras superar el remoto puesto de control militar, se llega a un inacabado edificio de hormigón en medio de nada y de la nada que se define a sí mismo en unas letras esmeradamente pintadas como Albergue para Discapacitados Mentales, es decir, inexorablemente, para aquellos que han caído víctimas de la droga. En la pared que hay junto a la puerta de hierro está pintado el logo de Visión en Acción, una espada que se rompe y un pasaje de la epístola de san Pablo a los efesios, capítulo 6, versículos 11 a 17, que empieza: «Pónganse toda la armadura de Dios para que puedan hacer frente a las artimañas del diablo. Porque nuestra lucha no es contra seres humanos de carne y hueso, sino contra poderes, contra autoridades, contra potestades que dominan este mundo de tinieblas, contra fuerzas espirituales malignas en las regiones celestiales».

Cuando la puerta de color herrumbroso se abre empujada por los que nos reciben, revela lo que al principio parece el patio de una casa de pesadilla del narco. Personas en diversos grados de enajenación y deterioro, acobardadas y farfullando para sí mismas, bailando por todas partes como marionetas movidas por hilos, o fijadas como raíces a la tierra, contemplan fija e incrédulamente el aire mismo que tienen delante. Algunos se adelantan, como impulsados por descargas eléctricas, para saludarnos. Primero se acerca la desdentada Rebecca, con una boina roja. «¡Yo soy Becky!, ¡Crazy Baby!» Luego viene un hombre, con un pañal aleteando alrededor de sus expuestas y no tan privadas partes, y la piel cubierta de verrugas y cicatrices. A continuación se acerca otro, con una chaqueta de chándal sucia y pantalones cortos, y empieza a hablar, contando su historia, sea cual sea, a trompicones, y mi español está muy lejos de permitirme comprender ni una sola palabra de lo que dice. Aunque tampoco lo entiende mejor nadie cuya lengua materna sea el español. Alrededor, por todas partes, flota un hedor de tribulaciones, excrementos, sudor, mugre y una sensación de milagro contra todas las expectativas.

El pastor Galván, que fundó Visión en Acción, todavía no ha venido. Pero el guarda, Josué Rosales, empieza a explicar cómo ha llegado esta gente aquí. Muestra una inexplicable calma interior detrás de la intensidad con la que habla, en un inglés impecable, salpicado de las contribuciones de Crazy Baby. «La mayoría de ellos ha sido adicta a las drogas durante años», dice, «crack, cristal, heroína; y algunos toman sustancias que pueden hacerte perder la cabeza si les das una sola vez. Todo se ha hecho en México, destinado a Estados Unidos, pero no ha pasado de las calles de Juárez. ¿Ve a esa mujer que está ahí sentada, la de pelo blanco? No habla mucho. Era bailarina de *striptease* en un club, la violaron, se enganchó al crack, fue a la cárcel, pero ahora va mejor.» A veces alguno de ellos se presentó por su cuenta ante las puertas, gritando que necesitaba desesperadamente ayuda, «y por eso yo vivo aquí», dice Josué, «para recibirlos, porque pueden venir en cualquier momento. A veces los encontramos en las calles, hablamos con ellos, los convencemos, los traemos aquí para alejarlos de los líos en los que están metidos, les damos algo de comida y de atención, y les sacamos de las drogas. Los hospitales no quieren saber nada, y alguien tiene que ocuparse. No tengo formación médica, pero sé qué hacer con ellos, qué tipo de medicina darles, cómo controlarlos y cómo tranquilizarlos cuando tienen alucinaciones o malas visiones, antes de que el médico y el psiquiatra vengan a examinarlos. Desde hace poco el consulado mexicano los trae aquí después de que los deporten, y también la policía, sólo los traen aquí, como chatarra, eh..., como basura, debería decir», y Josué se permite esbozar una sonrisa, «porque yo también soy un adicto a la heroína recuperado».

Así que para empezar escucho la historia de Josué, que él se toma su tiempo en contar, primero en un desvencijado banco delante de su pequeño «despacho» de bloques de hormigón, donde duerme, en el exterior de las pesadas puertas de hierro..., una historia que me relata durante cuatro visitas a lo largo de un año. El pastor conserva un vídeo de Josué cuando llegó al refugio en una camilla, incapaz de moverse, esquelético y con una larga barba, con una piel que parecía pergamino plegado sobre los huesos. «A veces», empieza Josué, «puedes estar a ambos lados. Te crees que estás bien, y vuelves al otro lado. Se te va la cabeza o tomas drogas, sólo una vez, y ya te encuentras de vuelta en la oscuridad. Yo ahora estoy bien, creo. Hago lo que puedo. Todo, todo lo que puedo, y sigo aquí, a este lado de las puertas.» Hace un gesto hacia la puerta por la que entró como paciente tres años atrás, con las venas anegadas de heroína, la carne cubierta de pinchazos y los huesos rotos después de un accidente de coche. Estaba en la antesala de la muerte. «Cuando llegó Josué», recuerda más tarde el pastor Galván, «no podía caminar, apenas si era capaz de moverse. Tuve que amputarle el dedo yo mismo. Lo guardé un tiempo, para enseñárselo, pero al final lo tiré.» «Me enteré después de que llegué el día de san Valentín», explica Josué, «el 14 de febrero, hará tres años el año que viene [2010]. He visto el vídeo. Me estaba muriendo, llegué en coma. Era uno de *ellos*.» Y hace un gesto hacia el patio, mientras cae la tarde, y una mujer que acaba de comer se acerca y pregunta dónde está la cola para la comida. «Tuve un accidente de coche y no podía caminar, no podía moverme. Estuve tumbado aquí, en un colchón, en un rincón, con la puerta abierta, viendo a todos estos locos saltando por el patio, igual que yo había estado saltando por la ciudad. Y una voz me dijo: "Mata a esa persona que llevas dentro y que está acabando contigo". Y el Señor me mandó que no volviera a ser uno de ellos. Lo único que yo quería era andar otra vez y recuperar mi vida.»

Nacido en Ciudad Juárez, Josué se fue a vivir y trabajar al valle de San Gabriel, en California. «Pero me crié con la heroína», dice. «La heroína siempre es igual, tanto da donde la tomes..., en Juárez, en Los Ángeles, siempre es heroína. Yo la tomaba en California, y también traficaba. Tomaba cocaína, polvo de ángel y otras cosas, pero me enganché a la heroína. Y cuando te enganchas a la heroína, te mezclas con tipos duros. Algunos yonquis tienen grandes casas y bonitos carros, pero otros duermen en la basura y en casas vacías. Durante un tiempo, trabajé en un taller de carrocerías de coches y levantaba pesas. Tenía un descapotable del 62 y una furgoneta customizada de 1946. En 1982, quedé primero en una exhibición de carros de suelo bajo. Pero me metía heroína, me echaron del trabajo, fui a la cárcel, y allí se me fue la cabeza. Recuerdo que pensaba: soy demasiado joven para esto..., porque en la cárcel sólo cuentan las pandillas. Me dieron un cuchillo, y empecé a pelear. En la cárcel fue donde me volví loco. Cuando salí, conocía a todas las pandillas del este de Los Ángeles y el valle de San Gabriel, y tras un tiempo fuera, conocía todos los barrios. Una mierda peligrosa, una verdadera mierda.» Y Josué se levanta la camiseta y se arremanga para enseñar las cicatrices de las heridas de bala. «Ésta es de San Dimas, hubo una batalla en plena noche. Una pandilla de La Susa empezó a dispararnos, pero conseguí escapar, corriendo por el arcén de la autopista, así»... y mueve rápido una mano abierta a través del aire, como si lo cortara.

Los recuerdos de Josué de su pasado se ven interrumpidos cada poco por comentarios sobre su enfermedad: los pacientes. «Este lugar me produce un montón de sentimientos. Soy la persona que soy ahora porque he estado ahí y sé lo que ellos sienten.» Sigue su relato: «Había regresado de Los Ángeles porque mi madre estaba enferma, pero seguía tomando drogas, tío. Por una parte cuidaba de mi madre y por otra no cuidaba de mí mismo. Cuando tuve el accidente de carro, me gastaba 250 pesos al día en heroína, que es casi un gramo, cinco o seis pinchazos. Yo vivía en ese mundo: algunos pillaron el sida; otros, como yo, gangrena. Siempre puede encontrarse heroína por cincuenta o sesenta pesos el pico, y tienes a gente que necesita una dosis, que ve a otros que llevan un montón de pasta por ahí, y piensan: eh, ¿qué está pasando aquí? Eh, eh, eh... puedo conseguir una parte de ese dinero si me chuto lo que necesito y vendo el resto. Eso es lo que pasa cuando estás totalmente enganchado, cuando la has cagado del todo. Si encuentras algún trabajo y consigues cincuenta dólares, te los gastas en un chute. Todo se reducía a: tengo que conseguir cincuenta dólares para ponerme».

Aunque esta conversación se desarrolla por etapas, separadas por varios meses, el relato de Josué está puntuado de sonidos escalofriantes procedentes del patio y los dormitorios que dan a él, sonidos que van del grito de dolor a la carcajada. Josué prosigue: «Cuando un carro me rompió la espalda, hará tres años el próximo febrero, recibí otro golpe que me abrió los ojos. Me di cuenta de que no podía echarle la culpa a nadie, que nadie me dijo "eh, prueba esto", nadie me empujó. Lo había hecho yo solo. Me trajeron aquí y lo único que quería era dormir para siempre. Pero durante meses no pude dormir, sólo miraba y escuchaba a la gente que era como yo había sido, y así durante días, durante noches, semanas y meses, sintiendo el dolor y mirando. Luego me desperté de verdad, algo explotó, gracias al Señor. Ahora tengo cincuenta años y nunca me he sentido mejor. Cuando voy a la ciudad, siempre veo a cuatro o cinco de ellos. Gente con la que solía pincharme. Y me llaman 'Güero' –rubio– sólo porque he vivido en Estados Unidos. Entonces alguno dice: "Tienes buen aspecto, tío. Ojalá yo estuviera como tú. Ojalá pudiera dejar de meterme estos cócteles, de pincharme esta mierda". Es ahí cuando mi vida se vuelve rara, muy rara. Así que me alegro por haber pasado ese dolor, y poder ayudar a los demás».

En boca de Josué escucho la explicación que se da en las calles de lo que está pasando en Juárez. «Ahora el mercado de las drogas en Juárez... hay una competencia muy dura porque las drogas son cada vez más fuertes, y van por las casas: "Eh, la mía es mejor", dicen, "la mía es más fuerte", y la gente tiene muchas opciones. Sobre todo en Juárez. Si vives en otro sitio, haces todo el viaje para conseguir el buen material. Eso era lo que hacía mucha de esta gente. La mayoría de ellos eran adictos, que venden drogas para pagarse su propia adicción. Pero nunca ven a los peces gordos. Se la compran a tipos que sólo están un peldaño por encima de ellos, y aquí no hace falta que la vendas pura, como la que cruza la frontera. La compran cortada con veneno para ratas, fertilizante o lo que sea, toman un poco y vuelven a cortar el resto para venderla otra vez. Si la cortas diez veces, tienes diez veces más dinero; pero si la vendes en el lugar equivocado, te matan. Los peces gordos no tienen nada que ver a este nivel, eso lo sé bien. Ni siquiera saben cómo es Juárez. Ellos sólo se preocupan de llevarse sus 250.000 dólares al día, el siguiente en la escala se saca 10.000 al día y así sucesivamente hasta el que gana diez dólares. Sabes a quién le compras y con quién tratas, pero no pasas de ahí; ni idea de quién está metiendo toda esa coca o meta en Estados Unidos. Eso sólo lo saben otros tipos, que están muy por encima de las calles.

»¿Quiere ver dónde viví en el suelo durante un año?», pregunta Josué. Y volvemos a atravesar las puertas de hierro, reentrando en el mundo que había sido el suyo, y del que ahora le separan los delgados velos de su conversión, sus responsabilidades y una pared. Decir que el hedor es insoportable no es ninguna ofensa, sólo supone reconocer que no hay nada comparable a la agobiante fetidez de la miseria. Un hombre está hablando, es Manuel, un antiguo –y todavía en parte– adicto a la heroína y el crack que se mueve en la cuerda floja entre la salvación y el abismo. Cuando oye la voz de un rapero llamado Mr. Bone, explica con coherencia: «Mr. Bone me ordena que mate a mi madre. "¡Mata a tu madre!", dice. "¡Mata a tu madre!" Entra en mi habitación y se me caen las lágrimas. Y cuando voy con mis amigos y hemos fumado un poco, llegan las cuatro brujitas, y también Mr. Bone y me mandan que pelee con armas». Manuel lleva aquí cuatro años intentando exorcizar a Mr. Bone y a las brujitas, y cambiar las drogas por la religión, o al menos la supervivencia. «Se está acercando», dice Josué, «pero todavía no ha llegado.»

Un hombre que viste una camiseta de un equipo de fútbol se une a la conversación, se llama Luis Noreto. «Fue un problema durante un tiempo», dice Josué, «intentó matar a alguien tres o cuatro veces y también a su madre.» (Tanto matricidio casi parece ser un rito de paso del narco.) «Sí», recuerda Luis, «tuve mala suerte. Mi madre estaba rezando por mí con un cirio, pero creí que era una espada, así que intenté matarla y ella me trajo aquí.» Luis le daba al cristal, al «rock» (crack) y esnifaba disolvente de pintura. «Pero ahora», dice, «escucho a Josué y he encontrado a Jesucristo, y cuando mi madre viene a visitarme, a quien veo es a mi madre. Quiero quedarme aquí para siempre y ayudar a la gente que era como yo, ser como Josué.»

Y así, del mismo modo que Josué siguió el modelo del pastor para reconstruirse, Luis sigue el de Josué. Y ahora llega el pastor en persona. En la prédica afroamericana se utiliza un término, el estilo «carismático», y el pastor es su mutación hispana. Galván cuenta con poco respaldo (terrenal) para lo que está haciendo aquí, casi sin dinero, pero «con amor en nuestros corazones, sonrisas y abrazos, y manteniéndolos cerca de nuestro pecho, hacemos lo que ve aquí», dice, a modo de presentación de sí mismo. Los pacientes gritan: «¡Papi!» con emoción y corren hacia él, que los abraza acercándoselos al pecho, los besa, sin que le importen sus llagas abiertas, les acaricia el pelo enredado. Tiene cierto aire de estrella de cine interpretando el papel de un antiguo pilluelo callejero salido de los barrios. Que es justamente lo que es Galván: un antiguo chico de barrio. Lleva un tatuaje de una india en un brazo. «Nací en Ciudad Juárez, es mi ciudad y la amo. Pero pasé catorce años al otro lado, desde 1972. Fui un ilegal en Los Ángeles y El Paso. Sí, ¡los años salvajes! Tío, ganaba dinero, manejaba una grúa, levantando lo que fuera; había drogas y chicas en las que gastárselo todo y eso es lo que hice.» Estuvo encarcelado un tiempo –insinúa que a causa de las drogas– y fue deportado. «Y después de que me deportaran y volviera a casa», dice, como un eco de Josué y haciendo un gesto hacia sus pacientes, «era uno de *ellos*, estaba completamente perdido.»

La conversión de Galván tuvo lugar en las mismas calles en las que estaba muriéndose, cuando lo encontraron unos misioneros urbanos del mismo modo que él ahora encuentra a otros para Visión en Acción. «“El Señor te quiere”, me dijeron. “¿Que me quiere?”, pregunté. “¿A mí?” Hasta entonces le decía a esa gente de la Biblia que se alejara de mí. “¡Quitaos de mi vista, joder!”, les maldecía, pero me trataron de un modo distinto a como me habían tratado otros durante toda mi vida, así que yo mismo empecé a tratarme de manera distinta. Descubrí un montón de necesidades que no tenía antes.» Vivió varias aventuras espirituales y físicas, que culminaron en una experiencia que le llevó a la fundación de Visión en Acción, un eco del buen samaritano: «Una noche muy fría iba conduciendo, y vi a gente durmiendo al borde del camino cubierta de capas de nieve. Fue entonces cuando el Señor me encomendó esta misión». Los marginados temblorosos de la carretera despertaron la vocación del pastor Galván para fundar Visión en Acción, algo que él cree que era su destino. «La tarea», explica Galván, «consiste en dignificar las vidas de esta gente, y devolvérselas. El sesenta por ciento de ellos han perdido su identidad por completo. No saben cómo se llaman, ni su edad, ni quiénes son, ni de dónde vienen, ni por qué están aquí. No se acuerdan de lo que hacían antes de venir, pero muchos son muy agresivos cuando llegan. A ese tipo de ahí, el corpulento, lo trajeron ocho policías, esposado de manos y pies, había intentado matar a un hombre en Estados Unidos. Ese otro tenía un problema con la heroína, llegó con los brazos picados de pinchazos, y todos los pinchazos estaban infectados. Y cuando nos metemos en sus cabezas, descubrimos que nadie los quiso jamás, ni los abrazó, que no les importaban a sus madres y que sus padrastros los odiaban, que nunca fueron a la escuela, que se ganaban la vida vendiendo chicles y periódicos en las esquinas o trabajaban en clubes si eran chicas. Empezaron con el pegamento o el disolvente, luego pasaron a otras drogas, más caras y peligrosas, y acabaron enganchados.

»Pero nosotros les enseñamos el camino, el de salida, porque también hemos estado ahí, sabemos dónde están, y cómo encontrar el camino. Yo estuve allí; vivía en las calles, preocupado sólo de adivinar de dónde sacaría el siguiente chute, la siguiente comida, y rebuscaba algo que comer en los cubos de basura. También Josué..., el director del hospital que lo trajo, me dijo: "Le doy este hombre para que muera". No, pensé, ya está muerto pero podemos devolverlo a la vida. Ahora es mi brazo derecho aquí, y mi mayor miedo es que recaiga y empiece a tomar drogas otra vez. Él dice que no recaerá, que ni siquiera tomará tranquilizantes, pero aquí todos estamos en el filo.»

Al pastor le parece «raro que haya gente aquí que me conoce de mi vida anterior», dice con una extraña expresión de desdén, hacia ellos o hacia sí mismo. «Me han visto en la calle y tumbado en una cama, y algunos de ellos intentan aprovecharse de mí; al principio tuve problemas con un par de tipos y una mujer: yo sabía lo que pensaban: antes le cambiábamos los pañales a éste y se lo dábamos todo hecho... y ahora, ¿es el jefe? Pero ahora casi siempre me consideran el jefe..., tienen que aprender que es lo que soy. Hay una jerarquía aquí, tiene que haberla para que esto funcione.»

También está aquí un hombre llamado Alejandro Valencia García, con unos ojos de color azul eléctrico, que lava todos los coches aparcados delante del centro, obsesivamente, los limpia, los pule, tanto los coches de los parientes que vienen de visita como, sobre todo, el del pastor. Es el que lleva una gorra de conductor de coches *vintage*, una gorra de cuero con orejeras, y le dice al pastor: «Engañas a todos». «¿Por qué?», pregunta el pastor. «Porque yo soy el único que sabe que estás más loco que el resto de nosotros», responde Alejandro y se aleja riéndose. «Era un traficante importante», dice el pastor Galván. Así que era verdad lo que Alejandro había dicho, cuando íbamos por la carretera, aunque puede que no lo de China, Japón y Francia.

Un domingo, los internos están esperando otra vez al pastor. La puerta de hierro está abierta, porque es domingo, y los pacientes se arremolinan a la sombra de los árboles que ellos han plantado, rodeados de bancos confeccionados con piedras que ellos han colocado y pintado de blanco. Y cuando el coche del pastor se detiene en el camino de entrada, lo rodean, aplaudiendo. Otros llegan por la puerta desde el patio, gritando: «¡Papi!, ¡Papi!». Otros deambulan al borde del grupo, asombrados, mirando con una chispa de reconocimiento, susurrando confidencias que sólo ellos escuchan. Como es domingo, el pastor viste una americana estilo Zoot con un diseño de cachemira y zapatos de gamuza negra. Tiene todo el aspecto de estar a punto de cantar *Rock Around the Clock*, pero en vez de eso –una vez se ha asentado la multitud–, saca su guitarra acústica, se sienta en el banco de cemento pintado a la sombra de un mezquite y empieza a cantar. «*Who is your friend when you need Him?...*» Una mujer se sienta a sus pies, le desata los cordones y se los vuelve a atar, un eco perturbado pero conmovedor de María Magdalena a los pies de Cristo. «Cristo sí, Cristo sí, Cristo sí, sí, sí...» Los coros de todos son extraordinarios, edificantes y perturbadores. Algunos cantan muy bien y entonados, otros aúllan como coyotes en un éxtasis inducido por la luna. Crazy Baby Becky aporrea una pandereta irremediablemente a destiempo, pero con sentimiento, cantando más alto que los demás, mientras una señora con un chal negro, el pelo rapado y un cigarrillo mira fijamente a lo lejos, sonríe, deja de sonreír y empieza a llorar. Becky suelta la pandereta, le coge la cabeza y la apoya en su regazo.

El pastor Galván se sienta a hablar sobre cosas que han pasado en los ocho meses transcurridos desde mi última visita. «Ahora, lo último», dice contemplando el alboroto a su alrededor, un poco más calmado de lo habitual gracias a los himnos dominicales, «son los laboratorios sintéticos, las drogas sintéticas; estamos viendo cerebros que acaban fritos por las metanfetas como el cristal y el hielo; son fáciles de transportar, fáciles de esconder, pero están causando un montón de muertos, dejando un montón de huérfanos y viudas, y mucha más gente todavía como la que ve aquí. La ciudad está siendo invadida por la adicción, los pobres andan por todas partes, como cucarachas humanas arrastrándose en busca de drogas sintéticas. Juárez se está hundiendo bajo una marea que la inunda, un tsunami de adictos, todos locos. Si tienen suerte, les dan videojuegos para que sepan cómo matar virtualmente, y cuando se les va la cabeza y necesitan otra dosis, aceptarán el dinero y saldrán a matar como han aprendido en los juegos.»

Pregunto por Manuel, Mr. Bone y sus brujitas. «De repente recupera la cabeza e igual de repente vuelve a perderla», responde el pastor. «Cuando está bien, sabe quién es. Luego escucha las voces, que le mandan que vaya a matar a su madre y empieza a masturbarse a todas horas, delante de los demás. Lo hace desde que tenía diecisiete años y empezó con el crack, ahora tiene veinticinco.» Una vez, cuenta el pastor, «lo llevé a la tienda a comprar cigarrillos, y a la vuelta nos pararon en un control y, nada más apearnos, él se echó sobre los soldados para arrebatarles las armas y matar a la gente que creía tener en su cabeza, y cuando yo les dije que era pastor, me replicaron: "¿Y qué está haciendo con este tipo, cabronazo?". Me dijeron que no querían volver a verme en el control con él nunca más. Sí, este Manuel da un montón de problemas».

Manuel es un hombre corpulento, que a veces retuerce la cara cuando habla y otras veces sonríe como si ocultara un secreto. Han transcurrido unos diez meses desde que me habló de Mr. Bone y las cuatro brujitas, y se expresa con bastante lucidez, aunque lo que cuenta sigue su propia lógica. «Ahora ya no tengo tantos problemas, pero quiero volver a ir de fiesta y todavía tengo un gran problema con mi madre por la brujería. Ella también dice que le pego, y es verdad; me gusta pegarle. Mi hermano me atacaba con brujería, pero no tengo los papeles para escaparme a Estados Unidos. Mi esposa está en Texas viviendo con mi hermana.» («Bobadas», dice el pastor.) Mr. Bone, dice Manuel, sigue «utilizando conjuros y magia contra mí. Y es muy alto, tan alto como yo. Mi nueva misión es el *thai boxing*». Manuel cambia de tema. ¿Puedes boxear contra Mr. Bone? «Umm. Si lo reconociera y me enfadara, podría ganarle. Soy peligroso cuando me enfado.» Manuel deja de arrugar la cara y esboza su sonrisa hermética. «Me dieron armas para hacerlo, pero nunca quise cargarme a la gente a balazos.» Tenemos que dejarlo pasar. Manuel se aprieta la nariz contra la cara, apretujándosela, luego se la coge y la estira, sin parar de sobársela entre los dedos mientras habla. «Y entonces volvieron las cuatro brujitas, me dijeron que tenía que volver a casa, conseguir dinero y mujeres.» ¿Se enfrentaría alguna vez a las cuatro brujitas? «Me las quiero follar», responde Manuel. «Son muy sexys, son brujas gringas, rubias. Americanas.»

Caminamos con el pastor de vuelta al patio, la chatarrería humana, el cuadrado de cemento por donde deambulan los locos y los asustados. En una habitación a la derecha, un hombre golpea ruidosamente los barrotes de su jaula cerrada con candados, emitiendo breves gritos, casi gruñidos, y luego empieza a hablar con un tono seductor, fingiendo lucidez, pidiendo ayuda para que lo suelten y pueda volver con su familia. «No se meta», me aconseja el pastor, «sabe cómo manipular, aunque haya perdido la cabeza. Intentó apuñalar a alguien, por eso le llamamos Cholo, el pandillero. Puede ponerse muy violento», prosigue el pastor tranquilamente, a sólo unos centímetros de la jaula. «Y el problema de Josué es que todavía no es tan fuerte, y si intentara meterse entre Cholo o Manuel y algunos de los demás pacientes podría acabar muerto. Cuando Cholo tiene una crisis, la cosa se pone fea, es difícil reducirlo, así que lo mantenemos encerrado.»

Saltando por el patio viene Rebecca, Crazy Baby, que, dice el pastor, normalmente «controla más de la mitad de sí misma» y por lo tanto es la supervisora de las treinta y seis pacientes femeninas. Ya se ve cómo asume el papel que le han asignado, como cuando aquella otra chica se echó a llorar durante las canciones de esta mañana, a la que Becky apoyó en su regazo. «Ah, sí, Lety», dice el pastor. «Lety y Elia, son hermanas. Las encontraron encadenadas en una casa abandonada. Se habían pasado toda la vida encadenadas, como perros, desde que eran bebés. Sus padres eran adictos y al final las dejaron solas, abandonadas.» Pasamos por delante de la cola para la comida que sirve el gran Óscar, que ejerce de monitor de los pabellones masculinos, y entramos en uno de los destinados a mujeres. Las filas de colchones y cuerpos huelen llamativamente menos que las de los alojamientos de los hombres, pero los insectos son igual de abundantes y, como en el caso de ellos, no hay mucha diferencia entre estar vestido y desvestido, aunque el régimen impuesto por Becky intenta mantener cierta decencia. En uno de los colchones, Lety y Elia se abrazan. Las dos llevan las cabezas rapadas y visten largos vestidos. Hablan –o más bien emiten chillidos– a trompicones, mirando fija e inquisitivamente. Son como dos niñas pequeñas, aunque ya han cumplido los treinta. «Tienen miedo a todo el mundo», dice el pastor Galván. Aparte de a Becky, según parece, que ahora se les acerca y les acaricia el pelo al rape. «Yo las cuido», dice Becky, que debe de tener su misma edad, «son mis bebés.»

En este mundo, no importa de dónde venga el afecto, lo sorprendente es que exista.

Becky cuenta con una ayudante en sus funciones de monitora, Marisol, que lleva un sombrero de lana a pesar del calor de septiembre, y cierra los párpados cuando habla con una dulzura –y una tristeza– tímida e infantil. «Era camarera en un garito de *striptease*», informa el pastor, «una bailarina, que le daba a la cocaína, fumaba crack y se prostituía para pagarse la adicción.» Ahora barre el patio y limpia todo con un trapo sucio, en silencio. Marisol parece saber dónde está y quién es, pero se lo guarda para sí. «Tengo celos de Marisol», dice Becky. ¿Ah, sí? «Sí, porque tiene un pequeñín que le traen cuando vienen a visitarla. Me enamoré de él cuando tenía tres años.» (Marisol tiene una hija.) Marisol también desempeña un importante papel aquí, explica el pastor, organizando los pabellones de mujeres, su alimentación, comida y limpieza. «Pero es esquizofrénica; depresiones terribles, ataques, se pierde por completo. Era tan violenta que hubo que encerrarla durante un año.» Parece increíble: esta alma plácida, tímida, evidentemente machacada pero amable..., aunque en este lugar no hay lugar para la sorpresa, sólo para la amenaza de la peor sorpresa de todas.

«Ahora estamos en la línea de fuego», dice el pastor. «Sí, nosotros, los hospitales mentales, los centros de rehabilitación. Asesinaron a diez en el Anexo, el día después del Grito; y a otros diecisiete los alinearon y fusilaron en agosto en el Aliviane; y no eran más que pobres adictos, como los nuestros. Recorren los centros de rehabilitación y se llevan a la gente que tuvo cualquier relación con los otros cárteles y, de paso, a cualquiera que pillen con ellos.» Ya han recibido algunas «llamadas telefónicas raras», dice el pastor, en otro momento, durante la comida en El Paso, donde vive por razones de seguridad. «Llamaron y dijeron que eran de la policía, pero eso puede significar cualquier cosa en Juárez. Ahora corremos peligro, nosotros, que nos dedicamos a ayudar a los adictos y a los locos, estamos en primera línea, sencillamente por estar aquí y hacer lo que hacemos. Cualquier noche pueden venir a por nosotros.»

Cae la noche sobre Visión en Acción, y el pastor ya se ha marchado. Josué, que delega algunas tareas en Óscar, Becky y Marisol, administra la medicación y lo cierra todo antes de retirarse a su alojamiento. La oscuridad es profunda, y en ella teme el pastor que lo que le ha sucedido a tantos otros centros de rehabilitación se cierna con mayor peligro que durante la luz del día. La habitación o, más bien, pequeño cubículo de hormigón, en el que me alojan amablemente para que duerma está, como señala Cardona al irse, «al lado de la entrada;

el primer sitio al que irán si vienen esta noche». Pero la cama de hierro ya está preparada, y no hay nada que hacer más que acomodarse junto a Josué y pasar la velada charlando a la luz de una linterna. Hablamos de Led Zeppelin y The Who. «Tío, ¿no me digas que son de Inglaterra? No lo sabía. Antes me encantaban, pero aquí no tenemos de eso.» Habla de su familia mientras comemos burritos fríos, y del marido de su prima, un marine estadounidense, que había «combatido en Afganistán y contra ese otro tío, Sadam Husein..., también le pateó el culo». Josué hace el gesto de disparar una ametralladora: «Me ha contado todo de esos países, parece divertido». Pero Josué había asistido hacía poco al funeral de su primo, que no murió en la guerra sino «en el bar de Pinkie, divirtiéndose, ya sabe [Josué menea las caderas, como si fuera a bailar el swing], y entonces entraron ellos, buscando a alguien. Rociaron el local de balas». Y Josué habla de su trabajo y de algunas de las personas a su cuidado. «Mire, lo que hago aquí forma parte de mi testimonio. Mucha gente pasa por aquí, nos miramos fijamente a los ojos, y vemos las drogas; sabemos, sí, lo sabemos, que hemos estado ahí. En esa mirada, les digo con los ojos que he estado peor aún de lo que ellos están ahora. Les digo –mirándoles fijamente porque no lo entenderían si lo dijera con palabras–, les digo: "Habéis pasado por el agua y el fuego, y yo también, así que sé qué hacéis aquí". Y aunque estén locos y no escuchen ni una palabra, yo creo que entienden a su manera.» Deja caer que los más tranquilos no siempre son lo que parecen. «Becky puede ser muy peligrosa. Normalmente está bien, pero cuando le da, le da de verdad, es muy violenta. Cuando se enfada conmigo me amenaza con matarme o cualquier barbaridad. Óscar..., ése está desesperado por salir. Quiere conseguirlo de verdad. Pero, tío, cuando estalla, estalla. Necesita que lo calmen con fuerza, es muy difícil tratar con él.»

Josué quiere ver una película. Va a su cubículo, que está junto al mío, revuelve buscando su DVD y revisa cuidadosamente la funda que contiene su colección. «Tengo algunos de tetas, pero, eh, ¿qué le parece esto? Trata de la crucifixión de Jesús, tío, le va a dejar de piedra. La he visto, pero no como es debido.» Es *La pasión de Cristo*, de Mel Gibson, y la introduce en el aparato. Cuanto más sangrientos son los sufrimientos de nuestro Señor, más aumenta la devoción de Josué. La flagelación es un episodio especialmente salvaje y prolongado: Jesús es lacerado hasta los huesos, Josué lo contempla petrificado. Los diabólicos ancianos judíos y la debilidad de Poncio Pilatos disparan su rabia –«¡Cabronazos!»– y una implacable representación del Calvario hace que Josué sude con rabia empática, de manera que cuando Jesús se convulsiona de dolor en el Gólgota, los ojos se le salen a Josué de las cuencas. Sólo cuando las nubes de tormenta y los vientos que atraviesan el templo se disipan, vuelve a relajarse y está listo para acostarse. Damos una última vuelta por el patio, bajo las estrellas. Por más angustioso que pueda ser su sueño, estas personas atormentadas en sus mentes, más que por clavos en sus pies y manos, están casi todas dormidas. Algún esporádico gruñido de angustia se eleva de los dormitorios, a la brisa del desierto, a veces agudizándose hasta convertirse en un gemido. Josué ilumina con su linterna a través de los barrotes de la jaula de Cholo: está inmóvil, bajo una pila de mantas. A decir verdad, transmite la sensación de ser un animal sin domar que esté descansando, con sus aflicciones calmadas por un momento por la quietud de la inconsciencia. Reina el silencio, pero el olor todavía perdura, aunque incluso éste se ha atenuado por el fresco que llega de la noche del desierto. Josué vuelve a través de las cocinas a nuestros alojamientos contiguos, nos deseamos una buena noche, tan oscura en estos cubículos sin ventanas, sin nada más que el desierto ahí fuera, que incluso con los ojos abiertos de par en par uno está ciego como un topo.

Algún camión pasa ruidosamente de vez en cuando hacia Nuevo Casas Grandes o de vuelta a Juárez, pero, aparte de eso, reina el silencio. A Josué lo han alterado y excitado los sufrimientos de su Salvador, y la oscuridad parece más oscura aún por el hecho de estar en las lindes de la capital del asesinato del mundo, en compañía de ciento trece maníacos en recuperación, y sólo Josué y un muro entre nosotros. Pero no son los maniacos la causa de la inquietud nocturna, sino los hechos acaecidos en Anexo y Aliviane unos días antes, y el truco consiste en no pensar demasiado en aquellas huellas de botas ensangrentadas por todo el patio, en los charcos pegajosos granates en la enfermería ni en los temores del pastor sobre este lugar. Mientras la puerta siga cerrada, uno sobrevivirá a la noche. Llega el sueño (con una pequeña ayuda química), salvo para los lamentos que perforan la negrura dentro de los dormitorios, los gemidos, chillidos y los estremecedores sonidos de las visiones que perturban el sueño de los locos.

Los pasos cansinos de Josué anuncian el nuevo día. A través de un resquicio en la puerta, ahora entreabierta mientras él inicia sus tareas, entra en mi cubículo un indicio de azul plateado desde el horizonte oriental. Las colinas al oeste, en las que está grabado el caballo blanco del Señor de los Cielos, responden con un matiz rosáceo y llega la luz con un tono crepuscular. Y mientras asciende el sol, salen a la mañana y al patio los pacientes para empezar otro día, algunos murmuran, gruñen o cantan, pero casi todos abandonan en silencio el territorio del sueño. El primer trabajo consiste en tratar los excrementos que ha generado la noche, cuyo hedor se elimina mejor antes de que lo intensifique la salida del sol. Eso implica equipos organizados por Josué, el gran Óscar y otros, que echan cubos de agua por los dormitorios y los suelos. Parte de la misma operación consiste en cambiar los pañales a los que los usan, sobre todo hombres. Los aquejados son puestos en fila ante sus dormitorios mientras aquellos conscientes de adónde deben dirigir la materia eliminada por el cuerpo los lavan y les ponen pañales nuevos. Luego, con el sol ya más descarnado, llegan las duchas. Hay dos, sujetas a las paredes del patio, y las ciento trece personas se ponen en fila para lavarse, los hombres bajo una de las cascadas y las mujeres debajo de la otra, así que la línea masculina es el doble de larga. Dejan sus ropas en un montón sobre una losa de cemento, se colocan bajo el agua fría y pueden ser restregados o no por el equipo de monitores, Óscar y sus asistentes a los hombres, Becky y Marisol a las mujeres. Algunos, claro, tienen que ser sacados de sus jaulas para la limpieza y eso lo supervisa Josué en persona, trabajando a toda velocidad. Algunos golpean los barrotes y gritan para que los saquen; otros, como Cholo, se limitan a esperar sumidos en un silencio lúgubre a que los llamen y los liberen temporalmente para la limpieza. Cuando los bañistas han acabado, se abrazan sus propios cuerpos marchitos y arrugados contra el alba fría y seca, y con alguna de sus prendas o una toalla si pueden conseguirla, se dirigen a su ropa interior y su montón de harapos y se los ponen. Todo se desarrolla razonablemente bien y sin problemas, hay orden en el caos. Durante todo ese tiempo, los pacientes se van acostumbrando a la mañana, prueban sus pasos, se detienen, piensan, caminan un poco más, vuelven a pararse, miran a su alrededor y llegan a una conclusión, cualquiera que sea. Pueden reaccionar sonriendo o llorando ante lo que hayan concluido. Un hombre llamado Julio se ha quedado totalmente ciego a causa de los cócteles de droga que ha tomado, y se queja del frío y del ruido que hacen los demás. Josué, que trabaja como si el mañana no existiera, aparece con un montón de escobas, que distribuye. Becky coge una y barre todos los rincones del patio que puede alcanzar. Otros la imitan, pero algunos se quedan quietos, con las escobas en las manos. Alejandro, el antiguo traficante de drogas, ya se ha encasquetado su gorra de conducir descapotables y ha empezado a limpiar coches otra vez: el único aparcado delante y otros abandonados en el desierto. «¿Ve la radio que hay allí?», dice señalando el estéreo de un coche tirado en la tierra. «La saqué de la furgoneta con una ventanilla rota. Voy a decirle una cosa», y Alejandro se acerca, con el aliento cargado de algo que huele fuerte, «no es un carro, es un avión. Vuela.»

El sol se ha levantado, es la hora del paseo por la autopista, y el pastor llega tarde. Se reúnen fuera, delante de las puertas, se sientan bajo los árboles y esperan. «¡El Camino! ¡El Camino!», gritan emocionados. Marisol está aparte, aferrando una escoba y llorando. «Si Papi no viene, no podemos caminar», dice sollozando. Luego vuelve a arrastrarse hacia el interior de su cueva de silencio. ¿Qué te inquieta tanto? «Muchas cosas.» ¿Recuerdos? «Muchos recuerdos.» ¿Malos recuerdos? «Muy malos.» Pero si el pastor llegará pronto y todos podremos ir a caminar. «Yo sólo quiero caminar. Es tan bonito, el paseo. Mi hija vino a verme. Pero ahora se ha ido. Lo único que quiero es dar un bonito paseo, pero Papi también se ha ido.» Vuelve a llorar. «Le pasa de golpe», explica Josué, «no se sabe de qué o por qué, simplemente le duele por dentro.» Pero no durante mucho tiempo porque un coche granate se detiene en el camino de entrada y ahí está él, que saca su bastón del asiento de atrás, y allá que vamos todos.

«Necesitamos dinero», el pastor Galván va al grano. «La gente como usted viene y dice que se preocupa, pero lo que necesitamos es dinero. ¿Qué me dice? ¿Puede darnos algo de lo que tiene?» Caminamos hacia la autopista, y Alejandro se queda para lavar el coche del pastor. «¡Hagamos todo el camino hasta Argentina!», grita Josué desde el arcén mientras la procesión de los poseídos avanza serpenteando hacia ningún sitio en concreto, con el pastor Galván delante, los pantalones metidos en las botas y golpeando el suelo con su bastón. En la carretera, hablan, incluso Lety, que se asombra: «Cuando estábamos encadenadas en la casa éramos como pájaros en una jaula. Cuando andamos estamos vivas», dice casi gorjeando.

Y cuando volvemos, tras alejarnos tres kilómetros por la carretera y recorrerlos de nuevo de regreso, el gran Óscar ha supervisado la preparación de un abundante desayuno. Hay verduras, frutas, judías y arroz. Hay agua y hay canciones, dirigidas casi siempre por Becky, que no ha parado de cantar su *Canción de la Alegría* desde la mitad del paseo. El sol está en lo alto, y empieza otro día de heteroutopía en la chatarrería humana.

Coincidimos en que, tanto si uno cree como si no, la base del cristianismo es una progresión desde la Crucifixión, pasando por el Descenso a los Infiernos, hasta la Resurrección; en esencia: Viernes Santo, Sábado de Gloria y Domingo de Resurrección. Y que, sea lo que sea lo que está pasando aquí, se sitúa, bien mirado, en alguna fase entre el Sábado y el Domingo por la mañana. Pero cuando nos enfrascamos en esa conversación, la noche inminente empieza a cubrir la tierra, cae el crepúsculo, llega la hora de las brujas, la oscuridad ya es visible hacia el este. Nos despedimos, y nos preparamos para irnos, hasta la próxima vez. «Usted llama a esto institución mental, pero es cuando vuelve a la ciudad cuando está en el verdadero manicomio», dice el pastor, «vuelve a la auténtica chatarrería humana.» Pero le ha interrumpido una figura que ha trepado por el patio y ahora acecha desde el tejado, inclinada sobre los aleros y cuya silueta se recorta contra el resplandor dorado y profundo de la última luz sobre el horizonte del desierto. «¡Yo soy Rebecca!», exclama una voz entre un graznido y una carcajada, «¡Crazy Baby!»

1. Améxica: el cadáver de un hombre asesinado cuelga, decapitado y esposado, del Puente Rotario de Ciudad Juárez, llamado Puente de los Sueños, junto a una pancarta de advertencia. Septiembre de 2008.

2. La Plaza: Joaquín Guzmán Loera, líder del cártel de Sinaloa, conocido como el Chapo; buscado por la justicia y en libertad.

3. Osiel Cárdenas Guillén, jefe del cártel del Golfo / Los Zetas; detenido, extraditado y cumpliendo condena en Texas.

4. El camino del Diablo: emigrantes preparándose para cruzar la peligrosa y mortífera frontera por el desierto para entrar, ilegalmente, en Estados Unidos. La escena transcurre al norte de la ciudad de Altar, en el estado de Sonora, tras una charla informativa con el Ejército mexicano.

5. Frankenstein urbano: unos niños rebuscan entre los restos ensangrentados de la masacre de diez pacientes en el centro Anexo de Vida, una clínica de rehabilitación de drogadictos de Ciudad Juárez, en septiembre de 2009; una de las muchas masacres cometidas en centros de rehabilitación.

6. Aquí empieza la patria: policías federales y un helicóptero llegan a la escena de otro crimen en Tijuana; la guerra en lo que había sido un destino turístico ha estallado con toda su furia entre Guzmán y el cártel local de Tijuana.

7. Frankenstein urbano: el cadáver de una víctima de la masacre que se está produciendo en Juárez cuelga de unas esposas enganchadas a una valla de alambre. Los asesinatos vinculados a la droga convierten a Juárez en una de las ciudades más peligrosas del mundo.

8. La chatarrería humana: el pastor José Antonio Galván, con pacientes en el centro Visión en Acción, donde se tratan drogadictos y locos, en las afueras de Ciudad Juárez.

9. El viento de navajas: unas mujeres se manifiestan por la paz en Ciudad Juárez. Desde 1997, cientos de mujeres han sido víctimas de asesinatos especialmente brutales en la ciudad, una serie de crímenes que se conoce como «feminicidio».

10. La carretera te da y la carretera te quita: el autor al lado de una sección de los mil kilómetros de valla construidos en distintos sectores de la frontera; este tramo se extiende entre Tecate y el sur de California.

11. Comer del suelo: una obrera exhausta sale del trabajo en un autobús especial tras acabar su turno en una de las miles de maquiladoras, fábricas donde se explota la mano de obra barata, construidas a lo largo de la frontera, y en las que se montan bienes que se exportan sin aranceles a Estados Unidos.

12. El Portal a las Américas: unos emigrantes se disponen a subirse y viajar en un tren desde Nuevo Laredo para pasar la frontera a Texas. Trenes y camiones transportan anualmente mercancías por un valor de 367.400 millones de dólares a través de este punto de cruce. Las cargas con frecuencia sirven también para ocultar drogas.

13. Améxica: la vida sigue en el centro de Ciudad Juárez, los bares están abiertos, los sombreros de *cowboy* y las gorras de béisbol siguen de moda. Pero en cuanto oscurezca, las calles quedarán vacías.

14. El Portal a las Américas: la cola que se forma todos los días para cruzar la frontera a pie. Alrededor de un millón de personas pasan caminando o en vehículos en ambos sentidos entre Estados Unidos y México cada día, para ir a trabajar o a la escuela, a comprar o a visitar parientes.

15. El río de hierro: una tienda de armas cerca de la frontera en Texas; ésta, como la mayoría, niega que venda armas a los cárteles, que compran la inmensa mayoría de su armamento en ferias y tiendas especializadas de Estados Unidos. Hay casi dos comercios de armas por kilómetro a una corta distancia de la frontera de 3300 kilómetros.

16. Diles quién eres: la Santísima Muerte es el icono espiritual de la guerra del narco. En la fotografía aparece acompañada de una carabina M1.

17. Diles quién eres: la Virgen de Guadalupe, Emperatriz de las Américas, aquí con la serpiente de su álter ego azteca, la diosa madre Cotalicue, deidad de la fertilidad y la destrucción.

6
El viento de navajas

En la cultura azteca, la vida era un breve pasaje a través de un mundo de dolor y maldad, preludio a la reunión con los antepasados después de la muerte. Más allá de los límites del mundo había un universo hecho de muerte de donde los vientos soplaban desde las cuatro direcciones. La muerte tenía tres reinos: la Casa del Sol, en el cielo; un paraíso en la tierra llamado Tlalocan, y el infierno, llamado Michtlan. La mayoría de la gente –salvo los que morían en batalla o las mujeres que fallecían durante el parto, o los abatidos por un rayo o la lepra– empezaba su viaje a través de la muerte por el infierno, entrando y saliendo de Michtlan. El viaje de los difuntos para salir del infierno era largo y arduo, a través de ríos y montañas, topándose con diablos que les exigían tributo. Pero empezaba con un viaje por una carretera vigilada por una lagartija verde llamada Xochitonal, Señal de la Flor, y luego atravesaban ocho páramos gélidos, bajo un viento tan recio que los difuntos tenían que quemar todas sus posesiones –armas, petacas y los despojos y la ropa de los cautivos que hubieran tomado en la guerra–. El viento se llamaba Izchecaya, el Viento de Navajas.[1]

Cuando la autoridades devolvieron por fin a Paula González el medallón de la Virgen de Guadalupe que su hija María Sagrario había llevado colgado del cuello, fue la prueba terrible que había estado rehuyendo Paula desde hacía unas cinco semanas, negándose a creer que Sagrario estuviera muerta. Paula sostuvo el medallón en las manos y le imploró a la madona: «¿Dónde estabas tú cuando le hicieron eso a mi pequeña?».

Paula y su marido, Jesús, habían visto por última vez a su hija de diecisiete años cuando se levantó para ir a trabajar poco después de las cuatro de la mañana del 16 de abril de 1998, en su casa pobre de Lomas de Poleo, un barrio de chabolas desperdigadas por una zona alta del desierto. Sagrario trabajaba, como cientos de miles de otras chicas locales, en una de las nuevas fábricas, las maquiladoras propiedad de los americanos. Habitualmente, Sagrario salía para ir al turno de tarde con su padre y su hermana mayor Guillermina, pero la empresa CapCom había cambiado su rutina. Sagrario tenía así que hacer una larga caminata de casi dos kilómetros por caminos de tierra sin iluminar hasta la carretera que cruzaba otro barrio de chabolas, Anapra, donde esperaba el autobús fletado por la empresa para transportarla, junto a sus compañeras, al trabajo. Cuando Sagrario no regresó aquella tarde, Paula acudió a la policía. «¿Le gusta quedarse por ahí hasta tarde?», le preguntaron. «¿Vestía minifaldas e iba a bailar?» Paula, asqueada, confeccionó dos mil cartelitos: «Adolescente desaparecida. Por favor, ayuda». Con el tiempo, se enteró, no por las autoridades sino por una noticia en el periódico, que el cadáver de Sagrario había sido arrojado cerca de la maquila, en el otro extremo de la ciudad.

Hay una palabra nueva en el español que se habla en Juárez: 'feminicidio', la matanza masiva de mujeres. No hay otra palabra que describa la iniquidad de un fenómeno singular y brutal, que apareció al principio exclusivamente en esta ciudad en el corazón deAméxica, un fenómeno desconcertante e infame: unas 340 mujeres jóvenes fueron encontradas asesinadas entre 1992 y 2001, cuando fui allí a informar por primera vez de esos sucesos. Asesinadas en circunstancias diferentes y con grados distintos de salvajismo sádico; a las que hay que sumar unas 180 más desparecidas. «Se deshacen de ellas en lugares públicos, ni siquiera como animales, más bien como basura», dice Marisela Ortiz, de uno de los grupos movilizados para llevar a los asesinos ante la justicia. Las víctimas, dice, se ajustan a un patrón: «Son pobres, jóvenes, trabajadoras». Y cuando las encuentran, cuenta, algunas «han sido torturadas, mutiladas, magulladas, tienen los huesos rotos o las han estrangulado y violado». «Los asesinos», añade Rosario Acosta, la colega de Marisela, «no se molestan en ocultar las pruebas. En estos casos, las pruebas son descaradas, están ahí, siempre. Quien lo haga sabe que es inmune a la ley.» «Cuando nuestros equipos de investigación no consiguen encontrar un cuerpo, aparecerá otro el día siguiente», dice Marisela Ortiz. «Es como si hubiera una especie de código o lenguaje: "Queremos que sepáis que estamos aquí".» Uno de los cuerpos hallados en 2002, el de Erica Pérez, se encontró con las tiras del bolso atadas alrededor de su cuello y la ropa interior enredada en las rodillas. Las autoridades afirmaron que había muerto «de una sobredosis», pero no ofrecieron los resultados de los análisis toxicológicos. Otra chica, sin identificar, fue encontrada vestida con ropa que pertenecía a otra adolescente, cuyo cadáver había sido encontrado, junto a siete más, en 2001. Otra, Esmeralda Juárez Alarcón, cerró el pequeño puesto del mercado en el que trabajaba en enero de 2003 para acudir a su clase de informática. Anochecía; había mucha gente por la zona, y agentes de policía, entre ellos una patrulla especial de la ciudad. Pero Esmeralda se esfumó. Gabriel Alonzo, su novio, sigue trabajando en el puesto del mercado enfrente del suyo: «Yo la vi cuando salió aquel día para ir a la escuela».

Ese mismo mes de 2003, me topé con más horror todavía, y una implicación y aparente complicidad oficial más siniestras si cabe: seguían apareciendo nuevos cadáveres y las autoridades o bien lo negaban rotundamente o respondían con el silencio acerca de su existencia..., como si hubiera algo que ocultar; algo peor que la incompetencia. Durante una visita a Lomas de Poleo, sólo para despedirme y presentar mis respetos a Paula González y dejar unas flores antes de marcharme de Juárez, me cuentan novedades. Las trae E.P. (cuyo nombre debe protegerse), uno de los vecinos del grupo de «vigilantes» que patrulla la zona a falta del menor interés en hacerlo por parte de la policía. E.P. había encontrado tres cuerpos más en el terreno que se extiende por detrás de la ciudad unos días antes. Algo muy extraño, porque el número oficial de cadáveres encontrados ese mes, enero de 2003, era de cero. E.P. se pone una gorra en la que se lee «Jesucristo te ama» y nos lleva a enseñarnos la localización de ese último y penoso hallazgo. Salimos, acompañados de la extraordinaria hermana de Sagrario González, Guillermina, que ha vuelto de trabajar y cuida de su madre, pero para la que el relato de E.P. es una pesadilla recurrente y también fue en el pasado su trabajo. Movida por la rabia y el dolor ante el asesinato de su hermana, explicó Guillermina, había fundado una organización llamada Voces sin Eco, para movilizar grupos de búsqueda en los desiertos que rodean Lomas de Poleo y para presionar a las autoridades. Pero, me contó Guillermina cuando nos alejábamos de las chabolas y nos introducíamos en coche en el desierto, «lo disolvimos como grupo formal. Nos estaban utilizando los medios, las ONG, la gente se aprovechaba de nosotros, recaudaba dinero que nunca llegaba aquí».

Pasamos por una puerta en la que se lee «Propiedad privada» y entramos en una finca que se relaciona con el cártel de Juárez y que contiene una pista de aterrizaje, explica Guillermina, para avionetas que transportan cocaína hacia el norte, así como carreteras utilizadas tan sólo por los traficantes. En esta extensión desértica, Voces sin Eco peinaba el territorio un día sí y otro también, y el incansable grupo de E.P. todavía busca buitres sobrevolando en círculo que señalen la presencia posible de un cadáver. Nos conduce hasta un matorral al que han sujetado una cinta de plástico de la policía, y nos muestra cómo trabaja, y cómo lo hizo la semana anterior, dice, mientras manosea la arena fina: «De repente encontré una mano, luego un brazo amputado». Los cuerpos estaban dispuestos boca arriba en una hilera, todos extendidos en forma de cruz, desnudos y asesinados hacía poco, con dos uniformes de trabajadoras de maquiladora tirados cerca. «Les habían cortado los brazos y sacado las tripas», dice E.P. «Uno se acostumbra a encontrarlos», añade. «Lo he hecho muchas veces.» E.P. avisó por radio a la policía y a sus colegas «vigilantes», con unos trece testigos de su llamada, y las autoridades llegaron a su debido tiempo para hacerse cargo oficialmente de los cuerpos. «Cuando llegaron», explica E.P., «nos dijeron: "Habéis acabado vuestro trabajo. Ahora ya os podéis ir". Si no los hubiéramos encontrado nosotros», insiste, «no se habría hecho nada.» Mientras dejamos la maldita finca, un motorista que ha dejado una columna de arena cuando se acercaba a nuestro camino, está esperando en la puerta para confirmar nuestra salida. Lleva pasamontañas, no dice nada, y nosotros tampoco. Sólo salimos.

Marisela Ortiz, que fundó el grupo Nuestras Hijas de Regreso a Casa, había preguntado a las autoridades sobre los rumores de cadáveres encontrados en enero. «Lo negaron, rotundamente», informa. A Marisela Ortega, una periodista del diario *El Norte de Monterrey*, le dijeron lo mismo, y también a Diana Washington Valdez, de *El Paso Times*, al otro lado de la frontera. «Haremos pública toda información pertinente..., salvo la que se considere confidencial», le dijeron a Valdez. A mí, pese a la colaboración instantánea de la oficina de la procuraduría en otros temas y de sus ofrecimientos a responderme en cualquier momento, tampoco me dijeron una palabra sobre aquellos cadáveres, hasta más tarde, cuando el espantoso hallazgo de E.P. fue finalmente reconocido. Sólo una cosa quedó clara y comprobada de este triste suceso: las autoridades de Ciudad Juárez estaban, por alguna razón, ocultando los hallazgos de cadáveres de mujeres asesinadas. Y así otra palabra de la lengua española empezó a pronunciarse con frecuencia en Ciudad Juárez por esos días: el 'encubrimiento'.

El feminicidio se convirtió en una marca distintiva de Juárez: se publicaron tesis doctorales en los departamentos de universidades de Estados Unidos; se rodaron películas, entre ellas *Ciudad del silencio,* con Jennifer López; se escribieron muchos libros, y la causa de las mujeres y las madres de las difuntas en Juárez, que intentaban descubrir la verdad frente a un muro de resistencia oficial y sometidas a amenazas continuas, se convirtió en una causa común para el movimiento de las mujeres en Estados Unidos y en todo el mundo. En la reciente explosión de violencia en la ciudad –y la implosión de la propia ciudad–, el feminicidio continúa; desgraciadamente, nunca se detuvo. Sólo que ahora se ha extendido a todo México, se dirige contra mujeres de todas las edades, y ha quedado subsumido en el huracán de violencia, aunque siga siendo una rama distinta del mismo. Una investigación de la revista *Proceso* de diciembre de 2009 mostraba que, a medida que la violencia del narco se dispara, también lo hacen la intensidad y la crueldad de los asesinatos de mujeres.[2] Están relacionadas, de una manera profunda y aterradora, afirma una de las principales ensayistas mexicano-americanas que escribe sobre estas cuestiones, Cecilia Ballí. «Los asesinatos de las mujeres en Juárez revelaron cierto *estilo de matar*», dice. «El hecho de que muchos de los asesinatos tuvieran un componente sexual los relacionó en cierto sentido con la oleada más general de violencia que ahora se ejerce contra hombres y mujeres. Tiene que ver con una exhibición de fuerza, de una forma concreta de poder masculino.» La señora Ballí desciende de una de las antiguas grandes familias de rancheros del valle del Río Grande (como se recoge en el capítulo 9). El tipo de periodismo narrativo que practica ha recibido numerosos reconocimientos y enseña en el departamento de Antropología de la Universidad de Texas, en Austin. «Parte de la cobertura que hacen los medios de los asesinatos de mujeres me espanta», afirma. «Perpetúa la imagen de México como un lugar exóticamente violento; la idea de que sólo los hombres mexicanos son capaces de esas barbaridades. Lo cierto es que la gente en México se está esforzando tanto como los demás por entender este espeluznante tipo de violencia. Yo, como antropóloga, intento comprender qué está pasando, qué significa, a qué se debe. No se trata de que la violencia siempre signifique algo, pero hay tipos específicos de violencia ejercidos sobre un cuerpo que pueden servir como forma de comunicación. Creo que el mensaje tiene más que ver con los asesinos que con las víctimas, que es la razón por la que pienso que, en última instancia, los feminicidios señalan una crisis de la masculinidad en Juárez, no una crisis con las mujeres.

»Para mí», prosigue, «el asesinato de las mujeres en Juárez tiene más que ver con el poder que con el placer sexual. El estilo de la violencia muestra un tipo especial de comportamiento masculino, que busca dominar por completo a la otra persona.» «Estilo» no es una palabra que Ballí utilice a la ligera, y la usará de nuevo más adelante para definir el «comportamiento social» de la nueva generación de jefes y soldados rasos del narco. «Antes, la violencia en Juárez era meramente funcional, pero ahora busca también una exhibición pública de un tipo específico de masculinidad, e intenta reafirmar el poder masculino en un momento en que las formas tradicionales de masculinidad en la frontera están amenazadas. Se ven cosas parecidas entre los hombres; la forma en que son torturados por el Ejército y la policía, y por gente del mundo de la droga, está con frecuencia muy sexualizada. Así que personalmente veo una relación entre las dos violencias. Por descontado, dado que los cuerpos y los estatus sociales de los hombres y las mujeres son distintos, la violencia adopta formas distintas y se experimenta también de maneras diferentes. Pero todo se centra en violar el cuerpo y exhibir ese tipo de masculinidad que no se reduce sólo a lo que habitualmente denominamos "machismo".»

Como hemos visto, fue la economía global legal la que dio lugar a cambios fundamentales en Juárez, y proporcionó la materia prima para el feminicidio: la llegada de las fábricas maquiladoras atrajo a la ciudad una fuerza laboral que era, al principio, casi en un ochenta por ciento femenina. Según un estereotipo tácito, las manos de las mujeres son más diestras, y a ellas se les puede pagar menos que a los hombres y son más fáciles de explotar. El trabajo en la maquiladora es incesante, concentrado y exigente para la vista: diminutos ajustes en bases de microchips, bajo una luz artificial abrasadora. «Ni siquiera podemos hablar porque te retrasas», dice Cinthia Rodríguez, que trabaja en la misma maquila que María Sagrario González. Dos visitas al baño durante la jornada laboral, sin sindicatos independientes, y sometidas a cadenas de montaje que imponen cuotas agotadoras, que se reducen cuando los inspectores de las casas matrices estadounidenses vienen de visita. «Pero es un buen trabajo», concluye Cinthia. La llegada de tantas trabajadoras jóvenes pone en cuestión los cimientos machistas de la sociedad mexicana. Porque en la esclavitud de las maquilas había también una especie de liberación. Esther Chávez Cano (que falleció en diciembre de 2009) fundó Casa Amiga, el primer y único centro que trababa el maltrato doméstico y sexual en la ciudad. Ella explicaba: «Los hombres descubren que ya no son el sostén de la familia. Las mujeres cambiaron el sometimiento en el hogar por el sometimiento al jefe de la fábrica, pero éste ofrecía cierta independencia; podían comprarse ropa, dejar a sus novios maltratadores, llevar minifaldas, salir solas. Y, con tantos hombres de mediana edad desempleados en Juárez, llegó la frustración, una reacción violenta contra las mujeres que exhibían su independencia por primera vez. Pero el ser económicamente independiente y llevar minifalda no es una invitación a que la maten a una».

«Las maquilas suministraron carne a los asesinos», afirma el doctor Aminé Arjona, que intenta reunir pruebas de la matanza. «Traen chicas de todas partes, que son fáciles de dominar, en cualquier sentido.» «De las maquilas», dice Marisela Ortiz, «procede la cultura de la "prescindibilidad" que respalda los asesinatos. Las maquilas ven a las mujeres que trabajan del mismo modo que ven nuestra ciudad, como algo prescindible. Así que, ¿qué importa si asesinan a una mujer? ¿O a diez o a cien? Siempre hay muchas más.» «Si quiere pegar, violar o asesinar a una mujer, no encontrará mejor sitio que Juárez», me dijo Esther Chávez. «Hay miles entre las que elegir, muchas oportunidades y, en tercer lugar, puede hacerlo sin que le pase nada. Las vidas de las mujeres, sobre todo las de las pobres, no tienen valor. Son anónimas.»

El aire, frío como un viento de navajas, arroja arena sobre la carretera principal que cruza la miserable colonia de Anapra, que se extiende bajo Lomas de Poleo, y a cuyos lindes llega la carretera de tierra que lleva a la ciudad. Cuando llegue la luz del día, esa carretera será un hervidero de autobuses y furgonetas que levantarán el polvo; pero en las horas previas al alba, emergen de los improvisados hogares figuras sombrías y encapuchadas de mujeres jóvenes que cruzan las calles secundarias hasta llegar a los puntos donde las recogerán autobuses especiales para llevarlas en masa a trabajar. Por una carretera así caminó María Sagrario González después de dar las buenas noches por última vez a su familia. Por estos senderos oscuros han desaparecido muchas jóvenes que son encontradas, semanas después, violadas y exánimes, en la maleza a los pies de la montaña, que se alza ahora como un gigante recortándose contra el sol naciente. Con las primeras luces, tres mujeres de Veracruz explican que ni siquiera van a trabajar, sino que se levantan cada mañana y acuden a las maquilas con la esperanza de que las contraten, tras haber sido despedidas de una empresa que se trasladó a China, donde la mano de obra es todavía más barata y sumisa. Otra chica, Rosa López Contreras, da un respingo cuando se le acercan dos hombres y luego explica que nunca espera el autobús sola, que prefiere juntarse con amigas o trae a su perro, entrenado para dar la alarma. Estas mujeres han olvidado los nombres de la mayoría de sus compañeras de trabajo asesinadas, pero María Sagrario González sí les suena: «Me acuerdo de ella», dice Rosa, «todo el mundo conoce a su madre».

Paula González tiene una forma singular y conmovedora de hablar sobre el asesinato de su hija; desplaza la mirada a media distancia y una extraña y remota sonrisa aparece en su rostro cuando llega a los pasajes más dolorosos de su relato. La familia González llegó de Durango en 1995. Jesús había trabajado en un aserradero, pero «queríamos venir a Juárez a ganarnos mejor la vida», dice Paula, «aunque, claro, la realidad es distinta. Después de todo, el jefe de una maquila es como un funcionario del Gobierno, no es un ser humano normal porque tiene todo lo que necesita. Lo único que le preocupa es que llegues puntual y trabajes. Eso es todo.

»Esta zona es famosa», afirma Paula. «La gente dice: "¡Oh, de ahí son todas esas chicas asesinadas!".» Es un barrio de chabolas en tierras ocupadas; hay animados pequeños 'abarrotes' aquí y allá; Paula ha abierto uno propio. Después de que asesinaran a su hija, se aisló incluso del vecindario que había convertido en su hogar: «Mi primera reacción fue cerrarme completamente, pensar sólo en Sagrario. Su padre se encontraba muy mal, con graves problemas físicos. Pero entonces algunas madres del barrio me pidieron que fuera su representante y que me moviera. Y eso hice».

No se sabe de dónde, de algún sitio, algún sitio extraordinario, Paula extrajo fuerzas. El «Comité de Vecinos» se reúne todos los domingos. Más que obsesionarse con los asesinatos, intenta encontrar «formas de proteger a los vivos». Ha obligado a las autoridades a instalar algunas líneas eléctricas, bombas de agua, e incluso una guardería infantil. Aunque no es que las autoridades se implicaran mucho en ésta: se limitaron a conceder un número de registro legal a Paula. Ella buscó a un maestro, y los vecinos del barrio construyeron la pequeña cabaña a la que llevan a los niños a las nueve de la mañana.

«Cuando hablo con la policía sobre mi hija», dice Paula, «nunca sé si estoy tratando con un delincuente o un policía; posiblemente, sea las dos cosas. Pero creo que ellos están obligados a explicarme qué está pasando. Es duro presentarse allí cada día y ver lo hastiados que están, lo hostiles que son. Ya no esperamos ayuda de las autoridades. Lo único que podemos hacer es despertar a la ciudadanía.» A lo largo de la carretera principal, la Ruta Anapra, se han pintado cruces negras sobre un fondo rosa. «No tanto para recordar a las difuntas», explica Paula, «como para advertir a las chicas jóvenes de que están en peligro. Todo lo hago por Sagrario», reflexiona. «Sagrario estaba en el coro de la iglesia y enseñaba catecismo. Regalaba caramelos a los niños, y por tanto yo también. Por Sagrario...» Y Sagrario nos mira desde la fotografía colgada en la pared, más arriba, con ojos oscuros y serios. Paula se retuerce las manos. No tiene mucho sentido preguntar por las grandes cosas, así que luchamos por las pequeñas cosas de la vida.

«Sólo una cosa», se lamenta Paula: «me hubiera encantado haber llevado a Sagrario a Durango, para que conociera sus raíces. Aquello es tan hermoso..., y ella sólo tenía quince años cuando se fue. Pero ahora para mí es imposible ir sola.» ¿Por qué? «Por Sagrario no puedo ir. Somos una familia muy unida, y mis parientes siempre me decían que, si volvía a Durango, llevara a Sagrario conmigo. Así que si volviera sola, sería como si ella los hubiera abandonado.»

«Todo esto todavía me asombra», dijo Esther Chávez en el centro de maltrato doméstico. «Y eso que llevo combatiéndolo desde hace diez años.» Chávez volvió de Ciudad de México a su Juárez natal para cuidar a su madre enferma, con la intención de regresar más tarde a la capital. Pero su madre vivió hasta los ciento dos años; así que Chávez se estableció en la ciudad, trabajó como contable, escribía una columna en el periódico *Diario* y abrió una tienda de ropa. Al enterarse de cómo vivían las mujeres de la ciudad, fundó Casa Amiga. Cuando empezó el feminicidio intentó forzar a las autoridades para que dieran respuestas. Y la respuesta oficial fue aconsejar a las mujeres que no se vistieran provocativamente, que evitaran andar por las calles y: «si la atacan sexualmente, finja que vomita. Eso asqueará al atacante y probablemente huya». Las respuestas extraoficiales llegaron en un tono mucho más contundente. Que una chica salga sola es como «una pequeña invitación», afirmó el antiguo procurador Arturo González Rascón. «Es como dejar un caramelo a la entrada de una escuela.» El antiguo ayudante del procurador general del Estado, Jorge López, comentó: «Cuando una mujer joven desaparece, en casi todos los casos sus padres le dirán que era ¡poco menos que una santa! Pero luego, cuando empezamos a hacer pesquisas, descubrimos que salía a bailar todas las noches». La madre de una de las chicas asesinadas el año anterior se quedó horrorizada al encontrar la ropa de su hija, unas mañanas después del suceso, que alguien había arrojado por encima de la valla del patio trasero de su casa. Cuando un agente de policía se pasó a recogerla, comentó: «La chavala andaba de cabrona». «Debe recordar», me había explicado Chávez en 2002, «que vivimos en un estado en el que pegarle a la esposa no se consideraba delito hasta hace un año. A no ser que las heridas fueran "visibles durante más de quince días". E incluso desde entonces no hemos conseguido ni una sola condena, porque siempre dicen que los casos son demasiado "complicados".»

La trágica farsa de los supuestos esfuerzos de las autoridades por encontrar a los asesinos empezó en octubre de 1995. Abdel Latif Sharif, un egipcio, antiguo ingeniero de las maquilas, fue detenido y acusado de siete asesinatos. A pesar de sus antecedentes de violencia sexual, él se declaró inocente. El caso se topó con problemas: una de las mujeres cuyo asesinato se le atribuía, Elizabeth Ontiveros, reapareció viva. La experta forense de la policía encargada del caso, Irma Rodríguez, dijo que las marcas de mordiscos encontradas en sus supuestas víctimas no coincidían con la dentadura de Sharif. La policía detuvo entonces a un grupo de trabajadores de *night-clubs* que pertenecían a una pandilla, los Rebeldes, y acusó a Sharif de haberles pagado para que mataran a diecisiete mujeres más mientras él estaba encarcelado. Se les acusó de siete asesinatos, entre ellos el de María Sagrario González; mientras que la condena de Sharif por un único asesinato fue anulada en 2000. La acusación contra los Rebeldes también se vino abajo, pero las autoridades pidieron más margen en febrero de 1999, cuando un campesino abrió la puerta de su casa una noche y se encontró ante una chica de catorce años llamada Nancy González, cubierta de la sangre que le salía de una herida abierta encima del ojo. Un conductor de autobús la había violado, luego había intentado estrangularla y la había abandonado dándola por muerta. El violador, Jesús Manuel Guardado, y otros miembros de su pandilla, los Toltecas, fueron detenidos y acusados de quince asesinatos, que ellos reconocieron, aunque luego se desdijeron de su confesión, extraída, afirmaron, bajo tortura y presiones. Con posterioridad, el conductor Guardado fue condenado y encarcelado en enero de 2005 por su participación en el asesinato de ciento trece mujeres en Ciudad Juárez, junto con otros nueve miembros de los Toltecas, dos de los cuales también eran conductores de autobuses.

Los acontecimientos se retorcieron siguiendo un curso estrambótico. El 13 de mayo de 1999, la abogada de Sharif, Irene Blanco, recibió una extraña llamada telefónica informándola de que se había producido un tiroteo entre pandillas de narcos y había una víctima, Eduardo «Blancas» (un error en el apellido). Ella corrió al hospital y encontró a su hijo gravemente herido con tres balazos. Él iba conduciendo cuando sus supuestos asesinos abrieron fuego. Herido, pisó el acelerador y pudo llegar al pabellón de urgencias. Mientras lo estaban operando, se presentaron agentes de la policía estatal y preguntaron a los médicos si había muerto o seguía con vida. Un mes después de la tentativa de asesinato, un diario de Ciudad de México, *Reforma*, publicó la versión de un confidente de la policía de Juárez, Víctor Valenzuela. Valenzuela se había presentado ante sus superiores afirmando que sabía quién estaba detrás del asesinato de docenas de mujeres en las circunstancias más pavorosas y sádicas: miembros y gente próxima al cártel de Juárez. El grupo, además, estaba protegido por la policía y funcionarios del Gobierno, entre ellos dos de los oficiales de policía encargados del caso de Sharif. El feminicidio en Juárez parecía incluir un número estadísticamente pequeño, pero, en palabras de la señora Cecilia Ballí, «estilísticamente importante», de crímenes cometidos en apariencia con la aprobación oficial entre las más de trescientas mujeres asesinadas con brutalidad sádica y sexual.

Se levantan, silenciosas y espectrales, a la luz del crepúsculo: un matiz rosáceo en el cielo refleja el color con el que están pintadas las ocho cruces. Están situadas en lo que en el pasado había sido un algodonal y ahora es un vertedero de neumáticos viejos, bidones de productos químicos y hediondos desperdicios de todo tipo. Sobre las cruces –como contraste– han sujetado flores frescas y fragantes. Hay nombres pintados con letra esmerada: Claudia Ivette, Brenda, Bárbara, Desconocida, Laura, Berenice, Lupita, Esmeralda, Verónica. Son los nombres de las ocho mujeres cuyos cuerpos mutilados fueron encontrados aquí el 21 de noviembre de 2001. Es un terreno descubierto, en un transitado cruce de carreteras: hileras de ventanas de las plantas más altas de las casas de un barrio vallado dan a la parcela. Nadie quiso ver o hablar de quienquiera que dejara esos cadáveres ahí.

Todavía cuelga cinta amarilla de la policía enganchada a lo largo de la zanja detrás de las cruces, y hay otro cadáver, el de un perro. El hedor de la basura que se pudre llena el aire, a la par que el canto vespertino de los pájaros y el zumbido del tráfico. Pero, fuera cual fuese el mensaje que querían transmitir los que arrojaron aquí los cuerpos, hay uno muy claro de los que erigieron estas cruces: no sólo señalan y lloran a las difuntas, también miran fijamente, silenciosas como la propia muerte, acusadoras, por encima de esta tierra empobrecida, hacia las oficinas cilíndricas de la Asociación de Maquiladoras, la federación patronal de las fábricas. Al anochecer, la pintura rosácea se vuelve luminosa y refleja la luz del edificio, así como la del cielo crepuscular. Durante otro anochecer, el Día de Muertos mexicano de noviembre de 2002, las mujeres del movimiento por la justicia se reunieron aquí en homenaje «no sólo a las ocho, sino a todas las mujeres muertas», como dijo Marisela Ortiz. Se encendieron dos antorchas que se clavaron en el suelo. Se colocó en la tierra una cruz confeccionada con piedras y se rodeó de cirios. Se esparcieron flores y dos sacerdotes celebraron la Misa de réquiem: «Cordero de Dios que quitas el pecado del mundo, ten piedad...». «Es», dice Mariela, «un rito funerario, un entierro digno para todas ellas.»

Tras años de pocos avances, el procurador Arturo González celebró una inesperada conferencia de prensa, en la que declaró que había resuelto el caso. Cinco días después del hallazgo en el «campo de algodón», se detuvo a dos conductores de autobús: Víctor Javier García Urbe y Gustavo González Meza, y se les acusó de los ocho asesinatos. Se consiguieron rápidamente confesiones de las violaciones, asesinatos y de haber arrojado allí los cuerpos, confesiones que se grabaron en vídeo y se mostraron a la prensa, con una banda sonora de película de intriga. Los conductores dijeron que habían sido torturados, las autoridades replicaron que las heridas se las habían «infligido ellos mismos». Los abogados contratados por los conductores, Sergio Dante Almaraz y Mario Escobedo, se propusieron demostrar la invalidez de las confesiones obtenidas bajo presión. La noche del 5 de febrero de 2002, Escobedo se dio cuenta de que la policía seguía su coche. Estaba hablando por teléfono móvil con su padre cuando empezaron los disparos: el anciano escuchó cómo asesinaban a su hijo con una ráfaga de tiros de armas automáticas. La policía insistió en que Escobedo fue confundido con un peligroso fugitivo y que había disparado él primero al coche de los agentes. Ahí estaban los orificios de bala en el coche policial para demostrarlo. El otro abogado, Dante Almaraz, afirma que, mientras tanto, fue advertido: «Si no dejas el caso, te mataremos como matamos a Escobedo».

«Fue una ejecución», sostiene el hombre que lo sabe todo del caso, Óscar Máynez Griljava, anterior jefe forense del ayudante del procurador general del estado de Chihuahua, que se ocupó de la acusación de los dos conductores. Máynez, tras dimitir asqueado a finales de enero de 2002, tiene una de las pocas claves de esta tortuosa historia. Es un hombre joven, curiosamente travieso, que, pese a toda su apasionada implicación, habla con aire distanciado y profesional cuando nos reunimos en el vestíbulo de lo que por entonces era el Holiday Inn. Como profesor de cadetes de policía y más tarde jefe científico forense, Máynez fue el primero en alertar a sus propios superiores acerca de la probabilidad de la existencia de un poderoso consorcio de asesinos detrás de la matanza: relacionó cincuenta y seis asesinatos cometidos entre 1993 y 1999.

Máynez afirma que las quemaduras de cigarrillos supuestamente autoinfligidas en los cuerpos y genitales de los conductores eran heridas de doble punta causadas por los electrodos de dos púas utilizados por la policía. En cuanto al tiroteo de Escobedo, Máynez se fijó en que los orificios de bala en la puerta del coche policial supuestamente producidos por los disparos de Escobedo estaban *al otro lado* (el del conductor), el contrario desde el que teóricamente había atacado y donde había quedado destrozado el coche del abogado, lo que convertía en un auténtico desafío a las leyes de la física el que Escobedo pudiera haberlos realizado. Y, por si fuera poco, añade Máynez, «quienquiera que disparara para hacer esos orificios en el coche policial, no estaba allí ni siquiera inmediatamente después del incidente. Las fotografías, incluso las publicadas en la prensa, muestran claramente que no había ningún orificio».

Máynez no señala ningún culpable concreto, pero se muestra muy lúcido acerca de lo que sabe con seguridad y de lo que estaba convencido ya en 2002. Uno: que «las autoridades y los intereses empresariales de Juárez han sido completamente "narcotizados". Los grandes cárteles de la droga son una fuerza con la que uno tiene necesariamente que negociar si entra en el Gobierno. No puedes combatirlos y, más importante aún, sí puedes ganar mucho dinero gracias a la situación». Segundo: «Creo que detrás de muchos de los asesinatos hay un grupo organizado y con recursos. Ésa es la única certeza, aparte de que continuarán matando».

Los ocho cadáveres del «campo de algodón» fueron la última gota para Máynez, ya antes de la tortura de los conductores de autobús. Cuando comprobó sus ADN, en sólo uno de los casos la prueba forense dio una identificación positiva (los demás fueron mal identificados o las muestras estaban contaminadas). Además, cinco de los cuerpos estaban cubiertos con «grandes trozos de escombros de cemento. Me pareció inevitable relacionarlos con la industria de la construcción, muy "narcotizada", y era fácil encontrar el origen del cemento. Pero nadie siguió aquella pista jamás. Al cabo de dos días, "caso cerrado"».

Tras la salida de Óscar Máynez, el trabajo forense recayó en Irma Rodríguez Galarza, que examinó un cadáver tras otro, e incluso pasó tiempo recorriendo las calles en secreto. Pero el 25 de julio de 2001 –dos años después de que hubiera arrinconado desde el punto de vista forense el caso de Sharif–, la doctora Rodríguez estaba preparando una conferencia en Ciudad de México cuando alguien le preguntó si había visto las noticias: «Han tiroteado a la familia de un científico forense en Juárez». La hija de Irma, Paloma Villa Rodríguez, y su marido, Sotero Alejandro Ledesma, habían sido abatidos a tiros en el porche del hogar familiar en una desvergonzada ejecución cometida por hombres que dispararon con AK-47 desde dos vehículos. Las autoridades expresaron su consternación porque la pareja hubiera quedado atrapada en el fuego cruzado de un tiroteo relacionado con drogas. No se identificó ni interrogó a ningún sospechoso.

Un caso perturbó particularmente a Óscar Máynez, como también a sus homólogos en el FBI de El Paso: el asesinato de Lilia Alejandra García Andrade, de diecisiete años, secuestrada el Día de san Valentín de 2000, delante de una tienda de televisores, cuyo cuerpo fue encontrado una semana después. El asesinato, dice Máynez, lleva la misma firma que los de las mujeres del «campo de algodón». Un informe del FBI sobre el asesinato de Andrade se filtró al diario de Ciudad de México *Reforma:* se basaba en las declaraciones de tres testigos, que, al no conseguir que se les escuchara debidamente en Juárez, cruzaron el río. Lilia fue secuestrada por hombres a sueldo del cártel de Juárez, decía el informe. La tienda de televisores era conocida como canal para el tráfico de cocaína y entre los atacantes se encontraba un tal «Raúl», conocido también por las autoridades. Después de introducir a la chica en un Thunderbird blanco, se oyeron ruidos de pelea, y un guardia entró en la tienda. Los taxistas aparcados enfrente miraban, declaró un testigo, sin hacer nada. «Alguien debe de haber visto algo», dice Norma Andrade, la madre de Lilia, «y los únicos que pueden hacer algo así sin que les pase nada son seguramente gente que tienen alguna relación con la policía.» El documento del FBI fue desechado por las autoridades como «erróneo». Pero en la otra orilla del río, el diario *El Paso Times* informó de que había gente en Juárez que, haciéndose pasar por agentes del FBI, llamaban a algunas puertas buscando a los testigos.[3] El cuerpo de Lilia fue arrojado a menos de trescientos metros de una maquila que era propiedad de la empresa ProMex. La habían mantenido unos cinco días con vida, la habían violado, torturado y estrangulado. Los informes forenses indicaban que había estado inmovilizada con esposas de las que usaba la policía.

Norma Andrade es una mujer herida pero excepcional, en talla, gestos y valor. «Lo que más me duele», dice, «es que las personas que hicieron eso andan por ahí, puede que haciéndole lo mismo a otra chica. Pero sigo resuelta a que el que lo hizo sea castigado. Estoy combatiendo la impunidad, el que las autoridades permitan que sucedan cosas como ésta.» A lo largo de los años han corrido interminables sospechas acerca de quién está detrás de las fechorías de Ciudad Juárez. Hay teorías sobre cárteles de narcos *junior,* sobre herederos de las familias de grandes terratenientes y de ejecutivos de las maquilas, sobre mandos policiales, sobre violencia doméstica, sobre vídeos *snuff* y relaciones ocultas. Hay incluso un grupo de especialistas en el tema en Estados Unidos que afirma que las muertes han sido objeto de una atención excesiva, dado que, mientras tanto, se estaban asesinando a más hombres que mujeres. «Sólo una cosa está clara», supone Norma Andrade, «que quienquiera que sea el que asesina, asesina por placer.»

Maestra de escuela primaria, Norma vive en las lindes septentrionales de Juárez, en una casa casi alegre, llena de los ruidos de niños jugando: hijos de vecinos, de sobrinos y sobrinas, y los dos hijos de la propia Lilia, Jade, que ahora tiene tres años, y Kaleb, de dos. Llaman «mamá» a su abuela, mientras el retrato de su madre verdadera está sobre una estantería, inquisitiva, bondadosa, con gafas. «Las autoridades ni siquiera se molestaron en llamar», recuerda Norma del día que encontraron el cadáver de su hija. «Me enteré porque alguien lo comentó y entonces fui a la morgue. Desde entonces, tampoco me han llamado. Creo que me han mentido en el caso de mi hija. Dijeron que la habían atado con cordones de zapatos, pero creo que fue con esposas de la policía. Dijeron que no había señales de estrangulamiento, pero yo sé que las había. Sé que depende de mí el ir a incordiarles. Si no fuera, no volvería a tener noticias suyas.» El asesinato de Lilia ha sido clasificado como «crimen pasional». Su marido (del que estaba separada) fue por tanto interrogado, pero lo eliminaron de las listas de sospechosos, y el crimen no fue cambiado de categoría. «Él no habría tenido el valor para hacer algo así», se burla Norma, permitiéndose emitir una risa hueca. «Pero es difícil pensar mucho en esto.» Respira hondo. «Los hechos hablan por sí solos. Llevaba treinta horas muerta cuando la encontraron, pero había estado una semana desaparecida. Mi vida cambió por completo», reflexiona. «Yo era muy feliz, disfrutaba con todo. Pero veía el mundo con unas gafas color de rosa. Ahora no me fío de nadie. Podría contar las personas en las que confío con los dedos de una mano. De hecho sólo dos: Martha Cabrera, de la escuela donde trabajo, y Marisela Ortiz.»

Después del asesinato de Lilia, Norma fue a ver a la antigua profesora de instituto de su hija, Marisela Ortiz, y le pidió que se implicara. Marisela, una mujer elegante que oculta su rabia bajo toneladas de amabilidad, fundó Nuestras Hijas, convencida de que «aquí ha llegado la hora de cuestionar el orden de arriba abajo, y mientras tanto hay que cuidar a las madres, y a los hijos que han quedado huérfanos. Muchos de ellos, al crecer, acaban convertidos en drogadictos o pandilleros». La propia Marisela se había convertido en objeto de hostigamiento. Hace poco, una noche, al conducir de vuelta a casa, la siguió un todoterreno. Se pegó a su parachoques posterior hasta que ella pudo escabullirse. «Estaba aterrorizada», dice, «yo..., bueno, fue una señal muy clara.» Pero no son las amenazas, dice Marisela, las que la van a hacer desistir. Ni siquiera la respuesta de las autoridades, a las que Marisela considera, como mínimo, cómplices. Más bien es la reacción de las maquiladoras lo que «nos quita toda esperanza».

Tres y media de la tarde: cambio de turno en las maquilas. Los autobuses se alinean delante de cada fábrica, esperando para llevar su carga al centro o de vuelta a las colonias. Las chicas emergen del mundo de iluminación fluorescente de dentro. Algunas se quedan a charlar, una joven se sube directamente al autobús, se sienta, apoya la cabeza en el cristal de la ventanilla, cierra las largas pestañas y se sume en el sueño. Media hora después, ya en la Ruta Anapra, los autobuses avanzan dificultosamente en grupo, levantando grandes nubes de polvo, son viejos autobuses escolares americanos, con el rótulo «transporte de personal» y nombres de empresas: Philips, TDK, Delphi, Lear. De vez en cuando, paran, sueltan una bocanada de gases y dejan caer a las trabajadoras que seguidamente emprenden su cansado camino de vuelta a casa entre las chabolas que ascienden por la ladera de la colina.

El silencio de las empresas de las maquilas acerca de la matanza de sus empleadas fue quizá más clamoroso en el caso de Claudia Ivette González, de diecisiete años, una de las ocho chicas encontradas en el campo de algodón. Ella había trabajado para Lear, pero una mañana la despidieron por llegar tres minutos tarde, tras haber perdido el autobús al trabajo. Ése fue el día que Claudia, al volver sola a casa, desapareció. La respuesta oficial de la empresa a su consiguiente muerte fue que «el asesinato de González no tuvo lugar en las propiedades de Lear». Y como respuesta a la tentativa de asesinato de la superviviente violada de catorce años Nancy Illaba González, su patrón se limitó a decir: «Nuestra política de empresa prohíbe la contratación de menores de dieciséis». La empresa incluso presentó denuncia legal contra la familia por ayudar a Nancy a falsificar sus documentos de identidad.

Delante de las oficinas en Juárez de las autoridades estatales de Chihuahua, se había plantado un bosque de pequeñas cruces en un trozo de jardín, que ya no están allí. Cada cruz, empezando en 1993, llevaba un nombre, el primero, el de Ivonne Estrada Salas; una por cada cadáver recuperado, y hacia 2003, ya se apiñaban por falta de espacio. Muchas estaban sin identificar porque, explicó Rosario Acosta, de Nuestras Hijas, «muchas chicas vienen solas del sur, y no tienen nadie aquí que las conozca». Dentro del edificio, la jefa de la oficina especial para homicidios sexuales, la joven Ángela Talavera, que viste un elegante traje con falda, nos estrecha las manos con frialdad. Está encantada, dice, de responder todas las preguntas. «Muchas fueron seducidas por hombres que... se aprovecharon de la situación. La mayoría fueron seducidas, pero otras fueron tomadas por la fuerza. No hay un patrón fijo.» La señora Talavera tiene poco margen para hablar, pues casi todas las preguntas las responde en un perfecto inglés americano un hombre intimidante y entrometido, el anterior jefe de la unidad, que ahora ejerce de asistente encargado de la «coordinación». El asistente detalla las categorías de los homicidios sexuales, y las estadísticas consiguientes. Se han producido 229 durante el periodo tratado, de los cuales, insiste, 163 han sido resueltos, lo que deja un total de 66 investigaciones todavía abiertas. De los 229, 70 fueron homicidios sexuales, de los cuales se aclararon 24, y quedan 46 por resolver. Entre las otras categorías se cuentan «relacionados con discusiones», «muerte accidental» y, el más numeroso, «crímenes pasionales».

Pregunto por el caso de Lilia Andrade, calificado como «crimen pasional». Al abordar este tema en concreto, él se limita a comentar, con desdén, «su madre siempre malinterpreta lo que decimos». Sobre el reciente caso de «sobredosis» de la chica encontrada con los pantis bajados y las tiras del bolso alrededor del cuello, la señora Talavera interviene para decir: «Es verdad que llevaba los pantis un poco por encima de las rodillas, y que el bolso que colgaba de su brazo estaba cerca del cuello. El forense médico hizo la autopsia del cadáver. No tenía ninguna señal en el cuerpo de que la hubieran atacado sexualmente». A Óscar Máynez el argumento le parece ridículo: «He visto infinitas sobredosis; nunca he visto a nadie con los pantis bajados hasta las rodillas ni las tiras del bolso alrededor del cuello». La pregunta sobre posibles relaciones con familias poderosas o con las autoridades es rápidamente despachada. «Cuando yo estaba a cargo de esta unidad», interviene de nuevo el asistente, «recibimos información sobre una persona poderosa concreta. No nos llevó a ningún sitio. Era una de esas personas importantes, pero eso no nos detuvo entonces ni nos detendría ahora.» ¿Y el abogado asesinado, Escobedo? «Él no era el abogado», espeta el asistente. «El abogado era su padre. No sé cómo sucedió, pero lamentablemente el joven fue asesinado. Sin embargo, su caso no tuvo nada que ver con el de los conductores de autobús.» «Mario Escobedo hijo», afirma Óscar Máynez, «era el abogado oficial de uno de los conductores. Consta así en los registros.» La reunión concluye con la afirmación del asistente de que sólo tres de los cuerpos recuperados entre 1993 y 2003 estaban mutilados. El FBI, dice, es bienvenido a Juárez, «para que se formen», pero no para colaborar en las investigaciones. Mientras tanto, el movimiento en la calle se dispone a actuar por encima de las cabezas del equipo de la procuraduría.

Un año después, Rosario Acosta fue a Washington DC para la primera audiencia en la sede de la Organización de Estados Americanos, pues Nuestras Hijas se planteaba iniciar acciones legales a través de la Corte Interamericana de Derechos Humanos de la OEA, con sede en Costa Rica, fundada por un superviviente del Holocausto, el excepcional Thomas Buergenthal, que ahora es el juez presidente que representa a Estados Unidos en el Tribunal Internacional de Justicia de La Haya. El viaje de Rosario fue el primer paso en un largo camino, pero cuando nos reunimos para comer en Starbucks entre el cristal y el acero de Washington, la luz cristalina de los ojos de Rosario empezaba a desvaírse. «Ahora es un paisaje desolado», dice. «Ya no hay nadie a quien recurrir en México. Mientras sigue este juego, más mujeres continúan muriendo. No, ese camino está cerrado. Tenemos que jugar más a lo grande, o eso o nada. Esto sólo puede resolverse si nos enfrentamos al mecanismo por el que funciona la ley. Lo que me impulsa», dice, «ya no es el "activismo", es la rabia y la pena. A veces tengo la impresión de que la organización está llena de mujeres que trabajan juntas; otras, de que somos sólo unas pocas; y otras de que estoy totalmente sola.» Rosario se refiere no sólo a los crímenes sino a sus repercusiones después de diez años en Ciudad Juárez..., y estamos en 2003, cuatro años antes del estallido de la guerra del narco actual: «Es una sociedad en descomposición. Estamos asistiendo a su destrucción: mujeres que sufren y no pueden volver a la sociedad, que padecen cáncer a causa del estrés, con hijos a los que cuidar, y la violencia doméstica contra las mujeres es rampante». Las palizas a las mujeres en Juárez han superado todos los límites, dice: incluso los pocos casos denunciados a la policía aumentaron un trescientos por ciento durante el mes que siguió al hallazgo de los ocho cuerpos en el campo de algodón. «Es lógico», dijo Rosario, «si pueden matar mujeres sin que les pase nada, ¿por qué no darles palizas hasta casi matarlas? Ahora es frecuente que los hombres se burlen de sus esposas: "Si me denuncias, te tiraré al Lote Bravo", refiriéndose a un canal donde se encontraron varios cuerpos.»

«Este mensaje de impunidad completa está teniendo efectos terribles en todas direcciones», dijo Esther Chávez en el centro de crisis por la misma época. «La situación se ha deteriorado tanto que acuden mujeres que no pueden hacer otra cosa que dejar que les peguen porque sus maridos las amenazan con matarlas. ¿Qué puedo responder si una mujer dice: "No puedo volver porque él dice que tirará mi cuerpo al campo de algodón"? Si la policía interviniera aunque sólo fuera en estos casos, podríamos empezar a romper este ciclo de impunidad.»

De vuelta otra vez en el hogar primoroso pero estremecedor de Norma Andrade. Como diría Shakespeare, ella «resiste hasta el borde del abismo final». «Ahora estoy llevando a cabo mi propia investigación», insiste con firme resolución, «buscando en aquella tienda de televisores de los narcos.» En la comisaría, «la actitud [de los agentes] es cada vez peor, pero no pienso dejarlo, tanto me da lo que me pase». Se palmea las rodillas y centra su atención en los hijos de Lilia, que están encajando trozos de papel amarillo en la plantilla de un dibujo. «A mi marido no le parece bien lo que estoy haciendo. "Piensa en los niños", me dice. Pero se trata precisamente de eso. Lo hago por los niños. En tanto ellos me miren y me llamen "Mamá", tengo a Lilia conmigo, y una razón para levantarme cada día y seguir luchando.»

En diciembre de 2009, la Corte Interamericana de Derechos Humanos dictó sentencia contra el Gobierno mexicano en tres casos de asesinatos de mujeres jóvenes en Ciudad Juárez. El Tribunal afirmó que las autoridades mexicanas no habían investigado adecuadamente los asesinatos de Claudia Ivette González, de diecisiete años, Esmeralda Herrera Monreal, de quince, y Laura Berenice Ramos, de veinte, las tres, asesinadas en el «campo de algodón». El informe, que tenía 167 páginas, también afirmaba que México no había sabido proteger a las víctimas, y que el Gobierno debía reconocer públicamente su responsabilidad, publicar la sentencia en documentos oficiales y erigir un monumento en memoria de las víctimas. Las autoridades también deben investigar los asesinatos y llevar a los culpables ante la justicia. Era un caso sin precedentes, la primera vez que un tribunal ha fallado contra México en una reclamación de derechos humanos, y la primera resolución que reconoce que se trataba de asesinatos de género, es decir, que las mujeres son asesinadas por el simple hecho de ser mujeres.[4] Benita Monárrez, la madre de Laura Berenice, había solicitado asilo en Estados Unidos a causa de las amenazas recibidas de oficiales de la policía y funcionarios del Gobierno para que retirase la denuncia. La resolución se emitió a la par que madres de algunas de las víctimas y gente que las apoyaba emprendían una marcha desde Ciudad Juárez hasta Ciudad de México. Sin embargo, dos meses antes, a mediados de septiembre, el presidente Calderón había realizado un cambio de gobierno, y había nombrado a Arturo Chávez Chávez como procurador general de la República para sustituir al destituido Eduardo Medina Mora. Chávez había sido previamente el procurador principal del estado de Chihuahua, un cargo que ocupó durante la década de 1990, cuando las investigaciones sobre los asesinatos de mujeres jóvenes no dieron ningún resultado. «Es como poner a un lobo a proteger corderos», dijo un parlamentario de la oposición. En declaraciones ante un comité del Senado, Chávez había reconocido errores en su departamento anterior, pero afirmó que había hecho todo lo posible como procurador del Estado para investigar y perseguir las matanzas.[5]

«Pese a todo, este año», reflexiona Marisela Ortiz, dos semanas antes de la resolución de Costa Rica, «el número de asesinatos de mujeres es más alto que el del año pasado, y el de aquel fue mayor que el de 2007. Hasta ahora, este año tenemos más de doscientas; las violaciones y asesinatos son de un tipo distinto, de muchos tipos: en casa, en la calle, al volver de trabajar, y algunos conectados directamente con el narcotráfico. Pero una cosa no varía: siempre hay alguna razón para no investigar. La policía siempre encuentra motivos para lavarse las manos ante el crimen.» Nos encontramos en Sanborns, como hemos hecho casi siempre a lo largo de nueve años, pero esta vez el local se encuentra en un centro comercial de las afueras, no en el centro, porque es de noche. «No puedo ir, por razones de seguridad, al que iba antes», explica. «Tuve que mudarme aquí por todas las amenazas.» Marisela va vestida con elegancia y exuda resolución y encanto, pero parece exhausta. «El Estado ha encontrado una forma de parecer menos ofensivo cuando aborda la matanza», prosigue, «ya no se oyen los mismos insultos diciendo que las chicas se buscaban los secuestros y las torturas con su forma de vestir.» Pero «todavía tenemos que investigar todos los casos nosotras mismas, y ya no son como antes, sino más variados. Algunas víctimas son estudiantes universitarias secuestradas en la calle, otras están todavía en edad escolar. A la mayoría las secuestran cuando van al centro a buscar trabajo, sobre todo desde la recesión, porque allí es donde acaban todos los autobuses, y ellas tienen que cambiar de línea después de oscurecer. No siempre las violan, a veces las matan al estilo de las ejecuciones de la Mafia porque tienen alguna relación con el narcotráfico. Otras son secuestradas y asesinadas mientras venden sus servicios sexuales a la Policía Federal; se meten en situaciones muy peligrosas si aceptan tarifas muy altas a cambio de sexo con las pandillas. Pero, para serle sincera, a mí no me importa cómo es asesinada una mujer, lo importante es por qué: y el hecho es que esos hombres matan mujeres porque son mujeres, y porque pueden». Y su explicación es un eco de la de Cecilia Ballí: «El asesinato de mujeres aquí fue un indicio de cómo iría todo. Que los hombres creerían que era un modo de ejercer su poder, de abrumar a las mujeres y a otras personas con esa violencia extrema, hasta el punto de que ese tipo de violencia se propaga como un cáncer y pasa a formar parte de la cultura. Y así acabamos en este manicomio: hubo una ejecución al otro lado de la calle del instituto donde enseño, en septiembre, y el sicario vino a recoger a su hijo para que pudiera presenciar la ejecución».

La vida de la propia Marisela sigue amenazada. «Han disparado dos veces a mi coche, desde un vehículo negro con las ventanillas tintadas, pero no resulté herida», dice, y pasa del café a un pequeño licor. «Tuve que cambiar de casa, y vivir lejos de mis hijas para que ellas estuvieran a salvo. Y llevo un par de escoltas, pero trabajan indirectamente para Arturo Chávez, de manera que desde que lo ratificaron como procurador general... ¡mi enemigo es el que me protege! Tal vez eso debería multiplicar mi miedo. Pero ya no puedo parar. El día que pare significará que he aceptado que lo que se está haciendo es lo que se debe hacer.»

Vuelvo a visitar a Paula González poco antes de Navidad, y ha dispuesto un belén sobre el suelo. Un centro para niños en Anapra, que había sido poco más que un rayo de esperanza y una parcela despejada de maleza del desierto, ha podido levantarse gracias a donaciones privadas y lleva el nombre de Sagrario. ¿Un signo de la fe recuperada? «Tal vez», responde Paula pensativamente. «Al principio, rezaba mucho, y sigo haciéndolo. No en la iglesia, sino aquí, en casa, a la Virgen de Guadalupe. Siempre he sido una mujer muy religiosa y creía en la resurrección y el milagro de Guadalupe. Pero nunca recuperé la fe del todo después de aquel momento, cuando me devolvieron la Virgen de Sagrario, la que llevaba colgada del cuello. Tal vez, con el tiempo, la recupere.» Sus ojos profundos e inquietos se desplazan sobre las fotografías de su hija fallecida y luego vuelven a perderse en la media distancia. «Porque es justicia lo que de verdad anhelo. Justicia contra el asesino, y contra todos los asesinos. En Juárez no hay justicia, así que he renunciado. Aquí tengo un trabajo que hacer mientras tanto, y sólo espero la justicia de Dios.»

Paréntesis
*The Road It Gives and the Road It Takes Away**

¿Qué quieren decir los coyotes cuando aúllan a la luna?

Edward Abbey, *Desert Solitaire*

Siempre me habían llamado la atención esas personas que se sientan en las piscinas de moteles que están a un par de cientos de metros de una autopista interestatal. Pero eso fue precisamente lo que hice, tras una larga estancia en Juárez, durante cuatro horas seguidas, tras aplicarme protector solar de factor 15, escuchando el clamor de los camiones que recorrían ruidosamente la muy cercana Interestatal 10. Cuanto más agotadora es Juárez, más agradable resulta sentarse junto a la piscina de La Quinta e inhalar las aromáticas y terapéuticas emisiones de la chimenea química que se eleva justo al otro lado de la frontera; un poco avergonzado por los limpiadores que se afanan alrededor y empapado en rayos ultravioletas, uno se siente casi en el paraíso, un paraíso salvaje. Ése iba a ser el último día en El Paso durante un tiempo, el previo a una velada con el cantante Tom Russell, cuya música puse después de secarme con la toalla, de camino a Cowtown Boots y la tienda de la fábrica de botas Lucchese, y continuó sonando durante los miles de kilómetros siguientes, en los sucesivos bucles que tracé recorriendo la frontera de Texas, a un lado, y por Chihuahua, Coahuila y Tamaulipas por el otro. Una canción me entristecía especialmente y otra me animaba también de una manera especial. La primera decía:

Then he finally got married and he had two little girls
But he didn't see 'em much cause he had to see the world
And the lie that he told 'em is I'm like most men
It's always down the road that the dream begins
And the girls grew up to be pretty and wise
They said 'you could've seen the dream by looking in our eyes'[1*]

* «La carretera te da y la carretera te quita.» *(N. del T.)*

** «Y así por fin se casó y tuvo dos hijas / pero no las vio mucho porque quería ver mundo / y la mentira que les contó fue que soy como casi todos los hombres, / el

Y la segunda:

But we'll sing «Hallelujah!» – we'll sing it in the morning
And thank the Lord for giving one more day
For ones who passed on through, we'll sing this one for you
For the road it gives, and the road it takes away.[2*]

A la mañana siguiente, tras la cena con Russell y su mujer, Nadine, me voy de El Paso una hora antes de que salga el sol, que me da directamente en la cara cuando, por la Interestatal 10, me encamino a la eternidad de Texas, que comprende la mitad oriental entera del lado estadounidense de la frontera, la orilla izquierda del Río Grande, hasta el mar. Desde El Paso a la desembocadura del río y el extremo final de la frontera hay 1040 kilómetros en línea recta, pero si se sigue el curso del Río Grande son 2070, y ocho veces más en automóvil si uno va zigzagueando para entrar y salir en la región interior de ambas orillas. Cuando se conduce solo por Estados Unidos, la radio es un buen acompañante, y las emisoras cambian a su albur a medida que se pasa del alcance de una señal al de la siguiente. Así que, sin tocar siquiera el dial, uno se ve sucesivamente acompañado de rock clásico, adivinanzas apocalípticas de cristianos fundamentalistas, música country, vibrante norteño, y tertulias radiofónicas de charlatanes. De vez en cuando se capta una emisora pública, donde hablan de la sanidad o donde suena Sibelius (por qué siempre Sibelius, no lo sé). Así, la navegación por los canales no se consigue manoseando el dial sino gracias a una de las grandes constantes de todo viaje por Améxica: la distancia interminable. El tipo de distancia que los directores cinematográficos sólo pueden reflejar con postes telegráficos que se pierden de vista durante el día; el tipo de distancia ante el que los coches privados se rinden después de anochecer, cuando sus conductores se resguardan en moteles, de manera que uno comparte la autopista nocturna casi exclusivamente con camiones y las luces de colores con las que cada camionero distingue a su monstruo de dieciséis ruedas. Distancias que recorren los trenes de mercancías, interminablemente largos, escalofriantes, traqueteando con potencia, hasta el punto de que algunas veces, en la noche del desierto, me detenía sólo para maravillarme ante su paso atronador

sueño siempre empieza de camino por la carretera. / Y las niñas crecieron sensatas y guapas. / Le dijeron: "podrías haber visto el sueño mirando en nuestros ojos".» *(N. del T.)*

* «Pero cantaremos "¡Aleluya!"..., lo cantaremos por la mañana / y daremos gracias al Señor por concedernos un día más. / Por los que ya pasaron, cantaremos / porque la carretera te da y la carretera te quita.» *(N. del T.)*

–una emoción muy erótica, industrial, que nunca se olvida–, «Novecientas mil toneladas de acero» –como dice la canción de Grateful Dead–, de la que está hecho el caballo de hierro que recorre las líneas de la Santa Fe, la Kansas City Southern o la Union Pacific, viril, conquistador, surcando y tocando el silbato a través de la noche del desierto.

Para los aztecas, Tezcatlipoca era el dios supremo del cielo. Era un «espejo negro humeante», lo cual no resulta sorprendente pues los aztecas fabricaban sus espejos con obsidiana fina como una tela de araña, y la obsidiana es negra. Es por la noche, que llega anunciada por los suntuosos colores de la puesta de sol y el crepúsculo, cuando el cielo cobra vida sobre el desierto. En los cielos de Améxica, uno puede intentar aprender el arte de contemplar las estrellas de los antiguos nativos americanos. Recuerdo haber visto a indios sentados a solas en Dakota del Sur, mirando hacia el cielo durante horas..., y recuerdo haberlos envidiado. Así que me compré una silla metálica de Walgreens por once dólares para probar por mi cuenta. Aparqué el coche, empecé a caminar, y seguí caminando –aunque no parecía que me acercara a ningún punto de referencia, *butte** ni roca, lo más mínimo, tal es la distancia en el desierto– hasta que la franja azul oscuro, que es la sombra de la tierra enfrentada a la puesta del sol, se eleva y se diluye en la luz malva de encima, que es la del sol iluminando la atmósfera. Cuando haya oscurecido, hay que seguir tres normas básicas: 1.ª Espera un cuarto de hora al menos antes de empezar a mirar en la profundidad de las constelaciones, pobladas de tantas estrellas que es como si Dios te estuviera arrojando azúcar desde el fondo; 2.ª No olvides nunca que todo está en movimiento (o, mejor dicho, como descubrió Galileo y por lo que fue excomulgado, que tú estás moviéndote) y que puedes percibirlo si mantienes la mirada fija en el horizonte; 3.ª Acuérdate de llevarte siempre las botellas de cerveza vacías cuando vuelvas al coche. No hay nada más deprimente que encontrar lo que uno cree que es un rincón de aislamiento místico y acabar descubriendo que unos mocosos de alguna fraternidad estudiantil o unos cholos ya han convertido el sitio en un local al aire libre para concursos de beber cerveza Miller Lite y/o un vertedero para tirar condones y envoltorios de Burger King.

En algún punto cerca de Coyanosa, Texas, recordé las veces que mi padre me contaba de niño que muchas de esas estrellas se habían ex-

* Pequeña mesa o alto aislado, de paredes casi verticales y superficie llana, como las que suelen verse en el Valle de la Muerte o en las películas del Oeste. *(N. del T.)*

tinguido hacía millones de años, pero que la luz que emitieron sigue llegando a nosotros, y que sólo faltaban 350 millones de años para que la Vía Láctea chocara con nuestra vecina de al lado, Andrómeda. En el desierto, todo parece cobrar sentido, como si el universo fuera casi tan grande como la propia Texas. La infinitud de Texas, donde no hay nada comparable a la sensación de que uno está completamente solo..., hasta que, de repente, detrás de las constelaciones, atruenan los sonidos de las creaciones del hombre: el rugido de aviones de combate y, alguna vez, hasta de un estruendo que rompe la barrera del sonido. O, después de horas de no ver nada más que señales al lado de la carretera que avisan, con un gratificante giro existencialista, de que «Las tormentas de arena pueden existir», unas luces frenéticas centellean por delante, en el punto donde la patrulla de fronteras ha parado a alguien y lo tiene inmovilizado, con brazos y piernas separadas a punta de pistola, contra su vehículo. Y por encima de todo, tras la caída de la noche, están los coyotes, el lobo de la pradera cuyo nombre deriva de la palabra náhuatl *coyotlinaut*, una deidad azteca cuyos seguidores visten la piel del animal, y es el bufón y el «perro de Dios» en un millar de relatos de los nativos americanos. El pícaro cuya resistencia ha superado todos los estragos causados por el hombre moderno en su hábitat y en sus hábitos, siendo más listo que él a cada paso. El chacal de América que desata su gama espeluznante de sonidos obsesionantes por la noche del desierto: aullidos, ladridos, gañidos..., a veces se diría que casi risas. Esos coros, sean entonados por razones territoriales o por simple diversión –nadie lo sabe–, parecen hacer que la noche se detenga, a no ser que haya perros domésticos cerca, porque éstos, sin duda, se pondrán frenéticos, conocedores de algo muy profundo sobre esos primos salvajes con los que tienen tanto –y a la vez tan poco– en común. Pero seguimos adelante, hasta el alba, porque la soledad puede ser sublime cuando la luz lila del amanecer hace que se desvanezcan las constelaciones en el vasto cielo, a modo de fanfarria que avisa de la salida del sol dorada sobre el desierto, como la luz de la lumbre sobre la tierra.

Al dejar la Interestatal 10 en Van Horn, a través del centro de asistencia a camioneros, la vía del ferrocarril y la Autopista 90 retroceden paralelas hacia la frontera entre maleza y praderas. Un chirriante santuario en el arcén en la entrada de un rancho, que contiene y hace publicidad de zapatos de Prada, da cierta idea del próximo y extravagante pueblo de Marfa, al sur del cual el paisaje cambia espectacularmente. De repente vuelve a ser inmenso y a transmitir sensación de aislamiento, un horizonte tras otro, un estrato geológico sobre otro, siempre con las sierras montañosas por delante, que van pasando del verde al azul y luego al gris, en la lejanía, a medida que reaparece la frontera. Tras kilómetros de sabana y maleza, reaparece también el primer ocotillo desde que dejamos Arizona y los *buttes* se alzan contra el horizonte.

Si los culebrones televisivos infantilizados no se hubieran apropiado de la palabra «impresionante», ése sería el adjetivo que calificaría a estas montañas, porque es lo que son, tal es la aprensión que producen, hacia el sur, a lo largo de la Autopista 67. Sólo que esa sensación inquietante no sólo emana de la naturaleza; también tiene que ver con la llegada, al anochecer, a las dos ciudades hermanas más remotas de la frontera, pegadas la una a la otra y rodeadas de una extensión de terreno virgen montañoso y lo que da la impresión de ser una nada infinita: Presidio, en el lado de Texas, y Ojinaga, en la otra orilla del río. Aunque viven como una sola ciudad, inseparables en el vacío, los relojes de Presidio van una hora por delante de los de Ojinaga, lo que a menudo genera confusiones. Aquí el Río Grande deja de ser el regato que separa El Paso de Juárez, donde sus aguas son esquilmadas por los granjeros de Nuevo México, porque ahora se le une el río Conchos y, con él, una vigorosa corriente. De hecho, lo que a partir de este punto se denomina Río Grande o Río Bravo está formado casi enteramente por agua del Conchos. Por la noche, Presidio es una población de caravanas de las que cuelgan bombonas de gas butano, un lugar iluminado por fluorescentes aislados frente al resplandor que llega de la otra orilla desde la más poblada ciudad mexicana, detrás de la cual se alza una abrupta e insalvable escarpa.

En esa pendiente montañosa se estaba concentrando la operación conjunta de Estados Unidos y México contra el barón de la droga Pablo Acosta, porque no le dejaba escapatoria. Lo que los equipos de los cuerpos de operaciones especiales del lado estadounidense no sabían era que la intervención al otro lado del río estaba organizada y pagada en parte por el hombre de confianza de Acosta, el Señor de los Cielos, Carrillo Fuentes, que necesitaba desembarazarse de su mentor para remodelar el cártel de Juárez bajo su autoridad exclusiva. Las enseñanzas de la historia se ciernen densas sobre el valle profundo, en el cual se eleva una bruma desde el río tras la salida del sol.

Puede que resulte sorprendente, pero, detrás de la tienda de hierro ondulado donde venden sándwiches Subway en Presidio, hay una pequeña villa con una placa diplomática encima del pórtico, y un claustro, por cuyas paredes ascienden flores de vivos colores, con una fuente en el centro. Es el consulado mexicano, que dirige Héctor Acosta Flores, apoyado por su incansable ayudante, Elsa Villa, que se afana con «un trabajo ingente, sobre todo la protección de ciudadanos mexicanos, su documentación, certificados, papeles de identidad, derechos laborales y familiares..., la maquinaria cotidiana de la vida mexicana en la frontera». El consulado trata trescientos casos al día y tiene a su cargo dieciocho cárceles, y organiza las visitas de las familias mexicanas a los internos. «Hace poco tuvimos que enfrentarnos a motines», dice Acosta, «en la prisión de Pecos, la mayoría de los involucrados eran mexicanos. El aumento del número de los detenidos para ser deportados, o con causas judiciales pendientes, se suma al de los delincuentes condenados..., es un montón de trabajo. Pero este año pudimos organizar nueve actos del Grito de independencia en nueve cárceles... ¡no está nada mal!» En Presidio y Ojinaga se celebra la Semana de Concienciación de la Salud, que Acosta ayuda a organizar a ambas orillas del río. Los actos de hoy se abren con un seminario en Ojinaga sobre salud y migración, al cual, como era previsible, llegamos con una hora de antelación a causa de la diferencia horaria que ambos habíamos olvidado, lo que nos deja tiempo para un buen desayuno de pastelitos empalagosamente dulces. Luego sigue una interesante y crispada conversación en la que el director del hospital de Ojinaga (que también se apellida Acosta) y algunos de sus empleados interrogan a un funcionario de las aduanas mexicanas llamado Porfirio sobre el retraso en la devolución de los emigrantes a sus casas después de su deportación, cuando suelen dejarlos tirados en Ojinaga. «Si no tienen dinero, ¿cómo van a volver a sus casas?», pregunta el director. Según parece, hay un plan preparado para ayudar, pero, «yo no tengo ni idea de ese plan», gruñe el hombre de las aduanas. «¿Cuántos millones de dólares envían estas personas a México?», se queja una empleada del hospital llamada Clara, fustigando a los «funcionarios», mientras el cónsul Acosta parece un poco avergonzado, y añade: «Lo que digo es que el Gobierno tiene que hacer cuanto pueda para ayudar». Hay una canción de Woody Guthrie titulada *Deportee* sobre la gente anónima a la que se obliga a «subir al gran avión», pero la verdad es que ni siquiera les devuelven el nombre cuando llegan a la frontera de su propio país.

Sin tener en cuenta a los emigrantes que vagan por las calles buscando ganar algo para pagarse el billete de vuelta a casa, Ojinaga parece una de esas ciudades de aspecto completamente normal, y seguramente lo sea, «a no ser que vengas aquí por negocios sucios», dice Raúl, en Kick Ass Pizza. El bar y pizzería –uno de los muchos locales de ese tipo que hay aquí, pues la pizza parece ser uno de los platos favoritos en el medio de ninguna parte– es tranquilo y acogedor, y en él la simple curiosidad sustituye a la sospecha. Raúl tiene ganas de hablar de sandías y cebollas, por las que es famosa la zona, y sobre la feria anual de la cebolla que se celebra en la ciudad, mucho más que sobre cualquier forma ilegal de comercio. Un comentario dejado caer en el sentido de que, gracias a Pablo Acosta, la famosa Ojinaga es el lugar donde todo empezó, es recibido con silencio y un rápido cambio de tema, a los Beatles, e, inesperadamente, también con la carcajada de un hombre sentado en una mesa del rincón, junto a las bonitas cortinas de encaje, que seguidamente me invita a una copa de tequila, le insiste al camarero que sea del bueno, y luego se va.

Poco antes, cuando habíamos cruzado el puente de regreso a Presidio, el cónsul Acosta me explicó que el suyo es un «consulado itinerante», refiriéndose a que su ámbito incluye dos ciudades alejadas de la frontera, pero que en muchos sentidos forman parte de Améxica: Midland y Odessa...; tras cubrir la información sobre la administración de Bush durante varios años, los nombres me suenan, porque esas ciudades eran la colonia en el Oeste de la dinastía de Nueva Inglaterra, el origen de su dinero reciente y el lugar donde se criaron sus últimos hijos políticos, Jeb y George W. Odessa y Midland requieren un desvío hacia el norte, a través de un paisaje de montañas del desierto que proyectan una sombra azulada sobre el calor, y que luego se convierte en una maleza árida por la que vuelan las tormentas de polvo y los trenes traquetean como serpientes de hierro. Me acerqué paseando hasta las vías sólo para ver los trenes abrirse paso entre la luz crepuscular, unos trenes cuyas propias luces ya son visibles y el sonido de cuyos silbatos es audible desde al menos diez minutos antes de que alcancen un ensordecedor crescendo al pasar atronadores por delante de uno. Me quedé hasta después de anochecer, y luego seguí adelante, internándome en la región de los aparentemente humildes orígenes en la que la dinastía Bush tendió sus lazos con los magnates de la energía de Texas. En Estados Unidos se prefiere considerar la era Bush como un pasado ya remoto, sea con alivio o con pena, pero, hasta hace poco y durante medio siglo, un miembro u otro de esa familia había ocupado la Casa Blanca, un escaño en el Senado o la mansión del gobernador, y la familia sigue fascinando por aquí, en los alrededores de su fortaleza en esta esquina del salvaje oeste del estado de la Estrella Solitaria, que ahora forma parte en gran medida de «Améxica». Fue aquí donde un joven piloto que acababa de regresar de la segunda guerra mundial, llamado George Herbert Bush, fue enviado por su padre, el senador Prescott Bush, a trabajar de aprendiz en la International Derrick and Equipment Company. Derrick era una filial de Dresser Industries, controlada por la familia Bush y la empresa que vendía más torres de perforación petrolífera del mundo, que más adelante sería absorbida por Halliburton, de la cual el futuro vicepresidente Dick Cheney sería presidente, con lo cual todo quedaba en casa, por así decirlo. La familia Bush se estableció en Midland, aunque el verdadero centro fabril de la zona se encontraba en la deslavazada Odessa, donde la clase trabajadora blanca vivía a un lado de las vías férreas y los negros e hispanos al otro.

El mundo no supo gran cosa de Odessa hasta un aciago día de diciembre de 1998, cuando George W. Bush era gobernador de Texas y el cielo se ennegreció tras un «contratiempo» en la planta química Huntsman, que se encontraba literalmente en el lado equivocado de las vías de ferrocarril, que comparte con las viviendas pobres habitadas por mexicanos. (Un «contratiempo» es un accidente imprevisto en el que hay una fuga de contaminación, que no forma parte de su funcionamiento normal y que no consta en sus registros de seguridad.) Lucía Llánez, cuya familia procedía de Tabasco y de la frontera, vive en esta muy unida comunidad de bungalós encajada entre la planta química y las vías de ferrocarril. Nunca olvidará aquel día: «Se oscureció todo, los coches que iban por la Interestatal encendieron los faros porque no veían, aunque era de día. Se sentían unas vibraciones, como cuando pasan los trenes que hacen temblar las ventanas, y los vecinos iban al hospital porque les lloraban los ojos, tenían alergias y les costaba respirar. La nube se mantuvo dos semanas». En Odessa, donde México acabó llegando a las puertas de los Bush, comí una de las mejores fajitas que había comido durante todo el viaje, encontré un motel con una habitación que daba, más allá del aparcamiento, a una vía férrea y –convertido a estas alturas en un adicto total a ver pasar trenes– me senté apoyado en la pared a beber cerveza y verlos pasar, separando la Odessa mexicana de la Odessa blanca, hasta que volví a entrar y dejé que el traqueteo y los zumbidos de la Union Pacific me fueran martilleando hasta dormirme.

Al día siguiente, me cuentan la historia de Huntsman, que se remonta a la época de la llegada de George Herbert Bush, cuando Odessa era una ciudad de las que el bombero jubilado Don Dangerfield llama de «prospectores». En los años cuarenta, la fuerza aérea de Estados Unidos bombardeó para abrir profundos agujeros en la gigantesca cuenca petrolera pérmica, buscando petróleo, lo que seguidamente atrajo una verdadera estampida de especuladores que, recuerda Dangerfield, «pasaban las noches en un hotel, el End of the Golden West, y se jugaban sus parcelas en habitaciones tan cargadas de humo de puro que apenas se veía». Entre ellos estaba un hombre que él recuerda bien: John Ben Shepperd, un antiguo fiscal general de Texas y miembro del White Citizens Council, que vino a hacer fortuna al oeste y fundó la empresa El Paso Products Company, más tarde Huntsman.

George Herbert Bush aterrizó en este caos, pero rápidamente se trasladó 36 kilómetros al norte, a Midland, donde los nuevos millonarios como él fundaron un club de campo, un club de Harvard y Yale, se reunían en el Petroleum Club y jugaban a golf en campos bien regados. Midland era, por entonces, una de las dos únicas ciudades de Estados Unidos (la otra era Los Ángeles) que tenía su propio concesionario de Rolls-Royce, y más millonarios per cápita que cualquier otra población, aquí, en el polvoriento desierto. Y aquí fue donde Bush padre amasó su fortuna petrolífera, lanzó una carrera política por su cuenta y educó a sus hijos Jeb y George W. en el arte y el lenguaje del poder, que el último de ellos fingió ejercer hablando desde la Casa Blanca durante dos mandatos. Ésas fueron las décadas en que llegaron los mexicanos, para trabajar en los gasoductos químicos en Odessa y regar el césped y los campos de golf de Midland, de manera que ahora, en ambas poblaciones, hay más gente que habla español que inglés.

De vuelta en coche a Presidio y la frontera, aparqué en el mismo lugar desde el que había ido caminando a ver pasar trenes en el crepúsculo dos noches antes, y descubrí que pisaba contra las marcas de mis propias huellas, perfectamente visibles, que venían hacia mí en la dirección opuesta, como si estuviera andando hacia atrás en el tiempo. Fue la sensación más extraña que tuve jamás allí, en Texas, y no estaba fuera de lugar porque, en este desierto, el tiempo y el espacio se curvan sobre sí mismos interminablemente.

Hacia el sur de Presidio, la Autopista 170 lleva a uno de los más famosos y espectaculares monumentos naturales en Estados Unidos, el parque nacional Big Bend, pero hay maravillas con más encanto y menos atestadas que contemplar de camino, pasado Redford, en el menos alabado Big Bend Ranch State Park, un tramo de la frontera desconcertante y agradable a la vez. Más allá de Palo Amarillo Ranch, la sinuosa carretera corre por el lecho de un valle, en paralelo al arroyo burbujeante en que se ha convertido el Río Grande. Aquí podrías jugar a lanzar la pelota entre Estados Unidos y México y nadie te vería ni interrumpiría. No hay vallas, ni patrulla de fronteras, ni rastro de sensores, pero podría tratarse de una trampa. Si un niño chutara una pelota al otro lado, podrías devolvérsela, o podrías pasar tanta cocaína o a tantos salvadoreños como quisieras. Por descontado, las carreteras hacia el norte no son cómodas, pero ya estarías dentro de Estados Unidos. En el Punto de Accceso de Coronado River, el Río Grande fluye como un agradable torrente bucólico en el que te puedes lavar la cara (intente hacerlo en El Paso). La única valla que se ve es una de madera colocada por el servicio de parques estatales, y el único poste indicador es uno que reza: «No bloquee la rampa del barco. Mascotas prohibidas. Por orden». En la otra orilla, a siete metros, las rocas se alzan formando una pequeña colina, y eso ya es México. La carretera pasa por delante de *buttes* de cimas rojas a cuyas faldas unos buitres de cabezas también rojas picotean el cadáver de un zorro del desierto junto a la carretera. Ésta asciende y tiene vistas sobre el gran barranco que forma Madre Canyon, donde hay una zona de picnic con tipis de juguete en lugar de sombrillas y mesas preparadas para tomar un bocado al lado del río, y desde la que, más allá del río, se ve México en la otra orilla. Luego, para no salirme del camino (pues no se trata de un sendero turístico al Big Bend), mi ruta gira al norte, hacia Alpine, Texas, entrando en un paisaje lunar, un horizonte plano perforado por la meseta Kokernot y el pico de la Hen Eggs Mountain, de más de 1500 metros de altura. A lo largo de estos liberadores tramos de carretera, no sólo no hay cobertura telefónica sino que la función de búsqueda automática para la recepción de emisoras zumba sobre los números del dial donde pretende localizar algo, sin encontrar nada. Hacia el este, entre Marathon y Sanderson, incluso la vía de ferrocarril es como un lago formado en el recodo de un río, que ha seguido su curso dejándolo atrás: aislada, sin dirigirse a ninguna parte, refugio de una hilera de furgones de mercancías abandonados y ociosos cuyo óxido está cubierto de grafitis.

El punto de destino no es un *butte* ni una montaña, sino una de las pocas personas con las que se puede hablar y que pueden decir que ha conocido a Pablo Acosta y al Señor de los Cielos, Amado Carrillo Fuentes, en persona. Don Henry Ford cultiva un rancho en Belmont, cerca del centro agrícola de Seguin, en Texas, donde las altas y áridas llanuras ya han dado paso a las praderas por las que fluye el río Guadalupe. Ford era un contrabandista de marihuana de cerca de Fort Stockton, muy al norte de la Hen Eggs Mountain. Fue una profesión que eligió, por la que fue encarcelado, se fugó y volvió a ser encarcelado, y sobre la que escribió un libro titulado *Contrabando*. Sus encuentros con los dos señores de la droga del otro lado del río fueron impactantes. El primero con Carrillo Fuentes, durante sus años de aprendizaje junto a Pablo Acosta en Ojinaga, era parte de una tentativa del socio en el negocio de Ford, Óscar, para jugar a lo grande. Se encuentran en una habitación de hotel para negociar sobre montañas de cocaína, reunión durante la cual Ford comete la temeridad de decir que prefiere no participar en ningún negocio que implique matar a nadie. Entonces los dejan solos, a otro contrabandista y a él, pero luego los vuelven a buscar, los sacan al aparcamiento totalmente desnudos, los interrogan y los llevan a otra habitación, donde Óscar está a punto de perder el sentido en plena paliza propinada por los hombres de Carrillo Fuentes. «Por entonces, yo no tenía ni idea de lo poderoso que llegaría a ser Carrillo», explica Ford. La reunión con Acosta fue más adelante, mientras Ford estaba fugado de la cárcel y se encargaba de custodiar un alijo de marihuana, y fue descubierto y retenido por los hombres de Acosta, que lo llevaron ante él. «No me mires a la cara», le espeta el señor de la droga. Ford es interrogado, retenido y, en una extraordinaria conversación, Acosta le pregunta si nunca ha matado a un hombre (y por qué no). El diálogo es de una tensión cortante como el filo de un cuchillo: Ford suplicando sólo por su vida, que se le garantiza, y Acosta insistiendo en que acepte ese alijo de marihuana «como un regalo de mi parte», aunque Ford dijera que preferiría marcharse sin él. «Sí, señor», acaba aceptando Ford cuando Acosta le presiona.[3]

La puerta que da entrada al rancho de Ford está abierta, flanqueada por la bandera de la Estrella Solitaria de Texas. La carretera de acceso serpentea entre el verdor, acentuado tras un día de lluvia continua, por delante de un lago, hasta la casa que Ford y su esposa acaban de construir hace poco. Al principio no se ve a nadie, aparte de un ruidoso saludo de un grupo de perros e incontables gatos y gatitos. Al final llega Ford en su vieja furgoneta, con pinta de caballeroso granjero *cowboy*, aunque con una diferencia; bueno, en realidad, con bastantes diferencias. Es un día gris, ya por la tarde, y echamos un rápido vistazo a los alrededores inmediatos, con la promesa de un paseo completo por la finca para el día siguiente. Ford también cría, y ama, caballos de carreras, en una cuadra cerca de Seguin, uno de los cuales, ya retirado, alimenta aquí, en un campo. «Ya no puede correr, este viejo saco de mierda», dice Ford. «Pero es un buen tipo, un alma cándida, y a los niños les encanta montarlo.»

Si hay algo sobre lo que Ford no quiere hablar a lo largo de los tres días y dos noches en las que generosamente me aloja en su rancho es de su libro y de su vida como narcotraficante. Pero apenas hemos acabado nuestra primera taza de té en la mesa de su enorme cocina cuando empieza a hablar de la CIA, la cocaína y el caso Irán-Contra, y de su segunda obra, *Ruminations From the Garden*, que no ha podido publicar comercialmente, pero que ha imprimido y encuadernado. Escribe: «Lo he pasado mal convenciendo a la gente de que no me gusta revisar mi pasado. Ya escribí un libro sobre él, y no busco compasión. Elegí mi camino entonces, y ahora también». No obstante, en la conversación, Ford sí reflexiona sobre su antiguo oficio, mientras oscurece y comemos unos jalapeños rellenos picantes para caerse de espaldas. Leah Ford y yo bebemos cerveza, Don es abstemio y prefiere té. «En la zona donde vivía, al sudeste de Ojinaga, si matabas a alguien te convertías en alguien. Pero el problema era que yo nunca pasé cocaína. Me negaba a hacerlo. Es una mierda, y no quise. Lo dije en mi declaración, en mi alegato, pero lo editaron y lo eliminaron de la cinta. Los policías intentaban presentarme como traficante de coca, y yo dije no, estoy en contra de las drogas duras. Pero no querían que el juez lo supiera. Ningún atenuante... Sí», reflexiona Ford sin regodearse ni mostrar demasiado interés, «todavía me encuentro con alguna de esa gente. Hace poco vi a uno y le pregunté: "¿Para quién trabajas?", y me dijo: "No trabajo para nadie". Era como los mexicanos que ha visto en mi patio. Dijo que le encantaría volver, pero no podía correr el riesgo de regresar en medio de todo el follón que hay ahora. Pueden matarte sólo porque en el pasado conocían tu nombre.

»Mire», prosigue Ford inclinándose sobre la mesa de la cocina, «sé en qué negocio me metí. Le hablarán de toda esa gente que carga mochilas por el campo con la maría, pero eso no son más que memeces. Ese material pasa directamente por las aduanas, yo bien lo sé. Taxistas que van y vienen, los mismos coches a los que dejan pasar cada día gente del lado estadounidense que sabe de qué va. Y en cuanto a los camiones, ¡Dios bendito! Lo único que tienes que hacer es que te paguen por hacer lo que ya harías de todos modos: dejar pasar al diez por ciento de los camiones sin más. Me han dicho que si tienes el dinero y conoces a los Zetas puedes meter lo que quieras en Estados Unidos: pueden dejártelo pasar, e incluso te lo meterán en un precioso y jodido vehículo de la patrulla de fronteras.» Ford recuerda: «En mis tiempos, un lugar como Ciudad Acuña lo controlaba el Chapo Guzmán, pero ahora todo es de los Zetas. Y no se trata sólo de tráfico de drogas. Tienes a taxis esperando allí todo el día, y tienes que anotar un cien por cien de ocupación aunque no hayan hecho ni un solo trayecto. La empresa de taxis trabaja para los Zetas, los Zetas blanquean su dinero y el conductor anota que ha estado lleno todo el día sin haberse movido».

Como estamos en un rancho que produce lácteos, Leah bate mantequilla en un gran recipiente de porcelana mientras hablamos. Lo hace despacio y Ford coge el cuenco y empieza a hablar sobre el dinero que se pagaba por todas aquellas drogas y que se pasaba de vuelta a México. Una investigación realizada por la Associated Press en diciembre de 2009 descubrió que sólo una mínima fracción del río de dinero que fluía a través de la frontera era interceptada.[4] Durante el año 2008, las aduanas y la patrulla de fronteras confiscaron sólo en El Paso 2,8 millones en efectivo, aunque la mayor parte se debió a una única y gran incautación de 1,9 millones de dólares que se dirigían a Ciudad Juárez desde Kansas City, en el estado de Missouri.

«He leído que doscientos millones de dólares cruzan los puentes», dice Ford. «Eso supone doscientos kilos de pasta en efectivo si van en billetes de cien, porque un billete pesa un gramo. Si es en billetes de veinte, pesan mil kilos. ¿Cómo puedes gastarte todo eso en México? ¡No puedes deshacerte de esa cantidad de dinero! Dicen que este negocio mueve quinientos mil millones de dólares al año. Mierda, sólo hay ochocientos mil millones de dólares en moneda circulando en efectivo en cualquier momento, así que ¿voy a creerme que cinco octavos de toda esa pasta es dinero de las drogas? Claro que no. Así que, ¿cómo vuelve a circular ese dinero? Lo hace mediante fondos legales, ¿no? ¿Cómo si no? ¿O es que soy tonto? Pero no puedes meter en el banco tanto efectivo. No puedes entrar en un banco y decir: "Vengo a depositar una carretada de dólares, y rápido". Tienes que buscar a alguien que blanquee ese dinero y se quede una parte, tienes que encontrar a alguien que lo reintroduzca en los canales legales. Si tienes un camión semi-articulado lleno de efectivo, vas a Ciudad de México y buscas al representante de un banco americano bien gordo que te haga un favor a cambio de un buen pellizco. Y ese dinero va a ir a través de ese representante hasta un listillo todavía más gordo en la mierdosa Wall Street. ¿De qué otra manera vas a hacerlo? ¿Vas a contratar a unos tipos que vayan por todo México gastando dinero que sacan del camión? Yo diría que no. Es de Bob Dylan, ¿no?: "Roba un poco y te meten en la cárcel / roba a lo grande y te harán rey".»

Pero lo que atrae a Ford ahora, y el verdadero tema de su libro, es la vida autosuficiente, como a muchos estadounidenses que han elegido vivir y cultivar la tierra apartados, en envidiable cuarentena, lejos de todo el jaleo. «Cuando salí de la prisión, tras cinco años rodeado del ruido constante, la tensión y la confusión de una chirona federal, la idea de vivir solo en un bosque me pareció atractiva», dice Ford. Pero es un hombre que está atento; atento, por ejemplo, a cómo se acaba el petróleo, lo que él considera el desperdicio de un recurso finito por el planeta en general, incluso por sus propios colegas «que convierten demasiado diésel en demasiada comida del tipo equivocado, con máquinas cada vez más grandes. Bueno, si todo esto se viene abajo, voy a estar preparado. Voy a ser capaz de alimentarme, y a mi familia, a mis hijos, y hasta a algunas de mis personas más queridas. Hemos recibido una herencia y, si Dios quiere, dejaremos un legado».

La mañana empieza muy temprano para el granjero Ford, que comienza el día cuando todavía está oscuro fuera y revisa los correos electrónicos recibidos por la noche antes de salir al fresco brumoso que huele a humedad, a tierra fría, con escarcha bajo los pies, y ordeñar las vacas, tarea que Ford hace a mano, en un cubo, chapoteando. Después del desayuno –un reconfortante cuenco de arroz, huevos y la leche más fresca y cremosa que he probado jamás–, nos preparamos para ir a Gonzales, el pueblo más próximo.

Últimamente, vuelve a hablarse de la secesión de Texas de la Unión, un derecho constitucional del antiguo estado confederado de la Estrella Solitaria. Nunca llega a suceder, pero se habla mucho al respecto en esta región, siguiendo una pauta cíclica que depende de quién ocupa la Casa Blanca, y, en especial, desde la elección de Barack Obama. Antes de ésta, los secesionistas se habían calmado, sobre todo porque uno de los rasgos principales de la presidencia de Bush era que el equipo de George W. lo dirigían los hombres de hierro tejanos que habían trabajado para su padre, Karl Rove y Dick Cheney, la mano dura de las grandes empresas tejanas del petróleo, y muchos de los que habían servido en la administración estatal durante el periodo que Bush fue gobernador; la idea era que, si Texas tiene que formar parte de la Unión, entonces se debe hacer que la Unión sea como Texas. Pero ya no es así: Obama no sólo es negro y demócrata, también es yanqui. Y por eso el lenguaje y la amenaza de secesión regresan ahora a la política republicana y en la batalla por lograr la candidatura del partido a las elecciones a gobernador. Y a medida que resurge el léxico de la secesión que acompañó los años de mandato de Clinton, el vecindario de Ford se convierte en el feudo secesionista por excelencia. Tiene su lógica: Gonzales es donde se libró, en 1835, la primera batalla de la revolución tejana contra México. El Ejército mexicano pidió que le devolvieran un cañón que había prestado a los tejanos para combatir las incursiones apaches, a lo que los tejanos replicaron con lo que se ha convertido en un legendario desplante: «Venid y lleváoslo». Cuando los mexicanos intentaron hacerlo, en palabras de Ford, «se cagaron a tiros». Así que cuando Ford y yo vamos en coche a Gonzales a recoger comida para el ganado y hacer unos trámites en el banco, pasamos por delante de una bandera que ondea desde la puerta de un rancho con una Estrella Solitaria, un cañón y el lema escrito sobre ella: «Venid y lleváoslo». «El Gobierno podrá decir lo que le venga en gana», espeta Ford. «Aquí todos somos desafectos, estamos demasiado lejos de Washington DC, nos sentimos expulsados de la partida y pagamos demasiados impuestos al Gobierno Federal.» Pero Ford también desconfía de los «secesionistas palurdos». «Yo no soy uno de ellos», dice. «No voy a los Tea Parties secesionistas que organizan, pero ya tienen a más de cinco mil tipos que van.» En el lenguaje político estadounidense, ser de izquierdas suele implicar que se mira con simpatía al Gobierno Federal, mientras que la derecha presupone libertarismo. No obstante, Ford saca un ingenioso test de la «brújula política» con cuatro direcciones, en el que uno responde preguntas sobre diversos temas y es seguidamente situado en una rejilla que va de izquierda a derecha en el eje vertical, y de «autoritario» a «libertario» en el horizontal. Él queda situado en la esquina inferior de la izquierda, un libertario de izquierdas, y aunque eso marca una diferencia en vertical entre sus vecinos antigubernamentales y él, también lo vincula a ellos en el eje horizontal. El otro rasgo que distingue a Ford es su fluido español, y su profundo amor por México; Ford es un jinete y un hombre de la frontera, que recuerda al protagonista de *Todos los hermosos caballos,* de Cormac McCarthy. «Al otro lado, tienes gente que está tan lejos de Ciudad de México como nosotros lo estamos de Washington, y esos hombres son nuestros vecinos. Lo que me parece es que acabaremos siendo un montón de rebeldes contraculturales a ambos lados de la frontera, con más en común entre nosotros de lo que compartimos con nuestras capitales.» Ford quiere escuchar un poco de esa historia contracultural rebelde, así que nos encaminamos a ver a un joven cantante y compositor al que Ford ha tomado bajo su protección, Ryan Bingham, que tiene programada una actuación en New Braunfels, al otro lado de Seguin. Las canciones de Bingham se han convertido en la banda sonora de toda mi estancia, dos discos que Ford y Leah ponen una y otra vez. «Lo descubrí en el circuito de locales de por aquí, tocando para sólo un puñado de gente, y escribí sobre él en una revista de música *cowboy* en la que colaboro. Es genuino. Sus padres tienen un bar de carretera en el sudeste de Nuevo México. Él se crió durmiendo en las mismas camas donde trabajaban las prostitutas. Su tío era jinete de rodeo, y él ya participaba en concursos de rodeo en México a los cinco años, pero un caballo lo tiró y le fastidió las manos. Ahora Ryan escribe canciones, se parece un poco a Dylan, y se está haciendo un nombre solo.»

Es un paseo arbolado, la noche es fría, los teloneros interminables, y el público escaso cuando sale el chico, con un sombrero blanco de los que llevaba Dylan en su gira *«rolling thunder»* de los años setenta, además de con voz de Dylan y pinta de Dylan. Las canciones, interpretadas en un pequeño patio bajo una avenida de nogales, son conmovedoras, muy sentidas, salidas del territorio fronterizo del que proceden: «Dile a mi madre que la echo mucho de menos», canta Bingham; Ford se inclina y susurra: «Su madre murió hace poco». Bingham da sorbos de una lata de cerveza Shiner, bombillas de colorines parpadean desde las ramas de los nogales, el público de jóvenes descerebrados apenas le escucha, pero él sigue cantando: «Porque los tiempos duros vienen y van / y casi siempre están en medio de tu camino».[5]

Uno puede percibir el afecto rudo que Ford siente por este chico; inmerso, parece, no sólo en la música, la vida y las palabras del joven cantante, sino, en cierta manera, también en su propia juventud: hay algo más que un débil eco del *cowboy* contrabandista de droga en este hijo de un bar de carretera del escenario, que ataca su guitarra acústica y fuerza su laringe, aunque sea para estos gilipollas con sus cervezas y sus novias rubias y tontas. Estos memos deberían trabajar de bandas rugosas en la carretera: no tienen ni idea de lo que están escuchando, como demuestran al hacerle a un auténtico *rocker cowboy* como Bingham el saludo de cuernos del *metal rock* con una mano mientras con la otra levantan la lata de Bud cuando él canta una canción desconsolada y cruda que se titula *For What It's Worth*. Y cuando nos vamos, que tiene que ser temprano porque hay que ordeñar las vacas mañana, el chico empieza a cantar *The Times They Are A-Changing*, compuesta por su musa en 1962, cuando su padre era probablemente todavía más joven de lo que Ryan lo es ahora. «No puedo decir que no me preocupe Ryan», reflexiona Ford. «Tiene un lado que permanece distanciado, pero tiene otro que es como Jim Morrison, autodestructivo. Será interesante ver cómo maneja el éxito. Cosa curiosa, el capitalismo: coge una canción de protesta de un chico pobre y la convierte en gran negocio. Un poco como la Iglesia, supongo, que asimila algo tan revolucionario como el cristianismo y lo convierte en una religión.» E instintivamente recuerda su propio pasado. «Las drogas son un síntoma, no una causa. Pregúnteles a los adictos, ellos se lo dirán. ¿Qué coño pasó y por qué?, ¿cuál es la causa original de esa mierda que yo pasaba de contrabando?» Deja la pregunta suspendida en la noche mientras cruzamos las puertas del rancho.

El sol cae a plomo, la tarde siguiente, a través de nogales más grandes y viejos que los que rodeaban el escenario de Ryan Bingham, con troncos más antiguos y venerables. Hemos hecho una agitada excursión en coche alrededor de los ahora luminosos prados y bosques, refrescados por la lluvia. Ha salido el sol y, junto al pausado río Guadalupe, el capataz de Ford en el rancho, Manuel García Guajito, y su ayudante Abraham cortan ramas muertas. Hacen un descanso cuando Ford pisa el freno y se baja para charlar. Por alguna razón, la conversación pasa del despeje de leña a los Zetas, sobre los que Manuel tiene cosas que contar. «No creo que los Zetas sean mala gente», afirma. ¿Por qué? «Bueno, no lo son. Son buenos. Mi hermano conducía un autobús en Tamaulipas, y se averió. Los Zetas le ayudaron, buscaron ayuda y le ayudaron a arreglarlo.» Tras esta excéntrica versión de los Zetas como servicio de asistencia en carretera, siguen unas palabras también inusuales del submundo de la emigración, una corriente continua en esta zona, tan fiable como la del río Guadalupe. «En los viejos tiempos», dice Manuel, «cuando los 'coyotes' pasaban gente, siempre había problemas. Les robaban los 'polleros', las mujeres eran violadas, todo salía mal. Ahora, los Zetas se han hecho con el negocio, y todo está bajo control. Todos los que pasan cuentan lo mismo. Ellos cobran más, claro, pero es mucho más seguro. Tú conservas tus cosas, las mujeres conservan su honra.» Pero la superficie de las cosas le interesa poco a Manuel García, que ha trabajado muchos años con Ford y a quien éste respeta mucho, «es el mejor administrador de tierras que puede encontrarse». Lo que interesa a Manuel son los sucesos y fenómenos en el mundo extraordinario que habita mientras gestiona este rancho, sin fijarse en la belleza del pasto y el bosque, ni en los rayos de sol que brillan e iluminan las hojas de los nogales y los robles, sin oír el canto dulce de los pájaros. Porque Manuel tiene visiones.

«Vi mosquitos de oro y de plata», cuenta, «y otros de colores fluorescentes, que picaban a la gente y le extraían el ADN. Se lo llevaban a otros sitios, un poco como en el Arca de Noé. Pero no había ninguna arca, se llevaban a cada uno de nosotros, y a todos los animales, a otro tiempo, o a otro lugar.» Algunos habrían asentido educadamente y habrían dejado a Manuel cortando su leña, pero en la larga tarde, Ford y yo nos quedamos clavados en el suelo y esperamos que nos cuente más. Ford es un hombre con poco aguante para las tonterías, pero no sólo quiere hablar más con su capataz, sino que comenta: «Dijo que había visto un tornado de águilas, que giraba sin parar, hacia arriba. Y lo curioso es que, dos años después, hubo uno. La cosa más maldita y rara que he visto en mi vida: como un ciclón de águilas, girando en círculos hacia el cielo, como Manuel había dicho». El capataz prosigue: «He visto a un montón de gente caminando por la autopista allí. Llevan la ropa desgarrada, tienen hambre y les ofrecimos un poco de comida, pero no sabían qué hacer con ella. Iban andando como zombis, por la carretera». Y abre el brazo extendiéndolo hacia la Autopista 80 y la lejana frontera. «Lo que pasa es que no me da miedo morir, lo que me da miedo es estar vivo y no ser capaz de ayudar a esa gente que va por la carretera.»

7
Comer del suelo

En mayo de 2000, los accionistas de la gigantesca empresa de aluminio Alcoa se reunieron en Pittsburgh, Pensilvania, para escuchar a su consejero delegado, Paul O'Neill, por última vez. O'Neill había servido bien a la empresa y los inversores contemplaban su marcha con tristeza. Por otro lado, le estaba esperando un gran honor: el presidente George W. Bush pronto anunciaría la designación de O'Neill para el cargo de secretario del Tesoro en lo que la comunidad de negocios consideraba una administración enérgica, en la cúspide incontestada de su programa económico y financiero. Alcoa y sus filiales tenían fábricas por todo el mundo, entre ellas varias maquiladoras, sobre todo cadenas de montaje para el sector del automóvil y empresas conjuntas en México. Una de éstas estaba en Ciudad Acuña, enfrente de Del Río, Texas, y fabricaba sistemas de distribución eléctrica para vehículos ligeros y pesados, «pulpos eléctricos» los llamaban los trabajadores.

Las poblaciones hermanas de Ciudad Acuña y Del Río son las primeras en lo que ahora es el tercio más oriental de la frontera, después de que los desiertos y las montañas pierdan altitud hacia las onduladas tierras salpicadas de ranchos de Texas y el inmenso estado mexicano de Coahuila. La tierra se vuelve más verde, semitropical y, en el lado estadounidense, se va poblando de ciudades y centros industriales hasta el mar. En el lado mexicano, las ciudades de Acuña y, un poco más adelante, río abajo, Piedras Negras, se han transformado con la llegada de las maquiladoras, una revolución en lo que era una región de haciendas de caballos y ganado y donde ahora se montan los productos que se venden en los estantes de los supermercados y en los concesionarios de automóviles de Estados Unidos. Ciudad Acuña fue, hasta la recesión de 2009, la ciudad de crecimiento más rápido del país.

Habían empezado a publicarse informes sobre las protestas contra los bajos salarios y las malas condiciones de trabajo de la fábrica de Alcoa de Acuña desde que se produjeron dos fugas químicas en 1994, una de las cuales había obligado a un cierre de tres días y se había tenido que enviar a 179 trabajadores al hospital para que los examinaran. A pesar de su fama por preocuparse de la seguridad de los trabajadores, O'Neill, según se dice, había acallado esos rumores en otra reunión de accionistas celebrada en el año 1996, afirmando que las condiciones de trabajo en las fábricas de Alcoa eran tan buenas que los obreros podían «comer del suelo».[1] Pero en aquella reunión de 1996, también en Pittsburgh, un accionista pidió la palabra. No era un accionista cualquiera: se llamaba Juan Tovar Santos y trabajaba para Alcoa en Ciudad Acuña. Tovar Santos se dirigió a la asamblea con un boletín del taller de la maquiladora. Habló de la contaminación del aire a causa de los materiales que se utilizaban en la fábrica. Habló de las interminables jornadas laborales y de los salarios de miseria. Describió las agotadoras cuotas de producción que se exigían a los obreros y las férreas normas de los descansos: para descansar los ojos y los dedos, para comer, incluso para ir al lavabo. Habló de la discriminación contra las mujeres embarazadas. La situación se había deteriorado tanto, dijo Tovar, que tuvo que llamarse a la policía antidisturbios para que sofocara una manifestación en el patio de la fábrica con gases lacrimógenos.

La intervención había sido cuidadosa y largamente planeada. El grupo de accionistas que posibilitó que Tovar Santos hablara se había formado gracias a una red de apoyo a los trabajadores en las maquilas dirigida por el Quaker American Friends Service Comittee, AFSC, y un grupo de monjas benedictinas de San Antonio encabezadas por la extraordinaria hermana Susan Mika. Ambos equipos trabajaron concertadamente con una de las organizaciones más impresionantes y coherentes de la frontera, la única que existe de su clase, el Comité Fronterizo de Obreras, CFO, con sede en Piedras Negras, un poco más abajo de Acuña. El Comité había acabado representando también a hombres, y Tovar había sido una de las almas de la organización. El CFO no es un sindicato sino un grupo de presión formado por personas que trabajan en, o han sido despedidas de, las maquilas, que se dedican a denunciar, educar, agitar, promover, motivar, fomentar, impulsar y engatusar a quien haga falta. En México, los sindicatos suelen formar parte tradicionalmente de la central Confederación de Trabajadores de México, la CTM, una inmensa burocracia. Los sindicatos afiliados a la CTM son conocidos por las corrientes democráticas y los militantes más comprometidos como 'charros', que, en esta acepción, no significa «jinete» sino más bien «burócrata sindical» o incluso «esquirol».

Esta organización sindical tan institucionalizada es un legado de las siete décadas del PRI en el poder, que presentaba un barniz de simpatía hacia los trabajadores organizados, a diferencia del sistema peronista en Argentina, donde los sindicatos cedieron buena parte de su control al estado corporativista. El presidente del PRI Salinas de Gortari se refirió a «el indestructible pacto histórico entre el gobierno revolucionario y la clase trabajadora», sellado con el líder sindical Fidel Velázquez en 1988.[2] Cuando el PRI trajo las maquilas a México no cambió sustancialmente la idea de que un sindicato no existía para incordiar a los poderosos. Más bien todo lo contrario, a partir de entonces estaba ahí para mantener la paz industrial del PRI, y eso pese a las nuevas oleadas de inversores del norte de la frontera. Aun así, en Ciudad Acuña incluso ese sindicalismo pactado es un lujo: la ciudad alardea ante potenciales inversores en Estados Unidos de ser la única en toda la frontera cuyas maquilas carecen por completo de sindicatos, lo que suena como música celestial en los oídos de todas las salas de juntas del vecino del norte, pero es como un trapo rojo para el toro del CFO. En el mercado posmoderno y globalizado, así como en la posmoderna guerra de las drogas, queda poco margen para el viejo léxico. En el mundo de la producción globalizada, la idea de que existan unas estructuras definidas que negocien los salarios y las condiciones de trabajo no encaja bien en una doctrina del beneficio sin restricciones, que blande un gran palo: si los mexicanos causan demasiados problemas, un patrón simplemente puede irse a China o a cualquier otro lugar donde los salarios sean aún más bajos y los trabajadores más dóciles. El único problema es que se tarda más, y cuesta también más, cruzar el Yangtsé para llegar a Texas que lo que cuesta cruzar el Río Grande, y sólo por esa razón las maquilas se están desplazando hacia el sur, en el propio México, a un interior donde la rebaja en los salarios que deben pagarse en una región de miseria abyecta compensa de sobra los mayores costes de transporte. En su magnífico libro sobre las maquilas, Alejandro Lugar descubrió que «la vida de los trabajadores en la frontera de Estados Unidos-México está tan fragmentada y, aun así, es tan sistemáticamente objeto de vigilancia, que no se ha encontrado rastro de una cultura de la rebelión ni de movilización de clase... Las despiadadas condiciones de trabajo, los implacables comportamientos competitivos entre los propios trabajadores, y las luchas por decadentes herramientas de producción llevan con frecuencia a la desaparición de la clase». Su conclusión, basada en años de trabajo sobre y en las fábricas, describe el paisaje con precisión, y con justificada desesperanza.[3] Sin embargo, curiosamente, la llegada de una nueva mano de obra a la frontera tuvo dos consecuencias. Por un lado, la población mayoritariamente rural y agrícola que acudió al norte para trabajar en las fábricas no tenía experiencia sobre los sindicatos ni el trabajo organizado cuando se enfrentó a sus nuevos patrones transnacionales. Por el otro, esta nueva mano de obra «socavó los antiguos espacios de control sindical y abrió un camino para el sindicalismo no vinculado al PRI», escribió Altha Cravey en un estudio sobre el trabajo en las maquilas.[4] En ese espacio, surgió el CFO para intentar conseguir unos mínimos de decencia y justicia en el trabajo; y que las ideas, una especie en peligro de extinción, consagradas en su eslogan «Dignidad, Justicia, Solidaridad» no desaparecieran por completo, como afirmaban los patrones, del paisaje industrial globalizado de la frontera de México.

Juan Tovar se ha marchado de la frontera y se ha establecido en Torreón, en la punta sur del estado de Coahuila, en cuyo extremo norte se encuentra Acuña. Pero di con él dos años después de una segunda visita a Pittsburgh en 2000, revisando el motor de un coche alzado sobre bloques de madera y cemento delante de su casa en la Colonia 28 de Junio al borde de Ciudad Acuña. «Ahora soy mecánico, y lo he sido desde que me echaron», dijo con cautela a la vez que con un matiz humorístico. «Nunca había sido activista, vine aquí de Zacatecas para trabajar en la maquila hace once años, y me contrataron al día siguiente de llegar; en 1991, el salario era de ciento cincuenta pesos a la semana, unos quince dólares; cuando me fui era de setecientos pesos, unos cincuenta dólares, pero valían mucho menos en las tiendas.

»Todos procedíamos de las mismas granjas del sur del estado, nos conocíamos y habíamos aguantado mucha mierda de los terratenientes durante la privatización. Éramos nueve en el comité local de la fábrica y empezamos pidiendo reuniones directas con los administradores.» Lo que mejor recuerda de la fábrica de Alcoa eran los envenenamientos y las heridas causadas por accidentes laborales que no se trataban, y eso con los salarios más bajos de Ciudad Acuña y «teniendo que pedir el papel higiénico, del que te daban un trozo cada vez, y sólo podías ir dos veces al día al lavabo y no te permitían pasar más de un minuto haciendo tus cosas dentro. Era especialmente duro para las mujeres». Había sólo un descanso de treinta minutos para comer y dos recesos de cinco minutos durante la jornada laboral de nueve horas. Dice Tovar que «intentamos hablar con los administradores de la fábrica, pero nadie quiso escucharnos. Entonces se nos ocurrió la idea de hablar con el consejo mismo, en Estados Unidos, para que nos hicieran caso. El CFO nos ayudó, dijeron que si eso era lo que queríamos podían conseguirlo, con sus contactos». El CFO, explica Tovar, llevaba contactando con trabajadores de la fábrica desde 1994; las acciones las compraron legalmente el AFSC y las monjas de San Antonio y se preparó el plan para asistir a la reunión de accionistas del señor O'Neill en 1996. «Invitaron a varios a ir a Pittsburgh, pero tenían miedo, así que yo acepté. Le explicaría al jefe qué es lo que no funcionaba en esta empresa. Así que con la hermana Mika y los cuáqueros redactamos una lista de quejas, trajeron traductores y para allá fuimos, a un hotel del centro, no me acuerdo de cómo se llamaba. Nos dirigimos a la nueva sede de la empresa y nos lo pasamos muy bien: nuestros problemas estaban aquí, no allí. Solamente cuando me levanté para hablar hubo una discusión entre O'Neill y el presidente de la reunión, y el presidente dijo que la gente debía escuchar lo que los trabajadores tuvieran que decir.»

En cuanto Tovar Santos acabó de hablar, la reacción de Alcoa fue inmediata. A la semana siguiente, O'Neill despidió al jefe ejecutivo de su fábrica de Acuña por no haber informado a la sede central sobre las intoxicaciones de 1994, y se aseguró de que hubiera papel higiénico y jabón disponibles en las once fábricas de la empresa en la frontera mexicana. «La semana después de volver», explica Tovar, «se presentó la gente de recursos humanos de Alcoa. Nos ofrecieron que podíamos elegir trabajar en distintos puestos, en el turno que quisiéramos. Nos preguntaron cuánto queríamos para dejar las cosas como estaban. Les dije que no me interesaba. Un hombre que se llamaba José Juan Ortiz me ofreció cien mil pesos si me iba, y dije que no.» Con el tiempo, O'Neill fue sustituido por un nuevo y duro director general, Alain Belda, pero las negociaciones a través de los accionistas religiosos prosiguieron. Alcoa prometió, dice Tovar, que «no nos pasaría nada a los que habíamos luchado por mejores condiciones de trabajo». Sin embargo, añade, «esas conversaciones se celebraron sólo unas semanas antes de los ataques del once de septiembre, así que nadie estaba atento cuando la empresa cargó contra nosotros. Me acusaron de sabotaje», dice Tovar. «Casi inmediatamente después despidieron a los cabecillas que habíamos protestado. La planta se cerró a cal y canto al exterior, de manera que el CFO apenas podía meter la nariz.» Tovar tiene un hermano en Dallas, «y me gustaría ir para allí. Intenté conseguir un visado, pero ahora no hay muchas oportunidades. Mi hermano me dice que intente cruzar como espalda mojada y me lo estoy pensando, pero luego están mi madre y mi padre. Así que ahora me gano la vida así, arreglando coches. A decir verdad, soy bastante bueno; no tengo nadie que me mande como en la maquila; si trabajo mucho puedo establecer mi propio plan de incentivos, si arreglo un coche para mí mismo ya tengo mi transporte subvencionado, los días libres son más y puedo limpiarme el culo siempre que me apetece».

El día de Año Nuevo de 1994, el mismo día que se inició la revuelta zapatista en el otro extremo de México, el Tratado de Libre Comercio de América del Norte entró en vigor, evaporando los aranceles y los impuestos aduaneros entre Canadá, Estados Unidos y México. Como escribió el gran historiador de México, Enrique Krauze: «El que simplemente se les ocurriera la idea del Tratado de Libre Comercio de América del Norte era una infracción del decimoprimer mandamiento de la mitología oficial mexicana: no te fiarás de los americanos».[5] Barack Obama es el primer presidente desde 1994 que muestra algún signo de querer «mejorar» el NAFTA, dicho en otras palabras: de controlar el flujo para favorecer ciertas medidas proteccionistas con la intención de defender la industria y los empleos estadounidenses. Su mención de tal posibilidad fue un punto de fricción durante una reunión la semana anterior a la toma de posesión de Obama con el presidente Calderón.[6] El NAFTA era una bendición para los negocios y el libre comercio, pero suponía un golpe para los empleos en Estados Unidos, y transformó la economía de México y la frontera. Para los cárteles narcos, el NAFTA fue un regalo: la tapadera perfecta para su tráfico, que se multiplicó de la noche a la mañana mientras que la burocracia requerida para el mismo disminuía. Pero todo había empezado con las maquiladoras, tres décadas antes. Aunque ahora sean el emblema del NAFTA, las maquilas, que definieron la nueva economía de la frontera al traer a millones de personas al norte (y ahora, cuando la recesión y la competencia de Asia causan despoblación, la definen a la inversa), al principio sirvieron de programa piloto del tratado y fueron el símbolo de la relación de sometimiento y dependencia de México a la economía de Estados Unidos.

En 1961, después de que miles de antiguos emigrantes cruzaran de vuelta la frontera cuando Estados Unidos puso fin al Programa Bracero, el presidente mexicano Adolfo Pérez Mateos, seguido más adelante por Salinas de Gortari, pergeñó el PRONAF, o Programa Nacional Fronterizo, intentando atraer empresas estadounidenses al norte de México. Ofrecía préstamos, concesiones impositivas y estatus de zona franca para la importación de bienes a Estados Unidos. Éstos no iban a desperdiciar la ocasión de aprovechar la ganga que suponía disponer de salarios y costes industriales a precios tercermundistas a sus mismas puertas, y oportunamente se redactó el US Border Industrial Program al otro lado de la frontera, que entró en vigor en 1965. También podían ganar fortunas algunos mexicanos, alquilando servicios a los estadounidenses, y se creaban empleos en un país «en desarrollo». Como vimos en Juárez, se estableció un cinturón de maquilas a lo largo de la frontera, donde las ciudades florecieron con los que venían buscando empleo, aunque poco o ningún esfuerzo se hizo para crear una infraestructura capaz de sostener a la nueva mano de obra: ni agua potable ni carreteras, ni electricidad ni viviendas dignas. A medida que los beneficios se disparaban, la diferencia salarial y en presupuestos familiares entre los trabajadores de ambos lados de la frontera se amplió, agriando las relaciones interfronterizas en Améxica. Así, las primeras maquilas se convirtieron en un modelo a escala no sólo del NAFTA sino también de la economía global, plantado a las puertas mismas del Primer Mundo, al otro lado del Río Grande. Aunque las maquilas pagaban salarios comparables a los del trabajo esclavo según los estándares de Estados Unidos, la gente de las aldeas pobres del sur y el interior –en Oaxaca, Zacatecas, Chiapas o Durango– los consideraban dinero de verdad. Comunidades enteras del interior de México se convirtieron en ciudades fantasma cuando sus poblaciones se encaminaron hacia el norte, pero no para intentar cruzar la frontera sino para trabajar del lado mexicano, dando lugar no sólo a una explosión en el comercio, sino también a la frontera más transitada de la tierra y a empleos que son comparables a los trabajos fabriles de cualquier parte del mundo pero que, a la vez, tienen características únicas. Los edificios de las maquilas son calculadamente inexpugnables. Las fábricas, desde el punto de vista arquitectónico, son feas y desangeladas, homogéneas y monolíticas, reflejando el duro trabajo que se realiza en su interior y las condiciones requeridas a los seres humanos que lo llevan a cabo. Están invariablemente rodeadas de vallas, alambre de espino y casetas de seguridad o puertas vigiladas por guardias, no tanto para proteger como para controlar. Están concentradas en «parques», cuyo ambiente no podría contrastar más vivamente con las callejuelas apiñadas desde las que van a trabajar cada día sus obreros: espacios estériles, incoloros, angulares y limpios. Los «parques» ahogan las ciudades en las que se han instalado, construidos en sus lindes, en ubicaciones que proporcionan una riqueza fabulosa a los propietarios de las tierras, y estrangulan a todos los demás.

El único palo en esta rueda de producción –rueda de vida, de hecho, tal como fue concebida por la transformación de la frontera con las maquiladoras– es que la raza humana, y en especial sus miembros mexicanos, todavía no han quedado reducidos del todo a los autómatas que este modelo cibernético exige. Incluso en las maquiladoras de Améxica, estas fábricas que alimentan el sistema automatizado de la globalización, hay pequeños incordios imprevistos, como loterías extraoficiales, ventas de cosméticos clandestinas, chistes sobre los administradores o coqueteos durante descansos que pueden hurtar los trabajadores. Peligroso en distintos sentidos para la nueva uniformidad empresarial es el cuestionamiento de este orden coactivo por parte del CFO, así como la fuerza infatigable de una mujer llamada Julia Quiñonez.

De todas las grandes ciudades del lado mexicano de la frontera, Piedras Negras, a 60 kilómetros río abajo de Ciudad Acuña, es, hasta la fecha, la más cómoda para vivir, y la más segura. Uno puede alojarse en el Autel Río con familias de paso y salir por la noche a cenar o tomar algo en bares donde el personal va vestido. Las tiendas para turistas están abiertas y algunos estadounidenses todavía revuelven entre las baratijas. En cuanto al nombre de la ciudad, dice Julia Quiñonez, que dirige el CFO desde su oficina a unas veinte acogedoras manzanas del Puente Número 1 sobre el Río Grande, «aunque somos Piedras Negras, también se nos llama la "Frontera Blanca". Por alguna razón, toco madera, la guerra del narco no nos ha afectado mucho. Sin duda andan por aquí, pero no se meten en nuestra vida cotidiana».

Julia Quiñonez es por una parte una persona efervescente, con su risa fácil, inagotable energía y travesuras burlonas, pero también es implacable y dura cuando aborda su tema –el abuso de los derechos laborales y de los seres humanos– y hasta bastante inflexible cuando trata con su propia gente. Tras casi una década de visitas a Piedras Negras, siempre es un placer encontrarla de nuevo, sin que haya perdido un voltio de su energía, ni un ápice el escozor de jalapeño de su severidad, aunque ha desarrollado una sonrisa chispeante que no tenía en los primeros tiempos de la lucha. Desde su humilde oficina, y con sus exiguos recursos, el CFO ha ejercido una influencia que nadie imaginaba y menos aún en los tiempos que corren. Por ejemplo, explica Quiñonez, en un momento dado del año 2004, durante las conversaciones con Alcoa, la empresa dijo que tenía que bajar los salarios y aumentar la jornada laboral porque habían disminuido sus beneficios. Tales medidas, afirmaba, eran necesarias para evitar la decisión de llevarse la fábrica a Honduras. El CFO organizó una votación, preguntando a los trabajadores qué opción preferían entre las dos posibles: aceptar las nuevas condiciones o rechazarlas y desafiar a la empresa para ver si se iba. «Lo llamamos su farol», explica Quiñonez. «De todos los que votaron, un ochenta y nueve por ciento les dijo que se fueran a Honduras. Y parte de la empresa se fue, pero luego volvió.»

En México, «siempre habían sido los hombres los que trabajaban», dice Quiñonez, pero desde el principio «las maquilas contrataron sobre todo a mujeres. Creían que las mujeres eran más cuidadosas, con sus manos más pequeñas y delicadas. Por descontado, también pensaban, pero no decían, que eran más fáciles de manipular en el lugar de trabajo. Eso produjo alteraciones sociales y resentimientos: hombres que no solían cuidar a los niños tenían que quedarse en casa cocinando mientras sus mujeres estaban trabajando, a menudo acosadas por supervisores masculinos». La proporción de trabajadoras femeninas alcanzó su punto álgido durante la década de 1970, explica Quiñonez, cuando se construyó la primera generación de maquilas, que eran cadenas de montaje. La segunda generación fabricaría productos más complejos como electrónica y piezas eléctricas de automóviles, y una tercera oleada se centraría en «nuevas tecnologías y chips de ordenador». El CFO, explica, se fundó en 1979, en el estado de Tamaulipas, con el apoyo de simpatizantes de Edinburg, en Texas, llamando puerta a puerta por las nuevas colonias que crecían por todas partes, recopilando información y ofreciendo consejo sobre las condiciones laborales, las jornadas, los salarios y los problemas domésticos. Aunque el CFO no era un sindicato en sentido estricto, las secciones sindicales afiliadas a la CTM se vieron obligadas a rechazar rebajas salariales y aumentos de cuotas de producción a causa de la presión del CFO.

En 1980, a los quince años, Quiñonez empezó a trabajar por primera vez en la maquila de Piedras Negras gestionada por Johnson & Johnson, cosiendo dobladillos de vendas y tejidos sanitarios. «Teníamos un sindicato», recuerda, «afiliado al PRI y que servía los intereses de la empresa.» Le pagaban por productividad, y, al cabo de cinco años, «estaba agotada, y harta de que la aguja de la máquina me pinchara el dedo, que yo retiraba de forma que la aguja me lo desgarraba todavía más». Julia tenía diecisiete años cuando el CFO organizó la primera asamblea de trabajadores en su fábrica, con la propuesta de que votaran si aceptaban un recorte salarial o no. «Yo pensé: ¿Y por qué no hacemos esto siempre?» En 1986, Quiñonez se unió al recién creado comité regional del CFO que comprendía los estados de Tamaulipas y Coahuila, y al año siguiente fundó una organización local del Comité para las Ciudades de Piedras Negras y Acuña, formado «sobre todo por mujeres», dice. «Nuestro primer objetivo era dar una voz propia a los trabajadores, no a través de un sindicato complaciente con la empresa. El segundo era que los trabajadores conocieran la ley y sus derechos, y el tercero era trabajar en las colonias apoyando a la gente, e impedir que sus vidas fueran como un desfile de hormigas que van y vienen del trabajo. La maquila depende de que nosotros seamos como máquinas y el CFO se creó para decir a los trabajadores que somos seres humanos, y el primer rasgo que te convierte en ser humano es conocer cuáles son tus derechos. Al principio resultó desesperanzador, la apatía era total. Pero empezamos a hablar sobre el acoso sexual de los capataces y a presentar denuncias. Luego aplicamos esa misma lógica a las colonias: si no está bien que el supervisor te grite y abuse de ti, tampoco lo está que lo haga tu marido. Así nos fuimos convirtiendo en una fuerza en las colonias, y a medida que lo conseguíamos en ellas, también nos introducíamos en las maquilas, hablando de salarios, seguridad e higiene, embarazos y condiciones laborales.»

Con el tiempo, el CFO instaló su sede en Piedras Negras y Quiñonez se convirtió en su principal promotora y agitadora, hasta dedicarse a la labor a tiempo completo. Organizadas por el CFO, se celebraron una serie sin precedentes de conversaciones cara a cara entre representantes de los trabajadores y Alcoa, tras la intervención de Tovar Santos. Las dirigió con habilidad el hombre que siempre había llevado la iniciativa del Quaker American Friends Service Comittee, Ricardo Hernández, y administradores más lúcidos de Alcoa estuvieron dispuestos a aventurarse al lado mexicano de la frontera para celebrar diecisiete reuniones –siete en Acuña y diez en Piedras Negras– para discutir sobre jornadas y condiciones laborales, en las que se consiguieron importantes acuerdos sobre renovación de ropa de trabajo protectora, acoso sexual, vacaciones y beneficios sociales en caso de accidentes. «Los trabajadores hablaban directamente con la empresa», dice Hernández, «impulsados por el CFO, aunque a los organizadores del CFO no se les permitió participar en las reuniones. Los trabajadores estaban allí, yo estaba allí y la hermana Mika también, pero el CFO había hecho todo el trabajo.»

La Colonia Luis Donaldo Colosio en Piedras Negras es un barrio de chabolas formado por una larga calle, una hilera ininterrumpida de chozas de madera construidas con tablones y tejados de lona que se apoyan las unas en las otras y comparten los patios traseros. La colonia está encajonada entre el Airport Industrial Park y la principal línea férrea, por la que ruedan los trenes de mercancías procedentes de Ciudad de México y Monterrey de manera que, explica Julia Quiñonez, «a menudo atropellan y matan a niños». La parcela sobre la que se levanta está tan bien ubicada que sufre inundaciones sistemáticas cada vez que llueve fuerte y la tierra de las calles y de los suelos de la mayoría de las chabolas se transforma en fango. Además de las casas amontonadas detrás de la valla de tablas que corre paralela a las vías, hay bodegas de hierro ondulado que venden enseres domésticos.

Al pasar lista de las empresas ubicadas en este parque industrial y en su vecino, el Parque Industrial Piedras Negras, se descubre el patio trasero de la cadena de montaje que fabrica los iconos que ornamentan el templo de Estados Unidos. La fábrica Mex-Star hace envolturas para las pajitas de McDonald's. Otra fábrica, Southwest Manufacturing de México, fabrica el cableado para las motocicletas Harley Davidson. Dimmit Industries, que cerró en 2001, confeccionaba pantalones para Levi's. Y hay una fábrica llamada FAMX, que había pertenecido a la mitad de Alcoa propiedad de Fujikura, que fabrica los circuitos eléctricos que permiten que Estados Unidos encienda sus motores.

Tres y media de la tarde, cambio de turno otra vez, en otra ciudad. Hileras de autobuses escolares, que han sobrepasado de largo su fecha de caducidad al norte de la frontera, se alinean delante de cada fábrica, esperando llevarse su carga al centro o de vuelta a las colonias. Los trabajadores salen de su mundo sin ventanas y con iluminación de fluorescente bajando por unas escaleras que los llevan al patio delantero, parpadeando a la luz del sol. Se ha formado una aglomeración que aguarda para pasar a través de la *chicane* de una salida, todos vestidos con una túnica verde o azul, pacientes, pero anhelando atravesar de una vez la valla de seguridad que, teóricamente, está ahí para impedir que entren ladrones –pero eso no se lo cree nadie–, y dejar atrás a los guardias. Algunas chicas ponen cara de aburridas mientras esperan, y lanzan un beso a un novio al otro lado de la valla metálica antes de irse de paseo, cogidos del brazo. Otras charlan entre ellas mientras suben a los autobuses, y algunas se limitan a mirar fijamente, hipnotizadas por el cansancio.

Es aquí, en Colonia Colosio, entre la fábrica y las vías de ferrocarril, donde vive Leticia Ramírez, y es aquí también donde trabaja. Cuesta encontrarla: cuatro visitas antes de hallarla por fin en su casa. Trabaja mucho: hace todas las horas extras que le ofrecen, y su casa es como una puerta giratoria por la que entran y salen cuatro generaciones: dos hermanas de paso, con sus hijos, la hija de la propia Leticia con sus hijos también, otros parientes de visita, y su madre, de Zacatecas, intentando pasar unas vacaciones con la prole, aparte de los perros relajándose por el suelo. Tiene un aspecto muy llamativo: un pelo rojo encendido, una enfermedad en la piel que le ha afectado la cara, la figura de una quinceañera aunque tenga ya cuarenta años y sea abuela, una sonrisa resplandeciente y un apretón de manos digno de una tenaza. Leticia despide el aura del Semtex o de otro explosivo plástico prensado. Trabajó para Alcoa durante ocho años, hasta 2003, y ahora trabaja en la fábrica de Elektrokontak, de la que acaba de salir, y cuya pared trasera se ve desde el patio donde sus sobrinos adolescentes están sentados, descalzos, incontables chicas que atienden a incontables bebés, y la abuela toma el sol vespertino en una silla desvencijada mientras pide la cena, así que no podemos tardar mucho y hemos de considerarnos afortunados por haberla encontrado siquiera. «Participé en el CFO desde el principio», afirma. «Era como Julia: hacía preguntas, los desafiaba: "¿Por qué me quitan un jornal entero si sólo llego cinco minutos tarde?", "¿Por qué me quitan los incentivos por hablar?" Yo siempre acudía al CFO a pedir consejo, y pronto más gente venía conmigo preguntando cómo resolver este o aquel problema. Lo que hicimos fue aprender cuáles eran nuestros derechos y educar a los demás, casa por casa, sobre todo en las colonias. Había cosas que aprender de los libros, y también estaba la cuestión de nuestra propia confianza en el trabajo. Los administradores tienen dos grandes problemas: se creen que son muy listos y están convencidos de que una no puede resistirse a sus encantos masculinos. Las dos cosas son tonterías, así que, si eres un poco sensata, puedes darles mil vueltas, o al menos plantarles cara, aunque ellos ganen al final. Así que empezaron a hablar con nosotros, garantizándonos más ventajas, pero a mí me pusieron en la lista negra y me fui. Y las cosas volvieron a empeorar después de que nosotros, la gente del CFO, dejáramos la fábrica. Tenemos que estar dentro y fuera. Ahora mismo, estamos interviniendo en Mex-Star, ahí delante.» Y hace un gesto hacia otra pared despojada que rodea otra fábrica, que también se ve desde aquí. «La fábrica de las pajitas de McDonald's... es peligrosa», dice, «por algo que ponen en un pegamento para hacer el plástico que envuelve las pajitas.»

Ahora, dice Leticia, que vuelve a trabajar tras cinco años en la lista negra, «cobro más, pero sólo porque trabajo más horas». Su turno de diez horas, de 7 de la mañana a 5 de la tarde, le sirve para llevar a casa 600 pesos, unos 50 dólares por una semana laboral de cinco días. «Trabajo hasta tan tarde como me dejan todas las noches [como bien sabemos: nunca está en casa cuando venimos] y también los fines de semana, si es posible. Tengo que hacerlo, para alimentarlos a todos. Soy madre, abuela e hija; tengo familia que alimentar aquí, y padres que alimentar en Zacatecas.» La colonia, dice, «no es sitio para vivir. Estamos amontonados, como ve, y no se puede dormir mucho con los trenes pasando a dos metros: van desde Ciudad de México a Kansas y algunos hasta Canadá». Dos niños pequeños juguetean sobre las vías, torturando a una rana. «¡Eh, vosotros!», grita Lety. «¡Salid de las vías! Tontos, los matan cada dos por tres.»

Había una maquiladora escalofriante, cuenta Julia Quiñonez, «que me ponía la piel de gallina cuando la visitaba. Confeccionaban bolsas para cadáveres para el Ejército de Estados Unidos. Las que usan para traer a los soldados muertos de vuelta de Irak y Afganistán. Hubo un problema y la cerraron. Era la más rigurosa de todas: no permitían ni goma de mascar ni música. Nada raro: el jefe era un cristiano evangélico».

En 2008 y 2009, el paisaje de las maquiladoras ha cambiado en Piedras Negras desde mis primeras visitas hace ya casi una década. Aunque se habían conseguido avances en Alcoa, y la empresa había respondido a las iniciativas del CFO, un recién llegado a la ciudad, la Lear Corporation, ha traído consigo nuevos problemas, dice Quiñonez, «pagando salarios según un modelo de gestión de "arquitectura flexible", de 46 dólares por una jornada semanal de 50 horas. De los salarios más bajos que hay», dice Julia, «en condiciones terribles. Ahora tenemos que trabajar con víctimas de graves accidentes laborales, con heridos, y sin derecho a indemnización».

Y hay más turbulencias para los empleados actuales, o anteriores, de Alcoa, tanto en Acuña como en Piedras Negras. Alcoa había compartido en parte sus intereses con una empresa conjunta que había constituido con la japonesa Fujikura. Pero en 2009, Alcoa quiso desinvertir y centrarse en la producción de aluminio, vendió su parte de las fábricas de Ciudad Acuña, Piedras Negras y otras ciudades fronterizas a una empresa con sede en California llamada Platinum Equity. Uno de los problemas inmediatos sobre el terreno en Piedras Negras y Acuña es que el AFSC y las monjas benedictinas de San Antonio eran, como dice Hernández, «dueños de acciones de Alcoa, y las utilizaban para hablar con la empresa y poder sentar a los trabajadores a la mesa de negociaciones. Ahora hay un consejo de dirección totalmente nuevo, es una empresa de inversiones, sin accionistas, así que ya no disponemos de una plataforma formal para las negociaciones».

Tras cruzar desde Eagle Pass, la interesante arquitectura tradicional de Piedras Negras va desapareciendo a medida que se avanza por kilómetros de viviendas INFONAVIT (Instituto del Fondo Nacional de la Vivienda para los Trabajadores) monótonamente uniformes, construidas y cedidas con hipoteca por el Gobierno a los trabajadores de las maquilas, diseñadas, intencionadamente o no, para que carezcan de personalidad. En una de esas tristes calles de hileras de viviendas con forma de cubo, vive Dora Luz Córdoba, en casa de un pariente; y ahora la lluvia repiquetea en el tejado con goteras. Lleva un mechón rosa en el pelo. Es un gesto de rebeldía, a su modo, y ella, dice, tiene que ser rebelde, pues quedó incapacitada para trabajar tras sufrir un accidente laboral en la nueva fábrica de Lear, y fue despedida sin indemnización. «Sólo trabajé allí dos años», se queja, y no fue muy divertido. Su trabajo consistía en manejar una máquina que clavaba clavos en una plancha metálica, pero un día del año anterior, el clavo le perforó la mano. Sólo te dan guantes, dice, «para no contaminar los circuitos», así que ella no tenía derecho a un par. «Supongo que es culpa mía, pero me cabrea que nadie nos instruyera; sencillamente nos pusieron delante de la máquina, nunca nos explicaron cómo utilizarla. Y me cabrea que no me dieran nada para protegerme las manos, sobre todo después de que un hombre que trabajaba cerca de mí perdiera un dedo.» El accidente ocurrió a las 2 de la madrugada, y a Dora la despacharon a un médico de urgencias elegido por el patrón, aunque ella tuvo que pagar el taxi. Dice que le dijeron que había quedado bien y que podría seguir trabajando, aunque había perdido la movilidad de un pulgar y sólo manejaba bien una mano. Fue su médico personal el que insistió en una cita con la seguridad social, pero Lear se negó a aceptar que la herida de Dora fuera un accidente laboral, como ella reclamaba, y no le concedieron ninguna ayuda. «Así que ahora hago lo que puedo. Sobre todo, me dedico a limpiar casas y patios, y a cuidar niños, lo que sea.» Al pasear por Piedras Negras es fácil encontrarse con Dora, en un barrio u otro, barriendo, fregando, secando, puliendo o quitando el polvo como una sirvienta, con su mechón rosa, en una ciudad donde todo el mundo trabaja para otro.

Dora es de Monclova, al sur de Coahuila. Vino aquí a trabajar en las maquilas, tiene poco más de treinta años pero parece desgastada. Recuerda los descansos para comer, descritos en la mayoría de los contratos de las maquiladoras como algo que «disfrutar» –como se asegura en el libro de normas del taller–, como algo especialmente estresante. «Si los trabajadores sobrepasaran el límite de treinta minutos, serán objeto de una acción disciplinaria», se lee en el reglamento.[7] «Se supone que te dan media hora», explica Dora, «pero, mire: tienes que hacer una cola para fichar la tarjeta, luego otra para ir al lavabo si quieres lavarte las manos antes de comer, luego otra para recoger la comida y luego otra más para volver a fichar. Lo que te deja unos cinco minutos para engullir la comida. Todo tiene que hacerse cronometrado al segundo, incluso la pausa para comer. Si vuelves tarde de comer tres veces en Lear, te quitan el salario de un día. Los capataces siempre están encima de ti, vigilándote, controlándote, dándoselas de sargentos y, claro, intentando ligar. Lo único que podíamos hacer para quitarnos el estrés era ir a bailar. Cada viernes, yo salía con las personas con las que me relacionaba en el trabajo, las que eran mis amigas, con las que bromeaba y a veces tenía amoríos. Yo me dejaba ir con la música y una copa, y en un club de baile puedes soltar lo que quieras contra los chivatos y los pelotas de los jefes. Yo trabajaba por la noche, salía del turno a las dos de la madrugada, bailaba toda la noche y dormía el día siguiente. Era el paraíso.»

Si hay algo peor que la vida laboral en la maquila de Dora es que te echen de ella. Qué distinta es la vida de la joven Sara González Noriega, en una casa igual de diminuta pero bien cuidada, de la calle Mar Muerto, que fabrica soportes que permiten que se reclinen los asientos de los coches. Por el turno, de 5 de la tarde a 2 de la madrugada, cobra 700 pesos (unos 55 dólares) a la semana, más los seis dólares de prima que ella se reserva para sí, para comprarse algo o salir con amigos. «No me gusta el trabajo, pero sí ir a trabajar», dice Sara, «porque me aburro en casa ahora que mi hijo va a la escuela, y me divierto con los chistes que contamos de los jefes, los 'jefes de línea'. Casi todos son hombres vulgares, pero no todos. Hay uno que se lo tiene muy creído, y siempre anda coqueteando y dándonos órdenes, pero es tan bajo que lo llamamos Dobico, por un enano que sale en la tele. Lo hacemos cada vez que pasa, y nos morimos de la risa.» Los jefes están locos, dice, «locos de verdad: tienen que ponerle normas a todo, imponen un estricto código de vestir, prohíben las pulseras y todo lo demás. A veces nos dejan mascar chicle, pero si nos hacen parar, ¡los pegamos dentro de las máquinas! Si pierdes un solo día de trabajo, te descuentan veinte dólares del sueldo, casi la mitad de la semanada. Yo tengo que empezar a las cinco y a veces me resulta difícil dejar a mi hijo con alguien, pero si llego cinco minutos tarde me descuentan un jornal entero. Una tiene que firmar un documento en el que acepta las medidas disciplinarias que ellos quieran imponer.»

«El artículo 107 de la Ley Laboral», interviene Carmen Luria Vidal, una organizadora del CFO que nos acompaña, «prohíbe las multas arbitrarias a los trabajadores, sea cual sea la razón, ¿no lo sabías?» «Ahora lo sé», responde Sara, esbozando una sonrisa. «Pero a veces la gente tiene miedo de hablar de esas cosas, por si los despiden. Cuando descubren que un trabajador está estudiando sus derechos, preguntan: "¿Cómo lo sabes?", "¿Dónde te has enterado?".»

Al principio, los hombres sólo eran una minoría del veinticinco por ciento de la mano de obra de las maquilas en la frontera, pero ahora las cifras casi se han equilibrado. Reynaldo Bueno Sifuentes forma parte de esa ecuación, tras trece años trabajando en Alcoa y ahora en AEES, el acrónimo de la fábrica propiedad de Platinum Equity; lleva la gorra de béisbol hacia atrás, el pelo cortado al rape y una camiseta roja, y está junto a unos montones de ladrillos de hormigón que alzan un coche en el que está trabajando en el patio delantero de su casa. Gana «el mismo sueldo que cuando empecé», unos 940 pesos (80 dólares) a la semana, incluyendo horas extras, si es que hay que hacerlas, y está contento porque conduce una carretilla elevadora que apila cajas en lugar de estar en la cadena de montaje. Pero incluso ese sueldo es insuficiente para una joven familia –que pronto se nos acerca: su esposa y dos hijos–, y por eso Reynaldo se suma a la procesión que cruza el puente cada fin de semana hasta Eagle Pass para vender sangre, sobre todo plasma, y ganarse un dinero extra. «Voy dos veces, por sesenta dólares», explica Reynaldo, «dos tercios de lo que gano trabajando toda la semana en Alcoa. Sirve para tapar agujeros y pagar gastos extras, detalles, los arreglos del baño y del coche, los juguetes para los niños. Pero tienes que andarte con cuidado cuando vendes plasma; he visto a gente, que no come bien o vende demasiado, volver a casa mareados todo el viaje. Les he visto desplomarse en el puente.» Su sueño, confiesa Reynaldo, «es ser mecánico. En la maquila, aunque sea mucho más peligroso que conducir, y, con el tiempo, por mi cuenta, reparando los coches allí». Pienso en Tovar Santos, el antiguo agitador, arreglando coches y limpiándose el culo cuando le apetece. Reynaldo participó en las conversaciones del CFO con los ejecutivos de Alcoa, como uno de los delegados de la fábrica nombrados por los líderes del sindicato de 'charros'. En cuanto tal, se suponía que asistía a lo que Ricardo Hernández llama «la farsa de las negociaciones» paralelas, que, teóricamente, servían para aclarar las posturas de los trabajadores e informar a los líderes sindicales que negociarían. En realidad, esas reuniones se celebraban sólo para poder informar a los trabajadores de lo que los líderes ya habían decidido y, dice Reynaldo, «cuando llegó la hora de las negociaciones para el contrato en la fábrica de Alcoa en Piedras Negras, que está sindicalizada, nadie me avisó de que ya se había empezado a negociar, porque ahora estoy con el CFO y me sé el libro de legislación laboral. Así que, ¿cómo se supone que voy a informar a mi turno si no puedo entrar en las negociaciones? Por eso ando por la cuerda floja, hay amenazas, pero hasta ahora son sólo verbales. Los chivatos dicen: "Pateemos a este tío", delante del encargado, para hacerle la pelota. Así que ya veremos, pero yo no pienso ceder».

Detrás de las oficinas de Julia Quiñonez hay una maquiladora gestionada por el CFO, con una pequeña plantilla de ocho trabajadoras. Y con una diferencia, como era de esperar: la Maquiladora Dignidad y Justicia sólo emplea a mujeres despedidas o retiradas de la jungla de maquilas del otro lado, trabajan con horarios que se ajustan a sus vidas, fabrican bienes que venden en internet, confeccionados con materiales orgánicos y de «comercio justo». «Una vez», dice Julia, «nos propusieron fabricar fundas para pistolas, una empresa llamada Maverick Arms. Rechazamos la oferta porque formaba parte de la industria de armas. Es una pena, les habríamos confeccionado fundas mucho mejores.»

Dos señoras han venido a trabajar a la maquila del CFO esta mañana: Sonia, que confeccionó Levi's durante once años en la fábrica Dimmit, y Herlinda, que trabajó como modista para Barry Industries en Ciudad Acuña, confeccionando zapatillas para el gran almacén favorito de los centros comerciales familiares de Estados Unidos. ¿Qué sería de Estados Unidos sin ellos? Quién sabe, pero mientras tanto, las dos señoras se han reciclado gracias a una tercera mujer, Ofelia, recomendada por Julia Quiñonez. Sonia y Herlinda recuerdan la época de los turnos de doce horas en las maquiladoras, que ahora se han reducido a nueve en la mayoría de las empresas. Doce horas, de 6 de la mañana a 6 de la tarde, eso sí, salpicadas por una pausa de diez minutos a las nueve de la mañana, de media hora al mediodía, y de otros diez minutos a las tres de la tarde. Sonia fue ascendida con el tiempo a encargada de control de calidad, «inspeccionando kilómetros y kilómetros de tejido, tras haberlo confeccionado yo durante años. Eran cada vez más estrictos, "hazlo más deprisa, más rápido", así que había una cadena de presión, que yo tenía que pasar a las demás. Había un jefe al que llamábamos Jalapeño, porque siempre estaba picándonos. Por las doce horas diarias te pagaban quinientos pesos [42 dólares] a la semana; y tenías que trabajar los fines de semana para cobrar los doscientos extra. Con el tiempo tuve que dejarlo porque perdí vista al pasarme el día entero concentrada, antes tenía una vista de águila y ahora soy ciega como un murciélago, y porque los huesos del tobillo se me fastidiaron tras pasarme de pie once años. No soy una mujer pequeña», se ríe, «y empezó a costarme caminar».

Herlinda se pasó veintidós años confeccionando zapatillas, siete días a la semana. «A veces teníamos que aumentar la producción porque había alguna urgencia, como cuando el comprador empezó a hacer pedidos de miles, y si no completábamos el pedido a tiempo, el comprador se iba a buscar a otro sitio.» Curiosamente, envolver una pajita para McDonald's es un proceso mucho más lento que coser una zapatilla. Herlinda cosía una cuota con una cifra de referencia de ochenta y cuatro zapatillas al minuto. En una jornada media de 720 minutos, menos 50 para las pausas, cosía 56.280 zapatillas al día, y 393.960 en una semana de siete días. Ese nivel de productividad daba para un salario base de 600 pesos a la semana –0,0015 pesos (0,00011 centavos)– por zapatilla. «Pero podíamos ganar una extra de trescientos pesos a la semana si incrementábamos nuestra productividad con treinta zapatillas más por minuto, lo que yo acabé consiguiendo», dice Herlinda –114 zapatillas por minuto, un total de 76.380 zapatillas al día o 534.660 en una semana de siete jornadas–. Seguramente Herlinda no lo hizo, pero si hubiera trabajado al ritmo más alto durante los veintidós años, y sin contar los días libres que debió de tomarse, habría acumulado lo que en béisbol se denominaría una suma de carreras que alcanzaría las 613.331.400 –medio millón muy, muy largo– de zapatillas, con una media de carreras de 27.878.700 (casi veintiocho millones) de zapatillas al año. Pero ni siquiera eso fue bastante: ni bastante rápido ni bastante barato. Inesperadamente, cuenta Herlinda, «la fábrica cerró. Se fue a China, y así, al cabo de veintidós años, perdí mi trabajo. Pero todo el mundo hablaba de Julia, que había ayudado a otros trabajadores y estaba reciclando a especialistas que habían perdido sus empleos, así que aquí estoy». Sonríe radiante a través de sus gafas, una mujer en la cuarentena, con los dedos de una octogenaria, aunque ágiles como los de un niño mientras se sirve de las bandejas de aluminio con una copiosa comida de fajitas que Julia ha traído de una 'taquería' que hay al doblar la esquina.

Por descontado, este taller no podría competir ni de lejos por el servicio del apetito zapatillero de Estados Unidos. Pero es una empresa próspera, tiene su catálogo y su negocio: camisetas, bolsos grandes, bolsos de mano, suéteres, blusas y camisas. «Mi sueño es convertir este taller en un negocio de exportación», dice Ofelia, que era también modista, aunque autónoma y trabajaba en su casa, «porque tenía seis hijos», confeccionando uniformes escolares y hábitos para monjes y sacerdotes, y, en una ocasión, incluso la túnica de un obispo. La maquila del CFO se ha buscado socios importantes como la North Country Fair Trade, con sede en Minnesota, y uno de sus momentos álgidos fue cuando el diseñador de moda mexicano Juan Pablo López encargó a las mujeres de Piedras Negras que confeccionaran sus diseños para diversos desfiles de alta costura en París. Las señoras respiran hondo y con orgullo con sólo recordarlo. «Hicimos una colección de invierno y otra de verano», ronronea Ofelia, «todo con materiales de comercio justo, todo ecológico: blusas y vestidos para las mujeres, y algunas camisas para los hombres. Y luego salieron en DVD, en una pasarela en París, ¡vestidos por modelos!» Los dibujos de los diseños de López están en la pared, prendas a las que se ha puesto nombres y reflejan los planetas y sus cualidades. «La Tierra es ropa para hombres, como puede ver», comenta Ofelia entusiasmada; «Mercurio es una blusa preciosa y Marte un minivestido sexy. Júpiter es muy bonita, una blusa con grandes mangas holgadas, pero fíjese en Plutón, un vestido con el talle muy alto, el dobladillo por encima de la rodilla y dibujos de Chiapas».

Los pocos y duros días en Piedras Negras acaban con una reunión en un salón tenuemente iluminado en la parte de atrás de una casa en otro pueblo de chabolas, la Colonia 28 de Junio, donde vivía Juan Tovar Santos, de casas hechas de madera y ésta, la de la familia Ozilla, de cemento. Las paredes de la habitación están cubiertas con imágenes de la Virgen de Guadalupe, el Club América y dibujos infantiles, y resulta difícil decir cuáles de las personas que hacen oscilar las piernas desde los dos pisos de literas y sentadas por el suelo son Ozilla, y cuáles familiares, amigos o compañeros de trabajo. Se trata de una reunión social, no de otra queja colectiva, aunque ambas tiendan a solaparse. Arturo y Luis, dos de la vieja guardia, cantan las alabanzas de las loterías que se sortean en la mayoría de maquilas. Arturo dice que los billetes de la lotería gestionada por el Estado se venden más baratos en las maquilas que en la calle, pero con los mismos premios, porque la comisión del vendedor es más baja. Sin embargo, si te descubren vendiendo billetes, «te caen al menos cuatro días de suspensión, y por lo general te despiden». Poco menos arriesgadas son las porras que se hacen, y los premios ofrecidos, con las carreras de caballos y el fútbol. «Gané cincuenta pesos con un jaco que corría en Torreón el año pasado», dice un hombre llamado Adrián, «por una apuesta de sólo cinco, aunque seguramente me habré gastado otros cien desde entonces.» Gabriela y las chicas se ganan la vida con los prósperos mercados de cosméticos que funcionan extraoficialmente en las maquilas. «Las señoras mayores que pueden cruzar a Eagle Pass los compran al por mayor y los traen para venderlos en los lavabos. El único inconveniente es que hay que ir sólo de dos en dos cada vez para ver qué tienen sin que se fijen los supervisores. Por lo general, las ventas y las rifas se realizan el día de paga, pero es cada vez más fácil recoger tus ganancias o los perfumes después de trabajar.» «Más vale ir a Eagle Pass a comprar cosméticos», comenta con sequedad Julia Quiñonez, «que a vender tu sangre.»

El viejo estadio de béisbol de Ciudad Acuña es una cancha desvencijada pero preciosa; el tipo de campo que fundiría el corazón de un anciano aficionado al juego estadounidense que se siente perdido con los marcadores electrónicos y el retumbar de la música disco durante la pausa de la séptima entrada. El estadio de Acuña no llegó a entrar en las series de Ken Burns de la historia del juego, pero le recuerda a uno que se trata de un juego de campo, aunque inventado en la ciudad: hay ventanillas entre el enladrillado a través de las que se compran las entradas, peldaños de cemento rayados llevan a las tribunas cuya pintura se ha desgastado por décadas de tacones de botas. La multitud se acomoda sobre asientos de bancos de madera sin numerar; se venden *Krakejak* en un improvisado puesto por diez centavos, y Tecate con lima y sal en lata por treinta y cinco, en lugar de los siete dólares que pagan los estadounidenses por una Bud Lite en vasos de plástico. El partido de esta tarde es una eliminatoria de la copa del estado de Coahuila entre los Atléticos de Acuña y el Saltillo, y la multitud está entusiasmada porque los de Acuña ganan 8-1, y están bien situados con las bases ocupadas en la parte final de la octava entrada. Un tercer *strike* anula la posibilidad de acabar 12-1, pero el nivel es alto, las señales y la interpretación de las intenciones complejos, y desde la corta distancia que permite este estadio, uno puede saborear esos instantes de repentina aceleración y desaceleración, después de la tensión de una nada cuidadosamente calculada. En la parcela de terreno exterior, un mercado está en pleno apogeo, vendiendo ropa usada –traída desde Del Río, al otro lado de la frontera–, cedés robados y equipaciones de fútbol muy poco oficiales: los vecinos de Acuña que no son seguidores del béisbol suelen ser admiradores del equipo de fútbol Santos de Torreón. Por consiguiente, los niños juegan a fútbol en la tierra vistiendo el verde del equipo local o el amarillo del Club América, y un grupo de evangélicos aporrean panderetas y cantan en un rincón, los Aleluyas, como les llaman de broma. A los Testigos de Jehová se les suele llamar los Testículos de Jehová, bromea Óscar González, nuestro acompañante.

En junio de 2009, después de la venta de Alcoa a Platinum Equity, los trabajadores de Ciudad Acuña apoyados por el CFO, que no tenían claro el futuro del foro de diálogo establecido con los ejecutivos de la empresa, tomaron una decisión: buscarían el reconocimiento de un sindicato, el de los mineros del carbón mexicanos, la única pega que los empresarios del norte de la frontera ven a la pasividad de la ciudad. Eso no supone un alejamiento del CFO, que no es un sindicato y no puede organizar legalmente un lugar de trabajo. Más bien lo contrario, el CFO forma, como siempre, parte del plan. La oficina del CFO en Ciudad Acuña está ubicada al final de un polvoriento trecho de carretera a lo largo del cual se extiende un mercado pulga (mercadillo), en el que suena a todo volumen música de nuestros amigos del narcocorrido Los Tigres del Norte (de los que Julia Quiñonez es una gran admiradora). Y en la oficia del CFO, dos tardes seguidas de septiembre de 2009, se reunieron grupos de agitadores para abordar la idea de organizar el primer sindicato en las maquilas de la ciudad, antes de irse a trabajar a sus turnos. Todos eran miembros del foro de diálogo, el legado de Juan Tovar Santos y su excursión a Pittsburgh. Un hombre llamado Juan Carlos Palomino recuerda los disturbios de 1999 en el aparcamiento: «Vinieron a por nosotros, nos atacaron con violencia»; todavía hoy siente cómo le hierve la sangre. «La gente se desmayaba por los gases lacrimógenos, también las mujeres, a ellos les importaba un comino que hubiera mujeres.» Y «después de despedir a doscientas cuarenta personas, creyeron que habían acabado con el problema... ¡ja, ja! ¡Lo único que habían conseguido fue que nos reafirmáramos en nuestra resolución y diseminar a doscientos cuarenta trabajadores para que siguieran la lucha en otras maquilas!».

En el grupo reunido la segunda tarde estaban Sergio, de Veracruz, que trabajaba en la planta 2 de AEES, con una camiseta roja y una cara rubicunda, y Javier, de Tabasco, con una cola de caballo que le aparta el pelo de su apuesto rostro y una gorra de béisbol del revés, que se pasa toda la discusión inclinado hacia delante, con los codos apoyados en las rodillas. «Hubo muchos avances como consecuencia de nuestras reuniones con los ejecutivos», dice Sergio, y cita unos cuantos: acuerdos sobre mujeres embarazadas y calzado de protección, tiempo libre para urgencias médicas y reconocimientos de niveles y diferenciales. «Pero ha habido un cambio desde que Alcoa vendió la empresa, sobre todo en los supervisores y capataces, que han vuelto a comportarse como antes.» Los hombres utilizan el término prepotencia para calificar su forma de imponerse por narices. «Nos preocupaba la recesión, pero más aún la forma en que reaccionaban. Echaban a gente, aumentaban las cuotas de producción, repetían constantemente las amenazas de marcharse a Honduras o Asia, tanto si la idea era de los de arriba como si no.» La incertidumbre se cobra su precio social en Acuña, como ya ocurriera en Riberas del Bravo, en Juárez, donde, dice Javier, «la gente volvió a Veracruz o al sur de Coahuila, y nueve de cada diez casas vacías fueron invadidas por las pandillas y los adictos. Todo ayuda a que el crimen organizado arraigue en las colonias. Los niños no asisten a la escuela, y la sociedad se desintegra. No es Ciudad Juárez todavía, pero vamos camino de serlo». El hecho de que las cosas estén más tranquilas por aquí, y que el CFO se concentre en otras cuestiones, no quiere decir que los Zetas sean menos activos. Joe Morales, un antiguo coordinador de seguridad de las empresas transnacionales y de Estados Unidos que invertían en maquilas en Piedras Negras y Ciudad Acuña, dijo que los narcotraficantes «controlan por completo las calles y encuentran poca resistencia de aquellos a los que extorsionan. Si los señores de la droga se fijan en alguien, ese ciudadano tiene que defenderse solo. Si los traficantes tienen que matar a alguien, se lo llevan fuera de Acuña para no llamar la atención de los agentes federales mexicanos o de los militares».[8] En 2007, los Zetas organizaron una fiesta callejera el día de los niños, con comida, pasteles y bebidas. Se colgó una pancarta: «Feliz día a todos, de parte de Osiel Cárdenas».

«Dado que somos quienes somos», dice Javier, «creemos que la solución a todos los problemas tiene que empezar allá donde empieza el problema: en el centro de trabajo. Tenemos que mejorar la calidad de vida, y eso empieza por el trabajo. Todo comienza ahí.» Eso explica el propósito de crear una sección sindical, pero ¿por qué con el sindicato de mineros? «Porque es un sindicato fuerte», explica un hombre llamado Nicolás Rojas Romero. «Es menos charro que los otros, no le besa el culo a los jefes y tiene una larga historia en Coahuila, los mineros del carbón del sur del estado siempre han estado bien organizados.» La promesa con la que se vendía Ciudad Acuña al norte de la frontera fue que nunca se toleraría tal cosa. Pero ya se ha llegado a un compromiso con los mineros en Ciudad de México, que están dispuestos a reconocer a una rama local del sindicato en las fábricas de AEES propiedad de Platinum Equity, en una Ciudad Acuña sin sindicatos. Cuál será la reacción de Platinum Equity, nadie lo sabe. «¡Parece como si volviéramos a Pittsburgh!», se ríe Juan Carlos Palomino, como un viejo soldado al que vuelven a llamar al frente tras demasiado tiempo en la retaguardia.

Después de dejar atrás la inevitable serie de gasolineras de Pemex y de hipermercados de Oxxo que flanquean todas las ciudades fronterizas mexicanas, y también la Colonia 28 de Junio donde vivía Juan Tovar Santos, la carretera que sale de Acuña en dirección a Piedras Negras atraviesa una llanura que se extiende hacia la frontera, a través de bosques de mezquites y cactus nopales, cargados de saludables y deliciosas judías, y pasa por el precioso pueblecito de La Purísima. Pero antes de llegar a él, tenemos un sobresalto. Una capilla pintada de blanco se levanta en la vertiente sur de la carretera, solitaria. Julia Quiñonez supone que se trata de otro altar dedicado a la Virgen de Guadalupe y no le presta atención, asombrada ante mi petición de que paremos al lado.

El esqueleto que hay dentro está envuelto en una capa de colores, que abarcan el espectro del arcoíris. En una de las manos huesudas, la derecha, sostiene un globo: la tierra, el mundo entero, la esfera de la continuidad y la eternidad. En la otra, la izquierda, un ramillete de flores blancas que alguien ha puesto allí, rosas y azucenas, la flor de la pureza regalada por el arcángel Gabriel a la madre de Cristo. A sus pies, arden cirios en candeleros de cristal con su imagen, pero en éstas, la capa tiene capucha y es negra y ella lleva una guadaña. También sobre el suelo, como homenaje, ofrendas de naranjas, cervezas Tecate, ceniceros llenos de colillas y tarjetas de «rasque y gane». Hay una verja de hierro delante de la capilla, cerrada. Para participar en este culto, en esta petición de protección y bendición, uno debe tener una llave, debe ser un iniciado. A un lado de la capilla hay una oración pintada que dice: «Tú que esperas el momento preciso / para extender tus manos hacia mí / para entrar en la hora señalada / protégeme del mal y de todos los recuerdos».

El cráneo de la Santísima Muerte carece de ornamentos. Es raro. Habitualmente aparece coronada, al menos de flores, o con una mitra. Mira hacia el norte, con sus ojos huecos. Y la luz negra de su mirada atraviesa esas cuencas huesudas hacia el río, el Río Bravo, el Río Grande, llámese como se quiera, bajo esa mirada tanto da. El río: la frontera que fluye, cuyas aguas se desplazan ahora hacia el siguiente capítulo de esta guerra, un nuevo territorio, el controlado por los Zetas, donde cambian todas las reglas, cambia el paisaje, y hasta el aire está saturado del poder del cártel, un poder letal y, hasta hace muy poco, intacto. Los ojos del esqueleto miran hacia el río que serpentea encaminándose a un puente llamado Portal a las Américas, donde empezó la guerra.

8
Portal a las Américas
Pax Mafiosa

Los faros que iluminan la Autopista 85 que viene de Monterrey lanzan rayos deslumbrantes a través del polvo levantado alrededor de la parada de camiones del Veintiséis, de manera que el campamento que forman conductores, cafés de carretera y agentes de policía en su puesto de control está envuelto en una densa y luminosa bruma de tierra desmenuzada y polvorienta. Aunque los camiones están aparcados y alineados como en una columna militar, muchos de los conductores han dejado los motores en marcha, de manera que el polvo granulado también está cargado de ruido y gases, resoplidos de Volvo y vómitos de diésel de Pemex. En el mundo de los camioneros no existen ni el día ni la noche, sólo la oscuridad y la luz diurna, no hay más reloj que el que mide las horas de recogida y de entrega, los retrasos. Al norte de la frontera, el mandamiento está grabado en piedra y monitorizado por el tacómetro, en un acuerdo entre el sindicato corporativo de los Teamsters y las empresas de transporte: después de diez horas conduciendo, descansarás diez horas. Pero a este lado, en México, las cosas son más flexibles. O puede que no tanto, sólo que la regla es distinta: conduces todas las horas que Dios quiera, te estimulas con cócteles de sustancias químicas para poder hacerlo y ganas tanto dinero –es decir, conduces tantos kilómetros– como seas físicamente capaz. El diablo acepta las consecuencias. Pero incluso un camionero mexicano tiene que comer, dormir un poco y hacer otras cosas mientras está en la carretera.

El Veintiséis es el nombre que se le ha dado a la república de camioneros que ha brotado alrededor del puesto aduanero y el control policial que hay a 26 kilómetros al sur de Nuevo Laredo, la ciudad que, con su gemela en el lado americano, Laredo, constituye la puerta a la última etapa del viaje por la frontera, su zona industrial. El puente entre los respectivos centros de cada ciudad se llama «Portal a las Américas», porque éste es el fulcro comercial de la frontera, al que se llega bien por la autopista desde Monterrey al sur o bien por la Interestatal 13 desde Dallas, al norte. O, claro, como hice yo: por la carretera fronteriza llana procedente de Eagle Pass, Texas. El puente ferroviario y los tres puentes de carretera entre estas ciudades constituyen el cordón umbilical del comercio que conecta el tráfico de mercancías mexicanas y latinoamericanas, y de las exportaciones chinas, con América del Norte. Un 40 por ciento de todo el comercio entre Estados Unidos y México –que asciende a 367.400 millones de dólares– cruza el Río Grande por aquí cada día, cargado en miles de vagones de ferrocarril y ocho mil camiones que cruzan diariamente en ambas direcciones, convergiendo desde todo Estados Unidos y México para transferir sus cargas útiles a camiones lanzadera en inmensos depósitos de recepción y reexpedición de mercancías a cada lado de la frontera. Más de doce millones de barriles de crudo al día cruzan la línea aquí, junto con 432 toneladas de pimientos jalapeños, 11.000 cajeros automáticos ATM, 16.000 equipos de televisión..., todo eso y mucho más a través de una ciudad que, en el lado mexicano, no tenía alumbrado público en las calles hasta hace poco, y, en el lado estadounidense, era un adormilado pueblo de *cowboys* famoso por la canción *The Streets of Laredo.* Ahora, en ninguno de los dos lados son capaces de mezclar cemento con la rapidez necesaria. Los dos Laredos, como se llama a las dos ciudades, forman una zona comercial atestada de contenedores de mercancías hasta donde alcanza la vista. Hay autenticidad y emoción en todo esto –el transporte en camión– en las dos ciudades hermanas.

Laredo, en Texas, es el cuarto mayor puerto –y el primero sin acceso al mar– en Estados Unidos, tras Nueva York, Los Ángeles y Detroit. Cada día, unos cinco mil camiones cruzan hacia el norte y otros tantos hacia el sur, por los puentes más transitados del mundo. Pero hay un inconveniente: aunque el 97 por ciento de las mercancías transportadas son legales, se calcula que alrededor de un tres por ciento es contrabando –invariablemente: drogas hacia el norte y armas y dinero hacia el sur–, lo que la convierte en el principal punto de cruce para las exportaciones de los cárteles narcos. Y los conductores que pasan esa mercancía son sus transportistas conscientes o involuntarios. La guerra de los cárteles –que estalló aquí con toda su fuerza en 2005– se desató por el control del corredor comercial, que constituía la Plaza más importante de todas. La guerra de las autoridades se libra contra una lógica simple: cuanto más comercio pasa por el Veintiséis y por la frontera, más drogas pasan con él.

Detrás de los rayos de los faros en el Veintiséis hay otras luces, los faroles amarillos claros o el brillo fluorescente de los comedores, cada uno señalado con un rótulo confeccionado a mano. A medida que se acerca la noche, todo es agitación y ajetreo. Los tubos de escape resoplan, los frenos chirrían, las marchas atrás se rozan y los conductores revisan los acuerdos en los comedores. En medio de esta bulliciosa galería comercial hay una pequeña capilla, iluminada desde dentro por las llamas parpadeantes de cirios que arden sobre el suelo y en nichos en las paredes laterales. En la pared del fondo están pintadas las imágenes de la Virgen de Guadalupe y de san Judas Tadeo, y debajo de ellas hay escrita una oración: «Dios mío, por San Judas Tadeo, / Dame la mano firme y mirada vigilante / Para que llegue a mi destino / Sin accidentarme ni dañar a los demás / Líbrame de los conductores brigandos y agresores» (sic), pues tuya es la cinta eterna de asfalto, por los siglos de los siglos, amén».

En el Comedor Johanna, dos camioneros se sientan en sillas rojas de plástico en una mesa roja de plástico, comiendo fajitas. Son Juan Gabriel Morales, de Tabasco, que lleva una carga desde el puerto del Pacífico de Lázaro Cárdenas, y Alfredo Cornelio, del puerto de Veracruz, en el golfo, que transporta un contenedor procedente de un depósito de las afueras de Ciudad de México. A Juan Gabriel le faltan dos dientes de arriba, tiene el pecho velludo y lleva un anillo con una corona de espinas. Alfredo viste una camiseta Chivas y pantalones cortos, pese a la húmeda llovizna. Los dos se quejan de que a ninguno le han dicho qué es lo que transportan. Los dos están agotados y alegres de haber llegado. «La carretera es cada vez más dura», dice Juan Gabriel, el mayor, «más controles, más retrasos, más 'mordida' [soborno].» «Es una locura», dice Alfredo, «hay más trabajo que nunca, pero también más incordios en ruta... por los problemas.» Su amigo Jorge surge de la penumbra del desierto procedente del patio trasero del Comedor Topo Chico en la puerta de al lado, se sube las cremalleras y se abrocha la hebilla del cinturón con una mano en la que luce cuatro ases tatuados. Es demasiado tarde para comer nada, dice; ya desayunará por la mañana y ahora se tomará una cerveza. Jorge tiene el aspecto que corresponde: coleta negra, botas de Durango con correaje y hebilla, tejanos ceñidos.

Más allá de las bromas, ningún camionero quiere entablar ninguna conversación en serio sobre nada hasta la mañana siguiente, es decir, dentro de cinco horas, a las cinco de la madrugada, en el mismo sitio. Hay cosas de las que hablar, dice Juan Gabriel, el mayor, con gafas, pero por el momento sólo intercambiamos noticias deportivas del Chivas y el Liverpool, y charlamos del Barcelona. El seguimiento del Barça en México y entre los mexicano-americanos es apasionado allá donde vayas, sobre todo porque el capitán de la selección nacional de México, Rafa Márquez, juega de lateral izquierdo para los catalanes. Pero la cuestión ahora es encontrar algún sitio donde dormir, al no disponer de una cabina de camión personalizada con artículos religiosos y fotografías de mujeres vestidas tan sólo con botas y sombreros de *cowboy*. El primer hotel en la carretera hacia el norte era el Campo Real, pero el alboroto y los chillidos procedentes del contiguo bar Jaguar, del cual uno seguramente sale con compañía para acostarse, nos hace dar media vuelta y regresar por la larga línea al Motel California, las paredes de cuyo patio están pintadas de amarillo ocre con un toque de verde pastel para dar al cemento descascarillado un falso aire de adobe del sudoeste. El hombre de la recepción nos da las llaves de las habitaciones 05 y 07, a cambio de 200 pesos por cada una, y pregunta para cuánto tiempo las queremos. «Para toda la noche», respondo, y su reacción lo dice todo: en parte encogimiento de hombros, en parte cumplido por el valor que supone una estancia que supere la hora en este establecimiento.

En todo el mundo, los camioneros duermen en las cabinas de sus vehículos de gran tonelaje para ahorrar dinero (aunque en Europa y Estados Unidos disponen de diversas instalaciones que les ofrecen una cama). En México, donde cada peso cuenta, sólo hay una razón por la que un camionero gastaría un buen dinero por una cama de hierro y unas sábanas pegajosas. Bien pensado, el Comedor Económico La Sirena, en el Veintiséis, era exactamente lo que decía ser, con algunas de sus mesas amarillas ocupadas por 'conductores' comiendo con apetito y otras por grupos de damas sensuales fumando sin parar y cruzando las piernas con faldas tan cortas, pese al fresco de la noche, que poco dejaban a la imaginación. Y no mucho después, esa única razón empieza a reunirse en la recepción y, como era de esperar, llaman a la puerta. Finjo estar dormido. Vuelven a llamar. Con una toalla alrededor de la cintura, me acerco a la puerta para decir: «Disculpe, pero...». «¿Te gusta mi pelo?», un pelo que luce una preciosa permanente, sin duda, pero no es lo primero en lo que uno se fija. «Veinte dólares, treinta para que venga también mi amiga», prosigue la visitante, todo en un inglés pasable. «Gracias, pero no, sólo necesito dormir.» Parece maleducado, así que lo repito en español por un extraño sentido de la cortesía: «No se ofenda, esto..., gracias, no». Es iluminador descubrir con qué tipo de mujer real prefiere acostarse y gastarse un camionero mexicano el dinero que tanto le ha costado ganar, pese a todas las *pin-ups* de talla cero y cinturas de avispa que cuelgan de las paredes de sus cabinas. Algunas de estas exuberantes y rollizas mujeronas que patrullan por el Veintiséis y el Motel California pesan una tonelada más que los monstruos de dieciséis ruedas.

A las 5 de la madrugada, el Comedor Johanna está en pleno apogeo mientras el animado Veintiséis se pone en marcha para otro día de NAFTA. De los acompañantes de la noche anterior, sólo Jorge, de Puebla, que parece más jovial y viste una camisa limpia Wrangler con herraduras bordadas, ha cumplido puntual con la cita. «¡Así que se alojaron en el hotel Californicada!», gruñe riéndose y levantando una ceja como si preguntara: ¿y qué tal era ella? Jorge no llama a las prostitutas con la palabra habitual, 'putas', sino 'arañas', e informa que las del Veintiséis son, en concreto, 'garrapatas', agresivas. «No son mi tipo», digo, intentando sonar más macho que remilgado. «Usted debería haberse quedado en mi cabina y llevarme a mí al motel», replica Jorge, que dice que está harto de la comida del Johanna, así que damos un paseo por el asfalto bacheado al lado de la carretera, bajo un amanecer del tono gris de los buques de guerra hasta el primer restaurante barato más allá de la línea que trazan a lo ancho de la autopista las cabinas de inspección de la policía.

Jorge empezó a conducir después de perder su empleo de mecánico en Córdoba, al sur de Puebla. «El camionero mexicano», dice Jorge, «es el mejor del mundo, porque no le queda más remedio. No es como en Estados Unidos, no hay protección del empleo, ni descanso garantizado, ni límite en el tiempo que puedes conducir. La empresa nunca pagará un segundo conductor, así que todo depende de ti. La presión te la pone tanto la empresa como los demás camioneros. Cuanto más locos estén, más loco tengo que estar yo. Nosotros nos ponemos nuestro propio ritmo, siempre conduciendo más lejos para ganar más dinero, siempre tensando la cuerda, forzando los límites.» Jorge lleva conduciendo camiones por todo México desde hace once años. «Me conozco cada metro entre aquí y Monterrey, entre Monterrey y Ciudad de México, y desde ahí hasta mi pueblo en Guatemala. Me conozco todos los trucos, ja, y todas las 'cachimbas'.» Esta palabra es nueva, significa literalmente «chimenea» u «hogar», pero Jorge se refiere al tipo de local de carretera donde puedes comer, emborracharte y correrte –además de conseguir droga– a la vez. «En Zacatecas y el sur puedes conseguir cuanto el dinero puede comprar siempre que quieras», asegura Jorge. No hace falta preguntar cómo Jorge y sus camaradas realizan esos milagros de insomnio itinerante a lo largo de semanas, meses, años, porque no son milagros. «¿Cuánto le pagan por esto?», le pregunto. Jorge mira a su alrededor, comprueba que el cocinero está batiendo huevos y saca una bolsa de plástico llena de pastillas y paquetitos de papel de plata. «Esto.» Sonríe esbozando una mueca.

En ese instante, entra Juan Gabriel y pide un café. Como Juan Gabriel es padre de familia, Jorge explica que estábamos hablando de la conducción, del volante. Y Juan Gabriel ha visto cambiar las autopistas, añade, sobre todo últimamente, desde que empezó la guerra de las drogas, en 2005, aquí en Nuevo Laredo. «El ritmo es estresante. Tienes la carga, el plazo y la fecha de entrega. Si la cagas, no te pagan. Después de cinco años, me parece que me conozco todas las trampas, y de repente aparecen nuevos puestos de control, más incordios. Y empieza a dar miedo», aunque Juan Gabriel parece avergonzado de admitirlo, porque se supone que los camioneros mexicanos no saben lo que es el miedo. «Sales de San Luis Potosí hacia Saltillo y te encuentras un puesto de control que antes no estaba allí. No tienes ni idea de quiénes son. Si se trata del Ejército, por lo general puedes pasar hablando, aunque tengas que pagar. Pero ¿y si es la policía? ¿O la policía que trabaja para los chicos malos de por aquí, que se han hecho fuertes en esa zona?» (Nadie pronuncia la palabra «Zetas», ya veremos por qué.) «Lo único que puedes hacer es darles la documentación y darles también lo que quieran..., luego puedes intentarlo, pero la empresa no te lo reintegrará.»

De lo que más quieren hablar tanto Juan Gabriel como Jorge es del momento que, casualmente, me trajo a Laredo por primera vez en 2001. En el breve lapso que transcurrió entre su elección y los ataques del 11 de septiembre de ese año, George W. Bush, como antiguo gobernador de Texas y devoto del libre comercio, había hecho los primeros gestos de su presidencia hacia México. Vicente Fox fue el primer jefe de Estado extranjero con el que se reunió y el presidente Bush propuso lo impensable: quería admitir camiones mexicanos de gran tonelaje en Estados Unidos y dejar que circularan por el país. En lugar del sistema de *drayage* [«acarreo» de la mercancía entre dos puntos] con depósitos de recepción y reexpedición y lanzaderas a través de la frontera, los camiones de larga distancia con mercancías del sur, y de China que llegan a través de Lázaro Cárdenas, simplemente harían cola para ser inspeccionados y cruzarían los puentes. La propuesta levantó airadas reacciones desde todos los lados y en todos los sentidos. Las empresas de transporte de Estados Unidos aceleraron sus ya sustanciales inversiones financieras en transportistas con sede en México. El sindicato de Teamsters se enfureció: los empleos que se habían conseguido regular tras años de negociaciones se veían amenazados por camioneros que trabajaban con horarios sencillamente inexistentes. Irónicamente, la izquierda y la derecha cambiaron de bando: la primera se hizo aislacionista y la segunda quería echar abajo la frontera, mientras los grupos ecologistas se sumaban a la lucha con alarmantes advertencias sobre los mexicanos, los camiones que conducían y su forma de conducirlos. El caso es que la propuesta se vio frustrada por el 11-S, pero había planteado todo tipo de cuestiones no sólo sobre el NAFTA y los caprichos del libre comercio sino también sobre la propia frontera. Despidió partículas, como las de un reactor nuclear, que entrechocaban desde todas las direcciones y que atrajeron el interés de muchos.

En todas las paradas de camiones de México, aquel fugaz momento dio lugar a una conversación que todavía no ha terminado. «¡Déjenme conducir hasta Chicago!», comenta Jorge entusiasmado, mientras desayuna como un oso. «¡Echaríamos los culos de esos camioneros gringos de sus asientos!» Juan Gabriel, con más tranquilidad, dice: «Si nos dejaran cruzar la frontera, cambiaría todo. Ganaríamos más dinero que los gringos aunque sus salarios sean más altos, sólo porque conducimos más. Los echaríamos de su trabajo en una competición justa. Por eso nunca pasará. Pero yo los respeto. Hacen lo que haríamos nosotros..., ojalá tuviéramos a los Teamsters en lugar del sindicato charro. Ellos son conductores, nosotros, también, somos iguales. Si yo fuera un Teamster, no me gustaría que los mexicanos condujeran por todas partes, tomándose sus pastillitas».

Volvemos andando a la zona de aparcamiento, a través del control de la policía, por detrás de un muy diferente garito de comidas que fusiona Church's Chicken, Subway y Daily Roast. A lo largo de nuestro camino, un pueblo entero se ha levantado alrededor del Veintiséis, con casas donde viven los dueños de los 'comedores', los cocineros, los friegaplatos, los camareros y las camareras, los vendedores de ropa usada, las prostitutas, los mecánicos que reparan los vehículos y los hijos de todos, y patios donde cohabitan con ellos vigorosos perros, gatos, vacas, cabras, cerdos y ratas. El Comedor La Güera –la rubia– también funciona como mercadillo general de detergentes, productos para el afeitado, pilas, navajas y copias ilícitas de audio y vídeo; mientras que el restaurante Jalisiense está pegado a un 'yonke', La Maroma, que repara coches y motores agotados. Y durante todo el camino, el suelo está sembrado de envoltorios de aluminio que antes contuvieron pastillas, la dosis nocturna de tranquilizantes para dormir y de anfetaminas para ponerse en marcha otra vez. Hay cientos de ellos esparcidos por la tierra, pero no son más que la mínima micro-viruta que salta del gran bloque de narcóticos que espera en el Veintiséis y que seguirá camino. Las drogas van dentro de los camiones, al por mayor, directas hacia Estados Unidos de América. No hay ninguna razón por la que, si el 40 por ciento del comercio fronterizo pasa por aquí, no vaya a pasar también el cuarenta por ciento de las drogas, como mínimo. Por eso la guerra de la droga estalló en Nuevo Laredo y por eso el cártel del Golfo y los Zetas quieren asegurarse de ganarla.

La batalla de Nuevo Laredo fue el principio de la fase actual de la agonía de México. Anunciaba un nuevo nivel y un nuevo tipo de violencia: alrededor de dos mil personas fueron asesinadas en 2005 en todo el país. El cártel de Sinaloa envió a un jefe llamado Edgar Valdez Villarreal, alias la Barbie, para encabezar su asalto a la ruta comercial de Laredo; y éste utilizó internet para mostrar unos vídeos donde se golpeaba a cuatro asesinos del cártel del Golfo, uno de los cuales acababa con un tiro en la cabeza. Valdez recibió su apodo a causa de su tez pálida y ojos azules.[1] Tras un tiroteo a finales de 2006, los muertos, «yacían en charcos de sangre que desembocaban en el Río Grande», entonces, hombres con fusiles de asalto, «recogieron los cadáveres de las víctimas, los arrojaron a la parte de atrás de furgonetas y salieron de la ciudad».[2] En junio de 2005, el presidente Vicente Fox había enviado a la ciudad una fuerza militar simbólica, en la llamada Operación México Seguro, pero cuando un mando del departamento de Policía, Enrique Sánchez, respondió a la pregunta de los periodistas de dónde estaban los soldados durante el combate, dijo: «Ésa es una buena pregunta. ¿Dónde están?». Era una respuesta mordaz, en un momento en que los funcionarios federales mexicanos informaban de que el departamento de Policía de Nuevo Laredo estaba a disposición del encarcelado Osiel Cárdenas, jefe del cártel del Golfo y fundador de los Zetas. Al mismo tiempo, Alejandro Domínguez Coello, antiguo funcionario judicial federal y presidente de la cámara de comercio, fue nombrado jefe de policía de Nuevo Laredo. Era un hombre decente, que no estaba relacionado con el cártel, y que fue asesinado siete horas después de ocupar su cargo.[3] A los pocos días del asesinato del jefe de policía, el Gobierno de Estados Unidos cerró su consulado y comparó Nuevo Laredo con Bagdad, una ciudad de «bazucas, granadas y ametralladoras», declaró un hombre de negocios tras presenciar una batalla de veinte minutos.[4] Durante todo ese tiempo, el cártel colgaba sus narcomensajes, uno de los cuales rezaba: «¿Qué más queréis? El estado de Tamaulipas, México, Estados Unidos, el mundo entero: Territorio del cártel del Golfo». Otro prometía que los Zetas servían «Mejor comida que sopa de fideos», el alimento habitual que recibían los soldados.[5]

Pero la guerra ahora ha remitido. Nuevo Laredo está en calma, o al menos, tiene la apariencia de una calma que podría quebrarse en cualquier momento. Cuando el defensor de los derechos humanos Raymundo Ramos Vázquez muestra la villa de un narco en el exclusivo barrio de Madero que se pasó al cártel de Sinaloa hace cinco años –una mansión atacada con bazucas, incendiada y todavía vacía–, lo hace como si fuera tanto un cuento aleccionador como una atracción turística. Pero en Nuevo Laredo se vive la paz de los cementerios, o lo que en Italia se denominaría *Pax Mafiosa*. «Se ha acordado una tregua», explica Ramos, «desconozco los detalles, y tampoco quiero saberlos, pero el cártel del Golfo ha ganado, el de Sinaloa ha perdido, y han llegado a algún tipo de acuerdo. Supongo que Guzmán paga algún tipo de impuesto por utilizar el corredor, si es que lo utiliza. El cártel del Golfo vuelve a controlar el corredor, y el Ejército Federal patrulla todas las manzanas de la ciudad, veinticuatro horas al día, 365 días al año. Aparte de una nueva presencia, La Familia, eso ha tenido la consecuencia de detener la guerra.»

También ha tenido el efecto de crear una sociedad en la que nadie se atreve a pronunciar la palabra «Zeta». En todas las ciudades que controlan, los Zetas son denominados con otro nombre en el habla cotidiana, una palabra en código utilizada como fútil póliza de seguro por los pocos que se atreven a hablar del tema; aquí parece ser La Pirámide, o sencillamente el genérico «chicos malos», como en todas partes. Es una farsa absurda –cualquiera que hable de los Zetas corre peligro, tanto da cómo los llame–, pero este temor a la palabra tiene un significado fundamental. Muestra que la falsa aura de los Zetas funciona e intimida, que su nombre se ha convertido incluso en talismán y el evitar pronunciarlo es un acto básico de superstición. El que lo hace, además, tiene la sensación de estar condenándose. Ramos habla del cártel del Golfo, pero nunca utiliza la palabra con «Z». Sin embargo, hay excepciones de valor temerario.

Y, precisamente, hablando de personas valerosas, un día, al volver a la ciudad en coche con Raymundo Ramos, se produjo una extraordinaria coincidencia. Pregunté por una amiga común, Elisabeth, y Raymundo me dijo que no la había visto desde hacía casi un año, de hecho, desde la última vez que los tres habíamos coincidido. En ese mismo instante, ella estaba en una callejuela detrás de la iglesia del Santo Niño, en el centro. En el pasado, Elisabeth había sido una de las abogadas más importantes de la ciudad, dedicada a combatir la violencia doméstica, y había trabajado como abogada del turno de oficio durante cinco años así como otros cuatro en las cárceles, ocupándose de casos de condenas equivocadas. Fue la primera mujer de Nuevo Laredo en presentarse voluntaria al servicio militar nacional. Pero en esta ciudad, su currículo la convierte en alguien al que no emplear, una transgresora de los valores que sustentan esta sociedad (y lo es). Ninguna curia, tribunal o juzgado querrá saber nada de ella, aunque sigue llevando su currículo a todos los foros de la ciudad.

Por su dolor y su rabia, Elisabeth es una de esas raras personas que dan fe de lo que está pasando, pero, a diferencia de Raymundo, lo hace con una furia despreocupada, sin tener en cuenta las consecuencias. Tras la alegría del casual encuentro, nos dirigimos a la casa de un amigo en un callejón detrás de la iglesia para tomar café y hablar sin cautelas. «Veo cómo lo van controlando todo, son personas distintas pero siempre los mismos intereses. Primero la policía, luego los Zetas –llamémosles por su nombre [ella es la única que lo hace]–, reduciendo la ciudad al silencio. Lo controlan todo aquí, todo lo que se mueve, cada partícula de nuestras vidas.» ¿No deberías andarte con cuidado al decir cosas así, Elisabeth? «Me saca de quicio andar siempre con cuidado. Si soy tan peligrosa, que me maten. Si lo hacen, al menos moriré con la conciencia limpia.» La gente reconoce a Elisabeth cuando caminamos hacia la iglesia. La saludan desde debajo de las sombrillas que protegen sus puestos de tacos, pero cuidan de no entretenerse demasiado hablando, por si los ven o los escuchan.

En la parte de atrás de un camión, hay una pegatina de la Santa Muerte, y las palabras «Dios me guía. Ella me proteja». «Fíjate», espeta Elizabeth, «el culto a la muerte está por toda la ciudad. Está enferma, se muere por dentro.» Entramos en la iglesia e inhalamos el aire almizclado con alivio. Elisabeth acaricia los pies de los santos con fervientes exhalaciones. «Aquí estoy a salvo», dice bajo la figura de la Virgen del Carmen y de las palabras: «En la vida protejo / En la muerte ayudo / Y después de la muerte salvo».

La paz de Nuevo Laredo es una calma aterradora, precaria e intimidante, pero sirve de modelo que el Gobierno mexicano actual, o cualquier gobierno futuro, mantiene como opción, sobre todo si el PRI volviera al poder derrotando al partido PAN del presidente Calderón a causa del hartazgo popular de esta guerra. Dicho cruda y radicalmente: la elección de México puede reducirse algún día a optar entre la implosión de Juárez, donde la guerra continúa, o la *Pax Mafiosa* de Tamaulipas. El único problema es que una *Pax Mafiosa* nacional sería confiada a Guzmán, así que, ¿a qué acuerdo llegar con el cártel del Golfo y/o los Zetas? (Éstos dos eran sinónimos... hasta 2010, cuando una guerra intestina por el poder, que todavía no ha acabado, estalló río abajo y, en el momento de redactar estas páginas, estaba a punto de llegar a Nuevo Laredo.)

Cuando volví a ver a Raymundo Ramos un año más tarde, en 2009, la «paz» es un año más vieja, y la ciudad parece casi un hervidero de vida, tal es la fachada que presenta la *Pax Mafiosa* y la resolución de esta gente para vivir lo mejor que pueda. Raymundo y yo nos reunimos en la habitación delantera de la casa de un amigo suyo. Es un hombre misterioso: reservado sobre su vida, pero descaradamente franco en sus manifestaciones y análisis. Dirige el hostigado Comité para los Derechos Humanos de Nuevo Laredo, y trabaja como *rapporteur* para la comisión de derechos humanos de Naciones Unidas, pero su labor se centra básicamente en las quejas contra el Ejército: se mantiene aparte de los problemas causados por los Zetas. «La diferencia entre esto y Juárez», empieza, «es que allí la Plaza sigue en disputa, se libra una batalla entre pandillas, cárteles y el Ejército. Aquí no tenemos ese problema. La Plaza está en calma, ahora es un lugar pacífico comparado con la situación hace tres años. Aquí sólo hay un cártel, y el Ejército. Pero el volumen de tráfico que pasa por Nuevo Laredo no ha variado. Lo que significa que el pacto entre los narcos al máximo nivel debe de estar siendo respetado, el acuerdo al que hayan llegado el cártel del Golfo, Guzmán y La Familia.» Pero, avisa: «Laredo es el principal punto de cruce para el tráfico hacia todo Estados Unidos, estamos justo en el centro de la red de distribución, y nadie quiere renunciar del todo. El cártel del Golfo y los Zetas controlan el terreno, y todos los demás deben pagarles una tasa. El Ejército está aquí, pero eso tampoco afecta al tráfico: fíjese que el presidente Calderón está librando una guerra contra los narcotraficantes, ¡pero no contra el narcotráfico!». Y sus palabras parecen un eco de las de Ignacio Alvarado en Juárez: «Se trata de una estrategia para controlar el tráfico, no para erradicarlo. La guerra de Calderón no es más que una bandera política, una batalla contra la impunidad de los narcotraficantes. Ha rebajado el estatus que habían adquirido en la sociedad, pero no ha hecho nada para interferir en la economía que genera el narco, las redes de transporte y reparto que pasan por aquí –una estructura que permanece intacta–, ni en la infraestructura que han establecido para blanquear el dinero. Nada de eso se ha tocado. Así que las drogas pasan al otro lado, ¿y qué? La cadena de suministro está en México, y la de distribución y la demanda en Estados Unidos, donde las infraestructuras también siguen intactas. Estados Unidos quiere impedir que pasen las drogas, pero, como Calderón, no persigue ni el dinero ni la infraestructura. Laredo – San Antonio – Houston: es una cadena de suministro sin fisuras, y un sistema financiero también sin fisuras». Y aquí, en los dos Laredos, está el eslabón esencial en la cadena de transporte, igualmente sin fisuras, «el contrabando está estrechamente vinculado al NAFTA. Suministramos bienes a Estados Unidos, y les suministramos drogas, a través del mismo corredor, y en los mismos camiones». Cuantos más bienes, más drogas, el porcentaje es estable. «Estados Unidos tiene amigos, y también tiene intereses», dice Raymundo. «En el caso tanto de los bienes como de las drogas, México no es un amigo, es un interés. Según quién seas en Estados Unidos, México produce los bienes o entrega las drogas.

»Pero las cosas han cambiado», prosigue. «Antes de la guerra y durante la época del PRI, el narco tuvo garantizada la impunidad, así que se creyó el jefe, pero en realidad eran los políticos y la policía los que mandaban sobre el narco. Ahora, después de la guerra y con el PAN en el poder, el cártel en Tamaulipas se ha convertido en una estructura paralela, ya no está sometido a los partidos políticos, es un gobierno paralelo. Antes, el policía y el político eran los jefes del narco. Ahora, el narco es el jefe del policía y el político, y hace lo que quiere.»

Los cambios también han creado un mercado interior en Nuevo Laredo, aunque ni de lejos a la escala de Juárez. «Casi todas las drogas pasan de largo», dice Ramos. «Antes de la guerra no encontrabas drogas por aquí –no era como Juárez o Tijuana– porque éste era el portal a América, la frontera estaba abierta de par en par y sólo había veinte policías federales para combatir el trapicheo local. Los adictos incluso tenían que desplazarse a Laredo, en Texas, a comprar drogas ¡y traerlas de contrabando! Ahora eso está cambiando, ya hay un mercado interior. Pero es pequeño. Una vez más, la diferencia con Juárez es que aquí incluso el mercado callejero no es disputado, lo controla el único cártel. En Juárez está descontrolado y prolifera; aquí está bajo control y no quiere interferir en las exportaciones.»

Ramos había sido en el pasado un periodista del diario local *El Mañana*, con fama de escribir reportajes temerarios sobre los narcos. Pero dice: «Sencillamente no pude seguir. Se volvió demasiado peligroso ser periodista aquí. ¿Para qué arriesgarse? Los periódicos no pueden publicar las noticias, también es demasiado peligroso para ellos». Al implosionar Juárez, la gente de allí empezó a soltar las palabras «Línea» y «Guzmán» con relativa tranquilidad en público, pese a toda la violencia desatada. Aquí, casi nadie habla, y, en la prensa local, nada de nada.

Como sabe cualquier reportero que llegue a cubrir Nuevo Laredo –y todo el territorio del cártel del Golfo o de los Zetas–, este terreno es más difícil y peligroso que Juárez. Juárez tiene unos medios de comunicación que funcionan, aunque acosados; un periodista de fuera tiene razones para estar allí. En Juárez se celebran conferencias de prensa, se conceden entrevistas y se escriben artículos sobre la violencia. La versión tabloide del periódico *Diario, PM*, ha convertido en cuestión de honor el llegar el primero a la última atrocidad, para conseguir una foto sangrienta de primera plana. En Nuevo Laredo se ha impuesto el criterio contrario: la prensa ha sido coaccionada por los Zetas para que guarde silencio.

Nuevo Laredo es una de esas ciudades en las que el periódico local es una institución, como lo es la familia propietaria: una de las más destacadas y respetadas del estado, más aún, de toda la frontera: la familia Cantú, cuyo cabeza es ahora Heriberto Ramón Cantú, con su esposa, Ninfa Deánder, ejerciendo de matriarca. El director ejecutivo del periódico, y de otros que posee la familia, es su hijo Ramón Cantú, un hombre imponente, con algo de calavera amante de la buena vida, encantador, listo, enérgico y poco fiable cuando fija una cita. Pero las puertas de su periódico están protegidas por una pantalla a prueba de balas y bombas, sobre la cual hay una discreta placa en recuerdo de un ataque contra el diario perpetrado por los Zetas con granadas y pistolas en febrero de 2006, que buscaban, y al que consiguieron herir, a un veterano periodista que investigaba el contrabando de los narcos y las condiciones de trabajo en las maquiladoras, Jaime Óscar Tey. Dos años antes, en marzo de 2004, el director, Roberto Javier Mora García, fue asesinado a puñaladas en su todoterreno, delante de su apartamento. El caso dio un giro escabroso, después de la detención de una pareja homosexual que vivía en el apartamento del piso de arriba de Mora, uno de cuyos miembros era ciudadano estadounidense, Mario Medina. Ambos fueron condenados por el asesinato, y el propio Medina murió apuñalado en un pasillo de la prisión estatal de Nuevo Laredo. Había acusado a la policía de Tamaulipas de torturarle, y había concedido una entrevista el día antes de su muerte a *El Mañana*, en la que se declaraba convencido de que demostraría su inocencia.[6] Y no sólo en Nuevo Laredo los periodistas eran atacados y asesinados. En enero de 2010, la Comisión Nacional de Derechos Humanos de México publicó un listado de cincuenta y seis periodistas asesinados en los nueve años anteriores, además de otros ocho desaparecidos, y siete sedes de publicaciones atacadas.[7] En la mayoría de los casos, los atacantes eran cárteles de narcotraficantes que iban a por los periodistas que investigaban el tráfico de drogas, la corrupción o el crimen, se decía en el informe. Pero el 'susurro' en los círculos periodísticos mexicanos sostiene que, en algunos casos, los periodistas se habían puesto a disposición de uno de los cárteles, o habían sido amenazados para que lo hicieran, y así se convirtieron en objetivos de otros. El Comité para la Protección de los Periodistas ha investigado con diligencia los ataques y, en su informe de 2008, ofreció una cifra menor de víctimas y una acusación irrefutable a las autoridades mexicanas: «Los poderosos cárteles de la droga y la escalada de la violencia han tenido como consecuencia que los periodistas sean en México más vulnerables que nunca», rezaba el informe. «La mayoría de los crímenes contra la prensa quedaron sin resolver pues los servicios de la ley mexicanos, ahogados en la corrupción, no investigaron con la energía necesaria los ataques. Sin ninguna garantía de seguridad, los periodistas ejercen cada vez más la autocensura para protegerse.»[8]

Ramón Cantú defiende su espacio con notable tenacidad, aunque se cuida de hacerlo desde el lado estadounidense de la frontera, en un acto público de una conferencia sobre la «Guerra contra las drogas» en El Paso. Ya en privado, confiesa: «Estoy asqueado de todo esto. Quiero hablar de otra cosa, del futuro de este lugar, de camiones y comercio». Pero sobre el estrado de la conferencia, no se anda por las ramas: se nos dejó claro, dice «que no debíamos utilizar la palabra "Zetas". Y yo creí que las vidas de nuestra plantilla son más importantes. Esta guerra no va a ganarla ningún periódico ni revista. Tenemos que preocuparnos tanto de nuestra seguridad como del bien de la comunidad. Dedicamos mucho tiempo a cuidar de nuestra seguridad para evitar situaciones más complicadas... Censuramos el periódico porque tenemos que llevar a nuestros hijos a la escuela. Si recibimos algún aviso o llamada anónima, tenemos que decidir qué es lo apropiado y qué no lo es. Esa gente», recuerda a su audiencia por si a ésta se le ocurre apremiarle para que blanda la espada de la verdad a cualquier precio, como hacen muchos, «sencillamente te asesina. No se molestarán en inventarse una calumnia, como que engañas a tu mujer o que recibes dinero de la Mafia. Si no les caes bien, te matan. Tenemos que conservar la calma. Sí, he recibido quejas: "¿Por qué no publica esto o lo otro?". E intento explicar que me duele no estar haciendo nuestro trabajo; y más tarde llama una dama y debemos informar de algo. Al día siguiente, llaman «ellos» y me dicen que dos de mis periodistas han sido secuestrados y me aconsejan que guarde silencio. Me gustaría decir que tuve un poco de valor, pero son periodistas inocentes que cubrían asuntos sociales... ¿qué se supone que debería hacer?».

Otros periodistas en Nuevo Laredo sí hablan de lo que no pueden escribir, pero hablan... *off the record.* Un director dice sobre las zonas de paso a Estados Unidos: «El Gobierno mexicano puede invertir todo el dinero que quiera en las aduanas y en los puestos de inspección, todo es inútil. Un funcionario de aduanas le tiene tanto miedo al crimen organizado como cualquier otro. ¿Qué va a hacer cuando un convoy de quince todoterrenos Suburban paran en el depósito de reexpedición de mercancías o incluso en el puente? Y se bajan unos hombres vestidos con uniformes paramilitares y pasamontañas, armados con AK-47. Si es un depósito de mercancías, le ordenan abrir el camión. Si es en el puente, le ordenan simplemente que deje cruzar el vehículo. No se lo piden, se lo ordenan. Y él, ¿qué va a hacer? Se aparta. Abre la puerta. Deja cruzar al camión, no pregunta ni dice nada. Simplemente mira para otro lado. ¿Y quién no lo haría? Es una unidad militar, llevan granadas de mano colgadas de los chalecos. No les hace falta pedir a la gente que coopere. Eso es lo que está pasando aquí, así es como se hace». Plantea una hipótesis: «¿Cómo puedes enfrentarte a una formación militar? Puedes militarizar las aduanas en lugar de tener fuerzas civiles y entonces te encontrarías con tiroteos en el puente fronterizo, pero no creo que vaya a pasar..., tendrías batallas todo el día. Puedes revisar cada camión, pero ¿qué pasa con el NAFTA si registras cuatro mil camiones al día? ¡La cola llegaría hasta Chiapas!». Nos hemos entretenido hablando hasta tarde. Hay que sacar la próxima edición. Nada de lo que ha dicho puede publicarse aquí, en Nuevo Laredo. «Cuando el camión llega al lado estadounidense», prosigue como una fuente impecable, «tienen a algunos agentes corruptos entre los honestos. Los abordan, les ofrecen dinero y los amenazan. O juegas y cobras, o te niegas a jugar y pagas con tu vida; los compran a la antigua.»

Al final de una calle que atraviesa la Colonia Victoria y llega a los juncos que crecen a la orilla del río y la frontera, hay un refugio para emigrantes llamado Casa de Nazaret, que se gestiona de forma similar al Centro Comunitario de Atención al Migrante y Necesitado de Altar, atendiendo sobre todo a desesperados centroamericanos que aguardan para cruzar o a los que han deportado de vuelta. En la carretera hay un muro azul lleno de grafitis, no con nombres de pandillas sino con los de los que han muerto. «El Veracruz RIP», lo que parecería implicar que era un emigrante del estado o la ciudad de ese nombre que pereció en el desierto. Pero no es así.

Un grupo de chavales merodea alrededor del muro, aparentemente despreocupados, aunque en realidad vigilan el trecho de tierra entre el extremo de la calle y la frontera. Suponiendo que tienen algo que ver con el refugio para emigrantes y dado que el sacerdote a cargo no está, me acerco sin prisa para charlar. «No», dice un golfo con una cazadora gris con cremallera y capucha y tejanos. «Murieron aquí en accidentes, en esta colonia.» «Ése es mi hermano», dice otro, en un inglés perfecto, señalando un nombre sobre la pared. ¿Así que ustedes no son emigrantes? «No, somos de aquí.» A estos chicos puede hablárseles, pero con cuidado. «Antonio» vivió en Houston por un tiempo. «Volví al cabo de unos años, me deportaron.» ¿Entonces a estas personas las mataron? «Sí.» Así que la colonia Victoria era un mal sitio durante la guerra. Y cuando les pregunto por algún local donde comer, Antonio habla de un restaurante llamado La Esquina, ahora sólo una estructura en ruinas, que «cerró durante la matanza y no reabrió porque al dueño lo mataron a tiros». Un chico delgado está en la esquina vestido tan sólo con unos pantalones cortos sucios, una gorra de béisbol puesta hacia atrás y unas caras zapatillas deportivas nuevas. No ha dicho nada hasta ahora, pero de repente un *walkie-talkie* que lleva en el bolsillo de los pantalones cobra ruidosa vida. Se lo saca del bolsillo, se aleja y dobla la esquina para hablar. Es evidente que se supone que no debo estar aquí mientras se desarrolla esa comunicación, así que estrecho sus manos y me voy tras decirles que volveré para ver al padre.

Vuelvo una semana después y encuentro a Antonio hablando con un amigo en la estación de servicio de motocicletas Fox, cerca del muro conmemorativo, hacia el que caminamos juntos, hablando de Houston y su deportación, por delante de casas construidas con tablas. Voy solo, lo que posiblemente no sea una buena idea, pero presentarse como un gringo despistado puede ser una forma de protección, como lo es la cercanía de la Casa de Nazaret, donde finjo que tenía una cita en la que me han dejado plantado de nuevo. Así que estoy obligado a esperar. Creí que ayudaría ser europeo, lo que aparentemente me convierte en gabacho en lugar de gringo, y llevar una camiseta del Barcelona, con «Márquez» y el número 4 a la espalda, la del capitán de la selección mexicana. El que sea una equipación oficial me consigue veinte minutos de valiosa conversación, que se alarga lo suficiente para que me acompañen al Abarrote El Brego a tomar unas cervezas. Nos bebemos un par de botellas frías mientras la luz del sol se aplaca y profundiza, y decido correr el riesgo. Le pregunto al chico que lleva la capucha si podrían conseguirme algo «de la buena», algún «trueno verde». Sigue cierto revuelo. Antonio mira al chico del *walkie-talkie.* Doy otro paso: es tu trabajo, ¿no? Silencio. «Puede, sí», dice Antonio, «pero no nos dedicamos a la hierba.» «¿Coca?» «Chiva», heroína, responde inmediatamente en español, «pero nosotros no, otra gente. Nosotros vigilamos.» Y en inglés de nuevo: «Sólo para exportación». Y se ríe. Los chicos se llaman 'carnales' unos a otros, una forma de «*bro*» o colega, pero aparentemente más íntima pues implica que comparten sangre. No son contrabandistas, sino 'halcones', centinelas. Bueno, digo, mis respetos y Dios bendiga a vuestros hermanos, y me santiguo mirando hacia los nombres del muro. «Fue duro», dice Antonio. ¿El 2005? «Sí.» ¿La gente de Guzmán? Silencio.

Al día siguiente el refugio está cerrado, así que les digo a los chicos que tengo que esperar. No me creen, ni quieren hablar del Barcelona. Vale, digo; pero me estoy poniendo nervioso: decidme sólo una cosa más y me iré. ¿Trabajáis por vuestra cuenta o formáis parte de la pirámide? Antonio arruga la cara como si acabara de morder un jalapeño demasiado picante. Luego me mira fijamente. «Tenemos alguna relación», dice en inglés, «como todos.» El *walkie-talkie* hace ruido otra vez en el bolsillo del chico, y yo me voy para siempre.

En las afueras de otra ciudad, el hombre equilibra su peso a la sombra de un nogal a través de cuyas ramas se filtra la luz del sol. «Oliver» es un tipo corpulento, con dos barrigas, una debajo de la otra. Se mueve despacio, lleva una camiseta amarilla y unos pantalones de chándal grises. A uno le gustaría poder decir que tiene los ojos penetrantes y veloces de un verdugo, pero no es así. Como él, sus ojos son lentos, pero no lánguidos, más bien amables. Sin embargo, sí parecen un poco apagados. Era, o eso había dicho su patrón, miembro de una pandilla afiliada al cártel del Golfo, además de sicario, aunque a Oliver no le gusta la palabra. Prefiere 'asesino'.

Pese a toda su importancia y tamaño, Nuevo Laredo se encuentra en una esquina remota del estado de Tamaulipas, el territorio originario de los Zetas, pero no es su bastión, ése se encuentra río abajo. Y fue en Nuevo Laredo donde la guerra demostró el escaso sentido de la fraternidad que existe realmente en los cárteles, a los que no les molestaba aniquilar a otras facciones de la misma organización por simple avaricia. El ataque de Guzmán contra Nuevo Laredo en 2005 fue un golpe oportunista varios años después de la detención y extradición de Osiel Cárdenas, pero la detención desató también una lucha intestina en el cártel del Golfo, como suele suceder cuando cae un *capo*. La base del poder de Cárdenas se encontraba en Matamoros y sus hombres de a pie eran los Zetas que él había fundado, y Nuevo Laredo quedaba muy lejos, controlado por la vieja guardia del cártel del Golfo, algunos de cuyos miembros eran leales a Chava Gómez, a quien Cárdenas había asesinado para hacerse con el poder. Ellos tenían sus propios acuerdos con la policía local y, más importante, con la industria del transporte, y debían ser sometidos por los Zetas del valle. La pandilla de Oliver tenía una red que los Zetas de Matamoros necesitaban meter en cintura, pero el grupo defendió su territorio. (Mientras este libro va a la imprenta llegan noticias de que el reciente e inesperado estallido de la violencia en Tamaulipas a principios de 2010 es una reactivación de esa guerra intestina entre los Zetas y la vieja guardia del cártel del Golfo.)

Oliver no dice para quién trabajaba, sólo que era uno de los Tejas, que a veces llama «Tejanos». Era, dice, «una pandilla, en calle Leona y calle Vicario en la colonia Victoria. Hacíamos nuestras cosas para las organizaciones en esta parte de Tamaulipas, en Nuevo Laredo; también tiene contactos al otro lado del río». Oliver había sido camionero en Estados Unidos, y drogadicto, ahora es un cristiano renacido. «Yo visitaba a los chicos de los Tejas en San Antonio cuando llevaba el camión», explica. «Tomaba cosas fuertes y tenía problemas mentales. Me deportaron.» De vuelta en su ciudad natal de Nuevo Laredo, necesitado de trabajo, Oliver volvió a la pandilla, que a esas alturas era una afiliada formal del cártel del Golfo. El «conducir camiones», parece, había implicado la distribución de drogas. «Estábamos en la colonia, allí estábamos a salvo, pero sólo allí. Fuera, uno no sabe con quién trata. No sabe quién va armado y quién no. Así que trabajas para la organización y ella trabaja para ti. Primero te ponen a traficar. Luego te dan más. Pero, si eres bueno, el dinero de verdad se gana matando.» ¿Cuánto? Silencio. Oliver mira hacia atrás, esperando otra pregunta. Podría levantarse y marcharse, pero no lo hace, se queda sentado y espera. Hay otra gente alrededor, su jefe no anda muy lejos. No es fácil hablar –Oliver está a prueba para un ascenso en el trabajo–, de vuelta a un empleo que tenía pero que había perdido. Le interesa más recuperarlo que hablar conmigo.

¿Cómo empezó? «Empezó con peleas contra las pandillas de otras colonias. Nos estaban causando problemas. Nos dijeron que estaban cortando la mercancía, o relacionándose con los tipos de Matamoros que estaban llegando [los Zetas]. Asesiné a un hombre en un aparcamiento, entre Victoria y el Puente 2. Le disparé.» ¿Y? (Es inútil plantear preguntas estúpidas del tipo «¿cómo te sentiste?». Oliver seguramente me arrancaría la cabeza con un chasquido de sus dedos.) «Y se murió.»

Hasta 1994, dice Oliver, «la organización era sencilla. Yo no estaba involucrado en el contrabando. La mayoría de las drogas pasaba por los Puertos de Entrada, y ellos se encargaban, pero algunos de la pandilla organizaban la distribución con gente que conocíamos al otro lado, en San Antonio. Lo que necesitaban para que las cosas fueran bien era hacerse valer». ¿En qué sentido? «Hacerse valer es quitarle problemas de encima al cártel.» Sigue otro silencio, que Oliver llena finalmente cuando quiere, cambiando el peso de su inmenso cuerpo de un lado al otro y poniendo los ojos en blanco. «Maté a un tipo cumpliendo órdenes, era un 'drogado'.» Aquí entra la jerga: en el habla callejera de la frontera, 'drogado' puede significar, además, alguien 'con deudas'. «No había pagado, movía mercancía y no pagaba lo que vendía. Murió.» ¿Dónde? «En su casa.» ¿Por qué? «Por el dinero que le debía al cártel.» Eso es todo.

La razón por la que estoy aquí, en una institución médica, no es hablar con Oliver sino con su jefe y administrador sobre la maravillosa labor que lleva a cabo con drogadictos, como lo había sido Oliver. Oliver iba bien y estaba a punto de convertirse en uno de los principales asistentes del administrador, pero volvió junto a sus amigos de la pandilla, y a las drogas. Luego regresó a la institución, como el hijo pródigo, desesperado por volver al puesto que ocupaba, me explicó el jefe, «pero tenía que ser con mis condiciones: "te admitiré de nuevo", le respondí, "pero tendrás que empezar desde el principio"». «Es duro», dice Oliver con voz más suave, casi como una confidencia, «siempre está la tentación.»

A partir de 2003 y de la detención de Osiel Cárdenas, «había más que hacer», dice Oliver, «sólo más trabajo que hacer. Ahora sé que era porque la gente de Matamoros no quería a mi gente, y los míos no querían que ellos entraran. Nunca torturé a nadie. Les pegaba. Pero nunca torturé a nadie como hacen ahora».

Oliver habla con frases cortas, su respiración no se ajusta al ritmo del inicio o el final de la frase. Mientras habla, echa hacia atrás la pesada cabeza, y recoloca su peso sobre la silla metálica alrededor del tronco. «Atropellé a un tipo con mi camión», dice, «menudo estropicio hice.» No vale la pena escarbar en los detalles. «Esto sólo parará cuando la gente deje de tomar drogas», dice Oliver. Su lenguaje corporal es una extraña combinación de indolencia y fuerza, como un animal adormilado que puede volverse peligroso en un abrir y cerrar de ojos. «Nunca fui de la gente que estaba metida en el cártel ni en la policía», prosigue, mostrando por fin cierto orgullo personal. «Nosotros estábamos en la calle, en la colonia. Los polis no se fiaban de nosotros. Yo estaba ahí por la 'territorialita' [la defensa del territorio]. Por eso intentábamos parar a los tipos de Matamoros. He visto morir a amigos, yo lo hacía por la calle Leona y por mis 'carnales' en la pandilla, y porque pagaban.»

Oliver dice que no participó en la guerra entre los Zetas y Guzmán entre 2005 y 2007; ya había emprendido su camino para dejar las drogas y procuraba vivir su propia vida. Pero los recuerdos son largos y el peligro perdura, dice su jefe. «Él supone una amenaza para todos nosotros. Era un sicario, formaba parte de una pandilla afiliada a la facción de Nuevo Laredo, y los Zetas podrían venir a por él en cualquier momento. Y eso es muy peligroso para todos nosotros.» «Yo no era un sicario», insiste Oliver, «yo era un asesino. No maté lo bastante para ser sicario, y tampoco cobraba lo que cobra uno de ellos. Hacía otras cosas. Era un asesino», asesino, no verdugo.

Una de las cosas sobre las que los propietarios y los periodistas de *El Mañana* tienen más ganas de hablar es del 97 por ciento de mercancías legales que cruzan el río. No sólo porque significa cambiar de tema, sino también porque «el comercio es la única solución viable a estos problemas», dice Ramón Cantú, «buenos empleos y una economía fuerte para la ciudad».

Los cuatro puentes de carretera que convierten a la ciudad en el Portal a las Américas son: el Puente Colombia, hacia el este, sobre la línea de la frontera estatal de Nuevo Laredo; el Puente del Comercio Mundial, hacia Laredo, que soporta el mayor volumen de tráfico; el Portal a las Américas propiamente (también conocido como Puente 1), que conecta las dos calles principales de los respectivos centros y tiene una vía para peatones, y el Puente 2, un poco hacia el este. Está previsto construir un quinto. El puente ferroviario, o Puente Negro, que pasa entre los puentes del Portal y el Comercio Mundial, y es propiedad de la Union Pacific, cobra a su otro principal usuario, la compañía Kansas City Southern (KCS), por su uso. Pero ahora que Kansas emerge como nuevo núcleo ferroviario en Estados Unidos, la poderosa línea de la KCS, que había comprado parte de la red de ferrocarriles de México durante la privatización, está haciendo planes para tender un segundo puente ferroviario, el suyo propio, que conectaría Lázaro Cárdenas con Laredo.

«Ha sido una bandera de este periódico como portavoz de la ciudad: traed el nuevo puente ferroviario», dice el director de *El Mañana*, Antonio Martínez Santoyo. «Completará la infraestructura que necesitamos para dar cauce al tráfico futuro. Ahora se trata de algo más que comercio entre México y Estados Unidos, también está China..., y algunos de los bienes ni siquiera van destinados a Estados Unidos: en los últimos cinco años se ha ido expandiendo una ruta que trae mercancía de China, pasa por Lázaro Cárdenas, llega a Laredo y sale por Galveston o Nueva Orleans hacia Europa, por mar y por tren. Es más rápido que llevarla por Oriente Medio, y la nueva generación de buques "post-Panamax" son demasiado grandes para cruzar el canal de Panamá y alcanzar el Atlántico. Así que todos tienen que atracar en México y trasladar la mercancía por tren. Por el momento, el transporte por camión es la base de esta ciudad, y de Laredo, en la otra orilla del río. Todos esos camioneros y trabajadores de los centros de reexpedición tienen un pariente que trabaja en el transporte de mercancías al otro lado. Sin embargo, llegará el momento en que cambie la situación del combustible, y el mar y el ferrocarril serán el futuro, y nosotros podemos formar parte de eso. Todo esto no es más que una lección de historia. Durante siglos, Valparaíso en Chile fue el trampolín entre Asia y Europa, luego lo fue el canal de Panamá, y ahora pueden serlo los dos Laredos.» Puede. Pero hay un problema: Nuevo Laredo es una ciudad en la que casi todos los negocios sufren el acoso de grupos de extorsionadores dirigidos no por los 'cholos' locales, como en Juárez, sino por los Zetas y su pirámide. Las empresas importantes necesitan la protección de peces gordos, pero la atención de los Zetas al detalle es implacable.

En el laberinto de callejuelas que se despliega detrás del aparcamiento de la frontera, en el centro, un grupo de mujeres se dedica afanosamente a uno de los negocios más extendidos por toda la zona fronteriza, el de la ropa usada. Se las llama 'chiveras' y están en todas las ciudades del lado mexicano, desde donde pasan a Estados Unidos para recoger ropa usada que luego revenden, algo que, por increíble que parezca, prohíbe una ley mexicana contra la importación de ropa usada para su venta al detalle.[9] Pese a lo cual, en todas las ciudades fronterizas mexicanas, las vallas de los jardines y las barandas de las carreteras están cubiertas de tejanos, camisas, blusas, ropa infantil, faldas y vestidos en venta.

En Laredo, del lado estadounidense, en un edificio gris y bajo con un tejado inclinado de ladrillo rojo, un equipo de chicas y mujeres supervisado por un jefe anglo clasifica montañas de ropa usada. El almacén es uno de los muchos que hay a lo largo de Santa Isabel Avenue, junto a los apartaderos y los depósitos de inspección de la Union Pacific. Es un trabajo duro, con un calor agobiante, pero las mujeres lo afrontan con buen ánimo y cordialidad: montones y más montones de ropa, atados en fardos, son clasificados según el tipo y arrojados a contenedores de lona identificados con etiquetas como «Mujeres Leisure», «Western» o «Teen». Hay incluso una palabra mexicana para este proceso, un verbo: 'clasear'.[10] A las mujeres las ayudan sus hijas cuando salen de la escuela. Rick, el supervisor, está atento a cualquier conversación en la que se entre en demasiados detalles, pero el dinero es limpio y el trabajo se hace con ganas. Los problemas vienen luego.

Pasado el puente en Nuevo Laredo, una mujer prepara pollo y maíz para su hija y sus amigas en una casita cerca del aparcamiento del puente. Todas estas mujeres conocen y visitan los almacenes y los depósitos de clasificación de Santa Isabel Avenue, donde recogen la ropa usada y la traen por el puente del Portal a las Américas, en grandes bolsas de cremallera. Algunas mujeres luego venden sus mercancías a otras que a su vez la revenden al detalle desde sus vallas para ayudar al castigado presupuesto familiar. Otras venden directamente, pero nadie se libra del pago de la extorsión. Por increíble que parezca, el cártel del Golfo –una organización criminal internacional que trafica con drogas hacia Estados Unidos y Europa por valor de miles de millones de dólares– tiene firmemente controladas a las señoras de la ropa usada. De las mujeres que están en la sala encalada, ninguna paga menos de un peso de cada diez como arancel sobre el valor de venta de lo que trae por el puente desde Laredo, pero la mayoría paga dos pesos y una, tres, posiblemente porque vende ella misma. No se trata de un grupo de matones adolescentes en una esquina, sino de La Pirámide, los Zetas, aunque ni que decir tiene que ni siquiera a la más descarada y lenguaraz de estas mujeres, con el pañuelo alrededor de la cabeza, se le ocurriría utilizar la palabra. «La aduana está ahí mismo, en el aparcamiento», dice con una risa seca. «Y si no están en su puesto, vienen a buscarnos al punto donde distribuimos. Así son las cosas. ¿Qué se gana discutiendo? Necesito el trabajo para conseguir el dinero que me deje para comer y mandar a mi hija a la escuela.»

Pero esto no es más que calderilla. Raymundo Ramos y yo estamos cruzando en coche el horizonte interminable de centros de reexpedición de mercancías y de contenedores, cuando sucede lo más extraño: una inesperada tormenta de diminutas polillas llena el aire hasta donde alcanza la vista y chocan contra el parabrisas como piedras de granizo. Casi eclipsan el sol pálido y neblinoso, y convierten el paisaje de vehículos e hileras de cabinas amarillas detrás de la tela metálica, el polvo y la tierra, en algo todavía más surrealista. Aun así, seguimos dejando atrás los centros de reexpedición, aunque a ritmo más lento: ALA, Cargo Consolidada, Transportes Mineros de Coahuila, Fletes México, FEMA, Aeromexexpres. Ramos elige con cuidado sus palabras, alternando el *on* y el *off the record* con meticulosa atención a lo que está diciendo. Hemos estado hablando de «el cártel», que recauda cuotas o mordidas a los negocios locales. ¿Estas empresas de transporte también pagan la cuota –la extorsión–? «Todo el mundo», responde Raymundo. ¿A quién, a la policía o al cártel? «Al cártel.» ¿Esa información es *on* u *off the record?* *«On the record.»* ¿Está seguro? «Sí.» Entonces, ¿es algo normal? «Totalmente normal. Es el sistema. Los que ahora son asesinados en Nuevo Laredo», explica, «no caen víctimas de ninguna guerra por el territorio; suelen ser hombres de negocios que tienen problemas con el cártel. Pero nada de esto ha tenido el menor impacto en el tráfico de drogas ni en la cuota que todo el mundo debe pagar.»

En otra ocasión, un par de semanas más tarde, la cola de camiones lanzadera que aguardan para cruzar el puente con más tráfico del mundo, Puente del Comercio Mundial, Número 3, se alarga durante kilómetros, y los camioneros se enfrentan a una espera de al menos cinco horas hoy, así que se apean a comprar café y tacos de desayuno en las cantinas de carretera. Un grupo que toma algo en un pequeño puesto llamado Takos Kora acaba de cargar equipos de televisores de plasma y electrodomésticos de línea blanca procedentes de Corea y China. Se lamentan de que el refuerzo de las medidas de seguridad hace que los dos viajes diarios resulten más agotadores, cuando no imposibles. Se quejan de la cantidad de dispositivos de seguimiento y control que las empresas de enlace deben llevar para asegurarse de que la carga va directa desde los centros de reexpedición hasta el puente, y que no pasa por ningún otro sitio imprevisto donde la carga pueda ser manipulada y pueda subirse al vehículo algo más. «Si hay drogas en el contenedor», explica un conductor llamado Luis, «habrán estado allí dentro desde el principio, y tú no sabrás nada.» Y, en cualquier caso, dice otro, estos nuevos sellos que colocan en los contenedores están muy bien, «pero los chicos malos saben cómo romper el sello, hacer lo que quieran y volver a colocarlo todo como si no hubiera pasado nada». La conversación, ya de por sí un poco desangelada, se apaga. Entonces, un conductor que lleva una cazadora marrón, está fumando y ha permanecido en silencio hasta ese momento, dice: «A veces, los chicos malos sencillamente entran en el depósito en una 'troca', y dicen: "abre el contenedor". No puedes hacer nada más que darte la vuelta, esperar, entrar en la cabina y conducir».

Veinte kilómetros al norte de la frontera, Bill Sanderson lanza un dardo de saliva a través de sus dientes sobre el asfalto y encamina sus botas de *cowboy* hacia la entrada del Pilot Travel Center. Camionero de veintitrés años, Sanderson nació en el sur de Missouri y creció en Little Rock, en Arkansas, «pero ahora vivo en Carlisle, en Pensilvania, porque es la encrucijada del transporte en camión y me hace la vida más fácil. Así, viviendo en el centro, puedo ver más a mi mujer y a mis hijos». Una encrucijada lo es, no hay duda; Carlisle debería estar hermanada con Laredo: recuerdo haber entrevistado aquí a Jimmy Hoffa Jr, en un restaurante a las tres y media de la madrugada, cuando era el presidente de la International Brotherhood of Teamsters que hiciera famosa su padre, que, según se cree, está sepultado en el cemento de un puente sobre la Autopista de Nueva Jersey. «Me encanta dedicarme a esto», dice

Sanderson sin vacilar. «Cantidad justa de libertad; cantidad justa de hogar. Puedo decir que conozco cada milla entre aquí y Dallas, entre Dallas y Little Rock, donde viven mis padres, entre Little Rock y Nashville y Louisville, y entre Louisville y Pensilvania, casi cada pulgada. Sé dónde parar cuando se cumplen las horas [de conducción regulada] y el reloj va a pillarme. Pero siempre es distinto: tiempo distinto, distinta hora del día. Y siempre tiene algo de aventura, hasta Montana, siempre hay algún sitio que no conoces todavía.» Sanderson luce una magnífica camiseta: «Nacido libre. Muerto a impuestos».

Esto es Port Laredo, la guarida de los camioneros, el equivalente en Estados Unidos del Veintiséis, veinte kilómetros al norte de Laredo por la Interestatal 35, la autopista medular que une los depósitos de mercancías con San Antonio, Houston, Dallas y las demás ciudades al norte. Y no podría ser más distinta. Uno puede elegir entre McDonald's y Subway para comer aquí mismo, o el establecimiento de cualquier otra cadena en los tres kilómetros largos siguientes de la zona comercial de la I-35. Si no te apetece comer dentro, puedes pedir la comida y tu número se cantará por altavoz en los depósitos de reexpedición. Puedes comprar tarjetas telefónicas especiales, llamadas Truckerbucks. También puedes comprar una camiseta que dice: *«Christ is the ROCK ON I stand»* [«Cristo es la roca sobre la que me apoyo»]. Una voz clama por los altavoces: «Cliente de las duchas número 114, su ducha está preparada. Por favor, diríjase a la ducha diez». Hay máquinas tragaperras y una cantidad desconcertante de tarjetas de rasque y gane. «El Pumpkin Spice Capuccino ha vuelto», dice un rótulo, como si alguna vez se hubiera ido. Sanderson saluda a un hombre que lleva un chaleco naranja fluorescente y ropa de camuflaje; viaja con su mujer y su hijo, cuestionando el estereotipo del camionero solitario, pero Sanderson lo deja con su familia itinerante y su almuerzo dominical. «Hay muchos sitios donde preferiría estar antes que en Laredo», dice Bill, que ha bajado a recoger una carga variada para Yellow Freight. «Pero es una ciudad bastante interesante, en el filo, por así decir; he visto algunas movidas, pero no me han afectado. La gente es amable, eso sí, pero no puedo decir que me guste la comida. A algunos de los chicos sí les gusta y hasta han ido a México. Pero a mí nunca me pillará allá, oh, no, ni siquiera cuando aquello estaba tranquilo. Soy un hombre de familia, tengo responsabilidades; tal como yo lo veo, uno se despide de todos sus derechos como ser humano en cuanto cruza esa frontera.»

En los viejos tiempos, cuenta un camionero llamado Mitch, de Springfield, Illinois, un taxi llevaba a grupos de cuatro, a 25 dólares por cabeza, hasta la frontera, a lo que se llama la Zona de Tolerancia en Nuevo Laredo, «se quedaba esperando a que todos acabaran sus asuntos y te traía de vuelta. Sólo por veinticinco pavos, y uno no se gastaba más que el doble de esa cantidad allí», dice Mitch. Pero, afortunadamente para los mexicanos, esas travesuras han acabado desde que estalló la guerra: uno de sus pocos efectos colaterales benéficos y bienvenidos. Tal vez sea una coincidencia, pero desde la última vez que estuve aquí, se ha levantado un nuevo edificio al otro lado de la carretera, frente al Pilot Travel Centre: el complejo de varias plantas «City Limits Adult XXX». Es un hipermercado con aire acondicionado lleno de juguetes sexuales, accesorios sadomaso, DVD porno, y todo lo demás; abre las veinticuatro horas, tiene cristales oscuros reflectantes y un cajero automático. Una bochornosa tarde de sábado tiene bastantes clientes; un domingo por la noche está a tope. «Pasan el rato en los moteles alrededor del Howard Johnson, allá», había dicho Mitch. «Verá a un puñado de tipos aparcados en la parada de camiones 610 en Santa María, al lado del cine, son ellos. La carne es toda mexicana.»

El sistema de transporte de mercancías de los dos Laredos funciona como sigue: una vez pasado el Veintiséis, los camiones de larga distancia mexicanos llevan su carga hacia la frontera y se despliegan a lo largo de dos inmensos Anillos Periféricos, dos circunvalaciones al sur de la ciudad. Desde esos centros se aplica el sistema de *«drayage»* –acarreo, que los mexicanos han adaptado como 'drayaje'–. Las compañías de lanzaderas –algunas de propietarios locales e independientes, otras de las grandes empresas de transporte a larga distancia– tienen vehículos más pequeños, y por lo general más viejos, a los que se enganchan los contenedores. Llevan la mercancía a la otra orilla del río, tras una larga espera, como se ha visto, rodeando las lindes de una ciudad a la que han ido a vivir diez mil hombres que trabajan como conductores de lanzaderas en los centros de transporte que se extienden a lo largo del Airport Boulevard, el Pan American Boulevard y las gigantescas circunvalaciones donde esperan para partir pilas y más pilas de contenedores, e hileras de pequeñas cabinas que han regresado tras entregar su carga al norte de la frontera o están esperando para salir. Además de una hilera tras otra de camiones más grandes y más nuevos, preparados para salir, a través del Veintiséis, hacia el sur o a Lázaro Cárdenas, recoger otro contenedor, traerlo y repetir todo el proceso. En cualquier momento dado, hay treinta mil contenedores esperando que los crucen en Nuevo Laredo, fáciles de manipular, cargados con mercancías que no aparecen en la documentación. Una vez salvadas las aduanas y ya en el lado estadounidense, los conductores del *drayage* llevan la carga hasta los pasos elevados y desniveles conectados a los puentes internacionales y la depositan en cualquiera de los kilómetros interminables de centros de reexpedición estadounidenses, que flanquean Mines Road, oficialmente denominada FM1472, hacia el oeste, y en Port Laredo, hacia el este de la autopista. Incluso los nombres de las calles en las que se ubican estos depósitos tienen nombres ambiciosos como Inter American Boulevard, Pan American Boulevard y Trade Center Boulevard. Muchos de estos depósitos son de propiedad estadounidense, con nombres como Swift Transportation, pero un número cada vez mayor son mexicanos, como Despachos del Norte.

Aldo Fernández disfruta de la rara distinción de ser uno de los pocos camioneros que vive de hecho en Laredo, entre esos depósitos, donde el Pan American Boulevard se cruza con Mines Road. «Justo en el medio», dice. «Uno nunca imaginaría que había viviendas aquí.» Lo hace no sólo porque es de Nuevo Laredo y por tanto está en casa, sino también por razones parecidas a las de Bill Sanderson: «Si vives cerca del depósito pasas más tiempo en casa». Empleado por Tri-National, o simplemente «Tri-Nat», como la denominan los conductores, una empresa de St.-Louis, Missouri, Aldo es un rendido admirador de los Volvo. «Éste es el de 2009», comenta risueño, «el mejor camión que jamás he conducido.» Su ruta habitual lo lleva a Oklahoma City, pero anoche volvió de Detroit y mañana sale hacia Canadá, «donde abren la frontera a las ocho de la mañana, así que hay que esperar más que aquí, aunque no haya tanto papeleo. Veo América entera, pero sé cómo funciona aquí». Hay «una camaradería total entre los camioneros», dice Aldo. «Yo soy hispano y hablo en español por la radio, otro puede ser negro, otro blanco, pero si eres camionero, eres sólo uno más. Cuando tienes algún problema, el compañero más cercano te echa una mano.» Sin embargo, «no hay camaradería entre los gringos que conducen a larga distancia y los conductores del *drayage* que traen las cargas desde México. Los americanos nunca hablan con ellos cuando les pasan la carga porque los mexicanos conducen pequeños vehículos de cuatro ruedas. Es más bien "eh, cabrón, ¡quita de en medio!" cuando dan marcha atrás». Pero tienen que andarse con tiento, cuidar su lenguaje. «Si vienes a Laredo no es una buena idea soltar mierda sobre los mexicanos por la radio», dice Aldo. «Hace un par de años un tipo empezó a largar todo el rollo de espaldas mojadas y mujeres mexicanas peludas. Hablaba por la radio y estaba aparcado. Pero su camión ya no se movió de la parada, y seis días después echaron un vistazo dentro y lo encontraron muerto a puñaladas en la cabina.»

Tampoco en Laredo hay forma de evitar frecuentes ofertas para transportar droga de contrabando de los contactos de los cárteles en los centros de reexpedición. «Te ofrecen una cantidad según lo lejos que vayas», explica Aldo. «Tanto por llevar una carga a San Antonio, más si vas a Nueva York. Es una estupidez meterse en ese juego; un par de mis amigos están en la cárcel por eso. Les hacen la oferta, les parece que es dinero fácil y los pillan.» ¿Las drogas las cargan en los depósitos de reexpedición mexicanos o vienen ya dentro desde antes? «Por lo general, las cargan en origen», responde Aldo, que prefiere cambiar de tema porque estamos en una cena social con un amigo de Nuevo Laredo que ha venido a pasar la velada. Nos lleva por el río para enseñarnos un truco que hacen los conductores del *drayage*. Bajo el puente del Portal a las Américas que conecta el centro de Laredo con su vecina mexicana, han aparcado sus vehículos para que pasen allí la noche. «Cruzan el puente de vuelta a pie, se emborrachan, duermen en México y vuelven a cruzar por la mañana para partir de este lado y evitar la cola de la hora punta matinal en el puente.»

El compositor checo Antonin Dvořák escribió su mejor cuarteto de cuerda –el número 12 en Fa mayor, op. 96, «el Americano»– en un pueblecito llamado Spillville, en Iowa. Había ido allí buscando descansar de Nueva York, donde no siempre se sentía cómodo, sabedor de que en el pueblecito encontraría una comunidad de compatriotas checos. Fue un verano espléndido: Dvořák se llevaba un cubo de cerveza a las orillas del río Turkey todas las mañanas a las cinco y componía, de forma que hay momentos en el tercer movimiento, *Molto vivace,* del cuarteto que reproducen musicalmente las notas exactas del canto de los pájaros que escuchaba. Ninguna pieza musical jamás compuesta evoca la levedad y la serenidad lírica de los espacios abiertos de América como el melifluo segundo movimiento, *Lento,* del cuarteto. La llegada a Laredo del internacionalmente aclamado Bellas Artes Quartet de Ciudad de México para interpretar la obra maestra de Dvořák una noche de 2009 fue saludada en una serie de discursos como un hito cultural en la larga historia de la ciudad. «Un deseo hecho realidad», dijo el anfitrión, el rector, en el salón del campus de la Universidad Texas A&M. La elite del negocio del transporte del Portal a las Américas se tomó la molestia de asistir al acontecimiento, con rutilantes galas. Muchos hablaban español, y siguieron haciéndolo durante el concierto, aunque la mujer sentada a mi lado que preguntó en voz alta, justo cuando nos acercábamos a un momento especialmente delicado del *Allegro*: «¿Por qué están todos tan callados?», lo hizo con fuerte acento tejano. Sentado en primera fila estaba el primer ciudadano de

Laredo, que parece un agente del FBI, con su cuerpo de *quarterback*, traje chillón y cabeza casi rapada, probablemente porque lo fue. El cargo de Raúl Salinas lo mantiene tan ocupado que está obligado a mirar la pantalla de su ordenador y teclear durante la mayor parte de nuestra entrevista, pero es un hombre capaz de mascar chicle y caminar a la vez, porque hace un brillante comentario acerca de «la cuerda floja sobre la que nos movemos, entre la necesidad de mantener el paso de las mercancías y reducir el porcentaje de productos ilegales. Hemos tenido problemas en la frontera, claro. Las estadísticas de delitos nos persiguen». Cuando Salinas matiza el comentario insistiendo en que «las malas noticias venden, y ése ha sido nuestro problema» y que «la situación de violencia y lo de la droga se han exagerado», suena como un mal vendedor. Pero cuando recalca que «no aceptaré ninguna componenda ante la realidad de que nosotros y nuestros vecinos mexicanos tenemos que apoyarnos mutuamente como ciudades y mantener abiertos los puentes», entonces sí suena como un alcalde. «No podemos abofetear a nuestro vecino y luego pedirle ayuda, ése es un error que cometemos constantemente con México. Somos el primer puerto interior de Estados Unidos y no nos hace falta ningún maldito muro entre nosotros y el primer puerto interior de México.» Afirma que «es más difícil ser alcalde que agente del FBI. Como agente uno investiga delitos y manda la gente a la cárcel. Como alcalde, uno tiene que gobernar Laredo».

En el ayuntamiento del alcalde Salinas se ha adoptado un curioso sistema diplomático: una de las oficinas está ocupada por un cónsul de Nuevo Laredo, un representante mexicano de la ciudad hermana, Gerardo Lozarno. Nacido en Laredo, Texas, criado en Nuevo Laredo y educado en San Antonio, parecería la persona ideal para el cargo. También habla con franqueza, no tan convencido de lo que el alcalde Salinas denominaba la «exageración» del tráfico de drogas. Lozarno lo enfoca dándole la vuelta: «Asombrosamente, la guerra del narco no ha afectado al comercio. A Nuevo Laredo llega más tráfico del que nuestra infraestructura nos permite manejar, y ése es nuestro gran reto: construir y facilitar las condiciones para el tráfico. Pero tampoco ha afectado al contrabando de drogas. Digamos que sólo un tres por ciento de la mercancía es ilegal, seguramente, pese a todos los dispositivos técnicos. Pero un tres por ciento es un tres por ciento de todo lo que pasa. Imagínese: si ocho mil camiones cruzan la frontera al día, y un tres por ciento de lo que traen es contrabando, eso supone un montón de mercancía». Pero el empeño actual de Lozarno se centra en asegurar que se construya un cuarto puente de carretera para Nuevo Laredo, cuyas implicaciones está estudiando Miguel Conchas, el director de la poderosa Cámara de Comercio de Laredo.

Conchas tiene las cifras, y son de vértigo. Cruces de camiones: 0,6 millones en 1990, 3,2 millones en 2008. Cruces de vagones de ferrocarril: 90.000 en 1990, 335.000 en 2008. Porcentaje del comercio entre Estados Unidos y México en 2007: Laredo, 39,8 por ciento; todos los demás puertos, 60,2; en 2008: Laredo, 40,9 por ciento, todos los demás, 59,1. Comercio total entre Estados Unidos y México: exportaciones en 2007, por valor de 136.500 millones de dólares; en 2008, 151.500 millones. Importaciones en 2007 por valor de 210.800 millones de dólares; en 2008, 215.900 millones. Comercio total en 2007 por valor de 347.300 millones; en 2008, 367.400 millones. Conchas reflexiona: «El problema es siempre de logística, cómo enviarlo todo, y hacerlo rápido. Ésa será la función de Laredo en tanto siga prohibido el paso a los camiones de larga distancia mexicanos. La recesión nos ha afectado un poco, pero la cantidad total de carga crecerá ahora que la Kansas City Southern ha comprado la línea de ferrocarril de Lázaro Cárdenas a Nuevo Laredo y vamos a tener el nuevo puente; eso supondrá un gran aumento. Se está hablando mucho de un supercorredor: traer menos mercancía a través de los puertos de Estados Unidos, como los de Long Beach y Nueva Orleans, hacer más profundos los puertos mexicanos del Pacífico y traerlo todo por aquí hacia Dallas y Chicago, más barato y más rápido. Estamos a un paso de eso». De este «supercorredor» se está hablando mucho, con sus repercusiones potencialmente catastróficas para las zonas portuarias estadounidenses y para los muchos otros empleos en las industrias de servicios que las sostienen. «Pero, tal como se van desarrollando las cosas», dice Conchas, «el mayor problema al que se enfrentan los negocios es el del tráfico de drogas. Las empresas legales saben que no siempre pueden garantizar qué es lo que están pasando por la frontera sus conductores.»

Si el Río Grande, que separa y une Améxica, se encarnara en un hijo humano, se llamaría Keith Bowden. Bowden recorrió la frontera de agua en kayak, desde El Paso hasta el mar, mientras la guerra proseguía con furia por el país de los Zetas, en 2005. Intentaba vivir la belleza y la fuerza del río tras la pérdida de su joven esposa a causa de un lento y doloroso cáncer. Bowden llevó un registro de su viaje, que publicó con el título de *The Tecate Journals*. En Bowden hay una intensidad, una soledad existencial, que atrae más que repele. Es asombrosamente apuesto y esbelto, entrenador deportivo además de profesor de inglés en el Laredo Community College. En la pared de su oficina sin ventanas hay una fotografía que Bowden tomó de un momento en el fluir del río cuando da la vuelta a un coloso de roca roja en el Big Bend, sobre la cual es inevitable hacer comentarios. La descuelga y dice: «Quédesela». Aunque a Bowden le dan más miedo los rápidos que Nuevo Laredo, habla como alguien que conoce bien a los soldados rasos del narco, porque fue entrenador de béisbol en Ciudad Acuña y en Nuevo Laredo, donde difícilmente podía evitar enterarse de las otras actividades e intereses de los jóvenes. «En sólo un año», recuerda, «perdí a catorce ex estudiantes o jugadores. Chavales a los que había entrenado o enseñado.»

Entre los jóvenes jugadores de béisbol que entrenaba había un chico llamado Ricardo que «hizo un rápido descenso al inframundo del tráfico de drogas de Nuevo Laredo, y su transformación de un ingenuo adolescente en un asesino a sangre fría fue total». El tío de Ricardo era un miembro destacado de la lista de los diez más buscados del FBI, y Ricardo alardeó una vez ante su entrenador Keith de que utilizaba el equipo de béisbol como tapadera para pasar de contrabando «un montón de alijos. La última vez que lo vi», escribe Bowden, fue «un encuentro casual, en los mismos campos de béisbol de Nuevo Laredo donde habíamos sido compañeros de equipo; se jactó de que estaba matando a quince personas al mes "como parte del negocio". Yo califiqué con dureza esa barbarie como "chulería de cretino" y le pedí que me explicara la lógica... "Personas que tienen bebés, madres y hermanas pequeñas. Eso es lo que haces. Asesinas a personas y luego alardeas de ello. No puedo aceptarlo". Ricardo ocultó la cabeza entre las manos y se puso a llorar como un niño». Bowden no volvió a ver a Ricardo. «Corrió el rumor de que había sido despedazado en quinientos trozos.» El cuerpo de otra estudiante, Alicia, fue encontrado bajo una obra, hasta la que condujo a la policía otro chico que había estudiado con Bowden. Ese chico también se desvaneció: «las indicaciones específicas que dio para el descubrimiento del cadáver fueron las últimas palabras que pronunció».[11]

Entre este mundo y el suyo, el río, dice Bowden, «hay una especie de olvido, incluso de hostilidad, hacia los elementos naturales. La naturaleza es difícil de vender a la gente de ambas orillas. Ya a los cinco años les desagrada, desconfían de él, lo temen..., les dicen que es sucio y está contaminado, es algo que cruzan los emigrantes, donde lavan sus cuerpos... Sólo cuando has pasado unos cuantos días en el río empiezas a hacerte una idea de lo que es, tanto como naturaleza cuanto como frontera». Así que uno tiene una curiosa perspectiva de la guerra desde un kayak. «Pasé por aquí cuando se había desatado la locura», dice de la época en que navegó por el río entre los dos Laredos, «en plena guerra, preguntándome si me encontraría cadáveres flotando en el río. Pero lo que de verdad me preocupaba eran cosas como las corrientes, cosas que podía percibir y sobre las que podía intervenir. Mi miedo no era a la gente, lo que suele pasar cuando intentas navegar en kayak por el Big Bend o te das de bruces con un puma que se te echa encima. La persona que más daño podía hacerme era yo mismo, cometiendo un pequeño error.»

En tiempos no tan lejanos, cuando el *Houston Chronicle* era uno de los grandes periódicos del mundo, publicaba gruesos y definitivos suplementos sobre los temas candentes del momento en el oeste de Estados Unidos, uno de los cuales, en octubre de 1993, lo dedicó al Río Grande. El suplemento seguía el río desde su fuente hasta el mar en Brownsville: «Un inicio limpio en Colorado, un final sucio en el Golfo», rezaba el titular de apertura. Pero también había belleza y poesía, cuando el Río Grande, «como cualquier río, intenta despojarse de la basura que le han arrojado. Con el tiempo suficiente, el agua suficiente y el aire suficiente, cualquier río puede remediar muchos problemas de contaminación».[12] Pero si uno habla hoy sobre un río lleno de metal como el Río Grande en su trecho final por tierra fronteriza y tropical, la gente no pensará que está hablando de contaminación. Un río de hierro, en estos lares, significa otra cosa.

9
Río de Hierro
Diles quién eres

Piezas metálicas de variadas formas, tamaños y usos esparcidas por todas las mesas, que llegan hasta el fondo del salón –armamentos de un gris mate y oscuro–. Las armas están fabricadas con pericia, todas ellas, aunque sea mucho más fácil sentir afecto y admiración por las piezas del venerable coleccionista con desgastadas culatas de madera o por las últimas escopetas de caza, que por estas armas completamente inorgánicas y aceradas que sólo tienen sentido en combate. Sin mucho que ver con la función para la que se había diseñado y cumplía con eficacia, se expone aquí un AR-15, cuyo gris acerado y glauco emana lúgubres malos augurios por sí solo. Aparte de que un rifle VZ.58 Military Folder Polymer checo esté considerado entre las mejores versiones de un Kalashnikov, su color entre pizarra y plomo transmite una sensación amenazante por sí mismo. Además de la percusión anular continua de la que alardea el nuevo Colt M4, su frialdad grisácea es de por sí intimidante, sólo con mirarlo, antes incluso de que lo coja, lo sopese, lo maneje con agilidad y lo deje otra vez en su sitio un fornido caballero que demuestra la seguridad en el tacto que da la familiaridad con los caprichos y las manías de la pesada arma. Pero uno no debe aplicar las aprensiones europeas a una feria de armas en Texas. Llevar armas es un derecho de los ciudadanos en Estados Unidos, y la multitud que se concentra esta tarde dominical aquí, en el Centro de Convenciones de Pharr, en la Autopista 281, la constituyen en su mayoría familias y parejas que han venido a curiosear; granjeros que quieren proteger su ganado y cazadores de patos que vienen a aprovisionarse de munición; coleccionistas a la búsqueda de gangas, y chicos que sólo quieren cazar conejos, pegar tiros en una cantera o hacer agujeros en la parte de atrás de señales de tráfico o de carteles de British Petroleum, algo que se ha convertido en costumbre desde el desastre petrolífero en el Golfo. Esto es América, tanto si te gusta como si no. A decir verdad, esta feria de armas en Pharr de octubre de 2009 es mucho menos descaradamente militarista que otra, el triple de grande, que se celebró hace unas semanas en los terrenos feriales del condado de Pima, en las afueras de Tucson, Arizona. Allí, la empresa Blackwater –algunos de cuyos hombres fueron absueltos a finales de diciembre de 2009 de la acusación de asesinato en Irak, donde habían abierto fuego contra una multitud– tenía un puesto de exposición abundantemente surtido con equipo de combate táctico, equipo de visión nocturna, blindajes corporales y otro material más necesario para una guerra en toda regla que para ir a cazar patos. Allí no se trataba sólo de los AR-15 semiautomáticos expuestos en hileras para su venta, como aquí, en Pharr. Una pancarta colgaba del techo llamando a los compradores a mirar una amplia gama de las armas más letales disponibles en el mercado legal, a precios reducidos.

Sin embargo, hay un par de detalles llamativos en el simple hecho de celebrar una feria de armas en Pharr durante octubre de 2009. El salón está a diez kilómetros de la frontera mexicana y a trece de Reynosa, México, baluarte de los Zetas y escenario de feroces combates unos meses después, en la primavera de 2010. En la Nochevieja de 2008, tres agentes de policía fuera de servicio estaban tomando una copa de celebración en El Booty Lounge en Pharr cuando un hombre lanzó una granada en el bar. El origen del explosivo pudo localizarse en Monterrey, a una hora de distancia al otro lado de la frontera.[1] En marzo de 2009, siete meses antes de esta feria de Pharr, el primer golpe de la ofensiva del presidente Obama contra el contrabando de armas, que había empezado la semana anterior, la Operación Traficante de Armas, consistió en la incautación de cañones de armas semiautomáticas, accesorios para armas de fuego y pólvora que cruzaban la frontera de Pharr a Reynosa en un tráiler. Un vendedor de la feria de Pharr llamado Billy –un hombre cortés y amigable que luce coleta– está cantando las virtudes del equipo de protección personal que tiene en venta, la intensidad de las descargas que puede resistir, los tipos y calibres específicos de la munición que rechaza. Tiene un arma especialmente rara en su puesto: una escopeta Heckler and Koch M3 Super 90, pero fabricada bajo licencia por Berelli en Italia. «No hay muchas de éstas por ahí», asegura Billy, «la conseguí de un ex militar. Da una idea de lo mucho que necesitan las fuerzas armadas estas armas..., Heckler and Koch debía de estar fabricándolas a su máxima capacidad así que tuvieron que licenciarlas a Berelli.» Billy me explica sus ventajas: le gusta una cosa que llaman «anillo anular grafilado», que me permitiría «cambiar al sistema de retroceso semiautomático» y por tanto pasar de un modo de mecanismo de corredera manual «a ser capaz de disparar ráfagas de combate a plena potencia en modo rápido semiautomático».

Hay un «cargador para debajo del cañón» que puede llevar «ocho balas para las versiones del Ejército o la policía. Es una pieza rara»..., un chollo por 1300 dólares. Otro hombre me explica las ventajas de un AR-15: «Lo último en fusiles urbanos», adaptable a cargadores de treinta balas Magpul, como los que usan «nuestros soldados en Oriente Medio». Un nuevo modelo que expone sobre el mostrador tiene un diseño de antebrazo que permite al tirador «ajustar los ejes a las doce posiciones del reloj», dice. Le digo que no soy ciudadano estadounidense, así que hay un problema. Me da su tarjeta y dice que lo llame para «ver qué se puede hacer». Del mismo modo que uno no debe ser euromojigato en Texas, tampoco debe entrar en clasificaciones raciales. Pero ¿para qué quieren aquellos chicos mexicanos de ahí, con las cabezas afeitadas y tatuajes en el cuero cabelludo, un rifle de cerrojo con cargador BMG SHF R50 de calibre 50 y cañón de 22 pulgadas? ¿Cuántos granjeros y cazadores de antílopes necesitan, del mismo puesto, una carabina del calibre 223 ASA M4A3 Top 16, una cartera de la Santa Muerte y una bolsa de munición adornada con «Arriba Tamaulipas», uno de los lemas preferidos de los Zetas en YouTube?

Al fondo del salón, al final de un pequeño tramo de escaleras, hay un puesto de libros. Entre los muchos catálogos perfectamente inocentes y los volúmenes comerciales, hay manuales del Ejército de Estados Unidos sobre la guerra contra la insurgencia, con consejos para confeccionar bombas, volar puentes y otras actividades muy útiles cuando se va a cazar ciervos. Por 25 dólares puede comprarse un *Militia Battle Manual*, cuyo segundo capítulo se titula «Operaciones de combate». «Una emboscada es una forma activa de posición defensiva», aconseja. Tiene secciones sobre «Asalto con cobertura», «Ataque inmediato» y «Ataque urbano»: «cuando se irrumpe en un edificio enemigo, lláncese siempre antes una granada de fragmentación». En el apartado sobre «Adquisición de equipo militar», el manual dice: «En esta sección hablamos del robo de equipo militar de bases militares. ¿Suena difícil? Pues no lo es». Hay, por descontado, un apartado sobre explosivos y cómo volar edificios y gráficos como el que muestra un «detonador eléctrico sujeto a una batería de automóvil».[2] Resulta difícil no remontarse a un momento, a la noche del 19 de abril de 1995, el año *anterior* a que se publicara este manual, cuando fui a Oklahoma City. Los asesinos de 169 personas, entre ellas diecinueve niños, en el edificio federal Alfred P. Murrah de Oklahoma, surgieron de estos grupos que leen manuales para las milicias, y no se trataba de lobos solitarios sino que formaban parte de una cultura que instigaba a ello: estadounidenses asesinando a estadounidenses en el nombre de Estados Unidos. Ahora, aquí, se da una variación de ese tema: estadounidenses que venden armas que pertrechan a los cárteles que se matan entre ellos para traficar con las drogas que matarán a estadounidenses. Las armas preferidas por los cárteles son los AR-15 y los AK-47. Las versiones automáticas, claro, cuya venta es ilegal en Estados Unidos. Pero ¿qué hacen estos manuales, que se venden a quince dólares el ejemplar en Pharr, a diez kilómetros de la frontera mexicana, escritos por expertos y a un precio tan barato? Con una portada blanca, el primer volumen de la serie de manuales *Full Auto* explica cómo «modificar» tu AR-15. «El objetivo de este pequeño libro es aclarar y explicar el método y las piezas necesarias para transformar un fusil de asalto semiautomático AR-15 en un arma adaptable plenamente automática.» En la figura 11 explica: «Un fiador automático se inserta en el hueco del mecanismo inferior donde el pasador sujeta el tetón de cierre del mecanismo superior». La figura 12 muestra el fiador automático ya instalado.[3] También por quince dólares, con una portada azul, puede comprarse el manual de conversión del favorito de toda la vida, el cuerno de chivo, el AK-47. El paso seis explica el «Remontaje» del Kalashnikov completamente automático: «Ahora usted está preparado para comprobar el *timing* del cierre con el movimiento a fiador automático, lo que debería soltar el percutor».[4] Pero hay exoneraciones. En el manual del AR-15, el editor afirma que él «publica este libro con propósitos informativos y de entretenimiento y que en ningún caso aconseja, anima o aprueba el uso de este material de ningún modo». El manual del AK-47 advierte que «todas las conversiones debe realizarlas un fabricante de Clase II con licencia». Zetas: no lo intentéis en casa.

Desde la elección de Barack Obama, la discusión sobre el flujo de armas desde Estados Unidos a los cárteles se ha hecho un hueco en la agenda política estadounidense, se ha convertido en un tema recurrente para el Gobierno mexicano y casi de rigor en la cobertura que hacen los medios de la crisis de la frontera. Pero todo eso es muy reciente, forma parte de la aceptación, por fin, por parte del presidente Obama y de su secretaria de Estado Hillary Clinton, de cierta «corresponsabilidad» en esa crisis, como manifestó la señora Clinton en su visita a Ciudad de México poco después de ocupar el cargo en 2009. Sin embargo, hasta hace muy poco, una insinuación como ésa era casi un tabú. A todas luces, el contrabando de armas a México y la «corresponsabilidad» en la guerra de las drogas no había formado parte de la agenda del marido de la señora Clinton cuando fue presidente entre 1992 y 2000. El presidente Obama está presionando al Senado para que ratifique el Tratado de Armas Interamericano, que iba a salir adelante, firmado por el presidente Clinton, en 1998, pero que se atascó en el Congreso, y que pretende aplicar medidas enérgicas contra las armas ilícitas con una regulación de la importación y la exportación de armamento en todo el hemisferio, y aumentar la cooperación entre los estamentos encargados de la ley. Para los lobbys de las armas más radicales, incluso el hecho de que simplemente se aborde la cuestión no es más que otra tentativa de introducir el control de armas, aunque otros que apoyan las garantías de la Segunda Enmienda del derecho a llevar armas admiten que el contrabando de éstas hacia México es otra cosa. Sin embargo, el presidente Obama no ha hecho el menor esfuerzo por reimplantar la prohibición nacional sobre las armas semiautomáticas que impuso Bill Clinton en 1994, pero que expiró en 2004, justo cuando estalló la guerra en Nuevo Laredo. En fecha tan reciente como 2008, Raymundo Ramos era casi la única voz que señalaba que aunque cada día cruzaban cinco mil camiones de Nuevo Laredo a Laredo, otros tantos volvían, y esta corriente inversa de bienes exportados de Estados Unidos a México implicaba también el contrabando en la otra dirección, hacia el sur, pero no de drogas, sino de armas. Los escasos organismos de seguridad del Gobierno estadounidense que se tomaron esa amenaza en serio llamaban a esa corriente inversa el Río de Hierro.

«Es obvio», dijo Ramos en aquella ocasión, «que sin las drogas no habría guerra. Todos lo sabemos. Pero sin las armas no habría nada con qué librar la guerra.» Ciertamente, es obvio, pero con las excepciones del Bureau of Alcohol, Tobacco, Firearms and Explosives (ATF) y de un informe de Lora Lumpe, muy adelantado a su tiempo, publicado en el *Covert Action Quarterly* en 1997, muy pocos en el norte contemplaban ese hecho como un problema. El artículo de Lumpe demostraba que el arma de los hermanos Arellano Félix que había asesinado al cardenal Posada Ocampo en Guadalajara había entrado de contrabando desde Estados Unidos.[5] Tampoco en México se hacía mucho ruido al respecto, aunque el Río de Hierro sí adquirió cierto interés diplomático después de la designación, en 2006, de un embajador en Washington, Arturo Sarukhán, que hablaba con inopinada franqueza. Pero Ramos podía seguir diciendo todavía en 2008: «Llevo cinco años luchando por la aplicación de acciones más contundentes contra el contrabando de armas. Planteo la cuestión cada vez que me reúno con autoridades de cualquier lado de la frontera. Los americanos no lo consideran un problema importante; ¿y los mexicanos? Cada vez que encuentran un arsenal ¡reaccionan sorprendidos! Para los americanos se trata de un negocio de mil millones de dólares; y los mexicanos no tienen la voluntad política de enfrentarse en serio al contrabando de armas».

No es pequeña ventaja para los cárteles del narco que los cuatro estados que tienen frontera con México –Texas, Nuevo México, Arizona y California– consideren la tradición de las armas de fuego como parte de su legado e identidad. Tampoco es ningún inconveniente que se cuenten entre los estados en que es más fácil comprar armas. Durante una conferencia en El Paso, en agosto de 2008, Michael Sullivan, por entonces director en funciones de la ATF, afirmó que los Gobiernos de México y Estados Unidos estaban cooperando en el empeño de localizar el origen de las armas aprehendidas en la guerra del narco mexicana, y habían descubierto –lo que no sorprendió a nadie– que entre el 90 y el 95 por ciento de ellas procedían de Estados Unidos, «sobre todo de los cuatro estados del sudoeste. Dos tercios de las armas procedían de Texas». Ese año, el 90 por ciento de las 20.445 armas incautadas por las autoridades mexicanas de cuyo origen éstas pidieron información fueron adquiridas en Estados Unidos, la mayoría en Texas, Arizona y California. La ironía y la tragedia radicaban en que también la mayoría había sido usada. El fiscal de un caso contra un comerciante de armas de Arizona que mandaba cientos de Kalashnikovs describió a los contrabandistas que las pasaban por la frontera «como un desfile de hormigas».

No menos irónico es que la derecha ideológica que se muestra tan firme contra las personas –y, no hace falta decirlo, las drogas– que cruzan la frontera hacia el norte se opone a las restricciones sobre el comercio de la artillería que los narcos necesitan en el sur, y facilita la frecuencia con la que pueden comprar armas. Aunque el Departamento de Justicia califica a los cárteles narcos como una «amenaza a la seguridad» de Estados Unidos, hay más de 6700 vendedores de armas a menos de medio día en coche de la frontera, dos vendedores por kilómetro. Uno de ellos, llamado X-Caliber, establecido a cierta distancia, en Phoenix, fue cerrado la primavera de 2008 por haber enviado supuestamente cientos de AK-47 y otro armamento a México. Pero el vendedor, George Iknadosian, salió bien librado cuando, en marzo de 2009, un juez retiró la acusación contra él, al no encontrar pruebas de fraude ni de comercio ilícito, aunque algunas de las setecientas armas de cuya venta a contrabandistas se le acusaba se identificaron en un tiroteo en Sinaloa en 2007, en el que murieron ocho agentes de policía. El estado de Arizona había apelado la decisión judicial en el momento de escribir estas líneas.

Los hombres de paja que trabajan para los cárteles narcos y las pandillas recorren las tiendas de armas y las ferias para comprar. Los autos judiciales de innumerables juicios recogen la historia del iceberg del cual ellos no son más que la minúscula punta: Adán Rodríguez, de treinta y cinco años, se ganaba la vida colocando moqueta en Dallas cuando fue abordado por dos hombres llamados «Kati» y «César», del cártel del Golfo. Se le presentaron con la idea, expuesta con doce mil dólares en efectivo por delante, de que si iba por ahí diciéndoles a los vendedores legales de armas que era un encargado de seguridad privada y les enseñaba su documentación, podría conseguir los 112 fusiles de asalto, pistolas Beretta y otras armas que ellos querían. Lo único que tenía que hacer era llevar el material a un piso franco en Dallas y cobrar una comisión de entre 30 y 40 dólares por arma, en efectivo, con marihuana metida entre los billetes. En el momento de su detención, los contactos de Rodríguez esperaban subir el nivel de sus encargos para incluir granadas de mano y lanzacohetes. «La tentación me pudo», declaró Rodríguez al juez en Dallas, que lo sentenció a cinco años de cárcel en 2006. El agente especial de la ATF al mando en Arizona, Tom Mangan, había dicho con franqueza: «Las ferias de armas se han convertido en algo especialmente problemático. Uno ve entrar a los *cowboys* de Sinaloa, se les ve con sus cananas y con sus botas militares. Se ve cómo llevan los carritos fuera, hasta sus coches. ¿Por qué necesitan armas de gran potencia? Porque el Ejército mexicano también está armado, y ellos tienen que perforar sus blindajes y protecciones».[6]

En junio de 2009, la Oficina General de Contabilidad del Gobierno de Estados Unidos (GAO) publicó un informe que no dejaba lugar a dudas, al menos a las racionales: «Muchas de las armas de fuego que alimentan la violencia de la droga proceden de Estados Unidos, entre ellas un número creciente de armas cada vez más letales». Los organismos gubernamentales responsables de combatir el contrabando de armas «no coordinan sus esfuerzos con eficacia», afirmaba la GAO, «en parte porque esos organismos carecen de funciones y responsabilidades bien definidas». Además, «las agencias no suelen recabar, analizar e informar sistemáticamente de datos que podrían ser útiles para planificar y valorar los resultados de sus esfuerzos para controlar el tráfico de armas hacia México». La GAO constata que, por primera vez, la National Southwest Border Counternarcotics Strategy ha incluido recientemente un capítulo sobre la lucha contra el tráfico de armas y que «aunque los organismos de seguridad de Estados Unidos han desarrollado iniciativas para enfrentarse al tráfico de armas hacia México, ninguna de ellas ha sido concebida siguiendo una estrategia general, a escala gubernamental». Aunque la violencia en México «ha causado preocupación, no se ha hecho ningún esfuerzo coordinado por parte del Gobierno de Estados Unidos para combatir el tráfico ilegal de armas a México, que, según los funcionarios gubernamentales de ambos países, está alimentando gran parte de la violencia relacionada con las drogas».[7]

A partir de Laredo, hacia el este, a medida que se penetra en territorio Zeta, la frontera se vuelve tropical y urbana, palmeras y cemento. La carretera en la orilla tejana del río serpentea a través de la ciudad de Zapata, donde el taller de reparación de coches se llama, con coherencia, «Guevara's Garage», pero muchos de cuyos humildes residentes mexicano-americanos se descubrieron ricos de la noche a la mañana cuando se encontró petróleo en sus parcelas. La siguiente ciudad es Roma, donde –al Vaticano le gustará saberlo– la iglesia de la Sagrada Familia está llena a reventar un domingo por la mañana, y en la puerta de al lado se produce una redada: cinco coches de policía con las luces centelleando en una sucursal de la cadena de pollerías Mr Pollo's. Luego viene Río Grande City, donde el popular y bigotudo sheriff del condado de Starr, Reymundo Guerra, fue sacado esposado de su despacho y condenado en mayo de 2009 por utilizar su cargo como agente de la ley para ayudar al cártel del Golfo. Guerra era amigo de un hombre de los Zetas llamado José Carlos Hinojosa, y aceptó dinero a cambio de avisar a Hinojosa sobre los movimientos y tácticas de sus colegas, darle información sobre las redadas previstas en las casas donde se guardaban los alijos y cerrar un caso contra uno de los socios del narco.[8]

En el lado mexicano, la misma Carretera Federal número 2 que iba de Tijuana a Tecate, que han quedado muy al oeste, se abre paso a través de una llanura tropical bajo un cielo inmenso, y cruza una ciudad intimidante llamada Miguel Alemán, donde todos los ojos parecen clavarse al extranjero. La zona fronteriza llega a su territorio más oriental y sureño, el extremo más meridional de Estados Unidos, una punta de tierra que se halla a sólo 750 kilómetros de Ciudad de México. El valle del Río Grande en el lado tejano y la tropical Tamaulipas en la orilla mexicana se combinan para tejer el relato histórico más rico y el tapiz social más complejo de la frontera; es una tierra aparte y un lugar especial, ferozmente orgulloso de su legado e identidad a horcajadas de la frontera, de su pasado y su presente.

En el lado mexicano del valle, la carretera se encamina hacia dos ciudades: Reynosa, que se ha convertido en un bullicioso centro industrial, y Matamoros, que a pesar de la industrialización se ha mantenido fiel a sus raíces con ranchos y comercio. El lado tejano también está dominado por un par de ciudades, McAllen frente a Reynosa, y, delante de Matamoros, Brownsville. Difícilmente podrían ser más distintas: las dos son pobres, pero McAllen ha surgido casi de la nada, en un abrir y cerrar de ojos, un inesperado y nuevo actor que rivaliza con Laredo con la propuesta de establecer un segundo corredor comercial desde Reynosa hasta el corazón de Texas a lo largo de una nueva Interestatal 69. Brownsville rezuma historia épica y, pese a todo el crecimiento urbano a lo largo de las autopistas, es en el fondo una ciudad sosegada e incuestionablemente la más seductora de toda la frontera, un lugar encantado, con tupidas y exuberantes palmeras y ubicuos lagos conocidos como resacas, que va dejando atrás el río que serpentea lentamente mientras se encamina pausado y con desgana hacia el mar. McAllen es el dinero nuevo, Brownsville, el viejo, y a cada una le sienta mal lo que es la otra.

Las ceremonias religiosas, los actos de recuerdo y los ritos empiezan temprano el Día de Muertos en Reynosa, en la iglesia de Nuestra Señora de Guadalupe y en la plaza principal a la que descienden sus escaleras. La noche anterior en McAllen, los niños mexicano-americanos habían celebrado el Halloween como cualquier otro niño estadounidense, vestidos con sus mejores galas macabras, y habían salido a la busca de su trato al Taco Palenque disfrazados de conde Drácula, de sus novias y víctimas. Sin embargo, en Reynosa, el Día de Muertos no se ve afectado ni descolorido por las banderitas naranjas y negras, ni siquiera en la frontera. Dentro del portal de la iglesia hay una exposición especial de «Los más famosos santos incorruptos mexicanos», sólo mexicanos. Los relatos de sus vidas y sus martirios se cuentan con la garantía de que «La muerte no es una entidad / es una mera transición de la vida elemental al hogar celestial». Pero en México los muertos nunca andan muy lejos de los vivos, sobre todo después de la noche en que se retira el velo. En la Reynosa de los últimos tiempos, los años de violencia le han echado una mano a la Parca. No obstante, la jornada de hoy pertenece –aunque la amenaza nunca desaparezca del todo– a los difuntos de todo el mundo; el cielo es de un azul profundo, ya se ha cocido el pan especial de los muertos, y sabe bien.

Fuera, en la plaza, se están levantando y decorando altares, y lo primero que se hace es depositar miles de pétalos formando dibujos sobre los adoquines, pétalos de flores llamadas Zempazuchitl («flor de cien pétalos»), que representan los rayos del sol iluminando el camino a un hogar celestial, y de Garra de León, de manera que la acera resplandece de blanco, que representa el cielo, de amarillo dorado, que representa la tierra, y de morado intenso, el color del duelo. Alrededor de las bases de los altares se acumulan abundantes ofrendas y objetos rituales: incienso, ramitas de canela, cuencos de arroz y de minerales cuidadosamente seleccionados, piedras semipreciosas y vulgares guijarros. La comida es para «alimentar el alma de los muertos», explica Patricia Espinoza, de quince años, y el agua para «calmar su sed». La cruz no simboliza la crucifixión sino «las cuatro direcciones». Sobre el suelo se esparce sal para que los cuerpos de los muertos no se pudran, y se disponen cirios para alumbrar el camino de sus almas. Se añaden ramitas y palos para que los muertos puedan ahuyentar a golpes a los espíritus maliciosos.

El instituto de secundaria Antonio Repizo ha construido un altar particularmente espléndido, con peldaños confeccionados con cartón flanqueados de mesas, que hacen las veces de alas decoradas, con cráneos esculpidos con papel de periódico, harina y agua. Las escaleras están cubiertas de ofrendas –muñecas, botellas de tequila, esqueletos bailarines, libros– y de una camiseta de los New York Yankees, sobre la que se ha colocado una fotografía enmarcada de Guillermo López Treviño, que vivió del 10 de enero de 1907 al 18 de julio de 1983. «Era mi bisabuelo», dice Lorenzo Martínez Rendez, de quince años, en un inglés macarrónico, «un *cowboy,* granjero y *mucho* trabajador. Es mi héroe, siempre está conmigo.» «Hoy es un día importante para todos nosotros», dice su compañero de escuela Mario López Villarreal. «Es una celebración de aquellos que nos trajeron al mundo, para agradecérselo y escuchar su consejo. Hemos hecho el altar para el bisabuelo de Lorenzo, pero representa a todos nuestros antepasados, y así nos sentimos parte de una cadena.» «Esto no es una superstición», dice su profesora, Ana Teresa Luebbert, mientras ayuda a colocar cuencos de especias sobre el asfalto. «Los ojos de los muertos siempre nos están mirando. Observan todo lo que hacemos. Si los jóvenes pueden llegar a ellos, los guiarán..., aunque a veces me pregunto qué deben de estar pensando ahora nuestros ancestros, con todo lo que está pasando.»

A estas alturas, mediada la mañana, los autobuses que van a los cementerios en los alrededores de la ciudad se llenan de familias, parejas y señoras que llevan flores, recuerdos, sillas de picnic, y juguetes infantiles como ofrendas a los que murieron siendo niños. Todo el mundo lleva un ramo de florecitas de color malva especiales para este día llamadas Jesusitas. Dentro del autobús escolar estadounidense, retirado del servicio al otro lado de la frontera, suena el hilo musical, pero no la cantarina música de baile ranchero que uno habría esperado sino la machacante 'soca' del Caribe. «Es especial para el Día de Muertos», dice mi acompañante, Mario Treviño, un hombre con muchos recursos, tanto en el lado oscuro como en el luminoso de la ciudad, que trabaja para una oficina de derechos humanos que se ocupa sobre todo de los deportados, y se cuida también de actos culturales en Reynosa, como lecturas poéticas, aquí, en el país de los Zetas. El autobús se detiene en un trecho de tierra entre el estadio de béisbol y el mayor complejo de cementerios de Reynosa, en el que se ha congregado una multitud, una auténtica muchedumbre bajo el calor polvoriento, que se encamina hacia las lápidas por delante de puestos que venden arreglos florales de todo tipo y 'pan de muerto' para comer.

En Reynosa, como en cualquier otra parte, se vive según el estatus social y la riqueza, y aquí, además, se te entierra también según esos criterios. Es posible que nuestras almas se presenten como iguales para que les franqueen el paso o no ante el último punto de control fronterizo celestial, pero los restos físicos son enterrados según los ducados que dejes al morir. Primero está el lugar de reposo para aquellos que ocupan la base de la pirámide, benditos sean ellos porque serán enterrados en el cementerio de pobres. Alrededor de las humildes lápidas del Panteón del Sagrado Corazón, las familias celebran algo que parece una mezcla de canto fúnebre, velatorio, fiesta y reunión para la limpieza de la sepultura. Bandas de músicos pregonan sus servicios, tocando música mariachi, el ranchero local y baladas tradicionales sobre los difuntos, dependiendo del ánimo. La familia Hernández se sienta en silencio y las chicas lloran mientras los músicos cantan *Amor eterno,* que suele reservarse para una madre fallecida. Otro grupo en un rincón se divierte más ruidosamente: las señoras mueven los pies al ritmo de la música, sentadas en tumbonas al lado de las sepulturas, mientras los hombres y los chicos permanecen en pie con sus cervezas y cada poco vierten algunas gotas en la tierra bajo la cual yace enterrado Manuel Ramos López, para que pueda animar sus labios exánimes como solía. La familia Morales sirve una comida para once personas alrededor de la lápida conmemorativa de su matriarca, Lucía, sobre la que han colocado un par de monos. «Ella vendía ropa usada», explica una hija, «así que cada año traemos alguna prenda para ponerla en la tumba.» Las chicas estudian un folleto publicitario que anuncia para más tarde la celebración especial del Día de Muertos en el Disco Club Frida's.

Los que dejan tras de sí un alijo sólo un poco mayor de billetes reposan en la parcela de clase media de Dios. Aquí las familias también hacen picnics: algunas reflexivas y contenidas; otras, exuberantes y vivaces. Dos músicos acompañan a una familia que permanece sentada en silencio, y cantan una balada lacrimosa pero consoladora de recuerdo, de un cantante argentino, Alberto Cortez, titulada *Mi querido viejo*. Y, por último, llegamos al Panteón Español, «donde están enterradas las familias de empresarios», dice Treviño. Aquí el clamor se mitiga. Una vez traspasada la puerta, nos reciben unas chicas que surgen de un cenador. Van vestidas con elegantes uniformes semejantes a los de las azafatas, aunque con el bajo un poco más alto, y pañuelos de cuello, zapatos y medias apropiadamente negros y de luto, y preguntan si alguien quiere participar en una rifa para ganar un vale para sufragar el funeral de un pariente. Gente vestida con elegancia pasea con decoro por el Jardín Juan Pablo II, donde rosales perfectamente podados suben por un enrejado de alambre. El césped del Jardín Padre Nuestro y el del Jardín Navidad, las dos parcelas en que se divide con estilo esta parte del cementerio, están impecablemente cuidados. Nadie quiere una estridente banda de música ranchera aquí; en lugar de eso hay ujieres uniformados y «agentes de sanidad». Al fondo se ven mausoleos y panteones familiares como los que se encontrarían en un gran cementerio italiano conteniendo siglos de difuntos, aquí con un aire monumental clásico, aunque de imitación. Pero ni siquiera ésta es la clase dirigente de los seres queridos difuntos. Hay aún otro cementerio, dice Treviño, «para los muy ricos». Está fuera de la ciudad, lejos del alcance del autobús que *socarroquea*. «Allí, la gente que no queremos encontrarnos y que tampoco quiere vernos hoy, va a llorar a sus muertos. Es donde acaban los chicos malos más importantes, y los policías, para que los entierren y arreglen cuentas.» No tenemos coche, pero manifiesto un hasta cierto punto descabellado interés por ir. «Si quiere ir, vaya solo», dice Mario, repentinamente firme. «Yo, no. Ellos le verán enseguida: "¿Qué haces aquí, gringo?", le preguntarán.» Les diré que estoy haciendo un reportaje sobre el Día de Muertos. «Y ellos le dirán que no es lo que dice ser, que es de la DEA, y le encontrarán un sitio donde alojarlo en el cementerio.» Mario es un hombre mucho más valiente que yo, y ésta es su ciudad, no la mía; éste también es un momento oportuno para someterse al conocimiento local más que para presentarse al puesto de control celestial antes de lo previsto, justamente un 1 de noviembre. Así que nos vamos a comer unos deliciosos chiles rellenos en un puesto que lleva un amigo de Mario, encontramos una parada de autobús y volvemos a la ciudad. Mario también compra un ramo de Jesusitas y en el autobús una mujer le explica con todo detalle cómo debe ponerlas en un jarrón y dejarlas secar hasta el 24 de junio del año siguiente, el día de San Juan, y entonces enterrarlas, y así crecerán otra vez a tiempo para el Día de Muertos del próximo año.

En el mercado cubierto del centro, la tienda Dark Side destaca entre las demás, y vende comida, revistas y baratijas para turistas (aunque no hay turistas, ni siquiera hoy). Es una tienda gótica, a primera vista del mismo tipo que uno encontraría en el East Village de Nueva York o en una ciudad de Lancashire. El dueño, «Zombie» Raúl, tiene el pelo largo, negro azabache, lleva maquillaje y una chaqueta de cuero negra. Su mujer viste de encaje negro y gasa violeta, y lleva esmalte de uñas negro. Según parece, hasta su hijo viste ropa infantil gótica. Todo lo cual requiere valor y ánimo pendenciero en un lugar como Reynosa. Así que hablamos del mundillo gótico local, para el cual el Día de Muertos es una jornada clave del calendario. Dado que es domingo, la tienda de Raúl es la única abierta en esta galería comercial, por si alguien se queda, en esta importante festividad, sin una camiseta de Metallica o un par de guantes sin dedos con los huesos subrayados con pintura fluorescente. Pregunto por la genealogía cultural. «No», dice él, «no tanto Iron Maiden como Sisters of Mercy y Beethoven.» Pues bueno, qué le vamos a hacer, y a continuación nos lo pasamos estupendamente hablando de cómo los Nibelungos de Wagner martilleando en sus yunques fueron en verdad el primer gran *riff* de *heavy-metal*, y en cuanto al redoble en la Marcha Fúnebre de Siegfried, no hay más que decir. Raúl no era estudiante de música, había estudiado artes visuales, «pero cuando escuché eso supe que formaba parte de aquello en lo que creo». Que no es estrictamente gótico, se apresura a matizar, es Dark Side. «Es una forma de vida, ser consciente de la belleza de las cosas, de que todas son pasajeras y de que tenemos que morir, así que obviamente participamos en el Día de Muertos, pero a nuestra manera.» Los Dark Side de la ciudad son, dice sin inmutarse, «la gente instruida que piensa por sí misma. Nos gusta pensar más allá de esta cultura de México, estamos abiertos a nuevas ideas, películas de terror y diferentes tipos de música». Es un joven sumamente interesante, sobre todo conociéndolo un día como éste, pero ¿cómo se recibe todo esto en Reynosa? «Implica que tenemos que vivir en nuestro propio mundo, pero así ya está bien, porque el hecho de que nos neguemos a participar en la compartimentación nos sitúa aparte de toda esa mierda.» Lo único que tenemos que hacer es intercambiar una mirada para saber a qué se refiere con lo de «esa mierda». Sin embargo, hay un punto en el que esa mierda se entromete: la Santa Muerte. «Ellos adoptaron nuestra iconografía. El esqueleto encapuchado, la guadaña... eso es nuestro; eso era metal y gótico mucho antes que tuviera nada que ver con esa mierda.» El paseo con Mario Treviño por el mercado, centro artístico y museo histórico lleva inevitablemente a hablar de lo que su amigo gótico Raúl llamaba «esa mierda». Posponemos la charla hasta que nos sentamos a comer y tomar café, momento en el que habla con valentía mientras mira cautelosamente por encima del hombro, callando cada vez que alguien se acerca lo bastante para oírnos. «Lo que ve en el puente es un circo», dice. «Los soldados que hacen guardia allí... no son más que una farsa. Todo el mundo sabe que las drogas pasan al norte y las armas vienen al sur a través del puente a todas horas. Gente que trabajando no gana casi nada puede sacarse cien dólares en efectivo por traerles una pistola a los Zetas. La región es un centro de distribución de armas para todo México. Se supone que aquí, a diferencia de en Estados Unidos, son ilegales, pero todo el mundo tiene una, algunos hasta seis. También las consiguen del Ejército; los soldados son pobres, y por diez mil dólares dejan entrar a los chicos malos y llevarse lo que quieran.» Un hombre que vendía Pan de Muerto para el servicio de asistencia psicológica de Drogadictos Anónimos el Día de Muertos había dicho: «Pero el Ejército es bueno, podemos fiarnos de ellos. Los policías no son más que hombres a sueldo de los Zetas. Ellos les avisan de dónde van los soldados. Uno los ve en las esquinas, esperando, controlando el paso de los soldados, luego comunican por radio a los Zetas sus movimientos, de forma que si alguna vez tuvieron la ocasión de atrapar a alguien, siempre es tarde. La única manera que tienen de atraparlos es con un chivatazo desde dentro».

Eso es lo que los Zetas supusieron que había pasado en noviembre de 2008, cuando tropas del Ejército Federal detuvieron a uno de sus comandantes fundadores, Jaime González Durán, alias el Hummer (por su todoterreno favorito), después de un tiroteo de quince minutos en Reynosa. La unidad paramilitar que detuvo al Hummer también se incautó de 428 armas de todo tipo y potencia (entre ellas 288 fusiles de asalto y ametralladoras automáticas o semiautomáticas), misiles antiaéreos, 287 granadas y bombas, y medio millón de cartuchos de munición. Con el rumor de que la traición se había producido desde dentro de la propia organización, los Zetas se lanzaron a una espiral de violencia.

En cuestión de semanas, los cadáveres de un renombrado ex general del Ejército mexicano y dos de sus ayudantes fueron encontrados ejecutados junto a una carretera en Cancún. El general Mauro Enrique Tello era la cabellera militar de más alto rango cortada hasta entonces por los cárteles; había sido metódicamente torturado, luego lo habían llevado a la selva y le habían disparado en la cabeza. Una semana antes, le había convocado «Greg» Sánchez, el alcalde de Cancún, un centro turístico en el Caribe, para hacer frente a la penetración de los Zetas en la economía turística y las rutas de transporte, que amenazaba el encanto del primer destino playero de México para atraer visitantes.[9] El general había dirigido la campaña militar inicial en diciembre de 2006 contra La Familia, y ahora el alcalde Sánchez quería que organizase una unidad armada de cien hombres para enfrentarse a los Zetas. Cuantos se temían lo peor en Cancún no andaban desencaminados: una semana después del asesinato del general, agentes federales habían detenido al jefe de policía de la ciudad, Francisco Velasco, conocido como el Vikingo, y a otros seis oficiales, y los habían llevado en avión a Ciudad de México para interrogarlos sobre el supuesto papel que habían desempeñado en el asesinato del general. Los procuradores federales que se encargan del caso todavía abierto contra Velasco calcularon que unos 1700 de sus agentes en las fuerzas policiales de Cancún estaban trabajando para los Zetas.[10] En la ciudad se le conocía por conducir su todoterreno Nissan Armada negro por las calles, con narcocorridos que glorificaban a los Zetas; se decía que sus canciones preferidas eran *Dinastía Z* y *Pacto de honor*. Aunque llevaba pintados los logos de la policía, se informó de que el vehículo había sido robado en Ciudad de México en 2006. Una semana después del asesinato del general, la policía detuvo a una célula de siete Zetas de Tamaulipas, que habían establecido una avanzada en Cancún.[11] Los Zetas aceleraron sus operaciones contra las rutas de la cocaína del cártel de Sinaloa en el centro y el sur de México, presentándose inesperada y violentamente en lugares como la pequeña y adormilada ciudad agrícola de Ixtlahuacán del Río, cerca de Guadalajara, donde se encontraron cinco cabezas decapitadas en neveras para cerveza con mensajes como «Voy a por ti, Goyo».[12] Mientras tanto, la ofensiva de los Zetas había golpeado de pleno a la vecina Zacatecas, con la más audaz fuga de una prisión desde la protagonizada por el Chapo Guzmán en 2001. Un convoy de diecisiete vehículos apoyados por un helicóptero se aproximó a la prisión de Cieneguillas. Se bajaron treinta hombres, la mayoría vestidos con uniformes policiales, entraron en la cárcel, donde buscaron y liberaron a unos cuarenta prisioneros, miembros del cártel del Golfo.[13] Los Zetas intensificaron su guerra también en Centroamérica, matando a diez agentes guatemaltecos durante una emboscada que les había tendido la policía contra un envío de drogas de los Zetas en abril de 2009. Cuando los asesinos huyeron, dejaron tras de sí un camión que contenía más de trescientos kilos de polvo blanco y –tal vez más significativamente– un arsenal de once ametralladoras M-60, un alijo de minas antipersona, un cohete antitanque fabricado en China, más de quinientas granadas, así como uniformes, chalecos antibalas, uniformes de comando y miles de balas de munición.[14]

El frente centroamericano es crucial para los Zetas por múltiples razones: asegura el control de una ruta terrestre para la cocaína de los países productores, proporciona una salida estratégica para el contrabando hacia Europa y África y es la fuente de otro Río de Hierro, un armamento de calibre distinto, más potente. Aunque el flujo más caudaloso del Río de Hierro es el que va de Estados Unidos a México, una investigación de *Los Angeles Times* mostraba lo que venía a ser una carrera armamentista entre los cárteles por las armas de uso militar procedentes de Centroamérica. En el ataque durante las celebraciones del Día de la Independencia en Morelia, los Zetas utilizaron granadas de fragmentación, un arma de guerra. En el mismo México se ha robado material de fábricas de explosivos industriales con el que se puede confeccionar coches bomba y artefactos explosivos para hacerlos estallar en las carreteras. Las granadas utilizadas en tres ataques en Monterrey procedían de un único almacén de la ciudad, que, según se dice, pertenecía al cártel del Golfo y fue asaltado por las fuerzas del orden en octubre de 2008. Buena parte del arsenal incautado en aquella ocasión procedía de Corea del Sur, como las granadas de fragmentación.[15]

Como en el caso de Raymundo Ramos río arriba, son las extralimitaciones del Ejército y los problemas de los emigrantes y los deportados lo que más preocupa a la organización para la que trabaja Mario Treviño, el Centro de Estudios Fronterizos y de Promoción de los Derechos Humanos, administrado por Rebeca Rodríguez. La señora Rodríguez dirige su rabia no contra los Zetas en concreto sino contra las circunstancias que han convertido la ciudad en «una zona de combate, en la que la situación de los derechos humanos es crítica; una guerra entre el Ejército y los criminales, en la que la población civil no tiene ningún interés para nadie, pero está colocada entre la espada y la pared. El primer derecho humano pisoteado en Reynosa es el derecho a sentirse seguro cuando uno sube a un autobús o pasea por la calle. Fíjese en mis manos: no llevamos joyas, no vestimos ropa cara –si uno lo hace se arriesga a que lo secuestren–. En otros países, si se comete un delito uno acude a la policía, pero aquí no nos atrevemos porque no tenemos ni idea de con quién estamos hablando. En febrero [de 2009] hubo un tiroteo en una escuela de primaria entre los soldados y el crimen organizado, con niños inocentes atrapados en el fuego cruzado. Vivimos atemorizados por los criminales, y también por los militares». La batalla en la escuela de primaria Felipe Carrillo Puerto tuvo lugar el 20 de febrero, cuando unos hombres que iban en un todoterreno abrieron fuego contra los policías federales que intentaban detener el vehículo. Los soldados tomaron posiciones en el patio de la escuela y detrás del recinto de muros bajos para el tiroteo, que se alargó durante dos horas, con granadas explotando en la calle y los profesores mandando a los alumnos que se tiraran al suelo mientras amontonaban pupitres contra las ventanas para detener las balas perdidas. «Los chicos malos se creen los dueños de las calles», había dicho la directora Martha Aguirre, de sesenta y un años.[16] Esa batalla no fue más que uno de los episodios de combate entre el Ejército y los Zetas. En febrero de 2009, hubo enfrentamientos con armas en seis puntos de Reynosa, y los Zetas colocaron vehículos para bloquear las carreteras y aislar las zonas de combate. Una de las batallas duró una hora, y el Gobierno mexicano declaró haber abatido a seis pistoleros de los narcos.[17] Cuando este libro va a la imprenta en la primavera de 2010, se está produciendo un repentino recrudecimiento de los combates mientras los Zetas y el Ejército guardan las distancias. Otras informaciones se refieren a una reactivación de la guerra intestina entre los Zetas y la vieja guardia del cártel del Golfo en la que los paramilitares, dirigidos por Osiel Cárdenas, se han hecho con el poder. El periódico *El Universal* informa de que coches blindados recorren la ciudad marcados con las letras «CdG», por el cártel del Golfo, o «XX», por los Zetas. Han desaparecido ocho periodistas, de los cuales dos fueron liberados, uno torturado hasta la muerte, y cinco, en el momento de escribir estas líneas, siguen desaparecidos. Mario Treviño me envía un mensaje que dice: «Reynosa está de luto [...] Por el momento, la ciudad es tierra de nadie [...] los cortejos de los funerales pasan por las calles».

La señora Rodríguez reproduce los argumentos de Gustavo de la Rosa en Ciudad Juárez: «El cártel está creciendo y expandiéndose, y aumentando su armamento. Pero uno no puede combatir el crimen con más crimen», dice refiriéndose al historial del Ejército de «asesinatos y torturas [cometidos] en nombre del Estado» en Reynosa. «No nos protegen: están alrededor de nuestras casas, pero no de las de los narcos. Si te quejas en voz alta, te conviertes en la quinta columna, así me han llamado. Pero cuanto peor se comporte el Ejército, más organizarán los criminales a la gente contra él.» Ha habido grandes manifestaciones contra el Ejército aquí y en Matamoros, río abajo, que, se sospecha, estaban organizadas por el cártel, con bloqueos de calles realizados por taxistas, por ejemplo, que, eso sí se sabe, están bajo su control. En febrero de 2009, las manifestaciones contra el Ejército bloquearon nueve puentes que conectaban Ciudad Juárez y varias ciudades de Tamaulipas con Estados Unidos, y las autoridades federales acusaron a los cárteles de Juárez y del Golfo de pagar a los manifestantes para movilizarlos. Ese mismo mes, las manifestaciones contra el Ejército organizadas por los Zetas se extendieron hasta la capital del estado de Nuevo León, Monterrey, colapsando el centro de la segunda ciudad más poblada de México, y la más rica.[18] Aunque se considera que Monterrey es una ciudad demasiado limpia, construida de cristal y acero, en gran medida una encarnación del nuevo México, y demasiado salpicada de restaurantes de sushi, para que sea un genuino baluarte de los Zetas, una investigación –la única de este tipo– en los bajos fondos de la urbe llevada a cabo por Tracy Wilkinson de *Los Angeles Times* descubrió que los Zetas habían echado raíces profundas en sus barrios más pobres, como el de Independencia. La larga historia de trapicheo de drogas a pequeña escala en el barrio ha permitido la penetración del cártel del Golfo, que pagó a los vecinos para que realizaran inmensas manifestaciones bloqueando carreteras.[19] A los 'tapados', como se les llama, les pagaban pequeñas cantidades de dinero (unos 13 dólares) o con teléfonos móviles o incluso con mochilas escolares llenas de cosas para la casa, para que se enfrentaran al Ejército. Mientras tanto, en Tamaulipas, llegó un aviso de las autoridades mexicanas y estadounidenses: se decía que los Zetas habían conseguido cuarenta chalecos antibalas con las letras FBI y DEA.[20]

Pese a todo, Monterrey es el centro de lo que podría considerarse un mundillo *underground* de artistas que existe en cauteloso desafío a los narcos, un grupo con una notable valentía y espíritu innovador. Uno de ellos es Francisco Benítez, que colecciona (o hace en persona) fotografías de las narcomantas que cuelgan en lugares públicos, y también confecciona las suyas, como protesta o pastiche. Le fascina la nueva y perversa preocupación por la comunicación escrita de las narcomantas, sobre las que comenta: «Son, a su modo, mensajes. Algunos van dirigidos a la población civil, para propagar el miedo, mostrando una cierta burla del poder de las autoridades oficiales. Es un medio de decirle a todo el mundo que son los dueños de este territorio, que no puede hacerse nada contra ellos». Benítez recoge sus fotografías en un libro/instalación que se ha convertido en casi un archivo histórico de la rareza, la maldad, el humor macabro, las amenazas y la obscenidad de las narcomantas.

Con la diferencia de que Francisco también confecciona las suyas, a modo de pastiche y crítica. «Mis narcomantas son una reflexión sobre la situación de México», dice, «algunas son negras, hilo negro bordado sobre tela negra, porque están relacionadas con las banderas negras de la anarquía.» Uno de los mensajes bordados reza: «Soldados de plomo y policías de paja». «Era una frase común en los mensajes de las narcomantas, un modo despectivo de referirse a las autoridades», dice Benítez, «y, en cierto sentido, tiene algo de verdad. Cualquier delito cometido por los criminales queda sin castigo. Las autoridades no hacen otra cosa que cooperar con ellos. Más que un mensaje de paz, esta obra es una crítica de toda la situación.»

Benítez añade: «Personalmente, creo que las narcomantas reflejan varias situaciones sociales que no sólo tienen que ver con los cárteles del narco, sino también con cuestiones de educación básica, empleo e indiferencia social», sobre todo, añade, entre el mundillo de la comunidad artística. Aunque a veces, la versión original del horror puede estallar aterradoramente cerca, como le sucedió a uno de los estudiantes de Benítez. «Doy clases en varias instituciones y talleres», dice Benítez, «y un día recibí una llamada en mi teléfono móvil. Era uno de mis estudiantes que me preguntaba cómo se deletreaba correctamente una palabra. Se lo dije y luego me pidió que le dijera otra palabra. Ninguna en concreto. Eso despertó mi curiosidad y le pregunté qué estaba haciendo y, tras un confuso intento de explicación, me contó que alguien que sabía que él estaba estudiando arte le pidió que confeccionara una narcomanta. A cambio de un buen dinero. El estudiante ya conocía a esa persona, e intentaba evitarse problemas, porque era un tipo de oferta que no podía rechazar. Afortunadamente, no volvió a tener noticias del tipo.»

Benítez trabaja con un amigo, Tomás Hernández, que talla relieves en madera en un estilo constructivista. Uno especialmente gráfico muestra dos tuberías, de una gotea petróleo negro, de la otra, sangre roja. «Es difícil encontrar artistas con obras que se enfrenten a estas cuestiones», dice. «Tristemente, la comunidad artística las evita, o las referencias son tímidas y laterales.» Sin embargo, no es el caso de Tomás, que recoge «trozos desechados de madera y cartón de los guetos de ocupas. Mis materiales formaban parte de casas pobres abandonadas por sus habitantes, y así intento darles una segunda oportunidad». Sobre su relieve con tuberías, titulado *Agujero en el suelo*, dice Tomás: «Un cañón de metralleta apunta al espectador y al fondo vemos unas venas estilizadas, de una de ellas gotea petróleo, de la otra, sangre, y, mientras tanto, todo es pasto de las llamas. Trata de los intereses económicos y la política neoliberal que se combinan para producir el caos por todas partes». Tomás aborda los temas de la postindustrialización en Juárez: «lo que está sucediendo aquí, en México, es pos-político y postindustrial. Empleo la estética constructivista en mi obra para relacionarla con la idea de un mundo industrial. Monterrey es una ciudad postindustrial, pero la gente corriente sigue aferrada a los valores del siglo XIX. La gente se desespera cuando no entiende por qué no puede tener un empleo tan seguro como sus abuelos..., y ésta es una guerra espantosa; los adolescentes forman los escuadrones de la muerte, es una consecuencia de la falta de educación y del fracaso social». Cuando este libro va a la imprenta, Hernández me cuenta un pavoroso episodio sucedido delante de la casa de sus padres: llegan dos camiones negros, disparan metralletas, y vuelven dos horas más tarde para arrojar dos cuerpos, uno de ellos el de un adolescente al que han partido por la mitad por la cintura.

La tercera componente de este trío de audaces innovadores de Monterrey es Jessica Salinas, cuya obra es cruda y asombrosamente aterradora. Se divide en dos categorías: una muestra retratos de reinas de la belleza coronadas, atrapadas con engaños y asesinadas por pandillas de narcos, sus cuerpos posando se desvanecen en papel pintado decorativo, que es lo que eran. La otra son esculturas enérgicas y grotescas de metralletas y pistolas con falos erectos a modo de cañones. Jessica trabaja, dice, «con el tema de la criminalidad descontrolada, y sus daños colaterales desde una perspectiva femenina...; las obras pretenden retratar gráficamente el fenómeno de las reinas de belleza de los cárteles como trofeos para los capos, hasta el punto de que las mujeres se hacen con el liderazgo de los cárteles, exhibiendo armas de fuego todo el tiempo. Es una situación que retrato relacionando la anatomía masculina con las metralletas y las armas de fuego». Sí, ciertamente lo hace, en esculturas como *Anatomic Plates: Missile Gun and Smith and Wesson*, empuñadura, gatillo y luego prepucio echado hacia atrás.

«Así que aquí estamos haciendo equilibrios», dice la señora Rodríguez de vuelta en Reynosa, «lo cual es una tarea difícil.» Habla del cártel con suma cautela: «Están haciendo lo que hacen por el dinero, por las chicas, por el estilo de vida y el poder que da el dinero. Pero se han convertido en una formación militar, no social». El sabio Treviño ha estado escuchando y comenta algo muy simple, pero importante: «Lo hacen por el dinero, sí, pero también por algo más. Lo hacen por prestigio, para que se vea que pueden vestir esa camiseta de tal diseñador que vale tanto dinero, en lugar de esa barata que lleva el otro chaval. Es como los galones en un uniforme militar, cabo, sargento. Tú vas por ahí y todo el mundo sabe cuál es tu rango, porque tu camiseta, o tus zapatillas deportivas, valen trescientos dólares. Lo hacen por el dinero, para exhibir las cosas que éste puede comprar. Es un sistema jerárquico: si llevas esta camiseta, consigues a una chica mona que exhibir; si llevas una camiseta aún más cara, consigues una chica aún más mona. Pero no puedes dejarte ver con la camiseta del año anterior, que ha pasado de moda, porque eso significaría que no has ascendido por la escalera. Lo mismo pasa con los coches, los aparatos y los cortes de pelo. Son gente repugnante, siempre colgados de anfetaminas, pero en Reynosa pueden lucir el uniforme de su rango, y son alguien». Es un análisis simple, pero crucial y convincente.

Mientras tanto, «la economía ha acabado dependiendo del dinero ilegal», afirma un abogado que trabaja en Reynosa y prefiere permanecer en el anonimato. «Drogas, armas y gente dedicada al contrabando: es el ciclo del dinero ilegal.» A diferencia de la anarquía criminal de Juárez, «si trabajas en el mercado interior de la droga, sólo vendiendo un poco en la calle, tienes que pagarle una comisión a los narcos. Si trabajas en un negocio legal, tienes que pagar una cuota a los narcos. Ellos controlan a la policía, así que la policía no te protege, de modo que el narco te hace una visita y dice: "La policía no puede protegerle, así que nos encargaremos nosotros"». (O, como apunta un hombre de negocios de McAllen, en la otra orilla: «Ellos dicen: "Nosotros le protegeremos de nosotros, si nos paga para que lo hagamos"».) «De ese modo», prosigue el abogado, «el narco se ha hecho con el control total de la economía. Algo similar ocurre con los partidos políticos: hay elecciones entre el PRI y el PAN, pero en realidad no se trata más que de Calderón y el Ejército, apoyando al PAN, así que los narcos apoyan al PRI. Tenemos al Ejército a un lado, a los narcos y a la policía al otro y, el centro –la economía, la educación, la vida política– desmoronándose, una vez interrumpidas las comunicaciones normales.» Aunque en la primavera de 2010 se produjo un inesperado y feroz conflicto intestino entre la vieja guarda del cártel del Golfo y el ala militar de Cárdenas, los Zetas, «nuestro problema», dice Rodríguez, «no es el mismo que en otros sitios. En casi todos lados hay una guerra entre diferentes pandillas». A pesar de las tensiones internas, «éste ha sido siempre el territorio del cártel del Golfo. Reynosa es una ciudad monopolio de una sola empresa».

No sólo una ciudad de una sola empresa, sino que ahora es una ciudad de una sola empresa insurgente, en guerra total contra el Estado mexicano y, desde hace poco, consigo misma. Si alguna vez el Gobierno mexicano tuvo en realidad la intención de que la crisis se resolviera mediante la restauración del viejo orden del narco que convivía con el PRI, bajo un único cártel fuerte con permiso gubernamental tácito para funcionar, esa estrategia ha sido rebasada por los acontecimientos. Si, como dice el 'susurro', el del Chapo Guzmán era –o podría ser algún día– el elegido para convertirse en ese único cártel-monopolio permitido, entonces el plan ha fracasado, frustrado por el colapso en Juárez y la ferocidad de los Zetas. Los Zetas pueden ser sobornados –cualquiera puede serlo en este juego–, pero ¿a qué precio? Y si los Zetas van a mantener la *Pax Mafiosa* en este territorio, ¿qué precio tiene Guzmán? El misterioso Tratado de Nuevo Laredo ofrece una respuesta tentadora pero terrorífica: un inquietante acuerdo entre los cárteles, en el que el perdedor paga una tasa al vencedor, con el precio de que la paz implique el tipo de sumisión pública que la señora Rodríguez y el abogado describen: el sometimiento de la sociedad y la economía al cártel.

La palabra «Zetas» está llamativamente ausente de este discurso en la oficina de la señora Rodríguez, aunque la charla haya ido mucho más lejos de lo que la mayoría de la gente en Reynosa se atrevería a llevarla. Otro trabajador de los derechos humanos de la ciudad, cuyo nombre no puede darse, lo dice en privado: «Nosotros los llamamos "La última letra" o "el Alfabeto", no los llamamos Zetas; resulta demasiado peligroso admitir su existencia o usar su nombre, lo cual es absurdo, pues están muy orgullosos de ser quienes son y alardean de ello por todas partes y a todas horas. La cosa va a así: si alguien los contraría, tiene que pagar el precio, sea en efectivo o con su vida».

Alrededor del centro de Reynosa hay un sistema de canales, construido en parte para riego y en parte para canalizar el agua de las crecidas del Río Grande. A lo largo de los canales hay orillas con hierba, y sobre ellos pasan puentes con barandillas amarillas. Tener una ciudad rodeada de fosos es una contrastada y eficaz defensa en tiempos de guerra, como los Zetas saben muy bien. La activista habla de exhibiciones de fuerza de las cuales ni una palabra se ha dicho fuera de Reynosa hasta el momento: «Fue el 13 de febrero [2009] cuando lo hicieron por primera vez», explica ella. «Sencillamente sellaron el centro de la ciudad, como gesto intimidatorio, bloqueando las carreteras en los puentes. Para demostrar que pueden hacer lo que quieran, y para demostrarle al Ejército que son capaces de realizar un ejercicio de instrucción de combate. Lo repitieron el día 17, y esa vez secuestraron autobuses en los puentes que salvan los canales: se subieron a ellos, ordenaron a los conductores que los cruzaran y a todos los pasajeros que se apearan, y luego se llevaron las llaves. Por lo general, lo hacen durante dos o tres horas cada vez, pero en aquella ocasión los autobuses se quedaron allí durante quince horas y nadie se atrevía a moverlos; la ciudad se sentía en un estado de sitio.» Unos días después, una mujer se atrevió a hablar, aunque fuera brevemente, porque había sido pasajera de uno de esos autobuses: «Nos paramos de golpe. Golpearon la puerta y subieron cuatro hombres, que le gritaban al conductor. Llevaban pasamontañas, pero todos supimos inmediatamente quiénes eran. No nos hicieron el menor caso, y sucedió muy rápido: nos gritaron que nos bajáramos del autobús, que lo hiciéramos tranquilamente y nadie resultaría herido. Una señora los insultó, porque llegaba tarde a algún sitio, pero no pasó nada. Unos cuantos nos quedamos y vimos cómo el conductor giraba el autobús para cruzarlo en la carretera. Luego se bajó y le dijeron que se fuera. Y ellos dejaron el autobús allí, vacío, bajo la lluvia».

«Una de las veces que pasó», contó la activista, «un amigo mío iba a casarse, ¡y su novia no pudo llegar a la iglesia! Ella venía a la ciudad cuando los Zetas cerraron el puente, y todos se preocuparon, sobre todo mi amigo, porque la novia llegara tan tarde a la boda.» Al otro lado del puente fronterizo, en McAllen, Texas, el relato sobre los Zetas y los puentes es todavía más preocupante: no son sólo los puentes en el centro de Reynosa los que los milicianos narcos bloquean para exhibir su fuerza; tienen otro público al que impresionar, que les requiere un despliegue más audaz aún en otros puentes: los que cruzan a Estados Unidos. «Por aquí fue un mal día, de abril o mayo [2009]. Bloquearon varios puentes, los internacionales que van a Estados Unidos. Nunca había sucedido; sencillamente los cerraron.»

El hombre de negocios de McAllen habla con la condición de que se le mantenga en el anonimato, y con razón. Pero sus conocimientos y la veracidad de su información son incuestionables, y lo que él sabe nunca se ha filtrado a la prensa. «Nos convocaron aquí, en la empresa, y me dijeron que lo que tuviera que hacer al otro lado, tenía que haberlo acabado antes de las dos de la tarde. Tráete tus cosas, dijeron, porque no reabriremos durante un rato. Dijeron que sería pacífico, que sólo querían dejar las cosas claras. Y chico, vaya si las dejaron. Lo que en realidad estaban diciendo era: "Nosotros dirigimos el espectáculo". Es gente que anda por ahí con lanzagranadas, y pueden mantener un tiroteo de cuatro horas con los militares. Cuando se proponen cerrar un puente, la gente hace lo que dicen. El único que dejaron abierto fue el que cruza desde Progreso, por el turismo que todavía pasa por allí.» Ni una sola palabra sobre esta ominosa maniobra fue pronunciada por las autoridades de Estados Unidos al otro lado del puente, ni por los políticos ni la prensa tejanos.

McAllen se está convirtiendo en una ciudad que mira hacia el norte tanto como hacia el sur, volviéndose en la dirección en la que un día se encaminarán los camiones, al menos eso espera, por delante de los rótulos colocados a lo largo de la Autopista 281 hacia Houston que informan: «Futura Interestatal 69». Y ésa es también la dirección que ha seguido el árbol genealógico de la familia del hombre de negocios Sam Vale: sus antepasados proceden de Reynosa, pero su despacho se encuentra encima del único rascacielos de McAllen, desde donde se emiten noticias, fútbol y espectáculos en español que llegan a casi todos los hogares del valle del Río Grande. Vale es el director para la región del canal de televisión mexicano Telemundo y también es el dueño de la última propiedad inmobiliaria genuinamente amexicana: un puente fronterizo, el que va de Camargo, en Tamaulipas, a Río Grande City, en Texas, por el que cada vehículo que pasa le paga un peaje. El señor Vale, que encarna al nuevo y vigoroso McAllen, cuenta la historia con entusiasmo: al principio la propiedad del puente la compartían con otro empresario, y el padre de Vale poseía la parte más pequeña, el 40 por ciento, pero mediante una serie de maniobras inteligentes, amenazas de demandas y enconados duelos verbales, consiguieron aumentar su participación accionarial, se aseguraron primero la mayoría y finalmente la propiedad exclusiva. Todos los demás puentes que cruzan el Río Grande son propiedad del Gobierno Federal, con otra excepción, cuyo dueño casualmente se llama Sam Sparks, dice Vale, «así que para tener un puente tienes que ser Sam, Sam o el tío Sam».

La oficina de Vale está decorada con obras de arte y antigüedades mexicanas del pasado reciente y del remoto: cuadros, artefactos religiosos y grabados. «Son el resultado de lo que llamo el estilo mexicano de hacer negocios», dice Vale. «Ves algo que te gusta, ofreces una cantidad que sabes que el otro no puede aceptar, y luego preguntas: "¿Qué más tiene?"» Sin embargo, su familia formaba parte de la aristocracia ranchera, y más tarde comercial, de otro mundo. «Mi abuela mandaba sus vestidos en barco de vapor para que se los limpiaran», dice Vale, «a París.» Es un hombre con mucha presencia, lleva un gran bigote, la camisa desabotonada y joyas de oro, y habla con amenidad y sosegadamente. Es Tex-Mex, más Tex que Mex se diría, generoso con su tiempo y cree apasionadamente en McAllen, Texas. A lo largo del ascenso de su familia en el negocio inmobiliario, dice, había mucha gente alrededor «que quería que el sur de Texas fuese California; pero no, por favor, nosotros somos lo que somos, ése era el primer principio». El segundo era que «hagamos lo que hagamos, tenemos que hacerlo con México, en lugar de gastar miles de millones de dólares construyendo un maldito muro, como si esto fuera Israel o Gaza». Laredo, dice, «siempre tuvo esa mentalidad de integración y le sacó buen partido». Y mira a la gran extensión urbana que se despliega abajo, más allá de la pesada mesa de roble de su oficina en la planta más alta. «Cuando estaba en el instituto, todo esto eran campos de cultivo.» Pues debía de ser muy bonito, en comparación con la vista de cemento y centros comerciales de al lado, compartida por Country Omelette, Viva Life Christian Booksellers, The Armory Guns 'n' Ammo, rótulos en palos que anuncian AutoZone y una valla publicitaria que dice: «Su esposa está caliente. Oscurezca sus ventanas». Pero Sam Vale no se refiere a eso cuando menciona los campos, sino a lo contrario: a construir encima de ellos.

«McAllen vive o muere en función del comercio internacional, empezando por el hecho de que el cuarenta por ciento de las ventas al detalle en esta ciudad se hacen a mexicanos que vienen aquí a comprar.» Pero la cosa no acaba ahí. «Tenemos a gente devanándose los sesos, pensando cómo ganar dinero para esta ciudad. ¿Y ahora qué?, ¿qué más? Este valle está en pleno auge», dice Vale. «La ciudad debe formar parte de lo que esté pasando en Laredo», y establecer su propio puerto interior en su propio corredor comercial. «Laredo tiene un sistema que le gusta, pero nosotros podemos abaratarlo permitiendo que los camiones de larga distancia mexicanos pasen hasta el punto de entrega, eliminando las lanzaderas.» Aquí no habrá camiones de *drayage*, serán los chicos del Veintiséis los que cruzarán y llegarán hasta el Pilot Travel Center; da vértigo.

Vale no se engaña en cuanto a que «todo el dinero sea blanco inmaculado, porque no lo es. Pero por aquí, los cárteles sólo te afectan si estás implicado de un modo u otro, si les debes dinero o les vendes computadoras. La gente que paga a los cárteles en este lado tiene una parte de sus negocios que es ilegal, alguna extensión del mismo en la otra orilla, donde nadie puede funcionar sin llegar a un acuerdo con los Zetas». Y, por descontado, está ahí el Río de Hierro: «La industria más importante en la que está implicado el cártel a este lado de la frontera es la importación de armas desde Estados Unidos. Si uno tiene familia, le pasa al cártel del Golfo de seis a diez armas a 500 dólares por pieza, es un buen dinero. Mucha gente, yo incluido, hemos estado reclamando que se dote con más recursos al ATF en esta zona. El Gobierno está hablando de enviar cien hombres más –mierda, necesitamos mil–, necesitamos gente que trabaje en secreto en la otra orilla, necesitamos a hombres sobre el terreno que puedan extirpar a la gente que vende armas por aquí y a las pandillas que las compran y se las llevan a los cárteles. Ahora compran piezas y las montan al otro lado de la frontera. Pero toda esa ferretería tiene que esconderse en alguna parte, sólo pueden pasar un arma cada vez. Tiene que haber una red de recolección y distribución, y esa red hay que romperla».

Pero la penetración de los Zetas en la economía legal llega ya muy adentro. Una sombrosa historia, contada por un abogado en McAllen con buenos contactos, ofrece una rara imagen interior del mundo de Zeta S.A. La historia cuenta que roban hidrocarburos condensados de las terminales petrolíferas de la empresa Petróleos Mex y los exportan a Estados Unidos. La estafa, se dice, la había supervisado personalmente Osiel Cárdenas desde la cárcel en Houston. «Tenían los contactos dentro de Petróleos Mex», dice el abogado, «y se dedicaban literalmente a extraer el condensado y lo traían desde Monterrey a las terminales en Estados Unidos, con toda la documentación legal. Y todo pasaba por Pharr, hasta llegar a Houston. ¿Cómo lo sabemos? Porque pasó algo: se encontró decapitado a un hombre llamado Manuel Gómez.» El trasfondo del asesinato, afirma el abogado, jurando que es información que le han dado desde dentro, era: «Gómez trabajaba para el cártel proporcionándole transporte. Nunca utilizaba sus propios vehículos, siempre los de empresas de transporte más pequeñas. Era el responsable de llevar esos camiones cisternas a las refinerías de Houston, donde se utilizaba para fabricar derivados del combustible. Incluso tenía un nombre en esos círculos, "Manolo". Al cabo de un tiempo, los hombres del cártel en el punto de recepción de Houston empezaron a notar que menguaba la cantidad de producto que llegaba a las refinerías, una disminución en los envíos del cártel. ¿Y qué descubrieron en Monterrey? Que Gómez a su vez extraía su propia parte del fuel. Lo descubrieron y le cortaron la cabeza».

Según un análisis sobre las actividades de los Zetas recogido en un informe de la DEA de 2009, tal es la amplitud de su imperio delictivo que ahora tan sólo un 20 por ciento de los ingresos de la organización están generados por el tráfico de drogas. Esto puede interpretarse como una pavorosa corrupción de la economía, pero Vale insiste en que también puede verse desde otra perspectiva. «Si la economía va bien, ellos se verán condenados a la respetabilidad. Se darán cuenta de que el dinero de verdad está en la corriente principal. Tal como están las cosas, los Zetas y los cárteles se van infiltrando en el lado estadounidense de la frontera, ya están en Houston, en Nueva York, se han metido en todas las reservas indias. Pero esos gánsteres tendrán hijos y sus hijos tendrán que aprender a gestionar negocios legales. Por supuesto, no estoy diciendo que lleguemos a acuerdos con ellos, sino que esperemos a que se condenen a sí mismos a ser legales, entonces, en lugar de combatir, se encontrará algún modo de arreglarlo. Por el momento, tenemos una batalla por un producto ilegal, cuyos beneficios se invierten en negocios semilegales. Es doloroso, y tenemos que cortarlo. Pero es una molestia creciente, y ellos no pueden luchar para siempre. Ya están comprándose casas en South Padre Island, como hacen los británicos en España, y cuando la guerra termine eso será como la costa de Nueva York..., empezarán a hacer negocios cada vez más lícitos y acabarán siendo legales.»

Al definir McAllen como la ciudad que descubre cómo ganar dinero, el bravucón Sam Vale había comentado: «Brownsville, dicho sea de paso, no piensa como nosotros, está más chapado a la antigua». En este tipo de generalizaciones siempre caben bastantes excepciones, pero no dejan de tener su pizca de verdad, y el comentario de Vale define el telón que separa las dos ciudades del lado tejano del valle, conectadas por la extensión de cemento que crece a lo largo de la Autopista 83 o, en paralelo a la línea fronteriza, por el cielo inmenso y la larga historia de la Old Military Highway [Antigua Carretera Militar]. Se trata de una de las grandes carreteras de América, no por las curiosas ciudades fronterizas que atraviesa ni por las espléndidas palmeras y campos de tabaco que la bordean, ni siquiera por el hecho de que México y el río nunca estén a más de un kilómetro y a veces a sólo unos metros. Ciertamente, si algo convierte en surrealista a esta carretera, es la valla fronteriza, que penetra como una cuchillada en el paisaje, a veces hasta pegada a los patios traseros de las casas. Lo que convierte la Antigua Carretera Miliar en un recorrido tan agradable son los hitos históricos recogidos en las placas colocadas por diversas instituciones en diversos periodos que jalonan la ruta. Fue un sendero indio utilizado por los exploradores españoles en el siglo XVI, establecido al principio para conectar asentamientos; más tarde fue una carretera militar que conectaba los fuertes tejanos y de la Unión en Laredo y Brownsville durante las guerras con México; luego una ruta de diligencias y correo y una línea de abastecimiento interior para transportar algodón durante la guerra de Secesión.

Por definición, el relato que sigue el recorrido hacia el este a lo largo de la Antigua Carretera Militar camino de Brownsville, no es cronológico. Tras dejar atrás una espléndida avenida de palmeras al sur, se llega a Toluca Ranch, fundado en 1880 por Florencio Cano, en tierras propiedad de sus antepasados españoles, que llegaron a abarcar cuatro mil hectáreas. El siguiente hito, Río Rico, da cuenta de un drama con todas las de la ley. En 1906, reza la placa, la Rio Grande Irrigation Company excavó un canal que «alteró el curso natural del Río Grande», dejando 170 hectáreas al sur del río, en México. Según un tratado de 1884, dice la placa, la «famosa comunidad de jugadores de Río Rico, que floreció en los años veinte y treinta, quedó sometida a jurisdicción mexicana». Más tarde, en 1970, Estados Unidos cedió las comunidades de Río Rico y El Horcón a México, dando lugar a una batalla legal de ocho años que acabó con la concesión de la ciudadanía estadounidense a doscientos nativos de Río Rico nacidos antes de 1970. La frontera de la naturaleza no siempre coincide con la del hombre, y el río a veces es más sabio.

Cuando uno se aproxima a Brownsville, la carretera está señalada con el emplazamiento del Rancho de Santa María, acondicionado como puesto militar por Fort Brown, y un par de kilómetros más adelante está Villa de Reynosa, construida por Juan Miguel Longoria (1815-1875), que tuvo diecisiete hijos de tres esposas, la última de las cuales fue Teresa Guerra, una de las grandes «matriarcas rancheras de Texas». Tres kilómetros y medio después, hay juntos dos placas y un cañón. Una placa señala la ruta seguida por el general español Alonso de León, que combatió las incursiones francesas en 1685. La otra marca el lugar donde «se derramó sangre americana sobre suelo americano. 25 de abril de 1846. Aquí, el capitán Philip Thornton y 62 dragones fueron atacados por tropas mexicanas». El cañón, que apunta hacia la frontera, lo colocó ahí, en 1846, el teniente Barlow Chapter, contra los mexicanos. Casi cinco kilómetros (y dieciocho años) más tarde, el «Coronel John S. Ford del Ejército Confederado derrotó a las fuerzas de la Unión. 25 de junio de 1864». Ahora la valla fronteriza casi toca la carretera, atraviesa el solar de la constructora Garco y luego se desliza por detrás de un servicio de venta y lavado de coches en La Paloma y vuelve a acercarse a la carretera, que entonces pasa por delante del Dark Side of the Moon Tattoo y entra en Brownsville.

Otro hito del camino había señalado la Batalla de la Bolsa, librada en 1859, con la que se inició un conflicto al que se le dio el nombre del hombre que luchó aquí, Juan Cortina. Las guerras de Cortina supusieron la única pérdida de territorio de Estados Unidos en la historia de la nación. En 1859 y principios de 1860, dice la placa, una «serie de incursiones dirigidas por Juan Cortina (1824-1894) acabaron en escaramuzas con compañías de Texas Rangers y soldados de Estados Unidos». Aquí, en La Bolsa, prosigue, «se libró una batalla entre los invasores de Cortina y el capitán de los Texas Rangers John S. "Rip" Ford». Cortina, un mexicano del norte de la frontera, encabezó una incursión contra Brownsville en 1859, ocupó Fort Brown con doscientos hombres e izó la bandera mexicana en sus murallas. Finalmente fue derrotado tras una movilización de Texas Rangers.[21]

«Diles quién eres», dice el doctor Antonio Zavaleta, ayudante especial del rector de la Universidad de Brownsville. Era el título de una charla que impartió en una conferencia sobre la identidad de la frontera, y un dicho que había escuchado en su infancia, nada raro pues el tatarabuelo paterno del doctor Zavaleta fue el general Juan Cortina. Su cargo académico no podría ser más apropiado porque, además, el campus universitario ocupa el emplazamiento del antiguo Fort Brown tomado por su antepasado.

El despacho del doctor Zavaleta es un museo tanto de sus ancestros como de su imaginación. La sala es una maravilla: si Sam Vale ha conseguido su colección de artefactos mediante trapicheos, Zavaleta ha acumulado un tesoro que se ha ido encontrando. Trabaja rodeado de tótems, iconos, paneles pintados, tallas y máscaras que representan deidades, santos, espíritus, duendes y hadas, presidido todo, faltaba más, por la Virgen de Guadalupe. Es una sala repleta del sincretismo –de las supersticiones, si lo prefieren– de múltiples y solapadas fes que ha definido la historia de la frontera y sus caminos, y que ha impregnado el aire que aquí se respira más incluso que la violencia. Y lo ha hecho desde las capillas demolidas de la Santa Muerte, encima de Tijuana, hasta esta sala: un consejo de lo incorpóreo en la punta más oriental de la frontera. El general Juan Cortina mira hacia abajo con aspecto autoritario y de físico imponente desde un retrato junto a la ventana: «Diles quién eres», sin duda.

Zavaleta está fascinado, personal y profesionalmente, por lo que él denomina «catolicismo popular», el que cree y practica la gente de México y la frontera, más que el tipo prescrito en las bulas y edictos papales. El catolicismo popular conserva elementos de la fe precolombina, que han pervivido como parte de la iconografía y la práctica cristianas en México, tanto si le gusta al Vaticano como si no. Zavaleta es un experto en una parte fundamental de esta superposición de fes: el «curanderismo», tal como lo encarna el «Niño Fidencio», que se practicó en Espinazo y sus alrededores, en Nuevo León, durante la década de 1920. Y cuando voy a hablar con él se da la casualidad de que acaban de llegarle los ejemplares de un nuevo libro: una selección realizada por Zavaleta de peticiones enviadas por correo electrónico al curandero Alberto Salinas, un conocido suyo, casi todas de mexicano-americanos, acompañadas de las respuestas del curandero. Abarcan desde peticiones de consejo sobre los deberes escolares a otras sobre posesión demoniaca, sobre heridas sufridas por un bebé a causa de un eclipse lunar o sobre bailes con la muerte, e, inevitablemente, peticiones que buscan liberarse de la influencia de la Santa Muerte. La mayoría de los corresponsales, se deduce, son jóvenes.[22]

«Revisé más de siete mil correos electrónicos», dice Zavaleta, «y reconocí una pauta subliminal que tenía mucho que ver con un curanderismo muy tradicional. Habían llegado a conocer la tradición por el boca a oreja, en casa, en las escuelas, en las aldeas e iglesias, y lo que buscaban era una sutil mezcla de consejo y tratamiento espiritual, artístico y científico, o médico, un proceso holístico. Sólo pudimos seleccionar 190 de ellos, pero son 190 vidas, que se manifiestan de una manera muy particular, de un modo que es moderno a la vista, pero antiguo.» Establece la relación agitando el brazo hacia la sala: «Todo esto es omnipresente en nuestra cultura. Está en cada ser de la frontera. Este material», que parece o remoto o exótico para la mirada moderna, «es muy real para la gente, todos los días», dice Zavaleta. «Bailar con el diablo, sentir los ojos de los difuntos sobre uno, los santos patrones de tu pueblo o los itinerantes, los días de los santos, los números y colores mágicos, los talismanes protectores..., es algo que está muy arraigado, pero siempre cerca de la superficie. Desempeña un papel en tu vida y en la comunidad. Se trata de gente pobre, pero en todo esto hay una comprensión profunda, incluso en el mundo en que vivimos, de formas de fe y creencias que se remontan muy atrás, de las que surgen las tradiciones de magia y curanderismo de todas las religiones en México, incluido el catolicismo.» Zavaleta tiene un aire profesoral, sin duda, pero hay algo más: no se trata de algo académico, sino de la fe, y del trabajo, de una vida entera, pues, dice: «Me crié como católico en Brownsville, Texas, pero con antepasados mexicanos, y me educó un sacerdote de Irlanda.[23]

»Conozco a sacerdotes que admiten que no les molesta que la gente no crea lo que hace, mientras siga haciéndolo», dice Zavaleta. «Pero nosotros no somos así; el catolicismo popular es algo primigenio, que nunca te abandona. Ni siquiera abandona a la gente que se sale para convertirse en evangelistas renacidos. Ellos cantan en la capilla, asisten a clases bíblicas, y luego vuelven, regresan a sus raíces en el misterio primigenio. Harán un gran trabajo: puestos de comida en el barrio, sopas populares, sí, todo eso está muy bien. Pero luego vuelven a casa. Vuelven a no querer decepcionar a su santo patrón, a sentirse desgraciados al percibir la mirada de cierto animal sobre ellos..., nada de clases bíblicas, sino ¡esto!» Y de nuevo hace un gesto para abarcar la sala con la mano, por delante de los esqueletos bailarines, las serpientes emplumadas, los pájaros brillantes, y la hipnotizadora figura de la Virgen de Guadalupe, que se levanta sobre la luna nueva. «Es como preguntarle a alguien una noche hermosa y cálida», dice Zavaleta, «¿qué te apetece, una taza de café o una estupenda cerveza fresca?»

El libro de Zavaleta incluye el caso de un chico que se siente atrapado por una promesa que le ha hecho a la Santa Muerte. Le hace la petición al curandero Salinas «como una cuestión de vida o muerte», temeroso de que la Santa Muerte «se cobre una promesa incumplida». «Sabe que hay que pagar un precio», dice Zavaleta, «y teme que sea con su vida. Está aterrorizado, y pide ayuda de un modo desesperado, pero una ayuda que capte la historia profunda de lo que está haciendo.» Y, por fin, aquí está la conversación que he querido tener desde aquella pavorosa tarde sobre la presa, con los conductores de la furgoneta F-150 que vigilaban las ruinas de la capilla de la Santa Muerte en Tijuana. «La Santa Muerte fue resucitada en Ciudad de México hace veinticinco años, en el barrio pobre de Tepito. Y los narcos la adoptaron, eso es lo que sabe todo el mundo», explica Zavaleta. «Ahora es un culto muy popular, entre los jóvenes sobre todo..., se ha convertido en una forma de identificarse con el poder, con el mal fácilmente accesible. Para los narcos, se trata obviamente de algo más siniestro y peligroso, pero son ellos quienes han mutado la Santa Muerte en esa imagen. Los traficantes de drogas la han convertido en una santa pop para sublimar su culto de la muerte.

»Si nos remontamos en el tiempo, la Santa Muerte no era el mal. Era, hablando con rigor, la representación de una santa popular a la que rezaba una mujer para que le devolviera a su díscolo marido..., aunque ¡claro que significa mucho más que eso! Representa una relación holística entre la vida y la muerte, un ciclo y una totalidad. La imagen de la Parca es imprecisa. Se trata de algo nuevo: si ve a la Santa Muerte representada como una segadora con capucha negra en la parte de atrás de un coche, éste es más probable que proceda de Tamaulipas que de Ciudad de México. Originariamente, la Santa Muerte no viste de negro sino con los colores del arcoíris. Es importante que represente la universalidad de los colores. Originalmente tampoco lleva guadaña –ésa es otra creación de los narcos–, sino que sostiene el mundo, un globo terrestre. Su poder radica en que lo tiene todo en la palma de la mano.»

El atractivo del culto para los jóvenes, dice Zavaleta, «me recuerda cuando, a mis quince años, llevé a casa un ejemplar de la biblia satánica de Aleister Crowley y se lo enseñé a mi madre. Ahora veo esa sensación por todas partes. El patrón oro en las religiones populares es ver lo que vende; es algo tan cierto en los mercados ahora como lo fue siempre con la venta de indulgencias y reliquias. Hoy encontrará tiendas en las que han entrado a robar, pero de las que lo único que ha desaparecido, lo único que querían robar los ladrones, es una estatuilla de la Santa Muerte. Ha habido una racha de ese tipo de robos en el valle. Aquí, en Brownsville, tiene a niños pequeños, de tercero de primaria, que siguen a la Santa Muerte, llevan las cadenas de oro con su imagen, hablan con sus efigies y es obvio que sus padres son traficantes; si habla con ellos, le dirán que sus padres trabajan para el cártel. Es algo serio, y peligroso, pero nuestra reacción es distinta de la de la corriente principal de la Iglesia». ¿En qué sentido? «Si le pregunta a alguien que practique el 'curanderismo', distinguirá entre este nuevo culto de la Santa Muerte y su significado original. Pero la Iglesia no, te mirará sin verte, lo desdeñará todo y te ofrecerá a Dios con la mano derecha o al demonio con la izquierda, así son las cosas. Si le pregunta a alguien que cree en la sanación del curandero, se enfrentará al problema, entablará una discusión para saber, se retrotraerá a los sentidos originales de lo que está sucediendo en realidad, lo entenderá y encontrará una salida.»

¿De dónde procede el «diles quién eres»?, pregunto. «Mi abuelo me lo contó una vez, en español. Yo debía de tener doce años. Le pregunté qué significaba y él me dijo con seriedad: *"Tell them who you are"*. Le pedí que me contara la historia de ese Juan Cortina del que yo era descendiente. Me sentí como un niño recién nacido.»

Elizabeth Street, en Brownsville, que se extiende en paralelo y a una sola manzana de la frontera, es un punto de destino para los compradores de toda la ciudad, claro, pero también de los barrios de la esquina noreste de Tamaulipas. Las compras al otro lado de las respectivas fronteras son algo que define la zona, y, como en Calexico, como en Laredo y las demás poblaciones intermedias, hay un delicado equilibrio entre lo que es más asequible (o menos inasequible) en el lado estadounidense y en el mexicano. Aparte de en qué lado pueda ocultarse siempre la ganga o el pequeño lujo que no aparece en la lista preparada por adelantado.

El almacén Signature propone una aventura cavernosa: kilómetros de osos de peluche, bolsas de cremallera para la ropa usada, rotuladores, Tupperware y cubertería, toallas con imágenes de Sylvester Stallone, Marilyn Monroe o el Club América entre las que elegir, antenas centelleantes y modelos en miniatura de taxis amarillos neoyorquinos. El Toro Sports está lleno de perfumes, camisetas de fútbol y bolsas con la imagen de Mickey Mouse o la estrella de los Dallas Cowboy's en la parte de atrás. Y en este mercado de productos básicos, pequeños lujos y baratijas, destaca el templo, HEB. Esta cadena de supermercados tejana, que se asienta a ambos lados de la frontera, con consulados en todas las ciudades mexicanas de la zona, es una verdadera institución.

Su aparcamiento en Brownsville es un espacio social durante el atardecer, con intercambio de cotilleos, oportunidades para charlar, un lugar para comparar las aplicaciones de teléfonos y las apuestas de las carreras. Aproximadamente la mitad de las matrículas son tejanas y la otra mitad de Tamaulipas, mientras que en Matamoros la proporción es de dos a uno a favor de los compradores nativos mexicanos. En Matamoros, el HEB es más un gran almacén que un supermercado: una serie de aparatos electrónicos más caros que en Estados Unidos, sofás y sillones a precios también más elevados y una exposición de chiles y jalapeños sin parangón. Pero la atracción principal está en el rincón, son los Pastelitos. Aquí, a precios aparentemente razonables, se despliega una chillona exhibición de pastelitos ornamentados de rosa, amarillo o azul eléctrico. Ésta es la pastelería que acabará con todas las pastelerías: pastelitos con forma de coches de carreras, de Spiderman y Cat Woman, de Mickey y Minnie, con inscripciones en azúcar glasé como Machito, en azul, para los niños pequeños, y Florita, en rosa, para las niñas. Un hombre corpulento con un gorro de chef que tiene el mismo aspecto de los pastelitos que confecciona alza un pastel de órdago sobre el mostrador recubierto de tonos tecnicolor azucarados, que es recibido al otro lado con dificultades por dos chicas, es el pastel de cumpleaños de Brian César, personalizado con azúcar glasé de color azul turquesa.

Al final de la hilera de tiendas de Elizabeth Street, ya al otro lado de la frontera, hay una tienda que es una Caja de Pandora. Sobre la puerta se lee: «AZTECA. Yerbería. Gifts Dolls Regalos Muñecas. Se leen las cartas». Azteca es un batiburrillo de objetos espirituales, religiosos y mágicos, y un sueño infantil hecho realidad. Ocultas entre flores o alineadas en estantes hay muñecas de todas clases. Hay estatuillas de escayola blanca: de Venus, de elegantes damas con vestidos de baile, de los tres Reyes Magos, de amorosos querubines y traviesos cupidos, así como de Cristo, tanto en el pesebre como en la cruz. Hay estantes repletos de remedios para todas las dolencias de la mente, el cuerpo y el alma: hierbas, aceites y esencias de cactus. Cuatro estantes dedicados en exclusiva a cirios devocionales para cada santo, ángel o arcángel, entre ellos la Santa Muerte en todas sus variantes. Pero presidiendo e imponiéndose sobre todo lo exhibido –enmarcada, esculpida, pintada en cirios, moldeada en plata, en oro, en yeso y en plástico– está la figura que lo supervisa todo sin excepción a lo largo de la frontera, de pie sobre la luna: la Reina de México y Emperatriz de las Américas, la Virgen de Guadalupe.

La primera de las muchas oraciones ofrecidas el sábado 12 de diciembre de 2009 en Brownsville se pronunció a través de un megáfono, en medio de una neblina fría y húmeda que caía de un cielo oscuro, bastante raro para tratarse de una noche tropical en el barrio más pobre de Estados Unidos. Pese a todo, los vecinos de Cameron Park se habían despertado y acudido al aparcamiento que se extiende detrás de la iglesia de San Felipe de Jesús, en las afueras de la ciudad, para prepararse para celebrar el día de Nuestra Señora la Virgen de Guadalupe. Y lo hacían, como bien sabían, a la par que otras decenas de millones de personas en todo México y a lo largo de la frontera. Mientras el mundo cristiano se disponía a celebrar la Navidad, los mexicanos –incluidos los veintiocho millones de mexicano-americanos y probablemente otros tantos ciudadanos mexicanos que viven legal o ilegalmente en Estados Unidos– celebraban lo que para ellos es un día espiritualmente más atractivo y encantado. «En el nombre de la Santa Virgen María, Madre de Dios y Nuestra Reina», suplicaba el padre Héctor Cruz por el megáfono, «y por favor, manténganse fuera de la carretera»: tres años antes un conductor borracho se había metido en medio del acto, hiriendo a tres peregrinos. Y así, detrás de una furgoneta que abría el paso, todos partieron, cuando dieron las 3 de la madrugada, en peregrinaje hacia la iglesia de Nuestra Señora de Guadalupe, en la 12th Street, en el centro. Andamos a buen ritmo, porque esto no es un paseo y el camino es largo. Los que recorren con paso decidido estas tres horas a través de la oscuridad son en su mayoría jóvenes, parejas con capuchas cogidas de las manos, padres con hijos pequeños, mujeres y chicas que llevan ramos de rosas en diciembre (porque ése fue uno de los milagros de la Virgen cuando apareció) y la asombrosa imagen de la Madre de México sobre una luna creciente entre los rayos del sol. Un hombre joven llamado Luis caminaba entre ellos; ahora tiene que ir a trabajar como metalúrgico «muy al norte, en Alabama y Georgia», porque no queda trabajo aquí, y su esposa está embarazada de cuatro meses, y había regresado especialmente para este peregrinaje. Una mujer llamada Gabriela Méndez había sido despedida hacía dos semanas del HEB; ahora se está planteando qué hacer, pero se alegra de poder concentrarse más en las clases de fabricación de cestos. Luciendo una espléndida cazadora del Mundial de Fútbol de México de 1994, Alfonso –un asistente del párroco que se encarga de mantener a los peregrinos en fila– había asistido a los trece peregrinajes de la Guadalupana que se han celebrado saliendo de Cameron Park, pero había perdido su empleo en una droguería en la bahía en el cercano Port Isabel. «Éste», insiste, «es el día de la esperanza para todos nosotros, y para todos los mexicanos.»

Cameron Park era hasta hace poco una colonia mexicano-americana, colonia simplemente significa barrio, pero en el lado estadounidense implicaba que era demasiado pobre para ser «integrada» a la ciudad, con los consiguientes servicios de alumbrado público, agua corriente o asfaltado de calles, porque no aportaba ingresos por impuestos. Un movimiento de grupos civiles en la década de 1970, más tarde encabezado por un hombre notable que fue hasta hace poco sacerdote de la parroquia de San Felipe de Jesús, Michael Seifert (que ha abandonado el sacerdocio), registró a los residentes en Cameron Park como votantes y consiguió llamar la atención de la ciudad, del condado y hasta del estado de Texas, de manera que los hogares en caravanas poco a poco tuvieron ampliaciones más permanentes y las lámparas de aceite dejaron paso a la luz eléctrica.[24]

El vecindario sigue siendo en muchos sentidos una colonia mexicana, como comprobamos al andar por caminos llenos de baches, por delante de pequeñas bodegas, que son ventanas a hogares particulares, ante perros guardianes que ladran a los peregrinos mientras avanzan por las calles vacías, como una procesión espectral que se acercara a la ciudad. Luego tomamos la principal arteria que lleva a la urbe, el Ruben Torres Boulevard, pasamos por delante de la calma oscura de las resacas –las charcas que deja el sinuoso Río Grande en sus recodos–, de un desierto Wendy's y de arcadas doradas sin iluminar, mientras se nos van uniendo otros afluentes de peregrinos. Es extraño y de agradecer ver esta ciudad en calma por la noche: en suspenso inmóvil y envuelta en una humedad oscura, despoblada salvo por nuestros pasos amortiguados al andar por delante de edificios y viviendas mudos. Sin embargo, una gasolinera Valero, que no cierra en todo el día, está iluminada, vendiendo sus afamados y suculentos tacos de desayuno, que tientan a algunos a rezagarse a la búsqueda de nutrición y calor. Durante todo el camino, los peregrinos cantan; es más, el coro que va detrás de la furgoneta no es considerado lo bastante bueno y cuando pasamos por Coffee Port Road, los coristas encapuchados y vestidos con anoraks son acallados, y los asistentes apelan a los ya varios cientos de peregrinos: «¿Quién canta?», en busca de sustitutos. Los himnos especiales prosiguen como es debido, con más brillo: «Y eran mexicanos», dice una de las letras, refiriéndose a los que se les apareció la Virgen de Guadalupe en 1531. Dejan atrás la Don Quixote Street, a lo largo de la autopista, que también está desierta. Tras tres horas de frío, la procesión entra en un baño de luz fluorescente, en la iglesia decorada en todo su esplendor para la misa, que empieza cuando todavía está oscuro, a las seis. Hay una justificable sensación de haber cumplido con autenticidad entre los que han venido caminando, aunque los mejores bancos ya han sido ocupados por los que se han acercado en coche.

El altar resplandece de blanco, el coro viste con brillantes colores indígenas mexicanos y el sacerdote lleva la imagen de la Virgen bordada en la túnica de color crema mientras lee, en apropiado tono apocalíptico, fragmentos del Apocalipsis. Salen unos tamborileros vestidos con vestidos dorados claros aztecas y bailarines con tocados de plumas de pavo real, presididos por el icono de Guadalupe.

Icono de México, en el sentido más profundo, la Virgen de Guadalupe es a la vez dinámica, mística y omnipotente. Se le apareció a quien se suele denominar popularmente como «un pobre indio» –un agricultor náhuatl bautizado como Juan Diego– en varios encuentros en 1531, durante los cuales encargó a Juan Diego que convenciera a un dubitativo arzobispo para que construyera un santuario en su honor.

Pero la Virgen de Guadalupe es algo mucho más complejo que eso. Después de la misa, tomamos un copioso desayuno de huevos a la mexicana con un hombre que ha pensado, predicado y hablado sobre la imagen de la Emperatriz de las Américas y la Reina Virgen que representa en su antigua parroquia de Cameron Park. «Cameron Park está en Brownsville, pero no forma parte de ella», dice. «Rodeada por todas partes por una de las ciudades más pobres de Texas, Cameron Park es tan pobre que ni siquiera Brownsville quiere tener nada que ver con ella.» Por tanto, es lógico que la Virgen de Guadalupe se apareciera a un campesino en los campos de algodón. «Ella es el grito de los pobres y la redención de los pobres. Pero no todo es tan sencillo: el pobre indio era miembro de una casta de guerreros que fue vencida y convertida por otra casta guerrera [los conquistadores españoles] y, en este sentido, la Virgen es la hija de una violación, pero está embarazada, a la vez reina y marginada, embarazada de la raza mixta de los mestizos mexicanos, después de lo que no fue precisamente una inmaculada concepción. De forma que la Virgen de Guadalupe es sincrética tanto espiritual como étnicamente: un mestizo, icono de la espiritualidad tanto precolombina como católica, del pueblo indígena y de los españoles. De hecho, en una de las grandes obras de la literatura mexicana escrita en lengua náhuatl, *Huei Tlamahoicoltica*, o *La gran Maravilla*, se la define exclusivamente en términos de la tradición mexica, precolombina, como un eco de Coatlicue, diosa del panteón azteca que vivía entre la luna y las estrellas y dio a luz al dios primigenio Huizilopochtli, tras ser fecundada por una "gran pluma de colibrí arrastrada por el viento"» y que, como la Virgen de Guadalupe, tenía su santuario en la montaña de Tepeyac.

«Y la Virgen de Guadalupe», dice Seifert, «es también un símbolo de una esperanza desafiante en los oscuros tiempos que corren. Ella es la expresión de un lamento social y nos ayuda a resistir. Ella es lo que se interpone entre lugares como Ciudad Juárez y la desesperación total. Y, a diferencia de las demás Madonas, está de pie. Si se fija en su rodilla izquierda, observará que incluso está bailando.» Es una perspectiva extraordinaria. Sí, dice Seifert, es «una mujer joven, vestida como una reina azteca; lo sabemos por los colores y el estilo del vestido, por el sol, la luna y las estrellas. Esta princesa cósmica está de pie; mientras que en estos tiempos, la realeza, cuando aparece entre el pueblo, se sienta, siempre y sobre todo en presencia de las clases más bajas. [Como sucede en los retratos de la Madona en el arte europeo.] Está, claro, embarazada, como sabemos por el modo en que le sobresale la túnica, por la faja oscura, y porque lleva el pelo suelto hacia abajo. Pero también está bailando, con la rodilla levantada».

Igual de inesperado es el repentino y brusco giro de Seifert: «Entonces, pienso para mí: ¿es todo esto opio? ¿Opio del pueblo, para mantenerlo servil?». Menuda ocurrencia –toda una herejía un 12 de diciembre, y además de un antiguo sacerdote– y qué inoportunamente Seifert tiene que marcharse. Su esposa, una pediatra, acaba de llegar y tienen que hacer fotos a su recién nacido para enviárselas por internet a los abuelos en México, que no pueden conseguir papeles para cruzar la frontera y visitarlos. Pero una semana más tarde, Seifert envía más reflexiones sobre la Virgen de Guadalupe. Se remonta al equivalente en náhuatl de su nombre, «Coatlaxopeuh», que se pronuncia «cuatlasupe», que él traduce como «María que aplasta la serpiente». «En el centro de la conquista española», concluye Seifert, «está la violación. No me refiero a la violación figurada del país y la cultura, sino a la de las mujeres indias por los soldados españoles.» Y el hijo de esa violación, argumenta, «sería un bastardo, en el sentido técnico más riguroso de la palabra: un hijo sin un pasado, sin un pueblo, porque ella no es una india, ella es la Otra. Sin embargo, este hijo sería el recordatorio más duradero del primer y violento encuentro entre los europeos y la nación azteca. Ella era mexicana, y ella y sus hermanos se convertirían en otra nación, otro gran pueblo, un pueblo nuevo. En la humillación de la violación, nació una nueva raza, una raza mestiza, la mexicana». 'Diles quién eres': la Virgen de Guadalupe, diciéndole a México quién es.

En la señal de la paz al final de la misa que sigue al peregrinaje desde Cameron Park, hay algo conmovedor que pone la carne de gallina tras un año de violencia en y a lo largo de la frontera. Pero una mujer en primera fila hace añicos cualquier tentación de dejarse aplastar por una corona de espinas con un grito de desafío redentor: «¡Viva la Virgen de Guadalupe!»; «¡Viva!», brama la congregación mientras el cielo se aclara fuera. «¡Viva San Juan Diego!»; «¡Viva!», responden cuando rompe el alba grisácea. «¡Viva Cristo Rey!»; «¡Viva!», llega la respuesta. Sentada en un banco en la nave está la escritora Cecilia Ballí, que ha narrado las penurias y los triunfos de la pobreza y la resistencia en Cameron Park. «Fíjese», dice, «que Jesucristo hoy es el tercero, después de la Virgen y Juan Diego.»

El valle del Río Grande fue explotado con ranchos y cultivado por un pequeño número de grandes familias antes de que se trazara la frontera que lo atravesó; dos de ellas eran las dinastías de los Ballí y de los Hinojosa, de las que desciende Cecilia: grandes rancheros y terratenientes. En muchos sentidos, tanto grandiosos como amargos, la historia del valle y la frontera es la historia de la familia Ballí, que en el pasado poseyó Isla del Padre, pero se la arrebataron con malas artes, como quedó probado en un largo proceso judicial, en el que un juez acabó sentenciando a favor de la numerosa familia en 2000. La señora Ballí escribió en la revista *Texas Monthly* que la victoria «fue para que la festejáramos todos. En cierto sentido, se trata de un relato universal. Porque es un relato sobre cómo a algunas personas se les arrebatan sus propias historias». Sin embargo, aún más importante fue el «profundo sentido de orgullo y arraigo que comparten estas familias». El padre de Cecilia había «muerto enfermo en una cama de hospital y, aparte de un poco de orgullo y mucho amor, no pudo dejarnos gran cosa. Era un taxista con cáncer. Tenía cuarenta y un años. Pero nos dejó un apellido especial, y ahí estaba el tesoro».

Cecilia Ballí y yo cruzamos en coche la tierra de la que procede su propia familia inmediata, al sur de la frontera, extendiéndose como un pólder bajo, con un cielo invernal inmenso pero plomizo que se alarga hasta el mar. Pasamos por delante de un pequeño almacén –«Es de un pariente», dice ella–, luego por un grupo de casas verdes donde se crió su madre, y más adelante por el rancho donde creció su padre. En una valla junto a la carretera, un hombre que lleva un sombrero de *cowboy* de paja ha colgado a la venta una selección de ropa usada de cierta categoría, entre ella una elegante camisa Wrangler vieja. «Me acuerdo de su abuelo», dice. «Yo conducía un tractor en su rancho; yo pasteurizaba y vendía leche.» Más allá de una gasolinera y el inevitable súper Oxxo en la Autopista 5, una carretera gira hacia la izquierda. A la entrada hay una cantina que vende cerveza llamada Minisuper Bisby y tres autobuses aparcados. Nadie toma esta carretera, dice Cecilia: lleva al rancho donde se crió Osiel Cárdenas. El rancho que se extiende a lo largo de esa carretera constituye en sí una especie de «hito histórico» en la narración que da cuenta de la cultura del narcocártel de México. La señora Ballí dice que ayuda a explicar un cambio en la composición social del cártel de la droga de la región, que, según ella, perfeccionó el estilo de violencia que ahora se ve en todo México. «Osiel Cárdenas procede de una familia muy pobre que vivía en los márgenes de una ciudad fronteriza mexicana, literal y metafóricamente. Sus antecesores en el cártel del Golfo solían ser hombres de negocios y de clase media, o, al menos, de familias bien relacionadas. Osiel, al principio, no tenía ese tipo de acceso a la política y a los políticos. Su manera de entrar en el negocio fue hacerse policía federal. Él representa a las clases bajas pobres y urbanas que el Gobierno mexicano siempre ha descuidado, cuyos hombres tienen por lo general dos opciones para salir de la pobreza: irse a trabajar al otro lado de la frontera o unirse al negocio.»

¿Y qué les pasa a estos jóvenes pobres cuando entran en el negocio? «Finalmente experimentan lo que es tener poder, qué significa ser respetado, y además ellos no están comprometidos con las viejas redes sociales ni tienen deudas políticas, ni están obligados a seguir el viejo estilo de hacer las cosas. Ellos no se limitan a establecer redes de contactos, ellos se enfrentan. Lo primero que hizo Osiel para convertirse en jefe fue asesinar a su socio; eso supone un cambio con respecto al pasado. La gente dice de él que es muy violento como persona, y una vez que sus hombres, los que más tarde serían conocidos como "Zetas", acabaron de formarse, empezaron a utilizar un nuevo estilo de violencia, un estilo que han copiado otros cárteles de México.» «Estilo» no es una palabra que Ballí utilice a la ligera; ella desarrolla su argumentación en el capítulo 5 sobre los asesinatos de mujeres en Juárez. «La gente dice que todo esto es por el dinero», afirma, «pero yo creo que es por el dinero y algo más. Es un comportamiento social, una exhibición de poder, una forma muy masculina de poder. Están diciendo: "Somos alguien", en un país donde se suponía que eso no era posible para hombres de su clase. Creo que, en cierto modo, la determinación con la que los ricos de México han ignorado a los pobres se está volviendo contra ellos. No se trata de la venganza del pobre contra el rico; ellos sencillamente han encontrado su propio camino a la riqueza y al reconocimiento social. Sobre todo, desde que las viejas formas para convertirse en hombre en México –uno se casa, encuentra un empleo y mantiene a su familia– están cambiando. Ahora algunos hombres optan por establecer su virilidad de este modo, y eso está haciendo daño a todo el mundo.»

Y aun así, incluso el cártel forma parte de este relato, de la tradición, la tierra y la identidad, afirma la señora Ballí. «El cártel aquí todavía tiene lazos con la comunidad. La gente de por aquí conoce sus nombres, sabe quiénes son. Tal vez se criaron o fueron a la escuela juntos, o se han casado con parientes lejanos. Y aunque ahora sean ya nacionales o internacionales, sus líderes proceden todavía del noreste de México y ellos están orgullosos de eso. Celebran su música, su lenguaje. La identidad regional es sumamente fuerte en México, y a esos tipos les gusta remarcar que son de Tamaulipas y de la frontera, un lugar que el resto de México siempre ha evitado. Se ve ese orgullo exhibido en internet, en los clips de YouTube que ensalzan al cártel del Golfo y a los Zetas, y en la forma en que decoran sus camiones. En términos académicos nos gusta hablar de "comunidades imaginadas", y creo que los cárteles mexicanos han hecho un trabajo impresionante para aprovechar esas identidades regionales o comunales, de manera que la gente los anima casi igual que animaría a sus equipos de fútbol. Así que cuando hablamos de sus luchas para conservar el control de sus territorios, no sólo estamos hablando de rutas de droga, sino de su capacidad para decir: "Ésta es nuestra tierra". Creo que eso es algo que distingue al cártel del Golfo de los demás. Aparte de La Familia en Michoacán, los otros cárteles los forman gente que se ha desplazado por distintos estados del norte y el noroeste de México, y muchos proceden de Sinaloa. Los tipos que se apoderaron de Tijuana eran de Sinaloa, no de Tijuana.» Diles quién eres: los Zetas, también, están diciendo quiénes son.

«La gente aquí no consiente el tráfico de drogas», dice la señora Ballí, «pero comprende a qué se debe. No obstante, creo que ahora estamos en una interesante encrucijada. La comunidad está más callada que nunca, y todos entienden que se ha perdido algo, que algo bastante importante se ha perdido. La vida interfronteriza que era tan especial y típica de por aquí está cambiando cada día.»

En Matamoros se cuenta un chiste: el primer día del curso el maestro da la bienvenida a los nuevos alumnos, supervisado por el director. «Todos los niños cuyos nombres empiecen entre la A y la M se sentarán aquí», dice el director, y así lo hacen. «Todos los niños con nombres que empiecen entre la N y la Y se sentarán allí.» Y así lo hacen. «¿Y qué pasa con los niños cuyo nombre empieza por Z?», pregunta el maestro. «Oh, ésos pueden sentarse donde quieran», responde irritado el director. Otra opción de final más siniestro, dice: «¿Los niños con nombres que empiezan por qué?», responde el director, aterrorizado.

Las marcas dentadas de los obuses de artillería que picaban las paredes de Sarajevo o Grozni no suelen formar parte del paisaje de la guerra del narco, salvo en Matamoros, en el lugar donde se produjo un enfrentamiento entre los Zetas y el Ejército durante el otoño de 2009, junto a una obra y un puesto de Tacos al Vapor en la calle Primera, en uno de los barrios más elegantes de la ciudad, no lejos del río, ni tampoco muy lejos del cuartel donde los militares se habían acantonado en un almacén, con su pesada puerta, sus garitas, sus centinelas y una flota bien visible de jeeps aparcados. Según testigos presenciales, el tiroteo se prolongó durante dos horas después de que los soldados intentaran detener un coche que seguidamente se saltó el control de carretera. Los Zetas, que según parece ya estaban en posición para cubrir el coche, sufrieron supuestamente nueve bajas, según los rumores imposibles de confirmar del 'susurro', mientras que el Ejército no admitió haber tenido ninguna entre sus filas. Después del incidente, se dice que los Zetas sellaron la zona y –dando un propósito táctico a los ejercicios de Reynosa– abordaron autobuses, hicieron bajar a los pasajeros y se quedaron las llaves.

Charlé un rato, sentados en un muro, con un hombre llamado «Arturo», de Monterrey, aunque ahora vive en Matamoros, la única persona que encontré por allí dispuesta a hablar sobre los Zetas. Si en Nuevo Laredo los llaman La Pirámide y, carretera adelante, en Reynosa, son «la última letra del alfabeto», ¿cómo les llaman aquí?, le pregunté. «Aquí sólo decimos "La Letra"», respondió «Arturo». «La mitad de la ciudad trabaja para La Letra de un modo u otro. La única forma de evitarlos es hacer cosas como comprobar que el seguro de tu coche esté en regla porque cualquier día alguien le va a dar un golpe, o va a encargar que se lo dé otro, y hay un cincuenta por ciento de probabilidades de que el dueño del otro coche trabaje para La Letra. Más vale que te cerciores de que el daño se paga rápido, con tu seguro a terceros completo, porque uno no quiere deber nada a nadie en Matamoros. Porque, si vienen, no sólo querrán tu coche, también querrán tu casa, todo lo que tienes y hasta a ti.» Los Zetas, me confirma, «extorsionan a todos en la ciudad. De los grandes negocios a los pequeños vendedores ambulantes, los puestos de tacos, los mariachis. Todos tienen que comprometerse con la gente de La Letra, nada pasa en Matamoros sin ellos. Por eso aquí no hay guerra, aparte de la del Ejército contra el cártel, aunque durante un tiempo también la hubo entre el cártel y La Letra. Ahora, la gente de La Letra tiene a la policía de su parte, y no creo que el Ejército pueda derrotarlos jamás».

El alcalde de Matamoros, Erick Silva Santos, del PRI, acepta amablemente recibirnos a un colega –Dudley Althaus, del *Houston Chronicle*, para quien éste es un terreno familiar– y a mí, sin cita previa. Habla pormenorizadamente de sus iniciativas para combatir el crimen organizado creando oportunidades educativas, con medidas sociales y económicas, y confirma –en un comentario eficazmente codificado– que «no hay pandillas callejeras, como tales», en Matamoros «no verán grafitis por las paredes». Y es cierto, o casi (aparte de un edifico de aspecto tenebroso en la avenida Manuel Cavazos Lerma, todo está bajo control). El alcalde Silva insiste: «No estamos en zona de combate. Éste es un conflicto entre las fuerzas armadas del Gobierno y un grupo de narcotraficantes», quienes, admite, «cuentan con equipo y con armas muy sofisticados». Pero, afirma, «yo no tengo nada que ver con esa lucha. La ley no nos permite intervenir desde el ayuntamiento. La ley no me permite movilizar a la Policía Municipal para combatir el narcotráfico». Qué oportuno. Le preguntamos si tiene alguna información sobre el tiroteo de aquella semana junto al cuartel del Ejército. «Carezco de autoridad para pedir al Ejército información sobre bajas o sobre cualquier otra cosa.»

Después de este encuentro con un hombre que se enfrenta cara a cara con la crisis, Althaus y yo vamos a comer a un restaurante que es un hito del Matamoros mudo. Sólo Althaus recuerda, de sus tiempos como reportero para el *Brownsville Herald* en la otra orilla, por qué. La violencia latente de Matamoros formaba inevitablemente parte del ritmo de vida de la ciudad, y Althaus vino a cubrir el asesinato de un gánster llamado Casimiro Espinoza, realizado, según se dice, por orden del Padrino de la antigua Mafia de la ciudad, Juan N. Guerra. «Eso era en 1984», recuerda Althaus. «Escuchamos la noticia y vinimos inmediatamente, era mi primera historia en Matamoros. A Espinoza le llamaban el Cacho. Era el único gánster de cierta entidad en la ciudad que podía suponer alguna amenaza para Guerra. Y Guerra se aseguró de eliminarlo. Creo que fue entonces la primera vez que oímos el nombre de Juan García Abrego, del que se rumoreaba que estaba detrás del asesinato: era el sobrino de Guerra, y dirigió el cártel del Golfo hasta el 96, después de lo cual Osiel se hizo con el poder. Visto desde hoy, está claro que aquel asesinato de Espinoza fue el momento en que consolidaron su poder. Félix Gallardo todavía dirigía la federación en Guadalajara, pero ese asesinato fue, considerado en retrospectiva, el nacimiento del cártel del Golfo. Eran los tiempos en que el viejo Guerra se sentaba al fondo de este restaurante, donde recibía visitas y hablaba de carreras de caballos.» El restaurante ha sido rebautizado desde entonces como «Don Juan's» y su rótulo representa a su caballo favorito, al que monta con fusta y sombrero. El sombrero auténtico cuelga de una pared, dentro del local. Comemos bien, el servicio es educado, sólo el hombre que está detrás de la barra nos mira fijamente todo el rato con ojos apagados y sin brillo, fríos como el acero y el hielo.

Al regresar de las garitas de centinelas ante el desvío que conduce al rancho de Osiel Cárdenas, Cecilia Ballí y yo nos sentamos en un café de la playa esta ventosa tarde invernal, en la que el sol arroja lanzas de luz, que los niños llaman «escaleras al cielo», al mar, desde detrás de nubes grises apagadas, creando balsas luminosas en la superficie añil del océano. La lluvia llega a la costa, y grupos de excursionistas dominicales llevan su marisco, patatas fritas y sopa de pescado bajo el refugio que fue construido como protección frente al sol: estamos en Isla del Padre, que el tribunal de Brownsville sentenció que pertenecía con todo derecho a los Ballí. «En la frontera hay una dinámica especial que no se encuentra en ninguna otra parte», dice Cecilia. «Por ejemplo, hay un sentido del tiempo distinto en esta zona de la frontera. Las comunidades del valle, sobre todo las de la orilla mexicana del río, se remontan al siglo XVIII, que en Europa puede que no parezca muy antiguo, pero en Estados Unidos sí. Llevamos aquí casi tanto tiempo como las Trece Colonias.

»Pero desde que México perdió la región ante Estados Unidos, a los mexicano-americanos de Texas siempre les han hecho sentirse extranjeros, aunque esto haya sido su hogar –nuestro hogar– durante generaciones. Desde que trazaron la frontera, empezamos a experimentar psicológicamente un proceso gradual de separación de México, aunque, por supuesto, pervivieron algunos de los lazos culturales y sociales. Porque México está ahí todo el tiempo, siempre está esa sensación de amenaza del "Otro", y los mexicano-americanos tienen que demostrar constantemente que son lo bastante americanos. Cuando yo me crié nos hacían sentir avergonzados de que nuestros padres no hablaran inglés, aunque la mayoría de los habitantes de Brownsville fueran mexicanos. Eso está cambiando ahora con la llegada de más inmigración y la aparición de una identidad latina pública en Estados Unidos, que nos permite no tener que esconder quiénes somos. El mismo valle ha cambiado mucho; ahora puedes oír hablar español en cualquier parte. Pero todavía se da ese doble movimiento. Hay una conexión cultural y emocional con México, pero la mayoría de la gente vive a este lado de la frontera, con otros mexicanos. Los que cruzamos la frontera de un lado al otro somos estadísticamente una minoría. Así que aquí, en el valle, los mexicano-americanos se están volviendo cada vez más mexicanos y más americanos a la par, si es que eso tiene sentido. Siempre me pregunto: ¿por qué se sorprende tanto la gente cuando viene al valle y descubre que los mexicano-americanos son auténticos patriotas?, ¿o que nuestros hijos se inscriben todos en el Ejército? Bueno, si toda tu vida la gente ha dudado de adónde perteneces, te encuentras con que tienes que demostrar que eres americano.»

Una de las formas en que los chicos adolescentes prueban su «americanidad» ha sido jugar al deporte más americano mejor que los propios anglosajones: el fútbol americano en los institutos. El libro, película y serie de televisión *Friday Night Lights* se desarrollaban en Midland y Odessa, en el oeste de Texas, pero en ninguna parte es la fiebre del viernes por la noche por el equipo local más intensa que en dos pequeños y pobres pueblos casi pegados en el valle del Río Grande, Elsa y Edcouch. Sam Vale había dicho: «El problema de Elsa es que está demasiado al norte de la frontera, demasiado al este de McAllen y demasiado al oeste de Brownsville». Pero él se refería a la maltratada economía de la ciudad, no al equipo de fútbol americano de los Yellow Jackets.

Ciertamente, Elsa no se encuentra de camino a ninguna parte en particular. La mayoría de las empresas que daban empleo, aparte del distrito escolar, se han ido o han quebrado; pero la población transmite un aire optimista y de resistencia, es alegre y vivaz. No hay forma de que un visitante entre o salga de la gasolinera Valero o de la tienda Stripes sin sufrir un amable interrogatorio, y los chicos del Elsa Body Shop que reparan coches que la mayoría de los talleres darían por muertos se alegran de mantener una agradable charla sobre los Yellow Jackets, incluso cuando están tumbados debajo del vehículo, con la llave inglesa en la mano.

En el estadio de los Gladiator, en Roma, la gradería del equipo local no está muy poblada, pese a todas las animadoras con minitogas y un desfile de alumnos masculinos disfrazados de legionarios y centuriones llevando *fasci* y estandartes imperiales de plástico. Pero la gradería de los visitantes es otro cantar: llena a rebosar, la banda de metal haciendo mucho ruido, las animadoras agitando pompones amarillos, las multitudes vitoreando y ondeando banderas amarillas y ámbar, con imágenes de abejas pintadas. Roma se encuentra a noventa minutos en coche de Edcouch-Elsa, pero da la sensación de que la mitad del pueblo haya hecho el viaje, aunque sea un jueves por la tarde. Entre los seguidores hay cuatro generaciones de la familia Montalvo Flores, desde la bisabuela de setenta y siete años, Ida, a la pequeña Deena, de seis. «Yo me gradué en el instituto de Elsa en 1950», dice Ida con voz áspera, por encima del ruido, «y no me he perdido casi ningún partido.

Los sigo allá donde vayan. Hay que apoyar a los chicos. Somos un pueblo pequeño, y puede que seamos pobres, pero tenemos lo bastante para comprarnos las entradas de la temporada.» Le brillan los ojos detrás de las gafas. «Me da pena mi feo nombre gringo», comenta sin venir a cuento, aunque Ida a mí me había parecido bonito. «La mejor amiga de mi madre era la comadrona y mi madre prometió ponerle su nombre a su bebé.» Otra emoción añadida es que un miembro de la familia, Isaac Prado (es demasiado difícil averiguar cómo encaja en la genealogía porque el grupo lo forman una veintena de parientes), juega su último partido antes de graduarse. «Cuesta aceptarlo», dice su padre, Enrique. «Es querido y uno espera que juegue años y más años, como ha pasado con todos nosotros, y ahora es su última vez.» La novia de Isaac es una animadora, que ahora se sienta con la familia.

Así que los líos entre las animadoras y las estrellas del equipo no son sólo un mito de *Friday Night Lights,* le pregunto a mi anfitrión para esa velada, José Saldívar, que ha venido, y volverá, en coche. «Oh, no», dice José, «es casi una obligación.» Se apresura a añadir que él está casado con una bibliotecaria. Su padre, que también se llama José, ha venido con nosotros, y también es un forofo, de los que compra pases para la temporada entera desde que se instaló en Elsa en 1988. «Contaría con los dedos de una mano los partidos que me he perdido.» El señor Saldívar se gana la vida arreglando coches clásicos y antiguos, que alza sobre ladrillos en su patio delantero. «Ahora estoy trabajando en un Chevy del 55.» El equipo de Edcouch-Elsa para el que jugó José en la década de 1990 es la envidia del valle, «aunque nuestro pueblo no lo sea», dice. «Todo el mundo va contra nosotros y quiere ganarnos porque tenemos el mejor historial.» Elsa ha ganado seis títulos del distrito y ha llegado a las eliminatorias finales del estado dieciséis veces, un récord que no ha igualado ningún equipo del valle y por el cual los Yellow Jackets son más conocidos como la Máquina Amarilla.

Elsa y Edcouch, explica José, eran comunidades agrícolas que se remontaban a la década de 1920. Elsa alardeó durante un tiempo de poseer el almacén de empaquetado de fruta más grande del mundo. Pero durante las décadas de 1970 y 1980, la recogida y empaquetado de fruta, así como las industrias relacionadas, entraron en decadencia. Desde entonces, «el desempleo ha sido muy elevado y las oportunidades, escasas; el distrito escolar es el que da más empleo, y aun así despidió a doscientas personas en enero pasado [2009]. Se dice que tenemos la tasa de embarazos adolescentes más alta de Texas. Hay mucho alcoholismo, incluso entre los más jóvenes, mucha adicción a las drogas..., un par de mis amigos están en la cárcel por traficar». (En 2006, una madre fue asesinada a tiros delante de sus hijos. Para vengarse, miembros de su familia persiguieron a los asesinos y los mataron. «Cosas de los Zetas», dice José.) «Pero cuanto más son cosas como ésas las que definen a la ciudad, más se ha apasionado ésta con el fútbol», dice. «El equipo de 1959 había sido una leyenda durante los buenos tiempos, pero ahora está claro por qué la gente está tan entusiasmada: el fútbol es lo único que queda. *Friday Night Lights* era una historia que tenía que contarse, lo que pasa es que aquí pensamos ¡que se contó en el pueblo equivocado!»

Esta noche, la Máquina Amarilla se prepara para el saqueo de Roma –otro equipo cien por cien hispano–, pero Roma nunca ha ganado a Edcouch-Elsa, y aunque el 2009 no haya sido un buen año para la Máquina Amarilla, «incluso en una mala temporada, es toda una proeza vencer a Elsa». El partido, deshilvanado, no impresiona ni a José ni a su padre: «No es el equipo de antes», se queja José. Resultado final: Roma, 14; Edcouch-Elsa, 21. En la radio del coche, de vuelta a casa, el famoso comentarista deportivo de Elsa Hugo de la Cruz ruge por las ondas, leyendo el marcador como en un espectáculo, pero cambiando a publicidad con fanfarrias y corridos antes de dar el resultado de Roma de esa noche. Una mujer llamada Helen llama a la emisora y acusa a Hugo de ser tendencioso por defender a un equipo que no ha jugado bien. «No estamos aquí para desanimar a los chicos», replica Hugo. «Y además, ¿quién ganó?»

«Es curioso que sea el fútbol americano», dice José, al volante, con su padre acomodado detrás, mientras cruzamos Rio Grande City de camino al partido. «La ciudad es pobre y con habitantes mexicano-americanos, y el fútbol es el deporte mexicano, pero nunca arraigó en Elsa, y en el valle sólo lo ha hecho tras la llegada de la primera generación de inmigrantes. La gente que nació aquí creció con el fútbol americano y quería jugar a fútbol americano.» A mediados de la década de 1980, Hugo de la Cruz empezó a comentar los partidos en la radio local. «Se convirtió en una institución en todo el valle», dice José, «algo que tenían que oír todos los seguidores, pero todo el mundo sabía que era del Elsa hasta el tuétano así que enfadó a algunos, y cuanto más los cabreaba, más querían escuchar su programa..., le pasaba un poco lo mismo que al equipo.» Pero por debajo de esta apasionada ambición deportiva fluye una corriente turbulenta de identidad étnica. «Nuestra ciudad es cien por cien mexicano-americana», dice José. «Nuestro equipo fue siempre cien por cien mexicano-americano y cien por cien de clase obrera. Y me acuerdo de que los entrenadores eran muy claros al respecto cuando íbamos a jugar contra equipos anglos y más ricos.

Queríamos hacerles agachar la cabeza siendo nosotros quienes éramos y procediendo de donde procedíamos. Uno de los entrenadores solía decirnos en los vestuarios: "Vamos, chicos, hacerlo por la Raza". Lo decía aunque el otro equipo no lo formaran más que un puñado de chavales blancos. Y, buf, vaya sí queríamos ganarles; sin duda, aquel entrenador nos hacía jugar más fuerte. En los años cincuenta, jugar a fútbol americano era una manera de demostrar que eras americano, de romper la barrera de la segregación. Me han contado historias de mexicano-americanos que, al entrar en clase de química, les decían: "volved a los campos de algodón, que es vuestro sitio", y ahí empezó todo, con la necesidad de demostrar lo que se valía en el campo de fútbol. Y la situación se mantuvo aun después de la anulación de la segregación. Si eras latino te hacían sentirte extranjero en tu propio país, y al jugar con los anglos, salías allí a dejar las cosas claras y darles una paliza. Para ser sincero, ayudaba el que fuera un juego muy físico: quién es más duro, quién puede vencer a quién. Era una forma de noquear a alguien legalmente, sin que te detuvieran.»[25]

José Saldívar enseña ahora en el Harlingen College, a medio camino entre McAllen y Brownsville, una ciudad que está en el valle del Río Grande, aunque a su entrada. Cuando le das la espalda a Harlingen y conduces hacia el norte, las palmeras empiezan a escasear hasta desparecer del todo en las grandes llanuras del sudeste de Texas, hacia la metrópolis de Houston; uno deja atrás la frontera, pero no la región fronteriza.

Hay una belleza perversa en el paisaje que se atisba por el puente de hierro donde la Autopista 255 salva el Houston Ship Channel: grandes torres de luz y fuego hasta donde alcanza la vista; tuberías de acero nervudas; columnas de humo y llamas que parpadean en una noche tejana envuelta en el sudario de contaminación que se cierne en el cielo. Se ha repetido muchas veces, como dice el escritor Sam Quiñones, que «Los Ángeles es la fábrica de la cultura de México».[26] Y que el estilo de vida pandillera y la «cultura pseudorromántica del tráfico de drogas» son, en muchos sentidos, exportaciones de Los Ángeles a México.[27] Sin duda es cierto. Pero en el nuevo paisaje, según los nuevos y redibujados mapas que se han trazado desde que estalló la guerra primero en Nuevo Laredo y luego por todo México a finales de 2006, la capital del narco mexicano en Estados Unidos se ha desplazado a la ciudadela del petróleo, Houston, Texas. A medida que el cártel de Tijuana se desmorona, y las arterias de las rutas del transporte del narco hacia el corazón de Estados Unidos siguen las del comercio, Houston se ha convertido en el portal, el eje de la rueda. Si Los Ángeles es la vieja sede imperial de Améxica; Juárez/El Paso es su fulcro; los dos Laredos, su médula espinal; y la metrópoli y capital de Améxica es ahora Houston.

En abril de 2008, la agente especial Carla Mayfield, de la ATF, testificó ante un tribunal en Houston acerca de una investigación sobre unas compras en serie de 328 armas en dos sucursales de un vendedor llamado Carter Country, realizadas por un círculo de veintidós personas, en especial una, John Philip Hernández. Hernández era un operario desempleado, detenido unas semanas antes, cuando la mayoría del resto de su círculo seguía todavía en libertad. Según la agente especial Mayfield, veintiocho de esas armas de fuego –adquiridas por una suma total de 352.134,04 dólares– se habían recuperado en México y Guatemala. El caso era tan sólo la punta de un iceberg, pero uno de las pocas que documentaba e ilustraba el flujo del Río de Hierro desde Houston a los Zetas, mencionados, por primera vez, en un juicio público. El mismo Hernández había utilizado su propio permiso de conducir de Texas, número 15436960, para comprar veintitrés armas que le costaron cerca de 25.000 dólares. Una reapareció en Puebla, «durante un incidente en el que un empresario fue secuestrado y asesinado». Otra salió en Oaxaca, «durante un incidente en que los Zetas... abrieron fuego contra el Ejército mexicano». Un arma que Hernández compró el 12 de julio de 2006, se leía en la documentación judicial, «se recuperó en Acapulco, Guerro (sic), México. Ese incidente se conoce como la "masacre de policías de Acapulco" debido a que más de una docena de asaltantes armados atacaron dos oficinas del procurador general del Estado y ejecutaron a cuatro agentes de policía y tres secretarias».[28] En noviembre de 2009, se descubrió otro caso a partir de la estafa de Carter Country: un mecánico especializado en parabrisas llamado Christian Garza fue acusado en Houston –y declarado culpable– de desempeñar un papel en una conspiración más amplia para pasar más de trescientas armas por la frontera, destinadas a los Zetas.[29]

Sólo en 2008, se formularon doscientas acusaciones contra hombres de paja que compraban para doce tramas de traficantes de armas a lo largo de la frontera de Estados Unidos con México. Los controles fronterizos de los vehículos que cruzan hacia el sur han aumentado en las aduanas tanto estadounidenses como mexicanas. Pero sigue habiendo elementos en la legislación sobre armas de Estados Unidos que impiden una acción eficaz. Una prohibición de las armas de asalto aprobada por la administración de Clinton en 1994 expiró en 2004, sin que

George W. Bush tuviera la menor intención de renovarla y el presidente Obama ha evitado cualquier confrontación con el lobby de las armas. No existe una base de datos informática ni un registro a escala nacional de las armas en Estados Unidos...: las investigaciones y las condenas se sostienen en un rastro de papel. Los registros de las ventas de armas los llevan los vendedores, así que queda en manos de la ATF tomar la iniciativa si un arma es recuperada en el escenario de un crimen, o en las del vendedor si sospecha de un comprador: de hecho, el sistema depende de los soplos y las revisiones contables, y lo cierto es que la mayoría de los vendedores muestran buena disposición a colaborar con la ATF.

«Todas nuestras investigaciones muestran que Houston es la primera fuente de las armas que van de Estados Unidos a México, la primera fuente del país», dice el hombre que se encuentra en el centro de la corriente del flujo del Río de Hierro, Dewey Webb, agente especial al mando de la oficina de Houston de la ATF, que abarca un inmenso trecho del este de Texas y la zona fronteriza hasta Del Río, frente a Ciudad Acuña: de hecho, el territorio controlado por el cártel del Golfo y los Zetas. Es la región más extensa de la ATF y la más oriental de la frontera, vecina de las sedes de Dallas, Phoenix y Los Ángeles.

Webb es un hombre interesante, un nativo americano de Oklahoma City (lleva su placa de identidad de la ATF en una chapa colgada del cuello confeccionada de joyas azul turquesa). Ha dedicado su vida a la ATF, a la que pertenece desde la década de 1970, y ha trabajado por todo Texas. Es un hombre corpulento y elige sus palabras con cuidado, pero habla con notable transparencia y honestidad sobre la escala del problema al que se enfrenta, y con esa mezcla de desprecio moral y respeto profesional hacia su presa que marca la diferencia entre un buen policía y otro genial. Convierte una entrevista programada para una hora en una conversación de tres, en una húmeda tarde de diciembre en su oficina sin identificar cerca del aeropuerto Houston Intercontinental. En la zona de recepción hay placas honrando a los cuatro agentes de la ATF que murieron en el asalto de Waco, carretera arriba, en 1993.

Webb empieza afirmando, contra la creencia popular, que el contrabando de armas hacia México se realiza ahora sobre todo mediante compras a vendedores legales más que en ferias de armas, y que los envíos a través de los Puertos de Entrada, utilizados por casi todos, superan con creces a los realizados a través de campo abierto. Pasar armas de contrabando, dice, es una operación completamente distinta de pasar drogas, que requiere unos conocimientos distintos, «sobre todo porque un arma pesa mucho y abulta», lo que obliga a desmontarla, pasarla por la frontera por piezas y volverla a montar. Cuando entró en este servicio, recuerda Webb, las pandillas de la droga se surtían con «el tráfico esporádico desde Estados Unidos. La gente llamaba a sus parientes para conseguir armas, y además se compraban por la inestabilidad política en México». A menudo, el armamento se pasaba por barco. Sin embargo, recientemente, «hemos asistido a un recrudecimiento de esta guerra, en la que ahora se lucha por el territorio, con lo que necesitan armas para ese fin, así que he visto un aumento en la cantidad pero también un cambio en el tipo de armamento: ahora tenemos fusiles de mucho calibre, equipo de alta calidad, fusiles AR-15 y un par de docenas de variantes. Quieren lo mejor, armas de muy alta calidad». Algunas de las armas, dice, se compran en Houston pero «un montón se trae hasta aquí, a Texas, desde lugares como Chicago, Minneapolis-St Paul y Michigan, el estado de Washington siempre ha sido un punto muy activo. Eso es así desde que intervenimos con contundencia en esta región después de que la guerra estallara en Laredo en 2005. Así que Houston es a la vez fuente y punto de distribución, mientras que en el valle de Río Grande lo que hay es un núcleo más pequeño y transparente y es más fácil ver lo que está pasando, las banderas se izan más deprisa».

No es competencia de Webb opinar sobre la política de armas, o su control, en gran medida porque su trabajo depende en parte de la colaboración de la inmensa mayoría de vendedores honestos y, hasta cierto punto, también de la industria. Además, nadie conoce tan bien las armas como él. Pero afirma con toda claridad: «En tanto nosotros, en Estados Unidos, le pongamos fácil a esa gente comprar armas, seremos manejables para ellos. Texas tiene ocho mil comerciantes de armas, y sólo en la ciudad de Houston hay 1500. El patrón que estamos viendo es que acuden a las ferias a comprar munición y suministros, equipo de combate y demás, pero van a los vendedores legales a comprar las armas, utilizando hombres de paja cuando el precio es superior a cincuenta dólares por arma. Vienen una vez, y siguen viniendo... Es sencillo, porque nosotros se lo ponemos fácil. No hay mercado negro en Estados Unidos, las armas no se roban, todo es legal: puedes ganarte cincuenta dólares al día yendo a comprar a dos o tres comerciantes. Pero todavía hay banderas rojas: cuando una mujer pide un fusil de mucho calibre o si el vendedor plantea las preguntas adecuadas».

«Don't Lie For The Other Guy» [«No mientas por el otro»] es una campaña que ha lanzado la oficina de Webb para atacar las redes de hombres de paja que compran armas, como la que dirigía Hernández,

junto a la National Safety Shooting Foundation. Webb tiene que trabajar con propietarios y usuarios de armas, no contra ellos. Sí, admite, buena parte del material de calibre militar procede de Centroamérica: «Si necesitan un arma y no pueden conseguirla en Estados Unidos, la conseguirán en algún otro sitio». Pero, insiste, «lo cierto es que Estados Unidos es el punto más cercano, más barato y más fácil donde comprar, donde los cárteles pueden conseguir sus armas». Pero al menos soplan vientos de cambio, dice Webb, y para mejor: «Para empezar, las agencias de nuestro lado estamos por fin en la misma onda». En segundo lugar, «ahora trabajamos con las autoridades mexicanas de un modo más proactivo, tenemos a más hombres en México, disponemos de más agentes». Los trámites de investigación para los contactos mexicanos han mejorado, dice casi con gratitud. Y, por tanto, «estamos consiguiendo más resultados», y entendiendo mejor a los cárteles: «Son muy poco conflictivos en sus operaciones y en la forma de hacer negocios. Se gestionan como empresas, hasta que llega la violencia. A veces quieren un arma sólo por quererla. Hemos visto que buscan lo mejor: Mac 10, Mac 11, AR-15, pistolas de 9mm, armas de alta calidad. Quieren mejores armas de las que he visto en treinta y tres años y medio de oficio. Pero a veces buscan un arma simplemente porque la ven en la televisión. Es como si quisieran parecerse a Scarface. Aparte está el hecho de que todos muestran el mismo patrón: tienen que defender su territorio. Y por esa razón se están reventando las cabezas unos a otros. Y sé con seguridad que les está saliendo caro». Los cárteles, dice Webb, «también están buscando fuentes alternativas de ingresos: tráfico de personas, secuestros para cobrar rescates, y hasta he visto algunos metiéndose en el petróleo». Pero en última instancia siempre están las drogas. «Si la gente no comprara drogas, ellos no tendrían dinero para comprar armas, ése es el resumen.»

Hasta el momento, los esfuerzos de Webb contra el contrabando desde Houston se han concentrado en tres células, entre ellas la de Hernández y las 328 armas descubiertas que ha pasado por la frontera ella sola. En enero de 2009, las autoridades de Houston también detuvieron a diez miembros de una pandilla llamada Tango Blast Houstone, y encausaron a otros cuatro más fugados, por distribuir marihuana y cocaína para el cártel del Golfo desde Houston. Las detenciones ilustraban la nueva situación de Houston como eje de la rueda de la cultura y el territorio de las pandillas en el negocio de los cárteles, utilizando sus contactos en todo el estado y, a partir de ahí, en todo el país, para distribuir las drogas. Las detenciones fueron una consecuencia de la investigación llevada a cabo por los agentes de Webb y los del FBI, quienes descubrieron grandes diferencias entre esta nueva pandilla y las que habían conocido a lo largo de los años anteriores, en especial el Texas Syndicate –o Sindicato Tejano al viejo estilo–, fundado en las cárceles de Texas y California durante la década de 1960. La diferencia entre las dos bandas refleja los cambios entre los narcos «clásicos» y los de la nueva ola en la frontera. Detrás de la fachada de cristal de su nueva sede en Houston, los agentes del FBI dedicados a la persecución de ambas generaciones de pandillas hablan de las diversas formas en que éstas se ponen a disposición de los cárteles, con estructuras muy diferentes. Los agentes me dicen sus nombres, incluso me dan sus tarjetas, pero prefieren que no se les mencione. El experto en el Texas Syndicate –llamémosle «James»– tiene la mandíbula cincelada, está tan en forma que asusta, estrecha la mano con ferocidad y es tan amable como franco. El hombre que dirigió la detención de los Tango Blast habla con más calma y es más considerado, y le llamaremos «Mark». A la reunión también asiste una mujer, que estudia la psicología, los cambios y las pautas de las bandas, «Angela».

El Texas Syndicate, dice James, «tiene una estructura jerárquica, sus miembros tienen rangos, el Sillón, o jefe, de cada región, es una especie de segundo, y a los soldados rasos se les llama 'carnales'. El sistema es: sangre para entrar y sangre para salir, matas para entrar y nunca puedes salir. Te tatúas y la pandilla es tu familia, aunque te hagas mayor, salgas de la cárcel, te pongas a trabajar y crees una familia de verdad. Muchos de ellos viven sin hacerse notar; serán hombres de familia que viven en casas normales, con sus empleos, sin llamar la atención, algunos ya son de mediana edad a estas alturas. Celebran 'Juntas', donde votan o toman medidas disciplinarias con los miembros». El Texas Syndicate, que creció como reacción al poder de otras pandillas criminales en las cárceles de California, encaja en la red nacional de lealtades y rivalidades entre pandillas que el informe anual del Departamento de Justicia monitoriza en su papel como red de distribución para los cárteles narcos. James dice que a veces, «si surge una oportunidad de negocio, verá como las pandillas dejan sus diferencias a un lado.

»Es una organización histórica», prosigue James, «se fundó en California y creció en Texas, y, con los años, se han convertido en traficantes de drogas importantes. Algunos son de hecho grandes traficantes, y asesinan.» Por su parte, Tango Blast es una organización más numerosa, más extensa y más abierta. «Es más fluida que el Texas Syndicate, un poco como Facebook», dice Mark. «La pandilla cambia según lo que se necesita cada día, a quién se necesita y para hacer qué. No hay sangre, ni para entrar ni para salir, ni ningún rito de iniciación que nosotros sepamos, ni tampoco normas fijas. Un día, necesitas a un tipo que pueda traerte cinco kilos, así que tratas con él y estableces los contactos necesarios para conseguirlo donde lo necesites. A la semana siguiente necesitas recoger y mover veinte kilos de otro, y puedes utilizar otros contactos. Eso la convierte en la mayor pandilla de Houston; calculamos que debe de contar con unos veinte mil miembros en la ciudad de Houston, un montón de gente dedicada a diferentes actividades delictivas, que no tienen por qué conocerse entre sí necesariamente, a diferencia de lo que ocurre en la estructura de una pandilla tradicional. Está en sintonía con los tiempos que corren: son chavales, no tienen códigos, ni normas.» A veces, dice Angela, «te encuentras a chicos a los que hacen delinquir sólo para que los manden a la cárcel y allí conozcan y se unan a la pandilla. Hemos descubierto a un montón de jóvenes que quieren entrar, es lo que está de moda, lo que hay que ser. Así que, además de los miembros de la pandilla, tienes a un montón de aspirantes potenciales, que se convertirán en delincuentes, irán a prisión y se convertirán en miembros. Lo que está en juego es mucho prestigio, la oportunidad de ganar dinero, la sensación íntima de pertenecer a una fraternidad, el saber que si yo matara por ellos, ellos matarían por mí».

Irónicamente, «la estructura cerrada del Texas Syndicate permite que se planeen estrategias contra ellos, desmontar sus células llenando los huecos», dice James; mientras que, «el hecho de que Tango Blast carezca de ese tipo de estructura hace más difícil que los atrapemos», dice Mark. «Lo único que facilita un poco las cosas es que no saben esconderse. No son como dijo [James] los del Texas Syndicate, que procuran no hacerse notar. Cuando detuvimos a estos tipos tenían coches de lujo, Bentleys, Maseratis, joyas de diamantes.» Uno de los hombres que este equipo tiene más ganas de encontrar es un tal Raúl Madrigal, que se burla de ellos desde las fotografías del expediente: tomando un baño de espuma, posando en una playa e incluso levantando un dedo en gesto insultante, todas ellas tomadas en México. Madrigal ganó tanto dinero –supuestamente ayudando al cártel del Golfo a bombear marihuana y cocaína en Estados Unidos a través de Houston– que el FBI confiscó 18 millones de libras en valores y nueve coches de lujo, entre ellos un Bentley Sedan y dos Maseratis, y una motocicleta de tres ruedas con asientos de piel de avestruz.[30]

Dane Schiller, del *Houston Chronicle*, sigue las conexiones de los bajos fondos de la ciudad con los cárteles del otro lado de la frontera, y se lo toma como un trabajo tanto como una fijación personal. Las investigaciones de Schiller ubican el centro narco de Améxica claramente en Houston, no sólo por la distribución de drogas y dinero en efectivo y por la consecución de armas, sino también por los asesinatos. Asesinatos como el de Santiago «Chago» Salinas, un hombre del cártel del Golfo al que le pegaron un tiro a bocajarro en la cabeza en 2006, en el Baymont Inn and Suits en la Autopista del Golfo, tres semanas después de que se encontrara el cadáver de su cuñado, carbonizado, en un barril de diésel cerca de Monterrey, al otro lado de la frontera. Había sido el tercer atentado contra la vida de Salinas en un año; en el primero lo abandonaron dándolo por muerto, en México, cuando la bala destinada a matarle sólo le atravesó la mandíbula. Según Schiller, la persona a la que se atribuye aquel primer tiroteo era Daniel, Danny Boy, Zamora, que se había criado en Houston y formaba parte de un grupo violento que trabajaba para el cártel de Sinaloa; él mismo sería asesinado más adelante en un tiroteo en México. Un segundo intento contra la vida de Salinas tuvo lugar en 2006, en un restaurante mexicano de marisco de Houston llamado Chilos, también en la Autopista del Golfo, pero en esa ocasión los que le buscaban se equivocaron de hombre y mataron a un empleado de mantenimiento delante de su familia. Pero el tercer intento sí acabó con Salinas cuando éste abrió la puerta de la habitación 142 del Baymont: esta vez se cree que el asesino fue el hermano pequeño de Danny Zamora, Jaime, un antiguo empleado del departamento de Parques de Houston, que fue acusado de ese asesinato y de la muerte del hombre inocente en el aparcamiento del restaurante de marisco. Desde entonces Jaime se ha declarado culpable de tráfico de cocaína y espera juicio en Houston por asesinato, cargo del que no se reconoce culpable. En otro caso, se encontró a una pareja casada torturada hasta la muerte en su casa en Eastwood Drive, en el noroeste de Houston, con cien kilos de cocaína en el desván; y el cadáver del sobrino de Osiel Cárdenas en persona, Pedro Cárdenas, fue abandonado en una zanja en el cercano Madden County.[31] No obstante, lo que más intriga a Schiller son dos cosas: cómo los beneficios de todas esas drogas, el botín de esta guerra, se desvanece en la economía de Estados Unidos, y la figura de Osiel Cárdenas.

En 1999, según supo Schiller, dos agentes del FBI y de la DEA acompañaban a un confidente por Matamoros en un jeep, cuando se vieron rodeados por hombres de los Zetas. Apareció Cárdenas y –pensándoselo dos veces para no ejecutarlos a todos– exigió que le entregaran al confidente. Los agentes respondieron: «Si haces eso, Kiki Camarena y Félix Gallardo no te dejarán en paz. Te combatirán hasta el final». Osiel Cárdenas los dejó ir. Schiller acudió a todas las sesiones del juicio de Cárdenas, que acabó con su condena en febrero de 2010;

se presentaba en el juzgado pero en cada sesión le pedían que saliera. «Pasa cada vez: ahí estoy yo, la única persona en la galería para el público o para la prensa. Y cada vez, se acerca el alguacil y me pide que salga y espere fuera. Así que salgo y espero, luego acaba y es hora de marcharse. Todo se ha hecho en secreto otra vez, y resulta interesante que se haya hecho así», dice Schiller refiriéndose a los días anteriores a la sentencia. «Sean cuales sean los beneficios que le hayan ofrecido a Osiel Cárdenas, él debe de haberles dado algo bastante gordo a cambio. Si este hombre es quien ellos dicen que es y lo que ellos dicen que es, está en condiciones de responder a muchas preguntas delante de la tribuna del jurado. Pero eso no se hace público, y resulta increíblemente frustrante. Este hombre conoce los secretos de lo que pasa, a diferencia de Al Capone, y ellos se están asegurando de que nosotros no nos enteremos.» Por fin, el 23 de febrero de 2010, Schiller pudo escribir esta noticia: «Detrás de guardias armados y puertas cerradas a cal y canto –en una sesión secreta de privacidad judicial que no se dio ni siquiera con algunos terroristas del 11-S ni con los jefes de la Mafia de la Costa Este–, Osiel Cárdenas, uno de los señores de la droga más temidos de la historia, fue condenado a veinticinco años de prisión el miércoles. En un tribunal de Houston cerrado al público, también fue condenado a una multa de 50 millones de dólares, una ínfima porción de sus ganancias estimadas.[32]

»El famoso señor de la droga no ha sido visto en público desde que lo llevaron con grilletes a un tribunal de Houston en 2007 para leerle sus derechos cuando llegó a Texas», escribió Schiller. «A pesar de una protesta del *Houston Chronicle* el miércoles en la que reafirmaba el derecho del público a estar presente en la lectura de la sentencia de uno de los hombres más perseguidos de los últimos tiempos –en un caso que ha costado millones a los contribuyentes americanos–, la juez de distrito Hilda Tagle mantuvo la audiencia a puerta cerrada sin dar explicaciones.» Lo que lleva a Schiller al otro punto que le interesa. «¿Dónde va a parar toda esa pasta?», se pregunta retóricamente mientras desayunamos en un restaurante cerca de una gasolinera Shell al oeste del centro de Houston. Durante la primavera y el verano de 2010, mientras este libro va a la imprenta, el profesional e impecable servicio de noticias financieras Bloomberg dejó caer dos bombazos en este discurso –y en los que apuntan en el mismo sentido, como los de Lee Morgan, el antiguo funcionario de aduanas, y Don Ford, el ex contrabandista de maría–, abriendo la puerta a una escalera que ascendía al siguiente nivel de la guerra de México. Bloomberg informaba de que se había admitido una petición de los fiscales federales contra el Wachovia Bank, propiedad ahora de Wells Fargo, por no haber impedido el blanqueo de al menos 110 millones de dólares de dinero de los cárteles a través de sus casas de cambio en México, y por no haber monitorizado otros mareantes 420 millones de dólares en transacciones a través de las denominadas «casas de cambio» en México, entre 2003 y 2008, los años cruciales del baño de sangre que anegó el país. Wachovia, comprado por Wells Fargo a finales de 2008, pagó 160 millones de dólares para cerrar una investigación criminal sobre cómo los traficantes de droga utilizaban cuentas de sus sucursales para comprar aviones, al menos cuatro de los cuales habían sido incautados por las autoridades mexicanas y estadounidenses, cargados con más de veinte mil kilos de cocaína.

En el Tribunal de Distrito de Miami, Wachovia reconoció «graves y sistemáticas» infracciones de la Bank Secrecy Act federal, mientras que Jeffrey Sloman, fiscal de distrito de la zona sur de Florida, afirmó que el «flagrante incumplimiento [del banco] de nuestra legislación bancaria dio a los cárteles internacionales de cocaína casi carta blanca para financiar sus operaciones». Un artículo posterior de Bloomberg citaba a un antiguo director de la unidad anti-blanqueo del banco en Londres, Martin Woods, que había declarado que dejó el banco asqueado después de que los ejecutivos hicieran caso omiso a sus advertencias sobre el blanqueo de los cárteles de la droga. «Si uno no ve la correlación entre el blanqueo de dinero por los bancos y las 22.000 personas asesinadas en México, es que se está perdiendo algo», dijo Woods. (Wells Fargo cooperó con la investigación, y los fiscales dijeron que no había pruebas de que el programa anti-blanqueo del actual banco matriz sea deficiente.)[33] «No soy contable», dice Schiller mientras desayunamos en la gasolinera. «Pero estamos hablando de cincuenta mil millones de dólares de beneficios del tráfico de drogas en Estados Unidos. Me deja atónito. ¿O es que estoy loco? Lo que pienso es: si usted, Estados Unidos, no nos miente, entonces, ¿dónde está ese dinero?, ¿dónde está la gente que lo maneja?, ¿quiénes son? Sé que los chicos de la ley que trabajan sobre el terreno en esta ciudad quieren ir por ahí, por esa puerta. Saben que eso es ahora el centro de todo, en esta guerra, y ahí es dónde está la respuesta. Pero es una señora puerta para franquearla.»

Epílogo
El Negro Sol

En el antiguo folclore mexicano, detrás del sol que brilla hay otro, un Sol Negro que deja este mundo para iluminar un segundo mundo, por debajo. Los mexicas creían que el Sol Negro lo transportaba el dios del inframundo y era el maléfico heraldo de la muerte, aunque no la muerte definitiva. Los mexicas vivían en un estado de expectación ante calamidades y catástrofes, pero su preocupación por la muerte era una mezcla de miedo y devoción al momento en que se reunirían con sus antepasados, en la tierra sobre la que brilla el Sol Negro. Y detrás de la luz del sol de los desiertos de Améxica –que se convierte en fuego al anochecer–, hay cierta luz negra y sucia que no devuelve nada; una luz sin brillo detrás de las eternidades de espacio y cielo, o del bullicio y la música en todas esas calles laberínticas bordeadas de chiles y pistachos recién recolectados que asoman desde todos los escaparates abiertos.

Y uno siente los rayos de ese ambivalente resplandor negro, sobre todo después de hablar con el doctor Hiram Muñoz, del equipo de autopsias forenses de Tijuana, donde empezó todo esto. Es un hombre que ve el mundo con mucha claridad, desde las planchas de mármol sobre las que se colocan los cadáveres saprófitos para su inspección. El doctor Muñoz define su trabajo como «pasarme la vida intentando interrogar científicamente a personas que no pueden hablar», dice, «que han sufrido un dolor espantoso, pero ya no sienten nada. Sólo pueden comunicarse en silencio a través de las cosas terribles que les han hecho. Tengo que buscar una causa, no un resultado. Tengo que rebobinar la película, averiguar qué se ha hecho, y por qué». ¿Por qué eligió este trabajo? «Porque amo la medicina, y amo la ley. Y porque perdí a mi padre cuando tenía ocho años y, en sus últimas palabras, le dijo a los médicos: "Lo que tengan que hacer, háganlo sin temor, pero con exactitud".»

Muñoz es un hombre amable y con un excepcional buen humor. Después de hablar de diversas mutilaciones y su significado, dice que «el mensaje principal va dirigido a otros cárteles. Quieren respeto, quieren decir "esto es lo que hacemos", y a veces lo dicen también en mensajes escritos, tal vez como un chiste, el número de urgencias al que llamar. Hay también un mensaje para su propia gente, claro: "Confórmate, o te haremos esto a ti. Cuanto más brutales sean las cosas que te hagamos hacer, más brutal sería lo que podría pasarte a ti"».

Pero en estas barbaridades también hay grados, y eso es lo que fascina al doctor Muñoz: «A veces las realiza un estudiante de medicina; otras, no más que un carnicero. Son los estudiantes de medicina los que tienen algo que decir. Son los que intentan hablarnos. Observo el dedo amputado de un pie. ¿Cómo se hizo?, ¿se hizo bien?, ¿se cortó desde la derecha o desde la izquierda? Si se hizo bien, exactamente entre los huesos, la persona es más peligrosa. Si el dedo fue envuelto con fuerza antes de cortarlo, sabemos que tenemos al estudiante de medicina, empleado por los jerarcas del cártel. Si simplemente fue cortado, nos enfrentamos a un 'mana', un matón de calle. Es necesario cortarlo como es debido si vas a mandárselo a la familia de la víctima o a la policía.

»Aquella chica, Alejandra», dice, «la modelo y animadora, no acabo de creerme que fuera obra de alguien que trabajaba para el Teo, como se nos dijo. Uno no podría hacer nada con unos dedos cortados tan a lo bestia. Cuando vemos a mujeres y niños mutilados se trata de algo muy grave; probablemente no sean siquiera su objetivo directo, sino que lo hacen para demostrar a un tercero que saben cómo hacerlo, y para volverlo loco.» La decapitación, «como le dije la última vez que estuvo aquí, es otra cuestión. Una vez más, resulta significativo lo bien que se haya hecho. Si se ha decapitado de cualquier manera, no muestra más que salvajismo. Pero si se ha hecho bien, es un mensaje importante: "No sólo vamos a matarte, vamos a despedazarte". Es un mensaje a todos los que son del tipo de la víctima.

»La diferencia es ésta: en lo que yo denominaría tiempos normales, te mato y te hago desaparecer. Pero ahora ellos lo están proclamando a gritos, convirtiéndolo en una especie de carrusel grotesco por su territorio. En circunstancias normales, la tortura y el asesinato son privados, pero ahora tenemos ejecuciones públicas utilizando una violencia extrema, y eso es significativo, me parece. Sin embargo, primero hay que constatar un detalle: estos tipos son teatreros que se lo tienen muy creído. Se creen que lo que hacen los convierte en poderosos, en señores del universo. Pero no lo son. En última instancia, lo que hacen es patético. Debemos tenerlo presente. Dicen de sí mismos que son pobres..., bueno, son pobres en cultura, nada más. No tienen cultura. Los narcos de los viejos tiempos habían ido a la escuela. Sabían que para ser importantes tenían que proporcionar electricidad, hospitales y escuelas. De ese modo, podían mantenerse en un segundo plano, ganarse el respeto y también se protegían. Félix Gallardo era un hombre de negocios, que utilizaba la misma perspicacia comercial que Carlos Slim, el magnate de los teléfonos móviles. Si juegas según las normas, te dejo en paz. Si cruzas la línea, te destruyo. Pero estos nuevos sólo quieren lujos, poder y más poder, hasta que los detienen o los matan. Por eso están condenados y por eso también dicen tanto de nuestra sociedad. Reflejan una sociedad sin valores. Ni siquiera creo que estén contra nuestra sociedad, creo más bien que son sus productos. Gente sin cultura ni valores en una sociedad sin cultura ni valores. Una sociedad que ha pasado de Frank Sinatra a ese hombre Fifty Cent que veo en la televisión.* Los dos están asociados con criminales, casi todo el mundo lo está si quiere triunfar, pero ¡fíjese en la diferencia entre ellos! Fifty Cent es el nuevo modelo a imitar por los narcos, Sinatra es la vieja escuela, y yo sé bien cuál prefiero. Los nuevos narcos son como Fifty Cent, con él queda todo dicho, es el producto de una sociedad que ha perdido el norte. El dinero y el poder son lo que cuenta». A Muñoz le parece que el comentario es una buena razón para soltar una ruidosa carcajada. Es un hombre corpulento, expresivo. ¿Puede sentirse nostalgia de la edad dorada de la corrupción?, pregunto. Había habido mucha nostalgia fuera de lugar por lo que Julián Cardona denominaba la era «clásica» de los cárteles narcos. El doctor Muñoz replica con otra pregunta: «¿Le gusta más como es ahora?».

El doctor Muñoz piensa en lo que significa esta guerra en términos históricos que yo no había esperado que aparecieran en esta conversación. O a lo mejor, sí, cuando más tarde nos reunimos brevemente y nos esforzamos por hablar en serio. «Piense en cómo caen todas las grandes civilizaciones, las huellas de sus últimos días.» Cita la antigua Roma, y la «terrible naturaleza de las ejecuciones públicas en su última fase». La tortura y la ejecución pública violentas también habían caracterizado, dice, «el final de la Edad Media y la Inquisición española, cuando daban paso al Renacimiento y la ciencia. Son esos grandes momentos de civilización, de ciencia, pero intentan ser más grandes y mejores de lo que lo son, así que, cuando caen, recurren a la grotesca ejecución pública. Y yo creo que ahora estamos en un momento de crisis en la cultura de los negocios globales».

* Famoso rapero y actor neoyorquino, ex traficante de drogas, cuyas canciones –como *Get Rich or Die Trying* o *The Massacre*– hacen apología de la violencia. Sobrevivió a un incidente en que recibió nueve disparos. *(N. del T.)*

Muñoz se remonta a lo que denomina «tiempos de normalidad», cuando «el narcotraficante se veía a sí mismo como una especie de bandido, pero también como un caballero, un 'padrón'. Repartía con generosidad, aunque fuera desde la cárcel, se aseguraba de que el pueblo tuviera luz eléctrica, regalos para el Día de la Madre, para los niños. Pero en eso no era distinto del administrador de la maquiladora que permitía a sus trabajadores un descanso para el cigarrillo o café gratis de la máquina. No significaba nada sincero, sencillamente mantenía a todos fabricando el producto». Entonces apunta a lo que yo he estado denominando la fase posmoderna o capitalista tardía, sin valores y globalizada tanto de la sociedad como de la guerra del narco: «Pero ¿qué ocurre cuando este sistema llega a una fase de crisis?», pregunta el doctor Muñoz. «Mire a su alrededor: recesión, crisis, fábricas que cierran. El narco está en la misma situación que todos los demás, y todos los demás en la misma situación que el narco. Uno debe mantener la supremacía, el control. El narcotraficante es el más global de todos los hombres de negocios globales, y ahora tiene que conseguir la lealtad o el miedo de los demás. Y debe realizar estas ejecuciones públicas con mutilaciones como demostración de poder, como han hecho todas esas culturas, en sus fases finales.»

Comento que, pese al atroz trabajo que hace, el doctor Muñoz parece un hombre sano y de buen color que sabe apreciar la vista de una chica bonita, un buen vino o una buena comida. «Me paso el día entero con los muertos», responde, «así que tengo el deber de amar la vida y de vivirla plenamente. Cuando estoy con mis colegas, siempre bromeamos sobre la muerte y *con* la muerte. Vivo como un hombre que está sentado comiendo un delicioso taco en la calle, consciente de que cualquier momento podría ser el último. Una bala y está muerto.»

Posfacio
Dinero ensangrentado

> Del pecado de la usura: Recibir interés por un préstamo monetario es injusto en sí mismo, porque implica la venta de lo que no existe, con lo que manifiestamente se produce una desigualdad que es contraria a la justicia [...]. Mas el dinero, según el Filósofo, se ha inventado principalmente para realizar los cambios; y así, el uso propio y principal del dinero es su consumo o inversión, puesto que se gasta en las transacciones. Por consiguiente, es en sí ilícito percibir un precio por el uso del dinero prestado [...]. Y del mismo modo que el hombre ha de restituir las demás cosas injustamente adquiridas, también ha de hacerlo con el dinero que recibió en calidad de interés.
>
> Tomás de Aquino, *Suma Teológica*

Justo antes de la puesta de sol del 10 de abril de 2006, un DC-9 aterrizó en el aeropuerto de Ciudad del Carmen, en el Golfo de México. Soldados del Ejército mexicano, que esperaban para interceptarlo, encontraron 128 cajas llenas con 5,7 toneladas de cocaína, valoradas en cien millones de dólares.[1] Pero algo más –mucho más importante y con mayores repercusiones– se descubrió al seguir el rastro de la documentación de la compra del avión por el cártel del narcotráfico de Sinaloa.

Durante una investigación de veintidós meses llevada a cabo por agentes estadounidenses de la DEA, el Internal Revenue Service [Hacienda] y otros departamentos, se descubrió que los contrabandistas de cocaína habían comprado el avión con el dinero que habían blanqueado a través de uno de los mayores bancos de Estados Unidos: Wachovia, que ahora forma parte del gigantesco Wells Fargo.

Las autoridades descubrieron miles de millones de dólares en transferencias, cheques de viaje y envíos masivos de efectivo a través de casas de cambio mexicanas a cuentas del Wachovia. Wachovia fue sometido a investigación por blanquear las ganancias del crimen. De especial importancia era el dato de que esas actividades empezaron en 2004, cuando la primera escalada de violencia a lo largo de la frontera entre Estados Unidos y México desencadenó la guerra de las drogas.

En consecuencia, se iniciaron acciones judiciales contra Wachovia, aunque no contra ninguna persona en concreto, pero no llegaron a los tribunales. En marzo de 2010, Wachovia llegó a un acuerdo con las autoridades en el mayor caso sometido a la US Bank Secrecy Act [Ley de Secreto Bancario], a través del Tribunal de Distrito para el Sur de Florida. En marzo de 2011, cuando expiró la «acción judicial aplazada», el banco había quedado fuera de toda sospecha.

Dicho sea todo, Wachovia pagó a las autoridades de Estados Unidos 110 millones de dólares como sanción, por sumas de dinero que, como quedó demostrado, estaban relacionadas con el contrabando de droga, así como una multa de 50 millones por haber sido incapaz de monitorizar la cantidad anterior utilizada para enviar veintidós toneladas de cocaína.

Más asombroso, y más importante, el banco fue sancionado por no aplicar las adecuadas y necesarias medidas antiblanqueo a la transferencia de 378.400 millones –cifra equivalente a una tercera parte del producto nacional bruto mexicano– a cuentas en dólares desde las denominadas 'casas de cambio' en México, las oficinas de cambio de divisas con las que el banco hacía negocios.

«El flagrante incumplimiento por parte de Wachovia de nuestra legislación bancaria dio a los cárteles internacionales de cocaína casi carta blanca para financiar sus operaciones», afirmó Jeffrey Sloman, el fiscal federal que llevó el caso. Y aun así, la multa total supuso menos del 20,5 por ciento de los beneficios del banco en el año 2009, 12.300 millones de dólares. El 24 de marzo de 2010, Wells Fargo negoció acciones a 30,86 dólares, un uno por ciento más del precio en la semana en que se logró el acuerdo judicial.

La conclusión del caso –saludada con un clamoroso silencio por los medios de comunicación estadounidenses, con la salvedad del notable servicio de información financiera de Bloomberg– fue épica. Pero no era más que la punta de un iceberg que demostraba el papel que desempeñaba el sector bancario «legal» en el lavado de cientos de miles de millones de dólares –el dinero ensangrentado resultante del caos criminal de México y otros lugares del mundo– en sus operaciones globales, ahora eximido de responsabilidad por el contribuyente.

En el momento culminante de la crisis bancaria de 2008, Antonio María Costa, por entonces jefe de la Oficina de las Naciones Unidas para las Drogas y el Delito, con sede en Viena, dijo que tenía pruebas de que las ganancias de las drogas y el crimen eran «el único capital de inversión líquido» disponible para los bancos al borde de la quiebra. «Los préstamos interbancarios recibían fondos de dinero que procedía del tráfico de drogas», aseguró. Había «indicios de que algunos bancos fueron rescatados de ese modo».

Wachovia fue adquirido por Wells Fargo durante el *crash* de 2008, justo cuando Wells Fargo recibió 25.000 millones de dólares en dinero de los contribuyentes. No obstante, los fiscales del caso Wachovia dejaron claro que no había la menor prueba de que Wells Fargo se hubiera comportado inadecuadamente, y había colaborado plenamente con la investigación.

México es el tercer socio comercial de Estados Unidos, tras Canadá y China, y Wachovia estaba comprensiblemente interesado en un volumen tal de comercio legítimo.

Pero José Luis Marmolejo, que procesó a los que dirigían una de las casas de cambio –llamada Puebla– en el extremo mexicano de la trama, declaró: «Wachovia manejaba todas las transferencias. Nunca informó de que ninguna le pareciera sospechosa». Y añadió: «Estoy convencido de que Wachovia sabía qué estaba pasando. La situación se prolongó demasiado tiempo y ellos ganaron demasiado dinero como para no haberlo sabido».

Mientras investigaba el caso de Wachovia en México, conseguí documentos que se habían entregado previamente a reguladores financieros. Descubrí entonces que la alarma que había sido ignorada desde el principio, procedía, entre otros lugares, de Londres, gracias a la diligencia e integridad de un hombre que, con este caso, se convierte potencialmente en uno de los mayores denunciantes de fraudes financieros de nuestra época. Un hombre que, en una serie de entrevistas a lo largo de varias semanas, añade detalles a los documentos, dejando al descubierto la historia de cómo Wachovia participó en una de las operaciones de blanqueo más cuantiosas del mundo.

Martin Woods, de Liverpool, Inglaterra, que media la cuarentena, entró a trabajar en la oficina londinense de Wachovia en febrero de 2005, como encargado *senior* del departamento contra el blanqueo de dinero. Previamente había trabajado en el grupo antidroga de la policía metropolitana, donde destacó. Como detective, fue miembro del equipo de investigación del blanqueo de dinero del National Crime Squad –el equivalente británico del FBI–, donde trabajó sobre la rama británica del escándalo de blanqueo del Bank of New York a finales de la década de 1990. La investigación sobre Lucy Edwards (una antigua ejecutiva de Wachovia) y su marido, Peter Berlin, que lavaban millones de dólares de dinero delictivo ruso se organizó conjuntamente con el FBI, cuando la pareja se mudó de Queens, en Nueva York, a Londres.

Woods es un policía en el mejor sentido de la palabra: puntilloso, exacto, con un sentido del humor travieso y apasionado por el equipo de fútbol de la ciudad, pero íntegro hasta la médula. Así que era la elección ideal para cualquier banco que anhelara poner en práctica unas medidas de gestión de riesgo diligentes y eficaces contra la lucrativa plaga de las altas finanzas: el blanqueo, con conocimiento o no, de las inmensas ganancias de la criminalidad, la evasión de impuestos y el tráfico de armas... y drogas.

Woods tenía la mirada y el instinto de un oficial de policía, no los de un banquero. Eso influía no sólo en sus métodos sino también en su mentalidad. «A lo mejor no se debe más que a mis raíces católicas en Merseyside», dice. «Quiero vivir confortablemente, pero creo que hay muchas cosas que importan más que el dinero..., y eso te hace fijar la atención en la cultura que parece predominar en muchos de los bancos del mundo.»

Woods fue apartado por su *modus operandi*. Su especialidad, explica, era la aplicación de una estrategia policial llamada «conozca a su cliente» o KYC [siglas en inglés de *know your client*] para identificar el dinero sucio. «KYC es un método básico contra el blanqueo de dinero, la evasión de impuestos o la financiación contraterrorista. ¿Quiénes son tus clientes? ¿Es la documentación correcta? Bien, un negocio bancario responsable implica conocer siempre a tu cliente.»

Cuando Woods examinó las operaciones de Wachovia, lo primero que le llamó la atención fue la deficiente información en KYC. Y entre sus primeros informes a sus superiores en la sede central del banco en Charlotte, Carolina del Norte, había observaciones sobre carencias en KYC en el funcionamiento de Wachovia en Londres, que se dispuso a corregir. Al mismo tiempo, puso en marcha lo que se conoce como programa desarrollado de monitorización de operaciones, que consistía en reunir más información sobre clientes cuyo dinero pasaba por las oficinas del banco en la City londinense, en libras esterlinas o en euros.

En agosto de 2006, el nuevo programa de Woods había identificado varias transacciones sospechosas «relacionadas con clientes de casas de cambio localizadas en México». Sobre todo, se trataba de depósitos en cheques de viaje en euros. Los cheques tenían números secuenciales y los depósitos superaban con creces la cantidad que necesitaría cualquier viajero inocente, a lo que había que añadir una información inadecuada o nula de KYC sobre los cheques y lo que parecían, para un ojo entrenado, firmas dudosas. «Era un trabajo básico. No respondían a las preguntas obvias: "¿Es la transacción real o parece sintética?", "¿el cheque de viaje cumple los protocolos?", ¿está todo ahí y, en caso contrario, por qué no?".»

Woods habló del tema con el jefe global de Wachovia contra el blanqueo en operaciones con bancos corresponsales –un banco que recibe depósitos y realiza pagos en nombre de un banco extranjero–, quien creía que los cheques podían ser indicio de una evasión fiscal, algo considerado delito en la mayoría de países. Woods emprendió entonces lo que los bancos denominan una «revisión» de transacciones previas y remitió una serie de informes sobre actividades sospechosas o SAR [siglas en inglés de *suspicious activity report]* a las autoridades del Reino Unido y a sus superiores en Charlotte, apremiando al bloqueo de partes identificadas y de grandes series de cheques de viaje con numeración secuencial procedentes de México. En 2006, Woods presentó cincuenta SAR relacionados con las casas de cambio mexicanas.

Para asombro de Woods, la respuesta de la oficina de Wachovia en Miami, sede para los negocios del banco en Latinoamérica, fue, en el mejor de los casos, hostil. Uno de los gestores *senior* estadounidenses de Miami calificó los SAR de «defensivos e inmerecidos». Los documentos dicen que Woods «fue presionado por la empresa para que cambiara y procurara comprender mejor a México».

«Wachovia», afirma Woods, «había pasado completamente por alto todos los factores que indicaban que no debería haber hecho esos negocios de esa forma en ese lugar. En vez de pensar: "Así es como funciona el tráfico de drogas", preferían decir: "Así es como funciona el negocio textil". "Se trata de tejidos. Estoy en México", era el mensaje que yo recibía. "Yo conozco México mejor que usted", "Yo soy el que está en México, no usted". Y yo pensaba: "Muy bien, pero yo sé cómo funciona el blanqueo de dinero mejor que usted". Mi trabajo consistía en utilizar mis conocimientos para intentar descubrir el blanqueo de dinero que se producía a través del banco que me empleaba. Para eso me pagaba, y eso era lo que hacía. Pero eso no importaba. A los ejecutivos sólo les interesaba cómo conseguir que el banco ganara más dinero para así ganarlo ellos también. Su reacción podría haber sido: "Usted es justamente el tipo de persona que necesitamos trabajando para este banco", pero alguien prefirió opinar de otro modo: "Usted nunca volverá a trabajar para este banco". Era la lógica inversa y ofrecía un respaldo continuado a la criminalidad.»

Según se vio, Woods iba bien encaminado. Los negocios de Wachovia en México estaban siendo sometidos a una vigilancia cada vez más estrecha por las fuerzas de la ley de Estados Unidos. Wachovia recibió varias citaciones para que informara sobre sus operaciones mexicanas. A Woods le contaron con posterioridad que «Wachovia tenía seis o siete mil citaciones, un número absurdo. Así que, ¿en qué momento alguien de los de arriba del todo no empieza a tener la sensación de que algo va mal, pero que muy mal?».

En abril y mayo de 2007, Wachovia –como consecuencia del creciente interés y la presión ejercida por la oficina del fiscal de Estados Unidos– empezó a poner fin a su relación con algunas de las casas de cambio. Pero en lugar de emprender una investigación interna con las alertas de Woods sobre México, Wachovia optó por dejar en dique seco a su propio experto contra el blanqueo. Según Woods, los registros muestran que durante 2007, «yo seguí remitiendo más SAR relacionados con las casas de cambio, y seguí siendo presionado por el banco para "desarrollar una mejor comprensión de México"».

En julio de 2007, las diez casas de cambio mexicanas clientes de Wachovia que operaban a través de Londres dejaron de hacerlo repentinamente. Woods no creía que esa acción simultánea fuera una coincidencia; es más, le preocupaba que ese abrupto cese de la actividad fuera una reacción a un chivatazo, ahora que los federales acosaban demasiado al banco. Avanzado el año 2007, después de que la investigación sobre Wachovia apareciera en los medios financieros estadounidenses, el banco interrumpió por fin todas las relaciones que mantenía todavía con las casas de cambio mexicanas a escala global.

A esas alturas, la situación personal de Woods se había vuelto insostenible. Mientras el banco actuaba en un nivel para protegerse de la investigación federal sobre sus deficiencias, en otro se fijaba en el hombre que había sido uno de los primeros en descubrirlas. Woods buscó asesoría en un bufete de abogados londinense que, afirma, «coincidió con mis inquietudes», tras lo cual siguió presentando más SAR relacionados con el dinero de México y solicitando información al banco que le sirviera para sus pesquisas. «No me dijeron nada», recuerda. «Muchas de mis peticiones por correo electrónico a los gestores *senior* quedaron sin respuesta.» El 16 de junio, el jefe global de «supervisión y cumplimiento de normas» de Wachovia le dijo a Woods que su último SAR no tenía que haber sido presentado, que no tenía obligación legal de investigar un caso en el extranjero ni aunque el dinero implicado pasara por Londres y que carecía de permiso para acceder a los documentos de Wachovia en el exterior.

La vida de Woods entró en caída libre. Fue hospitalizado con un prolapso discal y se lo notificó a la oficina, y el banco le respondió que no lo había hecho siguiendo los trámites que se especificaban en el reglamento de los empleados. No fue a trabajar durante tres semanas y cuando volvió, en agosto de 2007, se encontró con una carta del director de supervisión y cumplimiento del banco, fechada el día 7 de ese mes, que era implacable en su tono y palabras de advertencia. La carta se centraba en lo que el director llamaba «ejemplos concretos de su incapacidad para cumplir con un estándar aceptable». Los «defectos en su actuación son algo más que ejemplos repetidos de sus continuos problemas para cumplir su labor sino que ahora están sirviendo para poner a la empresa por la que usted está contratado como Encargado de Información sobre Blanqueo en un potencial y grave riesgo regulatorio. Asimismo, su incompetencia está poniendo en peligro el Programa de Supervisión y Cumplimiento de AML [siglas de *anti-money-laundering*, «medidas contra el blanqueo de dinero»] de Londres en su integridad». La carta incluso predecía, en un giro de ironía definitiva, la futura intervención federal contra Wachovia: «He explicado con detalle», escribía el director, «el potencial riesgo regulatorio (grandes multas, sanciones reguladoras, daños a la reputación, etcétera) que puede ser consecuencia de los errores en un programa AML de una firma regulada.»

El director de gestión añadía: «Su incapacidad continuada para concentrar sus esfuerzos en las prioridades convenidas está colocando a la empresa de la cual usted es encargado de Información sobre Blanqueo en una posición inaceptable». Woods fue acusado de «incapacidad para revisar nuestra población de clientes de alto riesgo», ni más ni menos. La carta hacía más referencias –ahora amargamente irónicas– a «esta grave situación en que nos encontramos» y amenazaba con «la celebración formal de una audiencia disciplinaria» en la que resolverlo. La audiencia fue programada para el 12 de agosto, pero se pospuso. Woods, al borde de una crisis nerviosa, obtuvo la baja de su médico el día 11.

En sus respuestas por escrito, que empezaron el 2 de septiembre, Woods expuso su punto de vista y relató todo lo que había pasado por su mesa desde México, sólo para enterarse de que la audiencia se celebraría el 26 de agosto, en su ausencia de no haber otra opción. Woods solicitó una prórroga, y se le concedió «hasta el momento en que me hubiera reincorporado al trabajo». Woods se sometió seguidamente a tratamiento psiquiátrico, participó en un curso de control del estrés y se medicó. Su médico le avisó de que volver a trabajar «tendría consecuencias graves para mi salud».

Avanzado el año 2007, Woods asistió a un acto social en Scotland Yard, en el que se agasajaba a colegas de Estados Unidos. Allí buscó a un representante de la DEA y le habló de las casas de cambio, los SAR y la reacción de sus jefes. A partir de entonces, los federales y los funcionarios de la oficina del interventor monetario en Washington DC –la sección del Departamento del Tesoro que regula y supervisa todos los bancos nacionales– «se pasaron mucho tiempo examinando los SAR» que Woods había enviado a Charlotte desde Londres.

«Sus agentes de enlace en Londres se pusieron en contacto conmigo un poco después, y empezamos a encajar las piezas del rompecabezas. El dinero que pasaba por Londres, en euros, no era más que una gota en el océano de los negocios de Wachovia con las casas de cambio mexicanas», dice Woods, «pero era una pequeña ventana a través de la cual la organización matriz podía –y debía– haber visto las operaciones con dólares», que era lo que estaban haciendo ahora las autoridades de Estados Unidos. Lo que descubrieron fue, según Antonio María Costa, antiguo jefe de la Oficina de la ONU para la Droga y el Delito, simplemente la punta del iceberg de lo que estaba pasando con el dinero de la droga en el negocio bancario, pero al menos era visible y tenía un nombre: Wachovia.

En junio de 2005, la DEA, el departamento criminal del Internal Revenue Service y la oficina del fiscal de Estados Unidos en Miami empezaron a investigar las transferencias de México a Estados Unidos. Encontraron su origen en las cuentas bancarias corresponsales que tenían las casas de cambio en Wachovia. Las cuentas eran supervisadas y gestionadas por una unidad de negocios de Wachovia en las oficinas del banco en Miami. Una casa de cambio, explicaban los documentos judiciales sobre el caso, «no es un banco». Es un «negocio de cambio de divisas no bancario con licencia legal» que no tiene depósitos, ni abre cuentas ni líneas de crédito, pero que permite el cambio, en México, de dólares a pesos y viceversa.

«A través de la casa de cambio», decía el documento, «personas en México pueden utilizar divisa fuerte... y transferir electrónicamente el valor de esa divisa a cuentas bancarias de Estados Unidos para adquirir bienes en este u otros países.» La «naturaleza del negocio de la casa de cambio ofrece a los blanqueadores de dinero la oportunidad de introducir los dólares de la droga procedentes de México en casas de cambio y, en última instancia, en el sistema bancario de Estados Unidos».

El documento prosigue: «En numerosas ocasiones, el dinero era depositado en una casa de cambio por una organización de tráfico de drogas. Utilizando identidades falsas, la casa de cambio lo transfería seguidamente a través de sus cuentas bancarias corresponsales de Wachovia para la adquisición de aviones para las organizaciones de tráfico de drogas». El acuerdo judicial de 2010 detallaba que «casi trece millones de dólares pasaron por cuentas bancarias corresponsales de Wachovia para la compra de aeronaves que se utilizarían en el comercio ilegal de narcóticos. De esos aviones, se incautaron más de veinte mil kilogramos de cocaína».

Y todo eso ocurrió pese al hecho de que la oficina de Wachovia estaba en Miami, ciudad considerada por el Gobierno de Estados Unidos un «área de blanqueo de dinero y de actividades delictivas relacionadas con él de alta intensidad». Desde que estalló la guerra de los cárteles en 2005, México había sido señalado como una fuente de actividad de blanqueo de dinero de alto riesgo.

En abril de 2006, afirman los documentos judiciales, la FinCEN –Financial Crimes Enforcement Network [Red de Investigación de los Delitos Financieros]–, una agencia del Departamento del Tesoro responsable de combatir el blanqueo de dinero– «advirtió al sistema bancario y financiero de Estados Unidos del potencial mal uso de las relaciones bancarias corresponsales con las casas de cambio mexicanas. FinCEN avisaba específicamente sobre la repatriación de dinero en grandes cantidades, de las múltiples transferencias realizadas por casas de cambio que enviaban fondos a jurisdicciones fuera de México que no mantienen ninguna relación de negocios aparente con la casa de cambio». «Ya en 2004», se leía en el acuerdo judicial aceptado, «Wachovia comprendió el riesgo que iba asociado con hacer negocios con las casas de cambio mexicanas. Wachovia estaba al tanto de las advertencias generales hechas al sistema. Y ya en julio de 2005, Wachovia sabía que otros bancos estadounidenses importantes estaban abandonando el negocio de las casas de cambio a causa de las dudas suscitadas por las AML [medidas antiblanqueo].» Pero, «a pesar de todos esos avisos, Wachovia se mantuvo en la actividad».

No sólo eso, sino que se hizo con el negocio de otro banco que lo abandonaba por las dificultades con el dinero sucio. «En septiembre de 2005, Wachovia compró el derecho a hacer ofertas a los clientes bancarios corresponsales internacionales del Union Bank of California (UBOC). Wachovia sabía que UBOC dejaba el mercado de casas de cambio debido a problemas de AML. Wachovia contrató al menos a una persona de UBOC que desempeñaba un papel importante en el negocio de casas de cambio de ese banco. Cuando UBOC dejó las casas de cambio, el volumen de negocio de Wachovia se incrementó notablemente.»

El 16 de marzo de 2010, Douglas Edwards, vicepresidente *senior* de Wachovia Bank, firmó la página 10 de un acuerdo de veinticinco páginas en el que el banco –pero no ninguna persona física– admitía el papel que habían desempeñado tal como lo habían descrito los fiscales. En la página 11, volvió a firmar, ya como vicepresidente *senior* de Wells Fargo. Los documentos explican que Wachovia proporcionaba tres tipos de servicio a veintidós casas de cambio en México: transferencias electrónicas, un «servicio de dinero efectivo en grandes sumas» y un «servicio de actividades de depósito vía valija» para aceptar «instrumentos de depósito girados contra bancos de Estados Unidos, por ejemplo, cheques y cheques de viaje», como había visto Martin Woods en Londres.

Entre el 1 de mayo de 2004 y el 31 de mayo de 2007, Wachovia movió al menos 373.600 millones en casas de cambio y 4700 millones en dinero en efectivo, una suma total de más de 378.300 millones, una cantidad que empequeñece los presupuestos debatidos por las autoridades locales de Gran Bretaña y estatales de Estados Unidos para proporcionar (o no) servicios a los ciudadanos. El irrefutable documento de acuerdo ofrece una fascinante imagen de cómo funciona el blanqueo del dinero ensangrentado. Detalla cómo los investigadores «encontraron pruebas fácilmente identificables de banderas rojas señalando blanqueo de dinero a gran escala». Había «transacciones estructuradas» en las que «era habitual en las cuentas de transferencias de casas de cambio que se hicieran en números redondos el mismo día o en días muy próximos, por los mismos remitentes y en beneficio de la misma cuenta».

En dos únicos días, «diez transferencias realizadas por cuatro individuos... pasaron por Wachovia para depositarse en una cuenta de un agente comisionista de aviones. Todas las transferencias eran en números redondos. Ninguno de los individuos ni la empresa que enviaba el dinero tenían la menor relación con el avión o la entidad que supuestamente era su propietaria. La investigación ha acabado descubriendo que las identidades de los individuos que enviaron el dinero eran falsas y que la empresa era una entidad de fachada. El avión fue incautado con posterioridad con unos dos mil kilogramos de cocaína a bordo». Y todavía había más: «En otra ocasión, en un periodo de siete días, una casa de cambio envió más de 1,3 millones de dólares en transferencias a través de Wachovia para que se depositaran en cuentas de un agente comisionista de aviones. Eran un total de quince transferencias, que abarcaban cantidades entre 63.000 y 127.500 dólares. Todo ese dinero estaba destinado a la compra de un avión, pero fue incautado por las fuerzas de la ley antes de que se completara la venta».

Según el documento, muchos de los cheques de viaje con numeración secuencial, del tipo que descubrió Woods, contenían «marcas poco corrientes» o «carecían de firma legible». Por su parte, «muchas de las casas de cambio que utilizaban el servicio de dinero en efectivo de Wachovia enviaron una cantidad significativamente mayor al banco de lo que éste había esperado. Específicamente, muchas de las casas de cambio superaron su actividad mensual al menos en un cincuenta por ciento».

Al descubrir esas «banderas rojas», la oficina del fiscal de Estados Unidos en Miami, el Internal Revenue Service y la DEA empezaron a investigar a Wachovia, y más tarde se les unió la FinCEN, mientras la oficina del interventor monetario llevaba a cabo una «investigación paralela». Las infracciones que encontraron, afirma el documento, fueron «graves y sistémicas y permitieron a ciertos clientes de Wachovia blanquear millones de dólares de ganancias de la venta de narcóticos ilegales a través de cuentas de Wachovia durante un largo periodo de tiempo. La investigación ha identificado al menos 110 millones de dólares en ganancias de la droga que fueron canalizados a través de las cuentas que tenían las casas de cambio en Wachovia».

El documento citaba siete áreas: 1.ª «Carencia de medidas, métodos o controles de monitorización para la repatriación de casi 14.000 millones de dólares estadounidenses en dinero en efectivo por parte de casas de cambio y otros clientes de sumas en efectivo extranjeros corresponsales de alto riesgo»; 2.ª «Fallos en la monitorización de más de 40.000 millones de dólares en instrumentos monetarios que se mueven a través de cuentas corresponsales extranjeras internacionales en forma de RDC [siglas de Remote Depsit Capture, Capturas de Depósitos Remotos] durante un periodo de dos años»; 3.ª «Incapacidad para aplicar niveles apropiados de diligencia debida a clientes de casas de cambio de alto riesgo»; 4.ª «Incapacidad para monitorizar apropiadamente... y para cumplir las obligaciones de informar sobre actividades sospechosas»; 5.ª «No aplicar controles de monitorización o límites a cheques de viaje numerados secuencialmente»; 6.ª «Incapacidad para detectar e informar de actividades sospechosas a su debido tiempo sobre los 373.000 millones en transferencias que las casas de cambio movieron a través de Wachovia»; y 7.ª Incapacidad para aplicar cobertura de auditorías efectivas contra el blanqueo. Esos asombrosos 373.000 millones se les pasaron por alto, según Wachovia, porque su oficina de Filadelfia, que estaba encargada de la monitorización de las transferencias, sólo dispuso de un mes para su investigación. La unidad contra el blanqueo de dinero «no podía hacer frente a tal volumen de transferencias. La actividad sospechosa quedó de hecho sin monitorizar».

En cuanto a las grandes sumas en efectivo: «Wachovia carecía de medidas o reglamentos formales por escrito sobre la monitorización del efectivo para asegurar que se informara de la actividad sospechosa». Wachovia aceptó 47.000 millones de dólares en «depósitos remotos» como cheques de viaje y giros postales, aunque «ninguno de esos instrumentos fue sometido a examen de *"smurfing"* [realizar transacciones financieras de tal modo que no dejen rastro documental en papel], estructuración u otras técnicas frecuentes de blanqueo de dinero asociadas con esos tipos de instrumentos». Las autoridades descubrieron que el 64 por ciento de los cheques «contenían marcas poco frecuentes» del tipo que muestran «pautas fácilmente identificables de actividad de blanqueo de dinero». Wachovia «fue incapaz de establecer ninguna medida o procedimiento de monitorización interno para aplicar o imponer» sus propias normas sobre la actividad estándar de depósitos vía valija.

El acuerdo concluye abordando la «considerable colaboración y acciones reparadoras» de Wachovia desde que se inició la investigación, después de que el banco fuera comprado por Wells Fargo. «Teniendo en cuenta las acciones reparadoras de Wachovia», concluye el fiscal, «Estados Unidos recomienda al tribunal [...] que la acusación contra Wachovia a partir de la Información suministrada [...] se posponga por un periodo de doce meses.»

Mientras el proceso federal avanzaba, Woods había permanecido arrinconado. La Nochebuena de 2008, los abogados de Woods pusieron una demanda contra Wachovia por acoso y trato lesivo de un empleado que había denunciado un fraude. El caso se vio en mayo de 2009, momento en el cual Woods se sentía como si fuese «la persona más tóxica en el banco..., nadie me hablaba». Wachovia aceptó pagar una cantidad no revelada, a cambio de la cual Woods dejó el banco y aceptó a su vez no hacer públicos los términos del acuerdo.

Tras años de tribulaciones, Woods fue por fin vindicado formalmente, aunque no por Wachovia: recibió una carta fechada el 19 de marzo de 2010 –tres días después del acuerdo en Miami– de John Dugan, por entonces interventor monetario en Washington. Dugan decía que «le escribía para expresarle personalmente mi reconocimiento por el papel que ha desempeñado en las acciones contra Wachovia Bank por las infracciones de la ley de secreto bancario [...]. La información que usted proporcionó no sólo facilitó nuestra investigación, sino que usted demostró gran valor e integridad personal al hablar en voz alta cuando descubrió los problemas. Sin los esfuerzos de personas como usted, acciones como las emprendidas contra Wachovia no serían posibles».

El denominado proceso aplazado que se mencionaba en el documento de Miami es una especie de periodo de prueba en el que, si el banco se atiene a la ley durante un año, se retiran los cargos. Y así, en marzo de 2011, el banco quedó limpio. La semana que el proceso aplazado expiraba, una portavoz de Wells Fargo declaró que el banco matriz no tenía nada que decir sobre la documentación perteneciente al caso de Woods ni de sus alegaciones. Añadió que tampoco tenían nada que decir sobre los comentarios del fiscal Sloman ante el tribunal; una provisión del acuerdo estipulaba que Wachovia no podía realizar declaraciones públicas que los contradijeran.

Pero el acuerdo de Wachovia deja un regusto amargo en muchas bocas, como las de las fuerzas de la ley y, sobre todo, la de Woods. El proceso aplazado forma parte de una «elusión completa de responsabilidad», dice. «Las autoridades reguladoras ya no tienen que dedicarle más tiempo al asunto, y no tienen que plantearlo como un juicio penal. Se limitan a iniciar los trámites para hacerlo, llegan a un acuerdo y así no tiene que ir a juicio. Los funcionarios de las fuerzas de la ley hacen lo que se supone que deben hacer, pero ¿para qué? Toda esa gente se lleva el dinero del tráfico de drogas y los asesinatos... ¿y nadie acaba en la cárcel? No se les va a parar de ese modo porque no tienen ningún incentivo para hacerlo. Y no se me va a facilitar mi trabajo para evitar que suceda, ni tampoco se le facilitan las cosas a las fuerzas de la ley.»

Una de las figuras más destacadas en la formación de funcionarios especializados en la lucha contra el blanqueo es Robert Mazur, principal responsable de la infiltración de las fuerzas de la ley en el cártel colombiano de Medellín durante el épico juicio y caída del BCCI en 1991 (su historia se hizo famosa por sus memorias, *The Infiltrator).* Mazur, cuya empresa Chase & Associates trabaja en estrecha colaboración con las fuerzas de la ley y forma técnicos contra el blanqueo, proyecta una mirada muy perspicaz sobre el caso contra Wachovia y, en una entrevista, afirma que «lo único que hará que los bancos vigilen como es debido lo que está pasando es que oigan el tintineo de esposas en la sala de juntas».

Dado que la DEA en Miami no devuelve las llamadas relacionadas con el caso de Wachovia, la opinión de Mazur resulta especialmente fascinante. «¿Por qué pensó [Wachovia] que podía sacar 400.000 millones de México?, ¿de verdad creía que todo ese dinero procedía de transferencias familiares? Quiero decir que esa cantidad de dinero, aunque fuera en billetes de veinte dólares (y probablemente eran de cinco o de diez) viene a suponer unas... ¡725 toneladas de billetes de veinte!» Dice Mazur: «Conozco a mucha gente como Martin Woods, que tienen buenas intenciones. Sé de tres personas que trabajaban para Wachovia que hacían lo mismo que él, antiguos agentes de la ley, hombres valientes. Pero, en última instancia, los comportamientos del banco están determinados por el modelo de negocios: ¿cómo puede el banco conseguir beneficios?, y eso socavará el trabajo que intentan hacer personas como Martin Woods».

Mazur descubrió que «mucha de la gente de las fuerzas de la ley se sintió decepcionada al ver que se llegaba a un acuerdo» entre la administración y Wachovia. «Pero sé que había algunas circunstancias externas que beneficiaban a Wachovia, entre ellas, y sobre todo, el que el sistema bancario de Estados Unidos se encontraba al borde del colapso total.»

Lo que preocupa a Mazur es que lo que pueden esperar conseguir, tanto las fuerzas de la ley como los políticos, contra los cárteles se ve limitado y no posibilita el ataque más obvio que Estados Unidos podría lanzar en su guerra contra la guerra: seguir el rastro del dinero.

«Lo estamos planteando en términos cicateros», dice Mazur. «Yo formo a funcionarios de la ley, miles de ellos cada año, y me dicen que si ellos intentaran hacer la mitad de lo que yo hice serían detenidos. Pero yo les respondo: "Tenéis que pensar a lo grande. Los titulares que leeréis dentro de siete años serán el resultado del trabajo que empezáis ahora". En el caso del BCCI, tuvimos que dedicar dos años a sentar las bases, otros dos a trabajar en secreto, y dos más para llevarlo a juicio. Si quieren hacer algo grande, como perseguir el dinero, ése es el tiempo que requiere.»

Pero, añade Mazur, «si se fija en las vías de promoción profesional en las fuerzas de la ley, verá que no hay ningún incentivo para ir detrás del dinero importante. La gente cambia de puesto cada dos o tres años. La DEA se centra en el tráfico de drogas más que en el blanqueo de dinero. De esa manera tienes resultados más rápidos: quieren pillar a los traficantes e incautarse de sus bienes. Pero eso es como tratar una planta enferma podando unas cuantas ramas... siempre crecen nuevas.

»Perseguir el dinero importante es como arrancar la planta: es una puerta más difícil a la que llamar, un trayecto más largo, y no te producirá beneficios a corto plazo.» Y lo mismo ocurre con los políticos, añade Mazur. «Los congresistas tienen que elegirse cada dos o seis años, así que están en la misma carrera profesional a corto plazo, necesitados de mostrar resultados inmediatos.»

La oficina del interventor monetario sigue investigando si hay personas en Wachovia a las que se las pueda imputar penalmente. Fuentes de la FinCEN afirman que, como se estipuló en el acuerdo y fue aceptado por Wachovia, hay una revisión en marcha sobre los 378.400 millones que no estaban directamente relacionados con las compras de aviones y los alijos de cocaína, pero tampoco sujetos a los apropiados controles antiblanqueo. Una fuente de la FinCEN afirma que los 20.000 millones ya examinados parecen tener «orígenes sospechosos». Y eso es sólo el principio.

Antonio María Costa, director ejecutivo de la Oficina de la ONU contra la Droga y el Delito entre mayo de 2002 y agosto de 2010, remonta la historia de la contaminación del sistema bancario global por el dinero criminal y de la droga desde sus primeras iniciativas para frenarlo mientras trabajaba en la Comisión Europea durante la década de 1990. «La conexión entre el crimen organizado y las instituciones financieras empezó a finales de la década de 1970 y principios de la de 1980», dice, «cuando la mafia se globalizó, a la par que la economía.»

Hasta entonces, el dinero delictivo había circulado sobre todo en efectivo, y las autoridades realizaban algún esporádico *«sting»* o incautación. Durante la época de Costa como director de economía y finanzas en la CE en Bruselas, desde 1987, se hicieron esfuerzos contra la penetración de los bancos por el blanqueo delictivo, y el dinero sucio se retiró de nuevo al efectivo, lejos de las instituciones financieras y los bancos. Entonces sucedieron dos cosas: la crisis financiera en Rusia, tras la emergencia de la mafia rusa, y las crisis de 2003 y 2007-2008.

«Con esas crisis», afirma Costa, «el sector bancario se quedó sin liquidez, así que los bancos se expusieron a las organizaciones delictivas, que tenían efectivo a mano. Fue un simple *quid pro quo:* los bancos necesitaban efectivo y las organizaciones delictivas necesitaban algún lugar donde invertirlo. Y estamos hablando de cantidades ingentes de dinero.» Las organizaciones criminales, dice, «entrarán allá donde haya menos resistencia, donde la necesidad de los bancos sea mayor. Así ocurrió en Europa Occidental en 2003 y en Estados Unidos y Gran Bretaña en 2007-2008. No se trata de un momento único y repentino, de un único lugar, ellos entran paulatinamente y hasta el fondo, comprando acciones o valores importantes».

Costa pone en duda la disposición de los gobiernos y sus estructuras regulatorias bancarias a hacer frente a esta corrupción a gran escala de la economía global: «Me pregunto hasta qué punto los reguladores gubernamentales aceptaron –a falta de mejor palabra– esta situación y fueron conscientes de lo que estaba pasando. Si el dinero llegaba al sector bancario, parecían adoptar una política de "No preguntes, no des explicaciones". Ellos sabían que, una vez el dinero entra en el sistema, está en el sistema, y ya no tienes derecho a hacer preguntas». «Los gobiernos», añade con mordacidad, «ciertamente demostraron lo que eran capaces de hacer cuando la cuestión cambió repentinamente del blanqueo de dinero al terrorismo. De golpe se pusieron serios y cambiaron de actitud.»

No resulta muy sorprendente, por tanto, que, con respecto a México, Wachovia no parezca el final de la trama. En agosto de 2010, se publicaron revelaciones de que el Departamento de Justicia de Estados Unidos intentaba multar al gigantesco banco HSBC por problemas de supervisión y cumplimiento en las medidas antiblanqueo, entre los que se incluían negocios con México. El 7 de octubre de 2010, Reuters envió el siguiente informe:

> La Reserva Federal emitió una orden el jueves contra HSBC North American Holdings Inc. requiriendo al banco que mejore sus prácticas para impedir que sus clientes blanqueen dinero [...] a través de sus cuentas. La Oficina del Interventor Monetario de Estados Unidos (OCC) emitió una orden relacionada con la anterior contra la filial de HSBC en Estados Unidos, por infringir una ley que regula la forma en que la empresa informa y valora las actividades sospechosas en sus cuentas, entre ellas las transferencias internacionales y las retiradas de grandes cantidades en efectivo. HSBC es el mayor banco de Europa.
>
> Los reguladores no han multado a HSBC por las infracciones, pero podrían hacerlo en el futuro. La OCC afirmó que su orden «no excluye» que sopese la imposición de una pena civil monetaria al banco. Las órdenes de los reguladores llegan en medio de una creciente atención del Gobierno de Estados Unidos hacia cómo los grandes bancos monitorizan e informan de las actividades sospechosas, entre ellas los indicios de blanqueo de dinero, realizadas con sus cuentas.
>
> La OCC dijo en su reclamación que el «programa de supervisión y cumplimiento [del banco HSBC en Estados Unidos] y su aplicación son ineficaces y van acompañados de factores agravantes, como unas actividades altamente sospechosas que crean una significativa situación de riesgo potencial que propician el blanqueo de dinero o la financiación terrorista y de la que no se informa».

El regulador citaba una dotación inadecuada de personal, así como informes y revisiones incompletos sobre actividades que podrían ser sospechosas en las cuentas de HSBC, así como monitorización insuficiente de transferencias de fondos y de las actividades financieras de los clientes «de alto riesgo» del banco. HSBC dijo en una declaración que cooperaba plenamente con los reguladores y que estaba «comprometido en una pronta resolución».[2] Mazur, por su parte, afirma: «Mi información es que esta investigación llegará mucho más a fondo que la del caso Wachovia».

«En Wachovia tenían mi currículo, sabían quién era yo», dice Martin Woods. «Pero no querían saber. Su actitud era: "¿por qué hace esto?". Deberían haberse puesto de mi parte porque eran la gente encargada de la supervisión del banco, no empleados comerciales. Pero en realidad no lo eran; todos eran comerciales.»

«Estamos hablando de cientos de millones de dólares», prosigue Woods, cuando su mentalidad de policía le permite un momento de ira. «Es el mayor escándalo de blanqueo de dinero de nuestra época. En un contexto global, nunca había habido nada parecido. Y tenemos que plantearnos preguntas fundamentales: ¿de dónde procede ese dinero y qué mensaje transmitimos si nadie acaba en la cárcel? ¿Se reconoce la responsabilidad por los fallos, pero no se considera a nadie responsable?, ¿no es así como se ha desatado la crisis global, porque nadie de los bancos ha sido considerado responsable?

»Éstas son las ganancias del asesinato y la miseria en México, y de las drogas vendidas por todo el mundo», prosigue. «Toda la gente de las fuerzas de la ley quería que esto llegara a juicio. Pero al final nadie acaba en la cárcel. ¿Qué hace el acuerdo para combatir a los cárteles? Nada..., no facilita en absoluto el trabajo de la ley y anima a los cárteles y a cualquiera que quiera ganar dinero blanqueando sus dólares ensangrentados. ¿Qué riesgo corren? Ninguno..., para ellos todo es positivo.

»¿Se defiende el interés del pueblo estadounidense animando de este modo tanto a los cárteles de la droga como a los bancos? ¿Se hace en interés del pueblo mexicano? Es muy simple: si uno no ve la correlación entre el blanqueo de dinero por parte de los bancos y las treinta mil personas asesinadas en México, es que no entiende nada.»

Woods se siente incapaz de descansar en sus laureles. Viaja por todo el mundo para la consultoría que dirige, Hermes Forensic Solutions, asesorando y hablando a los bancos sobre los peligros de blanquear dinero criminal y cómo descubrirlo y detenerlo.

«Nueva York y Londres», dice Woods, «se han convertido en las dos mayores lavanderías del dinero de las drogas y el crimen, y paraísos fiscales *offshore.* No se trata de las islas Caimán, ni de las islas Vírgenes británicas, ni la Isla de Man, ni Jersey. El gran blanqueo se realiza ahora en la City de Londres y en Wall Street.

»Tras el caso de Wachovia, nadie de la comunidad de reguladores se sentó conmigo y me preguntó: "¿Qué ha pasado?" o "¿Qué podemos hacer para que esto no le suceda a otros bancos?".

»Es más, visto lo visto, no les interesa. Son la misma gente que ataca a los empleados que denuncian, y ésa es la postura que al menos la FSA [la Autoridad de Servicios Financieros británica] ha adoptado siguiendo el consejo legal: se ha advertido que la privacidad y la confidencialidad del negocio bancario y los banqueros son más importantes que la Public Informacion Disclosure Act [ley de transparencia informativa]. Así son las prioridades: primero el secretismo, luego el interés público.

»Mientras tanto, la industria de las drogas maneja dos productos: el dinero y el sufrimiento. Por un lado, tienes ganancias y enriquecimiento ingentes. Por el otro, tienes sufrimiento, miseria y muerte también ingentes. No se puede separar el uno del otro. Cuando vi lo que vi no estaba entre la espada y la pared sino sólo en un lugar difícil, y sólo tenía una opción honorable: hablar en voz alta.

»Lo que sucedió en Wachovia fue sintomático del fracaso del sistema regulador entero en el momento de aplicar unas medidas apropiadas de gobernanza y una adecuada gestión de riesgos que habrían impedido no sólo el blanqueo del dinero ensangrentado sino también la crisis global.»

Apéndices

Notas

Prólogo: Améxica

1. Molly Molloy, Universidad Estatal de Nuevo México, Las Cruces. Boletín de la «Fronterizo List», 31 de diciembre de 2009. El único recuento fiable de muertos es el compilado sistemáticamente por la inestimable «Fronterizo List» de Molloy. La serie de documentos recogidos por Molloy constituye el registro histórico definitivo de la matanza en Juárez.

2. Informe Anual de la Cámara de Comercio de Laredo, Texas, 2009.

3. Una buena guía del Spanglish se encuentra en *Cabo Bob's Mexican Slang,* publicado en slang101.com.

4. Tomás Ybarra-Fausto, «Rasquachismo», publicado en Luis Humberto Crossthwaite, John William Byrd y Bobby Byrd (eds.), *Puro Border,* Cinco Puntos Press, El Paso, 2003, pág. 191.

5. Gloria Anzaldúa, *Borderlands – La Frontera,* 1987, tercera edición, Aunt Lute Books, San Francisco, 2007, pág. 25.

6. Tal como se cuenta en la traducción inglesa de Bernardino de Sahagún, *Historia General de las Cosas de la Nueva España,* titulado en esa versión *A History of Ancient Mexico,* trad. Fanny R. Bandelier, Fisk University Press, Nashville, 1932.

7. Eduardo Matos Moctezuma, *Los Aztecas,* Consejo Nacional para la Cultura y las Artes, Ciudad de México / Jaca, Milán, 1989, págs. 31-51.

8. Entrevista con el doctor Miguel Olmos Aguilera. Véase su ponencia «Imaginando fronteras: Representación y Ficción en la Frontera del Norte», presentada en la conferencia «La Frontera: una nueva concepción cultural», en la Universidad Piloto de Colombia, 2004.

9. Alejandro Lugo, *Fragmented Lives, Assembled Parts,* University of Texas Press, Austin, 2008, págs. 20-24.

10. La mejor historia de la propia frontera es la obra de Leon C. Metz, *Border: The US-Mexico Line,* TCU Press, Fort Worth/Mangan Books, El Paso, 1989, pág. 31.

11. Ted Conover, *Coyotes,* Vintage, Nueva York, 1987, pág. xviii.

12. Conversación con Roberto Saviano, Roma, 2008.

13. Daniel Borunda, «El Pasoans Stay Uneasy as Slayings Continue», *El Paso Times,* 17 de agosto de 2008.

14. Chris Kraul, «Captain Nemo is Grounded», *Los Angeles Times,* 14 de diciembre de 2008.

15. Laurence Iliff, «Mexico Drugs Cartels' Banners Escalate Attacks Against President Calderón's Government», *Dallas Morning News,* 13 de diciembre de 2008.

16. Diana Washington Valdez, «Firearms in Mexico Have Ties to El Paso», *El Paso Times,* 13 de diciembre de 2008.

17. «Gunmen Kill Family of Mexican Drug Hero», CBS New/Associated Press, 23 de diciembre de 2008.

18. «TV Station Targeted in Attack», teletipo de *Los Angeles Times,* 7 de enero de 2009.

19. CNN / World Co., 4 de febrero de 2009.

20. Dan Glaister, «US Surge Plan to Contain Mexico Drug Violence», *The Guardian,* 10 de enero de 2009.

21. Molloy, «Fronterizo List», 5 de diciembre de 2009.

22. Stewart Powell et al., «Mexico to Begin Receiving Drug-fighting Aid», *Houston Chronicle,* 4 de diciembre de 2009.

23. Dudley Althaus, «Zetas Terrorizing Border Outposts», *Houston Chronicle,* 14 de diciembre de 2009.

24. «Police Arrest Man Linked to Slayings of 2000», *El Paso Times,* 11 de diciembre de 2009.

25. Comunicado de prensa del Comité para la Protección de los Periodistas, 2 de noviembre de 2009.

26. Mark Stephenson, boletín de la Associated Press, 18 de diciembre de 2009.

27. Tracy Wilkinson, «Mexican Drug Raid Hero's Family Slaughtered», *Los Angeles Times,* 23 de diciembre de 2009.

28. Associated Press, 8 de enero de 2010.

29. Molloy, «Fronterizo List».

30. Ibíd.

31. Associated Press, 31 de diciembre de 2009.

1. La Plaza

1. Varios artículos de Alfredo Corchado en el *Dallas Morning News,* sobre todo el del 30 de mayo de 2008, y el libro *Desperados*, de Elaine Shannon, Viking, Nueva York, 1988, págs. 31-42.

2. Dudley Althus, «Cartels Have Mexican Citizens Trembling», *Houston Chronicle,* 19 de julio de 2008.

3. Para una información completa sobre el papel de los servicios secretos estadounidenses en el comercio de cocaína y su relación con la Contra, véase Gary Webb, *Dark Alliance,* Seven Stories Press, Nueva York, 1998; Shannon, *Desperados;* y Michael Levine, *The Big White Lie,* Thunder's Mouth Presse, Nueva York, 1993.

4. Don Winslow, *The Power of the Dog,* Arrow, Nueva York, 2005, pág. 103.

5. Véase Terrence Popper, *Drug Lord,* Demand Publications, Seattle, 1990, págs. 135-238.

6. Declaración de Anthony Placido, coordinador de inteligencia de la DEA estadounidense, ante la Comisión Judicial del Senado de Estados Unidos para la Delincuencia y la Droga, 17 de marzo de 2009.

7. Tony Payan, «The Drug War and the Border», en *The Last Frontier, South Atlantic Quarterly,* Jane Juffer (ed.), otoño de 2006, Duke University Press, 2006, págs. 864-865.

8. *Proceso,* sin titular, parte de un resumen de asesinatos, 25 de febrero de 2009; y *Los Angeles Times,* servicio de teletipo, 26 de febrero de 2009.

9. Tracy Wilkinson, «Women Play Bigger Role in Mexico's Drug War», *Los Angeles Times,* 10 de noviembre de 2009.

10. Marcela Turati, «Chapos Contra Zetas», *Proceso,* 30 de junio de 2009; y varios artículos de Alfredo Corchado en el *Dallas Morning News* durante 2008.

11. Jorge Chabart, página de opinión, *El Universal,* editorial, 20 de diciembre de 2009.

12. Ken Ellingwood, «Drug Cartel Boss Arturo Beltrán Leyva And The Luxurious RIPs of Mexico's Narcos», *Los Angeles Times,* 21 de diciembre de 2009.

13. Tracy Wilkinson, «Mexican Family Slaughtered As Drugs Lords Take Revenge», *Los Angeles Times,* 23 de diciembre de 2009.

14. Véase la información completa en Popper, op. cit., 1990.

15. Para un relato completo de la toma de control y dirección del cártel de Juárez por parte de Carrillo Fuentes, véase Charles Bowden, *Down by the River,* Simon and Schuster, Nueva York, 2002.

16. Tracy Wilkinson, «"El Chapo" Has Left the Building», *Los Angeles Times,* 3 de diciembre de 2008.

17. *Los Angeles Times,* teletipo, 18 de junio de 2009.

18. *Corriere della Sera,* Milán, 2 de octubre de 2008.

19. Citado en Fox News/Associated Press, 3 de abril de 2009.

20. Entrevistas privadas con fuentes diplomáticas mexicanas, Londres, 2009; fuentes de la Interpol de Gran Bretaña, Londres, 2009; y fuentes de la DEA estadounidense, Washington DC, 2008.

21. Julia Preston y Samuel Dillon, *Opening Mexico,* Farrar, Straus and Giroux, Nueva York, pág. 500.

22. Ibíd.

23. Dane Schiller, «DEA Bribes Taint Late Mexican Drug Czar», *Houston Chronicle,* 13 de mayo de 2009.

24. Declaraciones en la cadena MSNBC, 9 de abril de 2009.

25. Citado en Leslie Bernstein y Sandra Dibble, «Border Bloodshed Likely to Worsen», *San Diego Union-Tribune,* 5 de octubre de 2008.

26. Ken Ellingwood, «US Shares Blame for Mexico Drug Violence», *Los Angeles Times,* 18 de marzo de 2009.

2. Aquí empieza la patria

1. Pablo Vila, «Identificaciones de Región, Etnia y Nación en la Frontera entre México-EU», Universidad Autónoma de Ciudad Juárez, 2004, pág. 47.

2. Véase Luis Alberto Urrea, *Across the Wire,* Anchor, 1993.

3. Para una información detallada sobre el «Institute Set» y los contrabandistas de droga de la OAF, véase Anne-Marie O'Connor: «Seduction of a Generation», *Los Angeles Times,* 28 de enero de 2002.

4. Para un relato completo del secuestro de Alfredo Hodoyán y sobre lo que la embajada de Estados Unidos en Ciudad de México sabía y no sabía al respecto, véase el reportaje de Julia Preston y Craig Pyes, «Witness to Evil», *New York Times,* 18 de agosto de 1997.

5. Redacción, *El Universal,* 25 de enero de 2009; Marc Levy, «Mexican Man Admits Using Acid on Bodies», *New York Times,* 26 de enero de 2009.

6. Rafael Morales Magaña, «Edecán Era Informante», *El Mexicano,* 13 de agosto de 2009.

7. Dudley Althaus, «With Mexico's Violencie, Nothing is Sacred», *Houston Chronicle,* 2 de julio de 2009.

8. Véase Tim Gaynor, *Midnight on the Line,* Thomas Dunne Books/ St Martin's Press, Nueva York, 2009, «Where Midnight Meets The Road», págs. 77-100.

9. Véase Alfonso Cortez Lara, Megan K. Donovan y Scott Whiteford, «The All-American Canal Lining Dispute: An American Resolution over Mexican Groundwater Rights», diario *Frontera Norte,* vol. 21, número 41, enero-junio, 2009.

3. El Camino del Diablo

1. Ruth M. Underhill *et al.*, *Rainhouse and Ocean: Speeches for the Papago Year,* University of Arizona Press, Tucson, 1997, págs. 89-115.

2. Pinau Merlin, *Desert Holes,* Arizona-Sonora Desert Museum Press, Tucson, 1999, págs. 51-53.

3. Stephen Trimble, *The People,* School of American Research Press, Santa Fe, 1993, pág. 131.

4. Luis Alberto Urrea, *The Devil's Highway,* Little Brown, Nueva York, 2004, pág. 85.

5. Richard Felger y Bill Broyles (eds.), *Dry Borders,* University of Utah Press, Salt Lake City, 2007, pág. xiii.

6. Para relatos completos del desastre de Wellton, véanse Ken Ellingwood, *Hard Line,* Vintage, Nueva York, 2004, y Urrea, op. cit.

7. Véase Metz, *The Border,* op. cit., págs. 385-395.

8. Citado en Urrea, op. cit., pág. 12.

9. Josho Meyer, «Sinaloa Cartel May Resort To Deadly Force In US», *Los Angeles Times,* 6 de mayo de 2009.

10. Entrevista realizada en Salt Lake City, en noviembre de 2009; no se revela el nombre real.

11. Joel Millman, «Inmigrants Become Hostages as Gangs Prey on Mexicans», *Wall Street Journal,* 10 de junio de 2009.

12. Ibíd.

13. Para una historia de Pitiquito, su misión y su iglesia, véase Claudio Murrieta, «Las paredes hablan», Pitiquito, 2004.

14. *L'Expreso* (Hermosillo), por La Redacción, 30 de octubre de 2009; y Tracy Wilkinson, «Mexican Farm-Workers Activist and 14 Others Slain», *Los Angeles Times,* 1 de noviembre de 2009.

15. Winston P. Erickson, *Sharing the Desert: The Tohono O'odham in History,* University of Arizona Press, 1994, pág. 25.

16. Ibíd., págs. 69-70.

17. Underhill *et al,* op. cit., págs. 17-37.

18. Ralph Wartabedian, «US Soldiers, Law Officers Snared in Border Drug Sting», *Los Angeles Times,* 13 de mayo de 2005. Y también Brenda Norrell, «US Soldiers Ran Border Cocaine Operation», *Censored News,* 23 de julio de 2007, y «Army Soldiers Sentenced In Drug Sting», *Arizona Daily Star.*

19. Carol Ann Alaimo, «FBI: Military Recruiters Ran Cocaine», *Arizona Daily Star,* 17 de diciembre de 2006, y Narcosphere.com, «FBI Recruiters Caught in Drug Probe», www.unsolvedmysteries.com/usm469076.html?t=conspiracy.

20. Para una historia del género del narcocorrido y la carrera de Los Tigres, véase Elijah Wald, *Narcocorrido,* Harper Collins, Nueva York, 2001.

21. Randal Archibold, «Mexican Cartel Violence Spills Over, Alarming US», *New York Times,* 22 de marzo de 2009.

22. Entrevistado por Martin Hodgson, «Death in the Midday Sun», *The Observer,* Londres, 19 de septiembre de 2009.

23. Tracy Wilkinson, «Song Banned, Band Pulls Out», *Los Angeles Times,* 29 de octubre de 2009.

24. Dudley Althaus, «Singer Shot to Death After Surgery In Matamoros», *Houston Chronicle,* 4 de diciembre de 2007.

Paréntesis. La punta de un calibre 12. La guerra de Barrett y Morgan

1. Miriam Davidson, *Lives on the Line,* University of Arizona Press, Tucson, 2000, pág. 13.

2. Lee Morgan II, *The Reaper's Line,* Rio Nuevo, Tucson, 2006.

3. Entrevista con el ex agente Jaime González, Austin, 2009.

4. Citado en Sebastián Rotella, «Mexican American former Anti-Drug Chief's Reputation On Trial», *Los Angeles Times,* 22 de noviembre de 2009.

5. Stan Tekiela, *Mammals of Arizona,* Adventure Publications, Cambridge, Minnesota, 2008.

6. Associated Press, 18 de septiembre de 2009.

4. Frankenstein urbano

1. Citado en Steve Fainaru y William Booth, «An Army Takeover Quells Violence in Mexico», *Washington Post,* 21 de abril de 2009.

2. Associated Press, 24 de febrero de 2009. Sin firma.

3. Informe del CCPSSJ, citado en *El Diario de Juárez,* 11 de enero de 2011.

4. Para una aproximación excelente a los orígenes y el nombre de la ciudad, véase Lugo, *Fragmented Lives, Assembled Parts,* University of Texas Press, Austin, 2008.

5. Citado en Metz, *Border,* TCU Press, Ft. Worth/Mangan Books, El Paso, 1989, págs. 168-169. El libro también contiene una detallada explicación del desarrollo de las ciudades hermanas de Juárez y El Paso.

6. Charles Bowden, *Murder City: Ciudad Juárez and the Global Economy's New Killing Fields,* Nation Books, Nueva York, 2010.

7. Redacción, *El Diario de Juárez,* 14 de noviembre de 2008.

8. Véanse varias entradas de Bill Conroy en narcosphere.com. Haga una búsqueda de «Ramírez» o cliquee sobre el nombre de Conroy.

9. Redacción, *El Diario de Juárez,* 11 de enero de 2009.

10. Alicia Caldwell, Associated Press, 9 de septiembre de 2009.

11. Tribunal de Apelaciones de la Octava Zona Judicial de Estados Unidos, número 06-1569, 12 de enero de 2007. Véase también Guillermo Eduardo Ramírez-Peyro, demandante, contra Alberto Gonzales, fiscal general de Estados Unidos de América.

12. Informe en defensa de la solicitud de asilo de Espino Ledezma, Martín. Caso número o 74-816-432 (El Paso, 6 de julio de 2009).

13. Tom Russell, *Since Sinatra Played Juárez,* del álbum *Borderland,* Frontera Music/Hightone Records, Oakland, 2011.

14. Alejandro Lugo, *Fragmented Lives,* pág. 119.

15. *El Diario de Juárez,* 17 de julio de 2009.

16. Para un relato completo sobre militares disfrazados de criminales y viceversa, véase Ignacio Alvarado Álvarez, «Desapariciones y masacres», *El Universal,* 8 de abril de 2008.

17. Ken Ellingwood, *Los Angeles Times,* 27 de febrero de 2009.

18. Fainaru y Booth, 21 de abril de 2009, art. cit.

19. Ibíd.

20. *Proceso,* sin firma, 15 de junio de 2009.

21. Ramón Bracamontes, «Mexican Cartel Battle Shifts», *El Paso Times,* 23 de junio de 2009; véase también Howard Campbell, *Drug War Zone,* University of Texas Press, Austin, 2009, en especial el capítulo «Selling Drugs in Downtown Juárez», págs. 96-107.

22. Molly Molloy, New Mexico State University, Las Cruces, boletín de la «Fronterizo List».

23. Redacción, *El Diario de Juárez,* 9-11 de febrero de 2009; y Associated Press, 11 de febrero de 2009.

24. Alejandro Salman y Orlanda Chávez, «Ejecutados son un delincuente menos», *El Diario de Juárez,* 4 de abril de 2008.

25. Jo Tuckman, «At Least 20 Dead in Mexican Prison Riot», *The Guardian,* Londres, 5 de marzo de 2009.

6. El viento de navajas

1. Tal como se relata en la traducción inglesa de la *Historia General de las Cosas de Nueva España*, de Bernardino Sahagún, *A History of Ancient Mexico,* Fisk University Press, Nashville, 1932. También J.M.G. Le Clezio, *The Mexican Dream*, trad. Fagan, University of Chicago Press, 1993, capítulo 2, págs. 41-93.

2. *Proceso,* varios artículos de la edición especial del 9 de diciembre de 2009.

3. Los artículos formaban parte de una serie redactada a lo largo de muchos años por Diana Washington Valdez, publicada en el libro *The Killing Fields: Harvest of Women*, Peace at the Border Productions, Burbank, 2006.

4. Ken Ellingwood, «Court Cites Rights Failure by Mexico in Juárez Killings», *Los Angeles Times*, 12 de diciembre de 2009.

5. Ibíd.

Paréntesis. The Road It Gives And The Road It Takes Away

1. Tom Russell, *Where The Dream Begins,* del álbum *Borderland,* Frontera Music / Hightone Records, Oakland, 2001.

2. Tom Russell, *The Road It Gives And The Road It Takes Away,* de *Borderland,* ibíd.

3. Don Henry Ford, *Contrabando*, Cinco Puntos Press, El Paso, 2005.

4. Alicia Caldwell, Associated Press, varios reportajes realizados durante 2009.

5. Ryan Bingham, *Hard Times,* del álbum *Mescalito*, UMG Music, Nashville, 2007.

7. Comer del suelo

1. *San Antonio Standard,* 10 de marzo de 1996.

2. Véase Enrique Krauze, *Mexico: Biography of Power,* trad. Hank Heifetz, Harper Collins, Nueva York, 1997; en especial el capítulo sobre Miguel Alemán, págs. 526-600 [version original en español: *La presidencia imperial,* Tusquets Editores, col. Andanzas 207/3, Barcelona, 1997, págs. 79-163].

3. Alejandro Lugar, *Assembled Parts, Fragmented Lives,* University of Texas Press, Austin, 2008, págs. 148-152.

4. Altha J. Cravey, *Women and Work in Mexico's Maquiladoras,* Rowman and Littlefield, Lanham, MD, 1998, pág. 49.

5. Krauze, op. cit., págs. 697-698.

6. Todd Gillman, «Obama Talks of "Upgrade" to NAFTA With Mexico's Calderon», *Dallas Morning News,* 13 de enero de 2009.

7. Reglamento Interior del Trabajo, artículo 13, 1980.

8. Citado por Diana Washington Valdez, *El Paso Times,* 2 de febrero de 2009.

8. Portal a las Américas / Pax Mafiosa

1. Ginger Thompson, «Rival Drug Gangs Turn the Streets of Nuevo Laredo Into a War Zone», *The New York Times,* 4 de diciembre de 2005.

2. Sara A. Carter, «Here, We are Prisioners», *San Bernardino Sun,* 28 de diciembre de 2006.

3. Ricardo Ravelo, «Los Zetas: Ejército de Osiel», *Proceso,* 15 de septiembre de 2005; y Dudley Althaus y James Pinkerton, «Violence in Nuevo Laredo», *Houston Chronicle*, 7 de agosto de 2005.

4. Susana Hayward, «Drug War Rages in Border Town», *Miami Herald,* 31 de julio de 2005.

5. Ricardo Ravelo, «Los Zetas», art. cit.; y Manuel Roig-Franzia, *Washington Post,* 7 de mayo de 2008.

6. Frontera NorteSur, sitio web, 15 de mayo de 2004.

7. Alicia Caldwell, Associated Press, 28 de enero de 2010.

8. Comité para la Protección de los Periodistas, Informe Anual Nacional de México de 2008.

9. Véase Cecilia Ballí, «Ropa Usada», en *Puro Border,* Crossthwaite, Byrd y Byrd (eds.), Cinco Puntos Press, El Paso, 2003.

10. Ibíd.

11. Keith Bowden, *The Tecate Journals,* The Mountaineer's Books, Seattle, 2007. Véase el capítulo «Symbols of Power», págs. 219 y sig.

12. Dudley Althaus y James Pinkerton, «River to Ruin: Descent of the Rio Grande», suplemento especial del *Houston Chronicle*, 17 de octubre de 1993.

9. Río de Hierro / Diles quién eres

1. Tracy Wilkinson, «Mexico Drug Gangs Turn Weapons on Army», *Los Angeles Times*, 15 de marzo de 2009.

2. Thomas Koch, *The Militia Battle Manual,* Desert Publications, El Dorado, Arizona, 1996.

3. *Full Auto,* volumen Uno. «AR-15 Modification Manual», Desert Publications, 1981.

4. *Select Fire AK-47 Gigil and Vamlet Conversion Manual,* Desert Publications, 1994.

5. Lora Lumpe, «The US Arms Both Sides in Mexico's Drug War», *Covert Action Quarterly*, número 61, verano de 1997.

6. Richard Serrano, «Guns From US Equip Drug Cartels», *Los Angeles Times*, 10 de agosto de 2008.

7. United States Government Accountability Office, «Firearms Tracking: US Efforts to Combat Arms Trafficking to Mexico Face Planning and Coordination Challenges», Informe GAO-09-709, junio de 2009.

8. Comunicado de prensa del FBI.

9. Tracy Wilkinson, «Ex-General, 2 Others Found Shot To Death Near Cancun», *Los Angeles Times*, 4 de febrero de 2009.

10. Dudley Althaus, «Cancun's Top Cop Is Grilled In Retired General's Killing», *Houston Chronicle,* 13 de febrero de 2009.

11. Ken Ellingwood, «Killings Uncover Seamier Side of Cancun», *Los Angeles Times,* 2 de marzo de 2009.

12. Dudley Althaus, «Beheadings Shake Mexico Town», *Houston Chronicle,* 15 de marzo de 2009.

13. Tracy Wilkinson, «Mexico Seeds Inside Job in Prision Break», *Los Angeles Times,* 18 de mayo de 2009.

14. Ken Ellingwood, «Drug Violence Spilling Into Guatemala», *Los Angeles Times,* 7 de junio de 2009.

15. Tracy Wilkinson, «Mexican Cartel Weapons from Central America», *Los Angeles Times,* 15 de marzo de 2009.

16. Dudley Althaus, «Gunfight Near Mexican School Leaves Pupils Traumatized», *Houston Chronicle,* 21 de febrero de 2009.

17. Lynn Brezosky y Dudley Althaus, «Blood Flows in Streets of Reynosa», *Houston Chronicle,* 19 de febrero de 2009.

18. Marc Lacey, «Drug Tie Seen to Protests in Mexico», *New York Times,* 18 de febrero de 2009.

19. Tracy Wilkinson, «Mexican Cartels Buying Public Support», *Los Angeles Times,* 13 de marzo de 2009.

20. Dane Schiller, «TK», *Houston Chronicle,* 1 de abril de 2009.

21. Milo Kearney y Anthony Knopp, *Boom and Bust: The Historical Cycles of Matamoros and Brownsville,* Eakin Press, Austin, 1991, págs. 106-130.

22. Antonia Zavaleta y Alberto Salinas, *Curandero Conversations,* University of Texas at Brownsville/Authorhouse, Bloomington, 2009.

23. Para un tratamiento de las influencias contrapuestas del catolicismo irlandés y el mexicano en Estados Unidos, véase Manuel González, *Mexicanos: A History of Mexicans in the United States,* Indiana University Press, 1999, pág. 241.

24. Véase Katherine Boo, «Letter From South Texas», *New Yorker,* 29 de marzo de 2004.

25. Para un análisis del fútbol americano en los institutos de secundaria y la identidad latina en el valle del Río Grande, véase Joel Huerta, «Red, Brown and Blue: A History and Cultural Poetics of High School Football in Mexican American», lectura de tesis, University of Texas en Austin, 2005.

26. Para un análisis de Los Ángeles como referente estilístico para los narcos mexicanos, véase Sam Quiñones, *True Tales from the Other Mexico,* University of New Mexico Press, Albuquerque, 2001.

27. Tim Rutten, en *Los Angeles Times,* 28 de febrero de 2009, aborda la teoría de Quiñones.

28. Tribunal del Distrito de Estados Unidos / Sur de Texas, Estados Unidos *vs* Hernández, caso H-08-317M, del 24 de abril de 2008.

29. Dane Schiller, «Windsheld Repair Man Admits Gun-Smuggling», *Houston Chronicle,* 21 de noviembre de 2009.

30. Dane Schiller, «Suspected Drug Boss "taunting" Feds», *Houston Chronicle,* 12 de julio de 2009.

31. Dane Schiller, «Mexican Cartels Infiltrate Houston», *Houston Chronicle,* 17 de octubre de 2009.

32. Dane Schiller y Jacquee Petchel, «Drug Cartel Chief Sentenced in Secrecy», *Houston Chronicle*, 24 de febrero de 2010.

33. David Voreacos: «Wachovia to pay $160 Million to End Money Laundering Probe», servicio de noticias Bloomberg.com, 18 de marzo de 2010, y Michael Smith, «Banks Financing Mexico Gangs Admitted in Wells Fargo Deal», Bloomberg.com, 29 de junio de 2010.

Posfacio. Dinero ensangrentado

1. Michael Smith, «Banks Financing Mexico Gangs Admitted in Wells Fargo Deal», *Bloomberg News Wire*, 29 de junio de 2010.

2. Maria Aspan y Glen Somerville, «Fed Orders HSBC to Improve Anti-Fraud Controls», Reuters, teletipo, 7 de octubre de 2010.

Nota sobre la bibliografía

Los libros y artículos periodísticos utilizados como referencia en esta obra aparecen identificados con nota en el punto correspondiente del texto. Pero puede ser útil ofrecer una guía de las fuentes y de más lecturas, ordenadas aproximadamente siguiendo los capítulos de la obra. Algunos ya aparecen mencionados en el texto y en las notas finales, otros, no, pero todos ellos han sido útiles para este trabajo en algún sentido.

Con diferencia, las mejores historias generales de México son *Mexico: Biography of Power,* de Enrique Krauze, edición inglesa de Harper Collins, 1997 [edición original en lengua española, *Siglo de Caudillos. Biografía política de México (1810-1910),* Tusquets Editores, col. Andanzas 207/1, Barcelona, 1994; *Biografía del poder. Caudillos de la Revolución mexicana (1910-1940),* Tusquets Editores, col. Andanzas 207/2, Barcelona, 1997; *La presidencia imperial. Ascenso y caída del sistema político mexicano (1940-1996),* Tusquets Editores, col. Andanzas 207/3, Barcelona, 1997] y *The Oxford History of Mexico,* una selección de ensayos editada por Michael C. Meyer y William H. Beezley (OUP, 2000). La historia de la guerra mexicano-estadounidense no se cuenta mejor en ninguna otra obra que en la épica *War of a Thousand Deserts,* de Brian DeLay, Yale University Press, New Haven, 2008. Una historia de un periodo más reciente muy útil es *Opening Mexico,* de Julia Preston y Samuel Dillon (Farrar, Straus & Giroux, 2004) [trad. esp.: *El despertar de México,* Océano, México, 2009].

Son innumerables los libros sobre la cultura tradicional mexicana y azteca, el mejor de los cuales (en español) es *Los Aztecas,* de Eduardo Matos Moctezuma, publicado por el Consejo Nacional para las Artes del Gobierno mexicano, con la editorial Jaca de Milán, 2000. El texto original definitivo es de Bernardino de Sahagún, su *Historia General de las Cosas de la Nueva España* [primera edición completa en español, ed. Porrúa, México, 1956], disponible en una buena traducción inglesa como *A History of Ancient Mexico,* traducida por Fanny Bandelier (Fisk University Press, Nashville, 1932). Para los que deseen una traducción inglesa de *The Conquest of New Spain,* de Bernal Díaz, la de John Cohen para Penguin Books no tiene todavía rival [versión original en esp.: *Historia verdadera de la conquista de la Nueva España,* Castalia, Madrid, 2000]. La University of California Press de Berkeley publica una reedición del famoso libro de T.T. Waterman *Bandelier's Contribution to the Study of Anciente Mexican Social Organization* (1917). *The Mexican Dream* es una famosa meditación de J.M.G Le Clezio sobre lo que él denomina «El pensamiento interrumpido de las civilizaciones amerindias», traducido al inglés por Teresa Lavender

Fagen (University of Chicago Press, 2009) [trad. esp.: *El sueño mexicano o el pensamiento interrumpido,* FCE, México, 1992]. La guía del Museo Británico sobre los *Aztec and Maya Myths*, de Karl Taube, es una introducción excelente (Trustees of the British Museum, 1993).

Hay muchos libros que abordan de un modo general la frontera entre Estados Unidos y México. La mejor historia de la propia frontera es *Border: The US-Mexico Line,* de Leon C. Metz (Mangan Books/TCU Press, Fort Worth, 1989), quien ha escrito muchos otros libros sobre las guerras y personalidades que conforman la azarosa historia de la frontera. De las muchas antologías de ensayos académicos sobre la frontera, las siguientes me han resultado útiles: *US-Mexican Borderlands: Historical and Contemporary Perspectives,* editado por Óscar J. Martínez (Scholarly Resources Inc., Wilmington, 1996); *The Last Frontier: The Contemporary Configuration of the US-Mexican Border,* editado por Jane Juffer (edición especial del South Atlantic Quarterly, Duke University Press, 2006); *Crossing Borders, Reinforcing Borders: Social Categories, Metaphors and Narrative Identities on the US-Mexican Frontier,* editado por Pablo Vila (University of Texas Press, Austin, 2000); *Identificaciones de región, etnia y nación en la frontera entre México-EU,* de Pablo Vila (Universidad Autónoma de Ciudad Juárez, 2004). También son útiles *Life, Death, and In-Between On the US-Mexican Border,* editado por Martha Oehmke Loustaunau y Mary Sánchez-Bane (Bergin and Garvey, Westport, 1999), que se centra específicamente en cuestiones de salud, y la muy recomendable selección de textos periodísticos, *Puro Border,* editado por Luis Humberto Crossthwaite, John William Byrd y Bobby Byrd (Cinco Puntos Press, 2003). Un buen estudio sobre los mexicanos que viven en Estados Unidos es *Mexicanos,* de Manuel G. González (Indiana University Press, 2000).

Hay tres libros importantes sobre la historia de la implicación de Estados Unidos en el narcotráfico, el más famoso de los cuales es *Dark Alliance* de Gary Webb (Seven Stories Press, Nueva York, 1997). También están el excelente *Desperados,* de Elaine Shannon (Viking Penguin, Nueva York, 1988), y *The Big White Lie,* de Michael Levine y Laura Kavanau-Levine (Thunder's Mouth Press, Nueva York, 1993).

El mejor libro sobre Tijuana es el de Luis Alberto Urrea, *Across the Wire* (Anchor, Nueva York, 1993). Mucho se ha escrito sobre la emigración, y el primer libro sobre el tema fue *Coyotes,* de Ted Conover (Vintage, 1987), al que siguió, y de manera destacada, *The Devil's Highway,* de Luis Alberto Urrea (Little Brown, 2004), sobre la tragedia de 2001 mencionada en el capítulo 2 de este libro, y *Hard Line,* de Ken Ellingwood (Vintage, Nueva York, 2004). También están: *Lives on the Line,* de Miriam Davidson (University of Arizona Press, Tucson, 2000). *No One Is Illegal,* de Justin Akers Chacon y Mike Davis (Haymarket Books, Chicago, 2006) [trad. esp.: *Nadie es ilegal,* Editorial Popular SA, Madrid, 2008], *Cutting for Sign,* de William Langewiesche (Vintage, Nueva York, 1993), y *Midnight on the Line,* de Tim Gaynor (Thomas Dunn Books/ St. Martin's Press, Nueva York, 2009). *Exodus*, de Julián Cardona, con un texto de Charles Bowden, presenta una serie de fotografías conmovedoramente evocadoras (University of Texas Press, Austin, 2008).

Bowden es «el» escritor de la frontera, cuya obra se centra sobre todo en Ciudad Juárez. *Juárez: The Laboratory of Our Future* (Aperture, Nueva York, 1988) es seguramente el libro más pavorosamente lúcido jamás escrito sobre la ciudad y lo que significa. Bowden también nos ha dado, además, muchas grandes obras de semificción, entre ellas *Down the River* (Simon & Schuster, 2002) y *Murder City* (Nation Books, 2010) [trad. esp.: *La ciudad del crimen: Ciudad Juárez y los nuevos campos de exterminio de la economía global,* Debate, Barcelona, 2011]; la única obra aparte de la mencionada sobre la fase actual de la guerra de las drogas, así como excelente estudio académico, es *Drug War Zone,* de Howard Campbell (University of Texas Press, 2009). El colega de Campbell en la UTEP, Tony Payan, ha escrito *The Three US-Mexico Border Wars* (Praeger Security, Westport, 2006).

El primer libro sobre un jefe de un cártel, y la única ocasión en que uno de ellos fue entrevistado para tal fin, es *Drug Lord,* de Terrence Popper (Demand Publications, 1998). Dos grandes memorias y una gran «novela» siguieron al libro de referencia de Popper. *Contrabando* es la autobiografía de un contrabandista, Don Henry Ford (Cinco Puntos Press, 2005) y *The Reaper's Line* la del agente especial de aduanas Lee Morgan, que intentaba detener a gente como Ford (Río Nuevo, Tucson, 2006); ambos aparecen en este libro y estoy convencido de que los dos se llevarían bien. *Power of the Dog,* de Don Winslow (Heinemann, Londres, 2005) es ficción, pero cuanto relata sucedió en la realidad [trad. esp.: *El poder del perro,* Random House Mondadori, Barcelona, 2009]. Otras preciosas memorias del Río Grande, navegado en kayak, son *The Tecate Journals,* de Keith Bowden (Mountaineers Press, Seattle, 2007).

Los libros sobre la tribu de nativos americanos de los Tohono O'odham son más infrecuentes que las historias generales escritas sobre otras tribus. El mejor es el de Winston P. Erikson, *Sharing the Desert: The Tohono O'odham in History* (University of Arizona Press, Tucson, 1994), mientras que *Rainhouse and Ocean,* de Ruth Underhill *et al* (Museum of Northern Arizona Press, 1979), ofrece una explicación poética de los rituales y las palabras de los O'odham. *The Pima Indians,* de Frank Russell, ha sido reeditado recientemente en bolsillo (Mabu Press, 2006). Hay incontables libros sobre el desierto y la vida natural de Arizona –demasiados para recogerlos en una lista aquí–, pero ninguno es tan informativo como *Dry Borders,* editado por Richard Stephen Felger y Bill Broyles (University of Utah Press, Salt Lake City, 2007). Como reflexión literaria destaca *Desert Solitaire,* de Edward Abbey, y también debe citarse *Desierto,* de Charles Bowden.

Elijah Wald escribió sobre el *Narcocorrido* (Harper Collins, Nueva York, 2001) y el mejor libro sobre las maquiladoras es *Fragmented Lives, Assembled Parts,* de Alejandro Lugo (University of Texas Press, 2008), centrado en Ciudad Juárez. También se han de mencionar: *Women and Work in Mexico's Maquiladoras,* de Altha J. Cravey (Rowman and Littlefield, 1998) y *NAFTA From Below,* editado por Martha Ojeda y Rosemary Hennessy. Ciudad Juárez en sí ha sido objeto de mucha atención, y el mejor estudio sociológico sobre ella es *La realidad social de Ciudad Juárez,* coordinado por Clara Jusidman (Universidad Autónoma de Ciudad Juárez, 2007) y un volumen y un DVD estadísticos que lo complementan, ambos compilados por Hugo Almada Mireles. Sobre la matanza de mujeres en Juárez, pueden leerse *The Killing Fields,* de Diana Washington Valdez (Peace at the Border, 2006) y *Desert Blood: The Juarez Mur-*

ders, de Alicia Gaspar de Alba (Arte Publico Press, 2005). Otras obras recomendables son: *Daughters of Juárez,* de Teresa Rodríguez, Diana Montané y Lisa Pulitzer, e *If I Die in Juárez,* de Stella Pope Duarte (University of Arizona Press, Tucson, 2008).

No hay muchas historias del valle del Río Grande como tal, pero *Boom and Bust: The Historical Cycles of Matamoros and Brownsville,* de Milo Kearney y Anthony Kopp (Eakin Press, 1991), sirve como referencia. Un excelente estudio académico, publicado sólo en español, es *Estructura urbana en ciudades fronterizas,* de Eduardo Alarcón Cantu (Tijuana Colegio de la Frontera del Norte, 2000). Un minucioso libro sobre el patrullaje de la frontera del valle es *Patrolling Chaos,* de Robert Lee Maril (Texas Tech University Press, 2004). *Brownsville,* de Óscar Casares (Back Bay/Little Brown, 2003) es un libro de ficción, pero lo dice todo sobre la realidad. Sobre Laredo destacan tres libros: *Nuevo Laredo: A Prelude to War,* de Dan Robinson (Shotmakers Inc, 1998), *Laredo Stories,* de Tony Raunch (Eraserhead Press, Oregon, 2008) y *My Border Patrol Diary,* de Dale Squint (autoeditado, 2007). Sobre los Zetas hay dos libros en español: *Crónicas de sangre: cinco historias de los Zetas,* de Ricardo Ravelo (Random House Mondadori, México, 2007), y *De las maras a los Zetas,* de Jorge Fernández Menéndez y Víctor Ronquillo (Random House Mondadori, México, 2007).

Mucho se ha escrito sobre el «catolicismo popular» mexicano desde el punto de vista en que se aborda en el capítulo 9, pero pocos libros en inglés mejoran el de D.A. Brading, *Mexican Phoenix: Our Lady of Guadalupe: Image and Tradition across Five Centuries* (Cambridge University Press, 2003). El fascinante *Curandero Conversations,* de Antoni Zavaleta y Alberto Salinas Jr. se trata en el capítulo 9.

Índice onomástico

CRÉDITOS

El autor y los editores quieren reconocer y agradecer a los artistas y fotógrafos mencionados seguidamente su amable contribución a *Améxica.* Se ha hecho cuanto ha sido posible para encontrar y contactar con los detentadores de los copyrights primarios relevantes en cada caso. Los editores rectificarían cualquier omisión o error en futuras ediciones.

Canciones: *When Sinatra Played Juárez:* letra y música de Tom Russell © 2001 Frontera Music (ASCAP) / Administrado por Bug Music. Todos los derechos reservados; reproducido con permiso. *Where The Dream Begins:* letra y música de Tom Russell © 2001 Frontera Music (ASCAP) / Administrado por Bug Music. Todos los derechos reservados; reproducido con permiso. *The Road It Gives, The Road It Takes Away:* letra y música de Tom Russell and Andrew Hardin © 2001 Frontera Music (ASCAP) and Alligator Farm Music (BMI) / Administrado por by Bug Music. Todos los derechos reservados; reproducido con permiso.

Ilustraciones: 1. Améxica: el cadáver de un hombre asesinado cuelga, decapitado y esposado, del Puente Rotario en Ciudad Juárez © Alex Tellez / *Periodico PM.* 2. Joaquín Guzmán Loera: fotografía extraída de una nota de prensa de la policía mexicana. 3. Osiel Cárdenas Guillén © Getty images. 4. El camino del diablo © David Rochkind. 5. Frankenstein urbano: unos niños rebuscan entre los restos de una masacre © 2010 by Julián Cardona. Reproducido con permiso de Anderson Literary Management, LLC. Todos los derechos reservados. 6. Aquí empieza la patria © Shaul Schwarz / Getty images. 7. Frankenstein urbano: un cadáver encadenado a una valla © Alejandro Bringas / Reuters. 8. La chatarrería humana © 2010 by Julián Cardona. Reproducido con permiso de Anderson Literary Management, LLC. Todos los derechos reservados. 9. El viento de navajas © Guillermo Arias/AP. 10. *The road it gives, and the road it takes away* © Robert Yager. 11. Comer del suelo © Antonio Olmos Zazueta. 12. El Portal a las Américas: un grupo de emigrantes se prepara para subir y viajar en un tren © Photo by Gary Coronado/Palm Beach Post/ZUMA Press. 13. Améxica © Robert King/Polaris / eyevine. 14. El Portal a las Américas: la cola que se forma a diario para cruzar la frontera a pie © *New York Times*/Redux/eyevine. 15. El río de hierro © Getty images. 16. Santísima Muerte © Redux / eyevine. 17. La Virgen de Guadalupe: tatuaje © Josh Lord, East Side Ink, Nueva York; photo © Arnel Hecimovic.

Mapa: Améxica: La región fronteriza mexicano-estadounidense © Finbarr Sheehy